中国近现代中医药期刊续编

第三辑

中国医学月刊

王咪咪　侯酉娟◎主编

2022年度北京市优秀古籍整理出版扶持项目

北京科学技术出版社

图书在版编目（CIP）数据

中国医学月刊 / 王咪咪，侯西娟主编. — 北京：北京科学技术出版社，2023.11

（中国近现代中医药期刊续编. 第三辑）

ISBN 978-7-5714-3355-0

Ⅰ. ①中… Ⅱ. ①王… ②侯… Ⅲ. ①中国医药学—医学期刊—汇编—中国—近现代 Ⅳ. ①R2-55

中国国家版本馆CIP数据核字(2023)第207610号

策划编辑：侍　伟　吴　丹
责任编辑：吴　丹　杨朝晖　刘　雪
文字编辑：王明超　刘雪怡　李小丽　毕经正
责任校对：贾　荣
图文制作：北京艺海正印广告有限公司
责任印制：李　茗
出 版 人：曾庆宇
出版发行：北京科学技术出版社
社　　址：北京西直门南大街16号
邮政编码：100035
电　　话：0086-10-66135495（总编室）　0086-10-66113227（发行部）
网　　址：www.bkydw.cn
印　　刷：北京捷迅佳彩印刷有限公司
开　　本：787 mm × 1092 mm　1/16
字　　数：734千字
印　　张：40
版　　次：2023年11月第1版
印　　次：2023年11月第1次印刷
ISBN 978 – 7 – 5714 – 3355 – 0
定　　价：**890.00元**

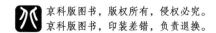

《中国近现代中医药期刊续编·第三辑》编委会名单

序

2012年，上海段逸山先生的《中国近代中医药期刊汇编》（下文简称“《汇编》”）出版，在中医界引起了广泛关注。这部汇集了众多中医药期刊的著作为研究近代中医药发展提供了宝贵的学术资料。在《汇编》的影响下，时隔7年，中国中医科学院中国医史文献研究所的王咪咪研究员决定仿照《汇编》的编纂模式，尽可能地将《汇编》中未收载的中华人民共和国成立前的中医药期刊进行搜集、整理，并将其命名为《中国近现代中医药期刊续编》（下文简称“《续编》”）。

尽管《续编》所收载期刊的数量与《汇编》的相当，但其总页数仅为《汇编》的1/4，约25 000页。《续编》中绝大部分内容为中医期刊及一些纪念刊、专题刊、会议刊。除此之外，还收录了1915—1949年《中华医学杂志》（合计35卷，近300期）中与中医发展、学术讨论等相关的200余篇学术文章，其中包括6期《医史专刊》的全部内容。值得注意的是，《续编》还收录了1951—1955年、1957年、1958年出版的《医史杂志》。尽管这与整理中华人民共和国成立前期刊的初衷不符，但是段逸山先生已将1947年、1948年（1949年、1950年《医史杂志》停刊）的《医史杂志》收入了《汇编》。王咪咪等编者认为，将这7年的《医史杂志》全部收入《续编》，将使《医史杂志》初期各种学术成果得到更好的保存和利用。我认为这将是对段逸山先生《汇编》的一次富有学术价值的补充与完善，对中医近现代的学术研究，以及对中医的整理、继承、发展都是有益的。医学史的研究范围不只是中国医学史，还包括世界医学史，医学各个方面的发展史、疾病史，以及从史学角度探讨医学与其关系等。《续编》中收载的文章虽有些出自西医学家之手，但提出来的问题对中医发展具有极大的推进作用。例如，陈邦贤先生在《中国医学史》的自序中指出："世界医学昌明之国，莫不有医学史、疾病史、医学经验史……岂区区传记遽足以存掌故资考证乎哉！"陈先生将他所研究内容分为三大类："一关于医家地位之历史，一为医学的知识之历史，一为疾病之历史。"医学史的研究具有连续性。例如，在中华人民共和国成立初期，《医史杂志》登载了一系列具有开创性和历史性的文章，无论是陈邦贤先生对医学史料的连续性收集，还是李涛先生对医学史的断代研究，都对医学史的研究做出了重要贡献。范行准先生的《中国预防医学思想史》《中国古代军事医学史的初步研究》《中华医学史》等，具有极高的学术价值，自出版以来未曾被超越。这些文献多距今已近百年，能保存下来的十分稀少。今天能把这样一部分珍贵文献用影印的方式保存下来，是对这一研究领域最大的贡献。此外，将1951—1958年期间的《医史杂志》也纳入收载范围，完整保留医学史学科在20世纪50年代的研究成果，这很好地保持了学术研究的连续性，故而我对主编的这一做法表示支持。

《续编》借鉴了段逸山先生《汇编》的编纂思路，旨在更为全面地保存和整理中华人民共和国成立前的中医及相关期刊。愿中医人利用这丰富的历史资料更深入地研究中医近现代的学术发展、临床进步、中西医汇通实践、中医教育改革等，以更好地继承、挖掘中医药这一伟大宝库。

李经纬 九十老人

2019年11月于中国中医科学院

前　言

《汇编》主编段逸山先生曾总结道，中医相关期刊文献凭借时效性强、涉及内容广泛、对热门话题反应快且真实的特点，如实地记录了中医发展的每一步，展现了中医人为中医生存而进行的每一次艰难抗争，是记录中医近现代发展的真实资料，更是我们今天进行历史总结的最好参考资料。因此，中医药期刊不但具有很高的文献价值，还对当今中医药发展具有很强的借鉴意义。

本次出版的《续编》具40余册之规模，主要收载了段逸山先生《汇编》中未收载的中华人民共和国成立前50年间的中医相关期刊，以期为广大读者进一步研究和利用中医药近现代期刊提供更多宝贵资料。

《续编》所收载期刊的时间跨度主要集中在1900—1949年。之所以不以1911年作为界限，是因为《绍兴医药学报》《中西医学报》等一批在社会上具有深远影响力的中医药期刊是在1900年之后才陆续问世的。这些期刊开始关注并讨论中医的改革、发展等相关话题，是承载那段岁月的重要历史载体。

在历史的长河中，50年或许很短暂，但在20世纪上半叶的50年却是中医曲折发展并产生深远影响的50年。随着西医东渐，中医在中国社会上逐渐失去了主流医学的地位，学术传承面临危机，以至于连中医是否能名正言顺地保存下来都变得不可预料。因此，能够反映这50年中医发展状况的期刊便成为重要的历史载体。据不完全统计，这批文献有1 500万～2 000万字，包括3万多篇涉及中医不同内容的学术文章。虽然这50年间所发生的事件都已成为历史，但当时中医人所提出的问题、争论的焦点、未完成研究的课题一直在延续，促使今天的中医人要不断地回溯过去，思考答案。

中医究竟是否科学？如何改革才能使中医适应社会需要并有益于其发展？120年前，这些问题就已经在社会上引发广泛讨论。在现存的近现代中医药期刊中，有关这类主题的文章不下3 000篇。

关于中医基础理论的学术争论仍在继续：阴阳五行、五运六气、气化的理论要怎样传承？怎样体现中国古代的哲学精神？在这50年间涌现出不少相关文章，其中有些还是大师之作，对延续至今的这场争论具有重要的参考价值。

像章太炎这样知名的近代民主革命家，曾对中医的发展有过重要论述，并发表了近百篇的学术文章。他是怎样看待中医的？他的观点可以在这些期刊中找到答案。

最初的中西医汇通、结合、引用对今天的中西医结合有什么现实意义？中医如何在科学技术高度发达的现代社会中建立起完备的预防、诊断、治疗系统？这些文章可以给我们以启示。

为适应社会发展，中医院校应该采取何种办学模式？中医教材应该具备哪些特点？在收集期刊的过程中，我们发现仅百余种期刊中就有50余位中医前辈所发表的20余类80余种中医教材。以中医经典的教材为例，有秦伯未、时逸人、余无言等大家在不同时期从不同角度撰写的《黄帝内经》《伤寒论》《金匮要略》等教材20余种，它们在学术性、实用性上堪称典范。然而，由于当时的条件所限，这些教材只能在期刊上登载，无法正式出版，因此很难保存下来。看到秦伯未先生所著《内经生理学》《内经病理学》《内经解剖学》《内经诊断学》中深入浅出、引人入胜的精彩章节时，联想到现在许多中医学生在读了5年大学后，仍不能深知《黄帝内经》所言为何，一种使命感便油然而生。我们真心希望尽可能地将这批文献保存下来，为当今的中医教育、中医发展尽一份力。

中华人民共和国成立前这50年也是针灸发展的一个重要阶段，在理论和实践上都有很多优秀论文值得被保存下来。除承淡安主办的《针灸杂志》专刊外，其他期刊上也有许多针灸方面的内容是研究这一时期针灸发展状况的重要文献。

在中医的在研课题中，有些学者在做日本汉方医学与中医学的交流及相互影响的研究，而这一时期的期刊中保存了不少当时中医对日本汉方医学的研究成果。但如今这些最原始、最有影响的重要信息载体却面临散失的危险，保护好这些文献可以为相关研究提供强有力的学术支撑。

在这50年中，以期刊为载体，一门新的学科——中国医学史诞生了。中国医学史首次作为独立学科出现在世人面前，为研究中医、整理中医、总结中医、发展中医，把中医推向世界，再把世界的医学展现于中医人面前，做出了重大贡献。创建中国医学史学科的是一批中医专家和一批虽出身于西医却热爱中医的专家，他们潜心研究中医医史，并将其成果传播出去，对中医发展起到了举足轻重的作用。《古代中西医药之关系》《中国医学史》《中华医学史》《中国预防医学思想史》《传染病之源流》等学术成果均首载于期刊中，作为对中医学术和临床的提炼与总结，这种研究将中医推向了世界，也为中医的发展坚定了信心。这些医学史文章大都较长，因此在期刊上发表时大多采用连载的形式进行刊登。此外，这类文章也需要旁引很多资料。为了帮助读者更全面、连贯地了解医学史初期的演变过程，以及该学科对中医发展的重要作用，我们决定将《医史杂志》的收集范围定为1958年之前刊行的内容。《医史杂志》创刊于1947年，在此之前一些研究医学史的专家利用西医刊物《中华医学杂志》发表文章，从1936年起《中华医学杂志》不定期出版《医史专刊》。（《中华医学杂志》是西医刊物，我们已把相关的医学史文章及1936年后的《医史专刊》收录于《续编》之中。）这些医学史文章的学术性很强，但其中大部分只保存在期刊上，一旦期刊散失，这些宝贵的资料也将不复存在，如果我们不抢救性地加以保护，可能将永远看不到它们了。

此外，值得一提的是，近现代期刊中的这些文献不只是资料，更是前辈们智慧的结晶，我们应该尽最大的努力把这批文献保存下来。这50年的中医期刊、纪念刊、专题刊、会议刊等，都为我们提供了一段回忆、一个见证、一种警示、一份宝贵的经验。这批1 500万～2 000万字的珍贵中医文献已到了需要保护、研究和继承的关键时刻，它们大多距今已有百年，那时的纸张又是初期的化学纸，脆弱易老化，在百年的颠沛流离中能保留至今已属万分不易，若不做抢救性保护，就会散落于历史的尘埃中。

段逸山先生、王有朋先生等一批学术先行者们以高度的专业责任感，克服困难领衔影印出版了《汇编》，以最完整的方式保留了这批期刊的原貌，最大限度地保存了这段历史。《汇编》收载的48种期刊的遴选标准为中华人民共和国成立前保留时间较长、发表时间较早、内容较完备，其体量是中华人民共和国成立前中医药期刊的2/3以上，但仍留有近1/3的期刊未被收载出版。正如前面所述，每多保留一篇文献就是在多保留一点历史痕迹，故对《汇编》未收载的近现代中医药期刊进行整理出版有着重要意义。

北京科学技术出版社有限公司秉持传承、发展中医的责任感与使命感，积极组织协调《续编》的出版事宜。同时，在该出版社的大力支持下，《续编》入选北京市优秀古籍整理出版扶持项目，为其出版提供了可靠的经费保障。这些都让我们十分感动。希望在大家的共同努力下，我们能尽最大可能保存好这批珍贵期刊文献。

近现代中医可以说是对旧中医的告别，也是更适应社会发展的新中医的开始，从形式上到实践上都发生了巨大的改变。这50年中医的起起伏伏、学术的争鸣、教育的改革、理论与临床的悄然变革，都值得现在的中医人反思回顾，而这50年的文献也因此变得更具现实研究意义。

《续编》即将付梓之际，我代表全体编委向曾给予本书出版大量帮助和指导的李经纬、余瀛鳌、郑金生等研究员表示最诚挚的感谢。

王咪咪

2023年2月

内容提要

本书是《中国近现代中医药期刊续编》第一辑、第二辑的延续之作，又为收官之作，收录了包括《医学扶轮报》在内的文献 11 种。

本书所收录的期刊除来自江浙一带外，尚有广东、山东、四川等地方性中医期刊。受环境和经费等因素的限制，地方性期刊通常存续时间较短、存留期数有限，能够保存至今实属不易。本次将有较高学术价值、历史意义且保存比较完整的地方性中医药学术期刊整理、影印出版，不仅有助于完善近代中医药发展脉络，而且可以间接反映出一些地区近代中医药发展情况，让更多人看到近代地方中医工作者为了传承和发扬中医所做出的努力与贡献。

《医学扶轮报》

中西医汇通报刊，1910 年创刊，月刊，发起人为吴鹤龄，扬州南河下中西医学研究会发行，现存 1 ~ 6 期（1910 年）。

此刊在第 1 期的发刊词中详细介绍了办刊宗旨："世界医学开化以吾中国为最先，秦汉以后虽见退化，然犹代有贤豪，如孙思邈之褒集古方，许叔微之传记方案，张子和之发明三法，李东垣之发明脾胃……倘能举中国古今来固有之医学与今日东西洋之学说，合一炉而熔冶之，取其精华，弃其糟粕，实事求是，锐志图存，安见吾中国医学不能驾东西洋而上哉！"这是出版此刊的初衷，也是目标。

此刊内容既有中医学术，也有西医学知识。当时西医东渐对中医学的发展具有重大影响，此刊第 1 期第 1 篇文章即陈邦贤先生的《中西医学分科相同论》，第 2 期则有袁焯的《论今日医学界急宜扩张其势力以图自存》，可见此刊编者对中医结合西学非常重视。此刊所载文章学术水平较高，其中《心理疗病法》《切脉为传声之学说》《脑与心互为功用说》《痘科明辨》《察舌辨证法》等文章有很高的临床价值。另外，此刊还引录了许多优秀医案，如《扁仓医案合解》《勉吾轩医案》《春泽堂医案》《春在寄庐医案》《杏雨草堂医案》等。

《现代国医》

中医学术期刊，1931 年创刊，月刊，谢利恒主编，上海市国医公会发行，现存第 1 卷 1 ~ 6 期、第 2 卷 2 ~ 7 期（1931—1932 年）。

此刊编委会成员均为中国近代名中医，包括丁仲英、蒋文芳、陆士谔、吴克潜、张赞臣、陈存仁、秦伯未等。此刊设有医事杂评、言论、专著、学说、医案、方剂、纪载、案牍等栏目。在第 1 卷第 1 期的医事杂评中，谢利恒先生写道：“吾今不辨国医之是否不合科学，独问国医之是否不适于现代社会？从国内观之，西医之不能战胜国医，固成绩昭著。即从国外观，德美之赞美中药，日本之复兴汉医……不在国医学术之本身上，而在国医之缺乏时代精神耳。”从这段杂评可以看出将此刊定名为《现代国医》的初衷。

此刊内容丰富，涉及中西汇通、中医办学相关内容。此刊第 1 卷第 1 期就刊登有商复汉的《中西医治疗之比较》、聂崇宽的《中西医之科学观》、严苍山的《中西医之门户见》、胡树百的《中西医之脏燥病比观》等多方面阐明对中西医学汇通看法的文章。首刊刊登了秦伯未的《医校之教材问题》一文，此文提出了当时中医发展迫切需要解决的关键问题。此刊第 2 卷第 2 期特别设立了“中国医学院专号”，专门刊登医学院教师职工的中医研究论文及中医学生的研究成果，以增加中医院校在社会上的影响力。此刊还刊登了有关中医发展问题的文章，如日本富士川游的《日本医学之变迁与中国医学及西洋医学》、郑守谦的《各国趋重中医学说》、李怀仁的《中国医药研究之法门》、姜子房的《中医与中药同时改进说》、陆士谔的《论国医》、俞大同的《中央国医馆与振兴中医药具体方案》等，对中医的发展和改革提出了多种可期的设想。

此刊收录了诸多学术水平较高的名家论述，如朱懋泽的《伤寒温病之我见》和《气病概论》、胡安邦的《伤寒以六方提纲论》和《书阴阳应象大论后》、王辉中的《外感成温与伏气成温的研究》等。此刊亦登载了一些知名医家的医案，如《一瓢砚斋医案》《碧荫书屋新医案》《潜庐医案》《澄斋医案》《尤在泾晚年医案》等。

此外，需要说明的是，在第 2 卷第 2 期封面上清晰地标注着“第二卷第二期”字样，但其目录页却标为“第二卷第八期”，此期又为“中国医学院专号”，其目录与正文内容完全相符，故目录中的“第八期”为误。这种文字错误在第 2 卷第 7 期也出现了。第 2 卷各期出刊时间均为民国二十一年（1932 年），第 2 卷第 7 期却注为“民国二十年（1931 年）”。此刊各期也并非完全按月出刊，如第 2 卷第 3 期出刊时间为 1932 年 1 月，但第 2 卷第 4 期的出刊时间是 1932 年 8 月。故读者应以各期实际内容为准，注意时间标注即可。

《中国医学月刊》

中医学术期刊，1928 年创刊，不定期，现存 1 ～ 11 期（1928—1931 年）。

此刊有一篇很有特色的发刊词，提出中医应勇于革新，向西医学习，指出中医不能“只知抱残守缺，凭借特效之方药以自足，绝不思极深研几，以求学理至当……急起整理，力谋发新，焉可墨守旧说，划地自限，不事创作……抑集思广益以求迈越于西医乎！由前之说，则必尽弃其学，醉心欧化，如戴季陶先生所言，近时青年对于五十年前读物便不肯寓目，是直丧心病狂，自暴自弃，既显示我国无一学术可以独立，尚能免除劣等民族之恶谥乎，此则一国人民之奇耻大辱，非仅医学本身问题而已也……为谋人类健康问题、生命问题，关系至重，本极艰难困苦，而在个人，则有学术之兴趣，引人入胜，不能自已者也。现在受环境压迫，既不能望有力者之提倡，惟凭借社会之信仰，勉自支撑，若再不从学术根本上谋其发展，吾恐数千年圣哲相传无尽藏之义蕴，皆将自吾而斩。医学亦随此潮流而汩没不复矣。故就医论医，吾人应急起直追，以冷静态度，做忍耐工夫，出之以敏锐之视察力，绵密之思考力，精微之判断力，以引动其日新月异自得之兴趣，为中国医学放一异彩，开一新纪元”。

20 世纪 20 年代末正是中医发展最艰苦之时，此发刊词不仅体现了办刊宗旨，更反映出当时的中医人对中医改革的强烈愿望。当时的中医人坚信“吾国固有宝藏，得以由整理而尽泄，俾出陈而发新”，并且对中医的改革发展有着明确的目标和长期奋斗的思想准备。此发刊词鼓舞着新一代中医人不断前进。

此刊发刊地为上海，现存的部分没有关于主编、编委会组成的介绍，但从所载文章可知此刊主编应为民国著名医家陆渊雷。此刊 1 ～ 7 期连载了陆渊雷先生的《改造中医之商榷》一文（其中第 6 期无刊载），这篇数万字的文章中讲到了改造中医之动机、医药的起源是单方、《内经》学说之由来、病理学说与治疗方法之不相应、中西学派之不同、中国的科学趋势、唐宋以后的医学、伤寒之外没有温热、中医方药对于证有特效对于病无特效、中医不能识病却能治病、中医有吸收科学之必要、科学头脑与中国学术的柄凿、细菌原虫非绝对的病源等，这些内容对中西汇通初期一些存在争议的问题明确地提出了自己的观点，吸引着当时的中医人投身到中医继承、改革的队伍中来。陆渊雷先生的这篇文章不仅是几十年前有关中医改革问题的宝贵历史资料，而且对今天的中医发展具有借鉴意义。

此外，此刊还刊有研究医经及临床疾病的70余篇学术论文，这些论文充分体现了此刊的学术价值。

《卫生杂志》

中医学术期刊，1932年创刊，月刊，张子英主编，中医书局发行，现存第1～2卷1、2、5、6、8及13～20、22～24期，第3卷5～6期，以及第4卷1～5期（1932—1935年）。

此刊在“编辑大意”中描述了创刊目的：“我国卫生问题太不讲究，死亡率来得很高……使人人都知道卫生问题的紧要，同时发扬我国医药的精华……非但不反对西药，不攻讦西医，又共同联络研究。”刊中有多幅名人题词，如谢利恒先生的“吾道干城”、蒋文芳先生的“养生宝筏”及钱今阳先生的“康强之道”等。

此刊不仅载有常见病防治方面的文章，如《冬日滋补问题》《皮肤病与血液之关系》等，还收录了《痢疾商榷》《肺结核之超早期诊断》《疟疾经验谈》《喉痧与白喉之别》等涉及传染病防治内容的文章。同时，此刊还设立有特别专刊，对日常多见疾病的相关知识加以普及。例如，“性病专号”收录了有关性病、白带、男女之阴阳痿病等的文章；“服装专号”收录了有关服装与疾病关系等的文章。

另外，此刊也收录了有关学术讨论、医案验方等的论文，如《内科病理治疗大要》《六气致病之原理》《骨蒸的病原和证状》《国医三焦通义》等；同时还收录了一些具有前瞻性的文章，如《中西医学术之趋向解》《中西医药优劣平议》《中医学理是否合乎科学平议》《国医以维护同道改进学术为先务》《关于医药之空间性的讨论》等。

《大众医学月刊》

中医学科普期刊，1932年创刊，月刊，杨志一主编，大众医刊社发行，现存第1卷1～12期（1932年）。

此刊可谓是中西医汇通临床应用的百科全书。其内容十分广泛，包括卫生常识、胃病指南、吐血概论、四季时症、精神病学、肺病讲义、脑病研究、大众医药顾问、小药囊等。此刊所载文章的作者有杨志一、时逸人、张山雷、宋大仁、尤学周、蔡济平等，他们都是当时的名医大家。

在此刊第3期中宋大仁写道："伤风……最初为呼吸郁闷，其次为鼻炎，鼻流清涕，发热咳嗽。其在消化器之病，为口中无味，食欲不振，或则腹痛，或下痢，或则为春温诸病，久咳则延成肺痨……通用金沸草散、川芎茶调散加减。有虚体受风，屡感屡发，形气病气俱虚者，又宜顾正解肌，亦不可专泥发散。正气益虚，腠理益疏，病反增矣。李士材曰：风邪伤人，必从俞入，俞皆在背，故背常固密，风弗能干。已受风者，常曝其背，使之透热，则默散潜消矣。"第4期中则有一篇探讨食补、药补的文章，该文章提到："食补之原素，一为炭水化物，二为蛋白质，三为脂肪质，四为无机物质，五为维他命，凡此种种，多混合于谷畜果蔬之中。药补之功能，一为温补，能使神经活泼，局部血行畅利，加增脏腑阳气，二为凉补……食补为日常所需要，药补为一时所需要。"此刊还设有"小药囊"栏目，以西医学科对所列各药进行分类，并以中医知识对其进行解说。

由以上内容可以看出，当时中医学者对西医理论的接受程度很高，且西医理论已得到一定的普及。因此，此刊在当时具备了较高的科学性与实用性，同时具有时代价值，值得后世研究。

《幸福杂志》《丹方杂志》

《幸福杂志》：中医验方验案期刊，1933年创刊，月刊，朱振声主编，上海幸福书局发行，现存1～8、11～12期（1933—1934年）。

《丹方杂志》：中医验方期刊，1935年创刊，月刊，朱振声主编，上海幸福书局发行，现存1～12期（1935—1936年）。

《幸福杂志》每期列有10～12个专题，其重要内容会在多期中连载，如"胃病研究""吐血概论"等。此刊还载有"长篇专著"，向读者介绍优秀的中医著作，最大程度地向读者普及医学知识，介绍各类疾病的治疗方法。

《幸福杂志》内容全面、浅显易懂。此刊重视养生，所载文章观点独特。如有文章提出要养成良好的卫生习惯，不要吸烟；吃饭要细嚼慢咽，不使脾胃受损；要注意食品卫生、居室卫生、个人卫生等。此刊收载了有关各类人群精确细致的养生方法的文章。

如有文章认为健忘大多由精神衰弱引起，健忘者在生活中要保护与保养脑力，不要过多刺激，勿用脑过度；小儿要注意睡眠卫生；女性要注意月经卫生、孕期卫生、产褥卫生、女子阴部卫生等；要从环境、心理、饮食等多方面对病人进行调理。

此刊的撰稿人多为当时的临床名家，他们所撰有关各种常见病的文章都具有较强的实用性，可称得上是当时的常见疾病手册。例如，尤学周的《脾胃虚弱之简治法》《胃气痛》《胃酸过多》，丁仲英的《胃病与失眠》《胃口不开》，陈存仁的《吐血治疗大要》，严苍山的《便血之研究》，张锡纯的《因凉而得之吐血治法》等。由于这些文章为读者提供了许多疾病的防治知识，因此，此刊成为 20 世纪 30 年代具有较大社会影响力的刊物。

1935—1936 年，为扩大影响力，《幸福杂志》更名为《丹方杂志》，专门收载有关民间丹药验方之应用研究的文章。尤学周在《丹方杂志》的序中写道："今有《丹方杂志》之刊行，探秘搜奇，深入民间，将灵方妙药尽量披露，介绍于人群，不特为病者谋幸福，而国医药前途亦发见不少光明，实堪钦佩。"张赞臣则在序中表示："今朱君有鉴于此，搜集古来丹方，以为骨干，下及近世丹方，旁及乡村丹方，秘及私家丹方，而为之五官百骸，编为杂志，非其体，达其用，以为苍生。"另外，此刊主编在自序中写道："而于无意中发见不少治病之法，今之所谓丹方者，即道家所赠遗之品也。道家推千其教义，深入民间，同时为人治病，以眩其术，以坚人信仰，丹方亦传入民间，书中偶有记载，皆由道听途说，偶然录下者。关于单方之专书，则少有所见，鄙人于丹方之应用，往往发见不可思议之效力，对于丹方之信力甚坚，故有本刊之发行。"此刊 12 期共登载了约千首治疗临床各科疾病的方剂，其价值有待后人进一步挖掘。

《中国医药杂志》

中医学术期刊，1934 年创刊，月刊，赵恕风主编，中国医药研究社发行，现存第 2 卷 1 ~ 12 期（1935 年）。

此刊为地方性中医药期刊，内容广泛。此刊设有学说、临床各科、医案、验方、来函等栏目，并且非常重视学术讨论，如刊登了唐映书的《瘟疫与温病不同说》、姚肃吾的《春令流行性时疫的病因和治法》、单生文的《中医学理之科学观》、梁惠群的《湿温病与伤寒少阳病异同之点》、林志生的《论气血与风》等。

此刊实用性较强，较为重视验方和医案。除刊登了《隔食症验方》《治疗淋病的效方》《经过实验的喉病奇方》等验方类文章外，还刊登了《治验笔记》《诊伤寒笔记》《论瘟疫之症治》《咳嗽论治》等医案类文章，并引录《植林医庐笔记》《也是斋随笔》及邢锡波的《怀葛斋医案》等。另外，此刊也连载了一些有实用价值的书籍，如《张五云痘疹书》。

综上所述，此刊在一定程度上起到了传播和推广地方中医药的作用。

《医药改进月刊》

中医学术期刊，1941 年创刊，月刊，本刊编审委员会主编，现存第 1 卷 1 ~ 12 期（1941—1942 年）。

此刊发行于四川成都，为地方性中医药期刊。此刊第 1 期的发刊词阐明了创刊宗旨："本社有鉴于此，乃联合同志创办社刊，特辟学术论文、学术研究、整理珍闻等各栏，意在以科学之方法，发皇古医之奥义，且整齐同一步调，一致向前，务使古圣之遗意无余，中西之各美兼备，而我国医之伟迹长留于万世，始可稍尽本社同人之素志。"为体现创刊宗旨，此刊第 1 卷第 1 期便刊载了具有针对性的论文，如《我们对于国医科学化的意见》《为什么要改进中医》。第 2 期《中医管理权》一文指出："我们主张西医应该研究中医学术，中医也应该研究西医医理，两者融会贯通，自不难产生新的医术，为世界医学放一异彩。"此刊连续数期刊登的评论文章《对于建设中国本位医学的意见》对当时中医的改革与发展具有较大影响。

此刊比较注重经方的学习与应用，除刊登一般性中医学术研究文章外，每期都刊登有关于经方的文章，如《桂枝十九方合论》《甘草干姜汤》《芍药甘草汤》《三承气汤麻仁丸》《大青龙汤》《四逆十一方合论》《理中九方合论》《泻心十一方论》等，非常值得经方研习者及临床医生研究学习。

从以上内容可以看出，此刊学术水平很高，是近代中医期刊中的上乘之作。

《广东医药旬刊》

中医学术期刊，1943 年创刊，旬刊，吴粤昌主编，广东医药旬刊社发行，现存第 2 卷 1 ~ 8 期（1943 年 7—11 月）。

此刊是地方性中医药期刊，内容丰富，有较强的理论性与学术性，连载了较多理论性文章，如梁荫天的《中医学术源流》、梁乃津的《略论中西医学之特质及中西汇合问题》、曾天治的《整理中国医学之我见》、蔡适季的《现阶段中医进修问题》等。

其中，《现阶段中医进修问题》具有很强的前瞻性与实用性，其内容包括中医进修的意义、步骤、原则、条件、方式及方法等，对当时乃至现在的中医药发展都有很强的指导意义。

此刊保留了许多具有全局性的中医学术文章，如姜春华的《伤寒新论》及《中医基础学》、钟春帆的《近世内科学》、梁乃津的《霍乱》、缪俊德的《疾病之本相与现象》、袁鉴韬的《中国物理医学之针灸》等。

另外，此刊还刊登了《本草脞识》《中医应用处方集》《实用方剂学总论》《药物各论》等长篇文章，这些文章展现了当时一批致力于研究、发展中医的学者们的学术思想，虽然数量有限，但值得被保存和研究。

《医药卫生专刊》

又名《济世日报佑仁医药卫生》，中医学术期刊，1947 年创刊，周刊，施今墨主编，济世日报社发行，现存 1 ~ 15 期（1947 年）。

此刊的办刊宗旨是“建医、强种、救国”，即“不攻击西医，也不攻击中医，我们一心一德，把中西各方真实的医药卫生常识，介绍给水深火热中的同胞，同时提供有心沟通中西学术的朋友，及贤明当局，作为参考的资料”。

此刊与报纸类似，没有栏目分类，每期 20 余页。每期都有相当篇幅的普及卫生知识的内容，如《细菌常识》《为什么会发炎》《蛔虫的生活史》《如何避孕》等。此刊既收录有《伤寒质难》《国药性赋》《法定传染病概说》等学术文章，同时也向读者普及医学器材的知识，如介绍什么是注射器、显微镜等，具有一定的学术性和科普性。

另外，此刊还载有用通俗易懂的语言探讨中医发展的文章，如《中医为什么要争管理权》，强调中医机关“不但要负管理的责任，还要负规划中医药教育方针的责任”，提出科学化的中医仍是中医。

王咪咪

目　录

中国近现代中医药期刊续编·第三辑

中国医学月刊

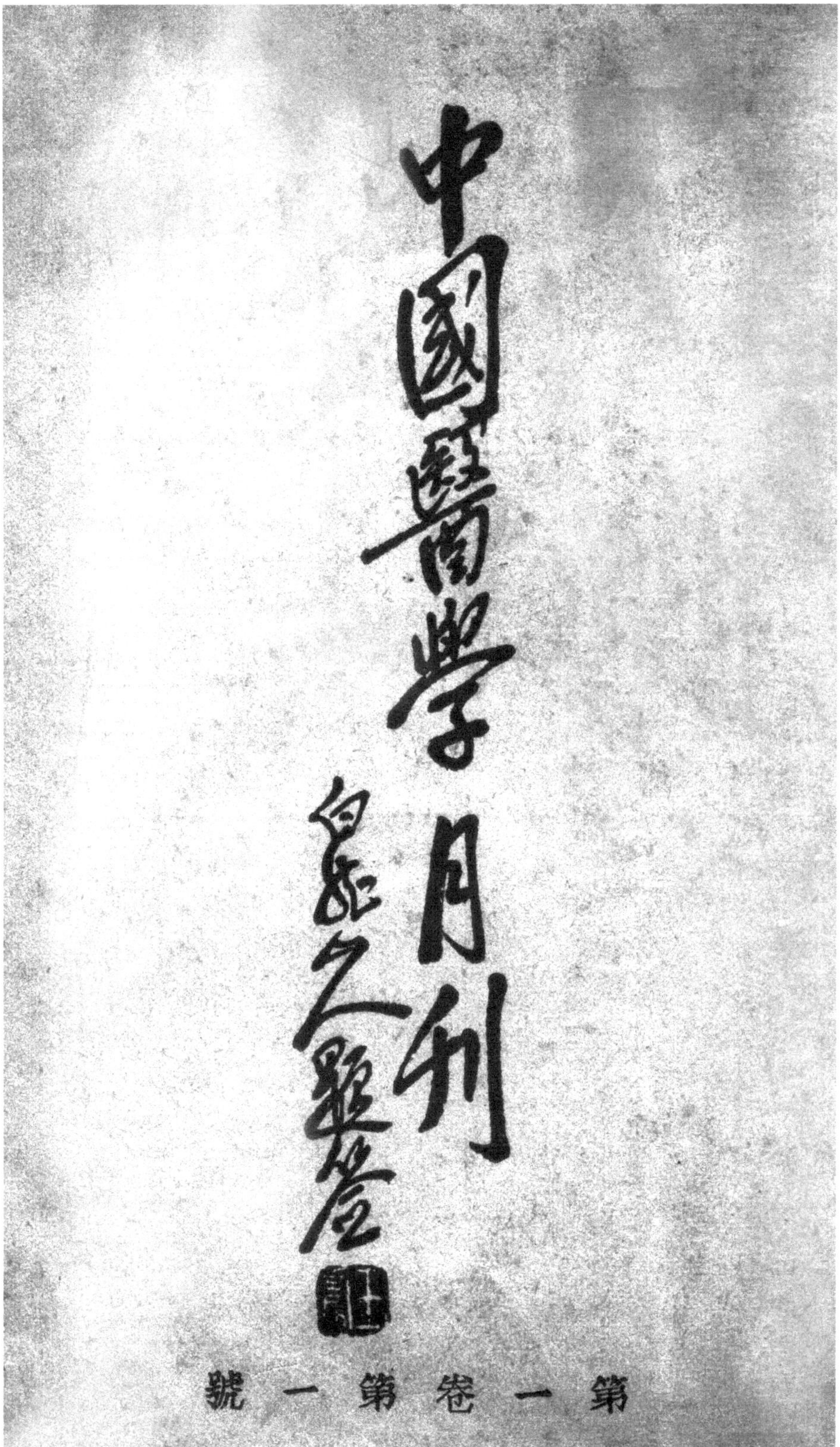

中國醫學月刊

白龍山人題簽

第一卷第一號

妙

精巧不可思議曰妙，羅威公司出品之

孩兒面

値玆秋涼，用以敷諸臉部、潤而不膩、香而不武，絕妙之美容品也；儲於白磁之盒，配以碧地紅花之蓋，精巧無匹、質料旣佳，裝璜又美；吾讚之曰妙，洵不誣也。

大號每瓶七角半小號每瓶四角

上海三馬路大新街口

中法藥房總經理

全國分行及各藥房均有出售

補肺

痰敵藥片

臟腑之中。肺最嬌嫩如經劇烈之咳嗆或有膩厚之頑痰則肺葉受傷。肺管阻塞不特將患氣喘肺炎諸症甚且變化爲肺癆。其惟速服

迅將頑痰清除。咳嗆制止而後養其氣機。補其肺腑則不數日間。痰淨而氣足身體亦自然健全矣

大瓶二元內一百廿片

小瓶一元內四十八片

本藥房與大世界屬於同一公司故凡購貨滿洋一元者卽贈大世界遊劵一張多購則多贈

上海四馬路 **中西大藥房**發行

全國中西中法各大藥房均有售

中國醫學月刊第一卷第一號目錄

發刊詞

勞塵

中國醫學萌芽於神權時代。故古時巫醫並稱。醫字或亦從巫。自後演進。乃由神祕而推理。由推理而實驗。傳人代起。成績昭然。歷千百年而不敝。此誠可以睥睨世界。領袖全球者也。無如時代推遷。今古異勢。昔日上工巨師。僅挾方術。已足以自豪。今則新潮激盪。若無眞確之學理。殆不能自立。年來中西爭訟。囂然未已。入奴出主。互相排擠。此即中國醫學變動之見端。將來興替如何。胥視現代學者有無澈底之覺悟。若僅斷斷於中西醫學之軒輊。對於現代學術。有批評而無研究。恐非自立之道也。考西洋醫學沿革。從前之進步。遠遜於中醫。成績亦甚平常。近百年來。各種科學。日趨發達。西醫利用各種科學。遂能日新月異。大改舊觀。而環顧我國業醫者。下焉者無論矣。其上焉者。亦祇知抱殘守缺。憑藉特效之方藥以自足。絕不思極深研幾。以求學理之至當。論醫家之方法。則有所未備。論醫家之責任。則有所未盡。衡以人類進化之理。醫家慈善之心。即無西醫侵略。亦當急起整理。力謀發新。焉可墨守舊說。畫地自限。不事創作。況世界演進公例。優者勝。劣者敗。事物皆然。醫學亦何莫不然。倘仍醉生夢死。不能與世推移。雖有特效方藥。人將以爲幸中。且原有治療方術。不足以應此後人類之需要。亦爲必然之趨勢。明明與物競公例相背馳。而猶侈然自大。不知死所。如是而欲延此中醫學術一線之運命。直與南轅北轍同一謬妄而已。然則所謂與世推移者。將捨己芸人。屈服於西醫乎。抑集思廣益。以求邁越於西醫乎。由前之說。則必盡棄其學。醉心歐化。如戴季陶先生所言。近時青年。對於五十年前讀物。便不肯寓目。是直喪心病狂。自暴自棄。既顯示我國無一學術可以獨立。尙能免除劣等民族之惡謚乎。此則一國人民之奇恥大辱。非僅醫學本身問題已也。由後之說。則必自研究舊學始。昔孟德斯久因研究舊法律學而興新法律學。盧梭因研究舊政治學而興新政治學。斯密因研究舊生計學而興新生計學。歌白尼因研究舊歷學而興新歷學。培根笛卡兒因研究舊哲學而興新哲學。此皆學者之先例。何獨至於醫而疑之。古人於醫。有三折肱九折臂之言。是猶就經驗而言。然醫非可嘗試之技。必先學成。而後可以進言經驗。故醫之學理。比經驗爲尤重。杜甫之自論詩境云。讀破萬卷書。下筆如有神。神卽從破來也。同人以爲欲求中醫之中興。使焜耀於世界。站一學術上之地位。則必先事悉心研討。罔羅搜索。凡自然界之科學。一一引爲學術上之材料。更以懷疑之態度。冷靜之眼光。研索古訓。幾度翻覆。學乃有獲。根底既固。然後凡百新發明之學說。皆能站定地位。盡量推勘。借他山之攻錯。闡吾學之眞理。此所謂取諸人以爲善。非鶩新以盲從也。如此庶可得中醫方術之眞理。不特自立。且可推行於世界矣。抑研究醫學。何爲也哉。爲謀人類健康問題。生命問題。關係至重。本極艱難困苦。而在個人。則有學術之興趣。引人入勝。不能自已者也。現在受環境壓迫。既不能望有力者之提倡。惟憑藉社會之信仰。勉自支撐。若再不從學術根本上謀其發展。吾恐數千年聖哲相傳無盡藏之義蘊。皆將自吾而斬。醫學亦隨此潮流而汨沒不復矣。故就醫論醫。吾人應急起直追。以冷靜態度。做忍耐工夫。出之以敏銳之視察力。綿密之思考力。精微之判斷力。以引動其日新月異自得之興趣。爲中國醫學放一異彩。開一新紀元。俾得獨立。蔚爲東方特有之一學術。如是而謂中醫不能在世界學術上占有相當位置。吾不信也。然此非少數人所能盡其量。亦非短時間所能竟其功。所望吾國醫學同志。各有明瞭之觀察。澈底之覺悟。乘此時會。發憤興起。以學者之地位。爲客觀之研究。

必使吾國固有寶藏。得以由整理而盡洩。俾出陳而發新。本社同人。竊願基此兩點。提出種種問題。與國內多數同志一商榷焉。此本社之所由組設。與本刊發行之意也。

「鈔票」與「蒼蠅」殺人力量之比較

（筱梅女士）

蒼蠅能傳染病毒。殺害人命。現在普通人都已知道。若謂鈔票也能傳染病毒。致人死命。必定疑爲胡言亂說。不足聽信。豈知鈔票非但能夠傳病殺人。並且傳病的力量。大於蒼蠅咧。

英國蘇格蘭銀行所發的鈔票。信用很好。雖至破爛不堪。還是流行各社會。現經倫敦衛生局。將這銀行的鈔票。用顯微鏡看驗。凡一文錢大的面積。約有微生物三萬。據說很毒。傳染惡疾的力量很大。那末蘇格蘭銀行的舊鈔票。有這樣可怕。難道別國銀行的舊鈔票。就沒有微生物麽。

凡新發行的鈔票。經過千千萬萬各色各樣人的手。就未有不舊。未有不髒。且愈舊則愈髒。愈爲人們所歡迎。因眞僞易辨。不至吃虧。豈知利害相倚。因此傳染得病而殺身的。每年竟不知多多少少咧。

蒼蠅的傳染病毒。我們已知注意。鈔票還沒有人注意。且蒼蠅的產生和存在。限於環境。限於時間。鈔票則否。蒼蠅的遠行。普通二三百碼。不能出半英里。鈔票則否。鈔票是人要親近他的。傳染病菌易。蒼蠅是人要驅除他的。傳染病菌難。那末鈔票殺人的力量。定規大於蒼蠅。

改造中醫之商榷

陸淵雷

敍言

不佞生當勝清季年。新舊蛻代之際。幼讀四子羣經。十齡入新學校。卽酷好科學。既又嫌學校課程迂緩。乃棄去。專力於國學。最後始潛心於醫。曩讀子部書。亦嘗瀏覽素問鍼經。見其言藏府功用。多與生理剌謬。而醫家宗素問以治病。功效往往出西醫之上。疑莫能明。問之老醫工。高者侈談五運六氣。下者乃謂醫重經驗。空言理論無益。問之西醫。則無有不詆排中醫者。不佞雖非新人物。固知五運六氣之荒渺無稽。又醫事足以生死人。苟無眞知灼見。而欲貿然治病。以求經驗。在吾爲不仁。在人亦斷不肯以性命供吾試驗。則經驗之說。亦不可從。偶於醫雜誌見惲鐵樵先生議論。卓然異於時賢。因心儀其人。其後先生函授醫學。遂循例報名入校。書疏乍通。卽蒙拔識。委以答問改卷之役。親炙日久。向之所疑。遂得渙然。今先生所著書已先後刊行。不佞以爲中醫不欲自存則已。苟欲自存。舍先生之學。別無途徑。嘗抽繹緒餘。尋先生含意未伸之旨。亦得一二新知。欲寫以問世。卒卒無暇。今中國醫學月刊索稿甚急。乃走筆率成此篇。詞取淺顯。期於盡人共曉。引用古書。多不舉篇章。以未暇翻檢故也。駁正舊說。語多不遜。則取當仁不讓之義。非好詆諆前人。見聞隘陋。謬妄自知極多。世有宏達。董而正之。所忻禱焉。

改造中醫之動機

中醫受西醫排擠攻擊的影響。知道改良。也有些人已經實行改良了。買一支體温計量量病人的熱度。藥包裹帶些阿司匹靈。遇到可以發汗的病。掏些出來把給病人吃。就顯得自己是箇中西合璧的醫師。若說如此就算改良。恐怕沒有這麽樣的便宜容易。近來又起了箇「中醫列入學校系統」的問題。有幾位醫界領袖。把神農黃帝一齊請出來。向當局請願。豈知這些聖人却壓不倒當局的新人物。結果依舊給你箇不瞅不睬。於是有人提議。須把中醫學另行編成課本。將中西病名對照起來。想這樣一改良。課中本有了西醫的病名。想必可以配當局的胃口了。不佞聽到了這箇消息。快活得手舞足蹈起來。不佞研究醫學。一向想要溝通中西。但是要把中西病名一一對照。絲毫不走作兩方面學理上的原意。實在覺得辦不到。這也許是不佞腦筋簡單。學力淺薄的緣故。現在這幾位醫界領袖毫不費事的辦到了。不佞從此可以省却許多研究工夫。只要拜讀拜讀新編的課本。就可以安享現成。這是多麽快活的事。後來知道幾位醫界領袖開了幾次會。吃了幾席酒。課本到底沒有編出來。貴忙得很的人。原怪不得他們沒工夫辦。只可惜不佞的一團高興也就消歸烏有了。沒奈何只得繼續吾從前的研究。研究研究的結果。對於改良中醫也有一種方法。不過很拙笨很複雜。遠不如那些體温計阿司匹靈中西對照。來得直捷簡易。如今要把這拙笨複雜的方法說出來。須先把中醫的分科約略說說。再論那一科應當改良。那一科可以改良。

祝由與鍼灸

中醫的分科。從歷代醫政上看來。很不一致。姑且不管。從治療方法上分起來。有祝由鍼灸湯藥三種。祝由的起源最古。

太古時代。神權極重。迷信極深。患了病。總以爲是神鬼降罰。便請巫覡祈禱。叫做祝由。祝由兩箇字的意義。想必是祝禱病由。說苑上說「上古之爲醫者曰苗父。苗父之爲醫也。以菅爲席。以芻爲狗。北面而發十言耳。將扶而來。輿而來者。皆平復如故」。這就是祝由的形式。那時並沒有醫生。治病的責任。都是巫覡擔任的。西洋古時。也是僧侶兼事醫業。東西遙遙相映。這也是人類進化上必須經過的階級。所以古書上說的「巫醫」這箇名目。細究起來。都是說醫生。並不是巫覡與醫師兩種人。這就是巫覡兼做醫生的證據。後來漸漸有了鍼灸湯液。祝由一科就受了天然淘汰。內經上說。「古之治病。惟其移精變氣。可祝由而已。今世治病。毒藥治其內。鍼石治其外。」可見得內經出世的時代。已通行鍼灸湯藥。不通行祝由了。一直到了現在。居然還有祝由治病的人。報紙上常見這種廣告。可是現在的祝由科。用的是符籙咒語。與苗父的方法又不同了。符籙呢。七橫八豎。不知道畫的什麼東西。不敢亂說。咒語也不過是祝禱的意思。何以知道。因爲咒字與祝字。本來是一箇字。一箇音。中州口音讀「祝」字好像「做」字一樣。把「做」音讀作入聲便成「祝」字的音。祝字本來從示口人三箇字合起來。示字把來代表鬼神。口是說話的傢伙。示口人。意思就是「向鬼神說話的人」。這種造字法。就叫六書中的會意。所以祝字並不是示字傍帶箇兄字。乃是示字傍帶箇口字人字。後來有了咒語。那些學習咒語的人。都是不通字學的。他們不懂得用祝字。就好當咒字。又誤認祝字是示傍帶箇兄字。就把祝字的示傍換了口傍。改頭換面。杜撰成一箇「呪」字。殊不知祝字裏已經有了一張口。如今又加上一張。變成兩張口了。念咒語。又不是唱雙包案。那裏用得着兩張口呢。再到後來。寫的人又特別改良。把新加入的一張新口。與原有的一張舊口雙雙站在同一戰線上。就變成現今通行的「咒」字了。所以吾說咒語也不過是祝禱。這並不是本文中主要問題。不過寫到那其間。寫得手滑了。就把小時候研究過的字學寫出來。諸君休得笑吾是拆字出身的江湖。

鍼灸一科。從靈樞上看來。古時用的鍼有九種。形狀各各不同。有鍼頭特別大。像和尙敲木魚的槌子。又像荷花池裏未開放的菡萏。叫做員鍼。又有作三角形的叫做鋒針。又有像小劍一般的叫做鈹鍼。又有中間大兩頭小。像橄欖核形狀的。叫做員利鍼。這幾種奇形怪狀的鍼。現在的鍼灸專家。罰咒也不用。不過用些鑱鍼毫鍼罷了。這並不是進化。其實是退化啦。世界演進的公例。無論何事。總是由簡單而進於繁複。古時的鍼科用九種鍼。現在的鍼科只用兩三種鍼。還不是退化麼。徐靈胎說「鍼灸已經失傳。」這話實在很有見地。不佞自己眞是俗語說的「猪頭肉三弗精」也曾學過鍼灸。倘諸君不嫌煩瑣。時聽吾先把學鍼灸的經過報告一下。

那年上海某機關裏請了一位鍼灸名家做敎師。特別減價。每人只消學費一百元。半年敎完。不佞起初也不在意。後來遇到幾位學鍼灸的朋友。都說這位先生非常之高明。把不佞說得心下熱騰騰起來。節衣縮食的抽出一百塊錢。跑去插班。居然蒙先生一口允許。手足十二經井滎腧原經合幾個常用的穴道。承先生一一指點明白。那時半年功夫已經教到五個月了。先生預備到南京安徽一帶去教授。有許多秘本眞訣。已經收拾在箱子裏。先生叫吾向同學們借鈔。詎奈同學們都有些推三阻四。不肯拿出來。這也怪不得他們。白花花一百塊錢買來的祕寶。怎好無代價給人鈔去呢。幸虧同學中有一人。從前跟我學過文學的。把那祕本拿出我看。說也奇怪。祕本上有一篇經穴歌。竟與馬元臺靈樞注中的完全相同。另外幾篇歌訣。也與鍼灸大成上的完全相同。不佞有一種怪脾氣。無論什麼學術技藝。凡是歌訣。心上總有些不歡迎。因爲學術技藝貴於理解。歌訣不過機械的記憶。同學們把那祕本歌訣。顛來倒去讀箇爛熟。不佞却沒心情去讀他。另外把甲乙經上的疑義去請教先生。無如先生好像沒有見過甲乙經的樣子。回答吾的話。有些牛頭不對馬嘴。也只得罷了。隨了先生傳授我一通咒語。傳授的時候。祕密到十萬分。關起門來。焚香沐手。寫出這通咒語。有幾箇緊要的字。還空着不寫。表示「眞傳口訣不落文字」的意思。再三叮囑。念熟之後。須把寫的那張焚化掉。不佞是一一洗耳恭聽。但是到了今天。這通咒語已經記不清了。所記得的。就是咒語的詞句。比不佞這一類的作品。還要來得俚鄙。不佞既是得了眞傳口訣。居然大着膽老着臉。替人家鍼起病來。居然把些輕淺的病鍼好了幾人。統計起來居然有六十分以上的成績。可是鍼灸的立脚點在於經脈。經脈究竟是人身上什麼東西。還不能確實證明。不佞只得藏拙起來。把那眞傳口訣束之高閣了。

不論那一種學術。不論怎樣的深奧。總要能夠由淺入深。一步步可以瞭解。務使人人能懂。人人能學。這才合於科學的方法。這才可以研究。可以教人。若不是這樣。這一種學術只好算是古董玩具。只好給富貴人家做裝飾品。不好算布帛菽粟日常用品了。換句話說。這種學術。就不是人世界上必需的東西。醫學也逃不了這個公例。但是照上面所說。祝由科完全是疑神疑鬼。不可瞭解的東西。鍼灸科的立脚點既不確實。咒語口訣又帶些神祕的色彩。不佞以爲無從研究。只好謹謝不敏。不佞平日所研究。而且認爲可以改良的。就只湯液一科。俗名「大方脈」的便是。所以說了大半天的話。都是題前的閒話。下面才是正文哩。

醫藥的起源是單方

記得章太炎先生說過醫藥的太初第一步是單方。單方都是病人自己發明的。單方漸漸多起來。彙齊記錄。便成一部本草。太炎先生的話。委實極有道理。不過病人自己發明單方。似乎不大說得通。不佞特引幾椿事實出來。讀者諸君就恍然大悟了。

一人害病。渾身大熱。煩躁口渴。常常出汗。這個病本來叫做白虎證。只消吃石膏知母。病就好了。無如請的一位醫生。始終是清水豆卷淡豆豉敷衍着。這也是普通醫生的祖傳祕訣。叫做「不求有功。但求無過。」意思是說醫生用藥。先不要希望把病治好。只要藥吃下去病不加重。自然有覆診的生意經。若用了有力量的藥。倘使用錯了。就妨碍醫生的名譽生意。殊不知服藥本是危險事情。藥用的對。可以治好病。用的不對。也可以送掉命。這原用不到什麼害怕。因有這箇關係。所以要用到醫生。醫生所以要能夠識病識藥。若一味的只求無過。何不喝些白開水。更來得萬無一失。何必請你這桂花醫生呢。這箇醫生。既抱定了但求無過的宗旨。病只管重。他用的藥只管輕。病人想吃些冷東西。問問醫生。醫生只管說吃不得。病家呢。既然請了醫生。對於醫生的話。自然惟命是聽。病人實在熱得受不住了。覷看護人不在旁邊的時候。自己爬起來偷喝了一大碗冷水。明日病就好了。這樣說來。病人的想吃冷東西。就是自己醫病的一種本能。

又有一人害病。究竟是什麼病。他沒有仔細說明。不佞也無從懸揣。他睡着了。夢中吃到幾箇柿子。覺得十分香甜可口。醒來還是口角流涎。剛好門外有叫賣柿子的聲音。他就買了幾箇。大啖一頓。這病也不知不覺的好了。這樣說來。病人吃柿子一夢。也就是自己醫病的一種本能。

身體本能之一斑

病人自己想吃的東西。爲什麽能夠醫好病。這箇問題。須得研究一下。口之於味。能夠辨別美惡。鼻之於嗅。能夠辨別香臭。究竟怎樣的味道是美。怎樣的味道是惡。怎樣叫香。怎樣叫臭。那是沒有絕對標準的。同是這一種食物。張三吃了說他味道好。李四吃了說他味道不好。同是這一種氣味。大哥哥聞了覺得香。小妹妹聞了覺得臭。爽性說明白些。吾的鼻子所歡迎的。吾就說他香。吾的口舌所歡迎的。吾就說他美。鼻子何以歡迎他。就因爲肺裏頭需要這種氣。口舌何以歡迎他。就因爲腸胃裏頭需要這種食物。肺與腸胃的需要。因體質上關係。不能人人相同。所以美惡香臭的品評。也就不能人人相同。就是一箇人的肺胃。也因時候環境的變遷。有時需要有時不需要。所以同一人。對於同一物。竟有今天說他香美。明天說他臭惡的。只看飢餓的時候。吃了大餅油條。也覺得津津有味。肚子飽的時候。或是有食積的時候。見了山珍海味。也覺得不能下咽。這就是胃腸裏需要不需要的明證。不過這種決擇食物的本能。有箇限度。天然的食物。鼻舌腸胃能夠決擇。需要時覺得香美。不需要時不覺得香美。經不起廚子大司務加一番煎熬燔炙的烹飪工作。添上些味精觀音粉等的調味品。那鼻舌腸胃的本能就靠不住了。就是不需要的時候。也能把鼻舌腸胃哄過一時。硬生生的吃喝下去。這就是物質文明戰勝了天然力。也就是古人說人定勝天。可是吃喝之後。萬一生出毛病來。那些廚子大司務。與製造調味品的工程師。却早已置身事外。庶不負責了。所以講究脩養的人。甯可蔬食飲水。不吃甘脆肥濃。並不是不會享福。其實是利用身體上決擇食物的本能。保養着自己身體罷了。閒話休提。言歸正傳。鼻舌腸胃既有這種本能。到了患病時候。對於能夠治療這病的食物。腸胃裏表示十分需要。鼻舌上自然感覺到十分香美。上面所說喝冷水吃柿子的兩個病人。並沒有什麼深奧的道理。也沒有什麼神鬼默佑他。推原起來。還要歸功於生成他這副本能的好爹娘哩。

古時候沒有什麼醫生藥品。病人患病的時候。偶然想吃一樣不常吃的東西。吃了之後。病隨卽好了。於是推求病好的緣故。自然會想到所吃的那樣東西。再遇到他人患了同樣的病。自然會慫恿他也吃那樣東西。那箇人覺得那樣東西果然香甜可口。自然也很高興的吃了。吃了病愈。自然也會傳佈出去。這樣試過了三五人或數十人之後。人人有效。那樣東西就成了專治那種疾病的特效藥。這並不是完全出於不佞的理想。現在西醫常用的瘧疾特效藥奎甯（卽金雞納霜）就是一箇老患瘧疾的印度人發明的。可知病人自己發明單方。是的確無疑了。

讀者諸君或者要駁我了。「神農嘗百草以療民疾。」古史相傳。都是這樣說法。如今你把發明藥性的功績。分到許多病人頭上。難道許多病人合起來就是一箇神農麼……古史上的話。靠不住的狠多。若要細細說明。不佞這枝拙吝的筆。寫上幾千字也寫不了。讀者諸君又要說我有意敷衍。不佞自己也覺太嫌冗長。如今簡單說說吧……神農知道植物中的五穀最富營養素。教百姓耕種而食。把遊牧時代漸漸進化爲農業時代。單論這樁功勞。已夠得上稱一輩子聖人了。不過要曉得。神農雖精於植物學。也一般是吃飯出恭的人。並沒多生着一箇腦袋。他生平發明過幾種藥品。也許是有的。定要說他遍嘗百草。吃下去。能自見臟腑的變化。一日中遇七十二毒。這些話就迷信過份了。本草經這部書。相傳出於神農。但是神農時代文字還沒有造出來。那裏會有書。况且本草經上有幾箇地名是東漢以後的新地名。可知至少也有東漢人文字在內。决不是神農的大手筆。（未完）

成語寶塔詩

醫。
良醫。
中西醫。
實病難醫。
毒病毒藥醫。
死馬當活馬醫。
心病還將心藥醫。
單方一味氣煞名醫。
自做郎中有病無藥醫。
人而無恆不可以作巫醫。

肺癆病菌的新仇敵是

海帶 海藻 昆布

毛仁仁

鄉下地方有句土話。肺癆病是破家病。這句話的意思。是說得了這病的人。非但不能工作生利。並且拖上幾年。經濟上直接間接的損失。可以把家產破敗一光。這話在事實上是很不錯的。人的一生能工作生利的年紀大概是從十五歲至四十多歲。有肺癆病的人。大概都在這個年紀的時候。假使死了。非但一家損失。社會上還失掉一個工作的人。外國人對於這病非常注意。也是這個緣故。現在外國人對於這病治療的方法。雖尚幼穉。但是預防的非常起勁。所以英美等文明國患肺癆病的。現在已逐漸減少。據北平前年警察廳試辦公共衛生事務所編制的死亡統計表。推算我國人因肺癆病而死的。比世界各文明國多出一倍。人稱我國爲東亞病夫國。這話很有點實在。

肺癆病是有一種病菌。所以可傳染的。並且傳染的機會很多。病人痰唾內所含病菌。化作氣體。都可憑着空氣做媒介。傳到別人身上。開闢新大陸。凡文明種族成年人。大約有百分之九十以上。都被這個肺癆病菌傳染過的。這句話不是臆造瞎說。是世界許多病理學家。用精密的法子考查出來的。是世界學者所公認的。聽到這句話。人類的生命。多麽可怕。但是不要怕。這裏面有一種奇妙的所在。因爲我們身體上有天然抵抗力。在這百分之九十以上數目中。雖屬人人被傳染。不一定人人就會得肺癆病。有許多得了肺癆病的。還能夠不知不覺的好起來。斷了根。這是人體抵抗力強盛的緣故。其餘因傳染成病而死的。在這個數目當中。大約有百分之一二。這就是人體抵抗力薄弱的緣故。照這樣看來。肺癆病菌的潛伏力固屬很大。我們身體的抵抗力。亦不算小。

中國醫學的好處。是利用人體有自護的抵抗力去治病。凡治療上所奏的功效。都是根據這一點出發的。對於肺癆病。也用這種方法醫治。可是外國人醫病。十有九要殺菌。對於肺癆病菌。現在竟還沒有殺他的方法。所以想出種種預防。並設起療養院來。成效固屬很大。需費却亦很多。在他們社會經濟力充裕的國家。是容易辦到。我國情勢不同。社會經濟力太薄弱。多半窮得要死。政府的眼光力量。也無暇及此。所以萬談不到這個預防療養等問題。我們對於肺癆病。祇好仍用祖傳下來的本領去醫治罷了。但是祖傳下來的本領果眞不錯。那末肺癆病應該逐漸減少。與外國一樣了。何以如上面所說我國人因肺癆病而死的。比世界各文明國多出一倍呢。這句疑問當然要發生的。可是我有說法。

中國的醫學。不是像新發財的人家。件件東西都要向外採辦的。中醫是像個很久遠很偉大的舊世家。無所不有。無所不備。我們當初進去看的時候。就像劉老老進大觀園。一時眼目都要昏花起來。不過這種遺產。現在要用一點科學的法則。去做一番整理的苦工。並利用一點科學的發明。來幫助一手。換句話說。就是要販運一點洋貨。別種洋貨要根本謀抵制。這種洋貨要設法去利用。這是很要緊的一樁事。不好坐井觀天。夜郎自大的。上面不是說中醫治療肺癆病即利用人體自然抵抗力所奏的功效麼。要利用這自然抵抗力。就要配方服藥。維持這抵抗力。或增進這抵抗力。凡化痰健胃滋補養陰等方劑。都要隨症採用。這種方劑。載在各種醫書。醫家都知道常用的。但是這遺產裏面還有一種

中国近现代中医药期刊续编·第三辑

極好的東西。向來束之高閣。爲人們所不注意。睬不起的。就是本草所載「海帶」「海藻」「昆布」這種海菜。是治療肺癆病的必需品。應該依照內經上所說「以飲食消息之」這句話。將這類海菜作爲病人的佐膳食品。治療上那就更容易見效了。這種海菜的滋養功用。本草上說得明明白白。這也是祖傳下來一種本領。現在經過外國人一說。就更加明白 更加値錢了。只是我們平日疏忽。在這副舊家司裏面。沒有仔細檢點。用的時甚少。任聽肺癆病菌這樣猖獗。說起來很是十二分的追悔。

中國本草上說 海帶 海藻 昆布 等的功用。可以消 瘰癧 結核。 消脚氣。 水腫。 治癭瘤。 化頑痰。並謂多服能令人瘦削。 今外國人伊傳恩博士。也是這樣說法。並謂中醫從前有這種發明。實在是由眞確的觀察得來的。這種食物。是肺癆病菌的「新仇敵」。中國海岸線很長。這種海菜很多。採用便利。取價必廉。實爲幸事。伊氏這番話。敍在長篇的論文裏面。很有許多可以移作我們本草的新註脚。只因篇幅有限。本期不及登載。閱者如要明白這種海菜。怎麼可以說是肺癆病菌的「新仇敵」。祇好請看下期了。

（未完）

預防聲嗄的簡法

羽軍

喉嚨上面的聲帶。各人強弱不同。若高聲大呼。或講話唱歌的時間太長。過了本有的度量。喉嚨無有不嗄。凡開會演說。及音樂教師。都容易得了此病。最簡便的預防法。就是用硼砂如豆大一粒含在口內。等他慢慢溶解。則唱歌演說。可以經數點鐘之久。不至聲嗄。此法頗驗。

脚汗太多及足指縫霉爛的簡便治法

古鐵

脚汗太多。是脚部汗腺太活動的緣故。進一步就可足指縫發瘙。再進一步就發生小水泡。後來就會霉爛腫痛。不能行步。當於發瘙之前。用醋冲水洗脚。使汗腺收歛。後來諸病。就不會發生。若已經霉爛。即不可收歛。宜常洗揩乾。用猪油調冰硼散敷治則愈。

肺病叢談

丁濟華

（一）緒言

肺主一身之氣。爲呼吸之中樞。五藏之華蓋。職任之大。無與倫比。最好是不病。肺有病。則無不弱其身體而減其壽命者。故東西各國對於肺病。極爲重視。以爲弱國弱民之最大病症。莫如肺病。於是想出種種豫防法。撲滅法。而爲衛生上之設備。一一實行。以冀絕跡。故年來各國患肺病者。勢已大減。其有患者。大抵老年衰弱之人。年壯者頗鮮。我國則不然。年齡未老。血氣方剛。而患肺病者。在在皆是。咳嗽也。吐血也。肺萎也。肺癰也。皆日常所習見。爰述種種肺病。或由於七情而來。或由於六淫而來。或由飲食起居而來。分其輕重。辨其症狀。拉雜書之。以餉讀者。俾未病者有所豫防。已病者可以處治耳。

（二）肺咳

咳嗽一症。範圍至廣。內經謂五藏六腑。皆令人咳。非獨於肺。是也。然五藏六腑雖能令人咳嗽。而其主要。莫不由於肺。肺受他藏之侵掠。而作咳嗽。不過間接之咳嗽。茲段所言。就肺言肺。其他間接之咳嗽。概略不言。故名之曰肺咳。肺咳之來源。可分爲二。一由於感冒外邪。一由肺部內體發熱。人之呼吸。自有常序。若呼吸急促。呼吸紊亂。肺氣不順。則逆而上咳。肺藏與皮毛有密切之關係。肺能呼濁吸清。不知皮毛亦能吸清呼濁。若風寒外束。鬱於皮毛。皮毛閉塞。不能呼吸。則一身之氣盡擁於肺。肺氣壅塞。呼吸急促。則彭彭而咳矣。其治法。須袪其外邪。重則如麻黃湯。輕則如香蘇飲。至於內藏發熱之咳嗽。多因呼吸不潔。飲食雜進。以致熱蘊於肺。肺有熱。則不能四佈津液。津液受灼而爲痰。熱痰留戀肺絡。則肺管發痒作咳矣。其治法須清其熱。輕則爲如瀉白散。重則如清肺飲。隨症施治。莫不痊愈。

(三) 肺飲

凝濁者謂之痰。清稀者謂之飲。痰也飲也。其來源莫不由於飲食。蓋飲食入胃。則化爲乳糜。下注小腸。小腸壁收攝精微。入於肝藏。化而爲血。其一小半。則入脾化爲津液。脾氣散精。上輸於肺。肺則四佈津液。以供一身之榮養。若肺有鬱熱。灼津液而爲痰濁。凝於肺衣。久而久之。不去理治。則肺衣壁釀成窠囊。窠囊先起於肺葉下垂處。盈科而進。則窠囊漫佈全肺。而冷痰清飲。則日積日聚。以致飲邪滿貯肺中。夜不能臥。臥則飲邪上冒而咳。一有勞動。則氣急欲脫。此種苦楚。難於盡述。夫治痰飲之法。曰導曰滌曰化曰理氣曰降火。如此等等。可爲詳矣。然祇能治未成窠囊之飲病。已成窠囊之飲病。猶蜂子之穴於蜂房。蓮子之嵌於蓬內。生長則易。剝落甚難。一切導滌化等法。皆無濟於事。徒傷他藏耳。故治肺飲一症。一見壞象。卽宜急速處治。如有鬱熱。卽宜婁貝清之。有痰濁。卽宜二陳化之。有寒痰。卽宜苓桂導之。施治得宜。未嘗不愈也。

(四) 肺萎

樹葉至秋而黃落。因乎天也。天地肅降。萬物收藏。樹根不能輸送液汁於四末。則葉變枯黃。肺萎一症亦由如此。肺爲輸佈津液之中樞。然不能生產津液。必賴脾胃供給。若脾胃薄弱。不能盡量供給。則肺失其養。久而久之。肺衣轉枯轉燥。肺中小氣管日窒。胸中脂膜日乾。漸漸咳嗽不揚。咯痰難爽。行動數步。氣卽喘鳴。衝激數聲。痰始一出。甚則半身不遂。或手足萎軟。其困苦較肺飲尤爲難當。此病之來源。大致先天不足。後天失養。或環境惡劣。勞心過度之人。金匱甘草乾姜湯。爲肺萎之特要藥。亦不濟於事。總之一見肺萎。卽宜處治。或理其脾胃。或順其氣。猶可着手。及大錯鑄成。雖欲挽回。亦已難矣。

(五) 肺癰

癰者壅也。感受外邪。未經發越。停留肺中。蘊發爲熱。或挾濕熱痰涎。蒸淫肺竅。固結肺衣。以致氣血流行凝滯。結爲病疽。先起於肺葉。繼至於肺根。金匱云。始萌可救。膿成則死。非虛言也。其症象咳嗽氣急。時時吐涎。腥臭異常。不能平臥。此病之來源。大致勞苦之人爲多。蓋披冒風露。飢飽不一。內應於肺。最易使肺葉腐敗。其治法須大劑千金葦莖湯。金匱葶藶大棗瀉肺湯。瀉其濕熱。理其痰濁。猶可回春。若因循從事。一如肺萎不治。

(六) 肺失血

肺病之最重者。莫如失血。西國醫者。謂肺病失血已入第三時期。其語良是。蓋熱蘊於肺。衝激肺管。肺管受傷。則血外溢。久而久之。血管不合。肺中清虛之所。變成血瘀之鄉。積年累月。焉有不減其壽命者乎。新起吐血咯血。痰內帶紅。而無痼疾者。猶可救。如肺虛有熱。用補肺阿膠湯。肺實有熱。用瀉白散。婁貝養榮湯。吐血不止者。用金匱側柏葉湯。然患者亦要息心靜氣。使醫生調理處治。補其血管。清其肺熱。方能有効。若有痼疾。如久咳痰飲肺萎肺癰而見失血。猶如火上添油。總難處治。

（七）結論

以上所論。皆我國最普通之病症。西醫統稱之爲呼吸器病。此篇之大旨。蓋勸人防患於未亂之先。不作養癰貽患。至於強肺之術。有暇再談。

白濁淺說

趙公尙

（一）導言　白濁一病。蔓延之廣。幾於無國無之。而尤以世界各大商埠爲尤盛。行據醫藥家之報告。各國人士罹此病者。統計比較。至少爲百分之十五。而我國以滬上例之。恐亦不止此數。是誠於强國強種。大有關係矣。致是病爲祕密病之一。患者往往誤以礙於體面。因循不肯早治。或僅圖速效。未竟全功。以致病毒日深。變生不測。己身之痛苦固不待言。而且害及妻室。禍延子孫。斷送人生幸福。鑄成千古大錯。良可憫也。作者因本其研究所得。草成是篇。理論不事虛浮。方法務求妥驗。質言之。不存門戶之見。不作大言欺人。要在於病有濟耳。區區之意。其亦爲識者所許乎。

（二）定義　男女陰部。時有白色之濁液流出。故名曰白濁。其帶血而色赤者。名赤濁。

（三）原因　白濁之原因。衆論紛紜。莫衷一是。究之多由與患濁之異性交媾傳染而得。或交媾受驚。或忍遺中止。以致精不得泄。腐敗於內。變而成濁。此爲世界醫學上所公認者。至若由濕熱下注。或腎虛火旺而成者。十中不過二三焉。

（四）病狀　白濁初起。男女生殖器前部發癢發炎。容易引起慾念。小便頻數。漸而侵及內部。灼熱腫痛。時流白色粘濡之濁水。久則帶有膿血。晨起封閉尿道口。小便且見澁滯。痛苦較前尤甚。倘復遷延不治。即由急性變爲慢性。前尿道之炎腫刺痛諸外症雖漸見減少。但病毒向內發展。達於後尿道矣。

(五)變症　濁毒深入尿道後部。男女均易發生膀胱炎。或會陰腫脹。女子濁入肛門。又易發生直腸炎。久之無論男女。濁毒伏於關節。則多成痛風。伏在心瓣膜。則多成心疾。又手指染有濁毒。如誤觸於目。治之不速。多致目盲。不可不愼也。

(六)轉歸　久濁不愈。能使尿道變狹。或尿管襞閉。男子難於射精。女子難於受孕。又濁毒侵入男子之睾丸精系精囊。卽能影響精蟲之生活。濁毒蔓延女子之子宮輸卵管卵巢。卽能妨害精蟲與卵之發育。均與男女生育上有絕大之障礙。

(七)治法　濁之治療。初期甚易收功。倘遷延不治。變成慢性。則頗費力。大抵不論爲毒爲濕爲熱爲虛。首以利水爲主。次於利水中稍帶收斂。終以收斂竟其功。則標本並治矣。

(八)治方　西醫治濁。以檀香油爲主。頗見速效。然聞之患老白濁者云。往往或有復發之弊。中醫對於此病。理論上雖不無未當之處。然其所用之方藥。以利水爲主。與西醫治濁用利水防腐收斂鎭靜諸藥之意不謀而合。蓋利水之劑。不論爲毒爲濕熱。均能使之俱從尿下耳。茲將試用有效之驗方及加減法數則。公布於世。並錄古方數則。以憑病家斟酌病情而擇用之。夫醫之治病。全在方之有效與否。時方古方。固無關也。閱者幸勿存今古之見而後可。

甲　驗方

(一)知母　黃柏　滑石　蒲黃　鬱金　牛膝　車前子　木通　萆薢　甘草梢

(方義)黃柏知母。能瀉下焦之火。佐以滑石直入尿道。火去則陰部內外之炎腫消矣。鬱金蒲黃。能通內塞之敗精膿血。更助以牛膝之直入精管。木通車前之利水通淋。萆薢之分清去濁。甘草梢之解毒止痛。則痛自止。濁自清。病根去矣。

(二)龍胆草　萆薢　木通　山梔　甘草梢　琥珀　豬苓　黃芩　川連　滑石

(方義)龍胆草萆薢。山梔黃芩黃連。均爲瀉火止痛之品。木通。豬苓。琥珀。均爲利水去瘀之品。更加甘草梢滑石者。使諸藥力直尿達管也。

乙　加減法(一)發熱便赤。宜清熱涼血。酌加生地藕節。(二)尿道刺痛。小便癃閉。宜去瘀血通尿道。酌加桃仁乳香(三)口渴心煩大便祕結者。宜瀉火通便。酌加大黃石膏。(四)小腹作痛小便點滴者。宜通淋疏竅。兼除敗精。酌加牛膝麝香。(五)其餘各種兼症。宜權衡加減。不可泥也。

丙　古方

(一)五苓散

茯苓　豬苓　白朮　澤瀉　肉桂

(方義)澤瀉二苓。皆能通水道。以瀉濕熱。白朮亦爲燥濕之品。肉桂辛熱。熱因熱用。引熱入膀胱以化其氣。

總之使濕熱之邪。皆從小便而出。則尿道痛止。炎退。腫消。腐去。濁淸矣。

（二）八正散

車前子　木通　瞿麥　扁蓄　滑石　甘草梢　大黃　燈草　梔子（炒黑）

（方義）木通。燈草。淸肺熱而降心火。車前淸肝熱而通膀胱。瞿麥。扁蓄。降火通淋。皆利濕而兼瀉熱之藥也。滑石利竅散結。梔子。大黃。苦寒下行。皆瀉熱而兼利濕者也。滑石。甘草。合之爲六一散。而甘草用梢者。取其直達尿道。甘能緩痛也。

（三）琥珀分淸泄濁丸

琥珀　錦紋大黃

（方義）琥珀利小便。淸尿管之瘀血腐膿。大黃淸熱毒。通大便。藥品雖僅二味。而體實濕熱甚而患濁者服之。則毒及濕熱俱從二便下矣。

（四）萆薢分淸飮

川萆薢　烏藥　茯苓　益智仁（鹽水炒）　甘草梢　石菖蒲

（方義）萆薢泄熱去濁而分淸。烏藥通膀胱疏邪逆之氣。茯苓行水逐濕。益智約制下焦陽氣失職。久濁溲溺不禁。鹽水炒又能潤下。石菖蒲通竅利水。甘草梢瀉火解毒。達尿管而止痛。總之濕熱去而濁毒自除矣。

(五)龍胆瀉肝湯

龍胆草　柴胡　澤瀉　木通　車前子　炒梔子　甘草　黃芩　當歸尾

(方義)龍胆草。瀉肝熱。柴胡。平胆熱。黃芩。梔子。清肺與三焦之熱。澤瀉利腎經之濕。木通。車前。利小腸膀胱之濕。消尿管之炎痛。但恐其過於苦寒下瀉。故加當歸甘草以和緩之。

(六)治濁固本丸

蓮鬚　黃連　黃柏　砂仁　益智仁　半夏　茯苓　豬苓　甘草

(方義)黃連。黃柏。所以清熱。茯苓。豬苓。所以利濕。砂仁。益智。溫中利氣。半夏除溼和胃。蓮鬚收濇利氣。甘草和中補土。所以固其脫也。又醫宗金鑑方。黃柏。砂仁。甘草。三味合用。爲封髓丹。以治精關不固。其取義蓋以黃柏之苦寒。堅腎清火以益陰。砂仁之辛溫。健脾運氣以益精。甘草之甘溫。以調和黃柏砂仁之一寒一熱。俾水火既濟。火平而髓自固矣。

(七)清心蓮子飲

石蓮肉　白茯苓　蜜炙黃耆　人參　麥門冬　地骨皮　炙甘草　黃芩　車前子　柴胡

(方義)參。耆。甘草。所以補陽虛而瀉火。助氣化而達膀胱。地骨皮退肝腎之虛熱。柴胡散肝膽之火邪。黃芩麥冬清熱於心肺上焦。茯苓車前利濕於膀胱下部。方中用石蓮者。取其清心火而交心腎也。

(八)內補鹿茸丸

鹿茸(酥炙)　菟絲子(酒浸蒸焙)　炒刺蒺藜　沙苑蒺藜　肉蓯蓉　紫菀

蛇牀子(酒浸蒸)　桑螵蛸　黃耆　陽起石　炮附子　官桂

(方義)鹿茸峻補下元。菟絲子補三陰。調元衛氣。刺蒺藜平肝散風。瀉氣破血。沙苑蒺藜清肺補腎。黃耆實表助氣。肉蓯蓉滋腎益精。紫菀清金洩火。附子回陽退陰。補腎命火。蛇牀子疏風去濕。陽起石破陰邪散結聚。補腎氣。官桂補陽活血。桑螵蛸固腎益精。此方久濁氣虛。精關不固者。服之甚宜。

(九)宜忌

(一)禁絕房事。以防傳染。

(二)勿看淫穢小說。以免引起慾念。

(三)安心靜養。勿作劇烈運動。

(四)臥室勿過溫暖。被褥須輕。慎勿仰臥。以防陰莖之勃起而作疼痛。

(五)勿食辛辣刺激之品。及生冷難化之物。更不可以飲酒吸烟。

中国近现代中医药期刊续编·第三辑

(六)勿飲濃茶。多飲開水。但臥前仍當禁飲。以免膀胱脹滿。陰莖易於勃起。

(七)大便須使通暢。如有硬結。宜以輕瀉之藥下之。

(八)男子包皮。女子陰戶及尿道口。均宜常使清潔。每日宜洗滌一二次。

(九)小便後。宜卽將手洗滌清潔。以免濁毒隨手傳於食物及口鼻。貼身襯褲亦宜勤加洗換。

(十)女子患濁。每當經期及臨產時。陰戶尤宜勤洗。其每日洗滌陰戶。切不可與人共浴。

(十)結論　治病必藉藥力。未有不藥而能愈病。或能將病移送他人者。白濁一病。不明醫理者。有謂爲普通病。可不服藥。久必自愈。有謂爲蠱之一類。與異性交接。卽可將病送出。不知其不藥或能病減者。乃由急性變爲慢性也。其與異性交接。以之傳染他人則可。以之送去已病未也。要之。早治早愈。苟因循姑息。則潛滋暗長。恐爲終身累矣。有斯疾者。其速圖之。幸毋自誤可耳。

內經新詮一則

晴晨

素問臟氣法時論云。五穀爲養。五果爲助。五畜爲益。五菜爲充。氣味合而食之。以補益精氣。

按此數語。實爲現代一部營養學之總綱。五畜者。卽今所謂動物素食物也。五穀五果五菜者。卽今所謂植物素食物也。所含養料。各有不同。其有益於人體。不僅在表面上之解渴充飢。而在實質上之適合生理。依現代化學家之研究。凡人身所需要者。一爲炭水化物之營養。二爲蛋白質之營養。三爲脂肪質之營養。四爲無機物質之營養。五爲維生素又名維他命之營養。凡此種種質料。多混合於五穀五果五畜五菜之中。若僅爲簡單之選擇。則有所偏勝。卽不能保持身體之健康。防止特殊之疾病。所以必須穀類果類畜類菜類所有之養料。配選完備。比例適當。方足以供人體充分之需求。故食五穀則曰養。食五果則曰助。食五畜則曰益。食五菜則曰充。此養助益充四字。含有兼收並蓄。各取其功用之意義。讀者不可囫圇吞過。今就全文反復推求。析其性質。六句之中。可分爲三類。一句至四句。是言食物之種類。第五句是言食物之烹飪。第六句是言需要食物之目的。但各類所孕至理。有當申說明白者。茲先詳述各種食物所含原素對於人體之功用。再推演氣味以下二句之眞理。

（一）炭水化物之功用

炭水化物。包括糖類。與澱粉類。此質多含於五穀五果之中。如米麥。菽。粟。玉蜀黍。馬鈴薯。莢豆。大豆豌豆等食物。均富有此質。經過唾液脺液腸液之消化。卽變成單純之葡萄糖。吸收於腸壁。而入於血液。以供酸化作用時發生體熱與動力。如有餘量。則變爲動物澱粉。儲藏肝中。以備飢餓時或特別勞力等不時之需。故肝臟無異人體中之一極好儲蓄銀行。凡炭水化物。可較蛋白質多量取食而無他患者。以有此儲藏之餘地也。可知內經中肝藏血一語。殊有至理。且葡萄糖之分量特別增加時。非但可儲肝內。並可變成脂肪以成體脂。至血液中所含糖質。依化學分析。有一定之分量。若過其量。經久不滅。不得酸化於體內。必由腎臟排泄於體外。此時卽可爲病。外國名爲糖尿病。我國名爲三消症。患此病之主要原因。雖大多數由於內臟機能之失常。而常食過量之糖餌。足以助成此症。此亦吾人所應知也。

(二)　蛋白質之功用

此爲人體活細胞及原漿中特殊之質。異常複雜。故現代化學家尚未能確定其爲任何一類之正確公式。但在人體。則無時不在消耗中。凡排泄之尿。有淡化體。卽其明證。蓋蛋白質內含有淡素。經酸化後。簡單之淡化物。卽由尿道排出也。在食物內。以五畜類所含爲最多。五穀次之。五果五菜又次之。吾人所用食料。若缺乏此質。猶之燈中之油有減無添。其焰必不能久。蓋蛋白質被胃液脺液之消化。變成錏基酸。而吸收於腸壁。以入血。其一部分。以之修補體內各部蛋白質之消耗。另一部分。亦可變成葡萄糖質。以供生熱與力之用。若無蛋白質源源供給。則人體肌肉定必消瘦。且人體對於炭水化物及脂肪質之需要量。全以勞力工作之多寡爲標準。而蛋白質則否。無論何人。皆有平均分量之需要。

在方長之兒童。其需要爲尤多。惟老年人則減於壯年。亦有謂血內鏗基酸過多。反不利於身體之機能者。此亦吾人所應注意也。

三　脂肪質之功用

此質多含於五畜類之肥肉。如猪脂。牛羊脂。蛋黃。鹹肉。乳皮。乳油等食物。均富有此質。經胃液胆汁膵液之消化。分成脂酸與甘油。及吸收於腸壁。則復合爲脂肪。酸化於體內。以發生熱力與動力。惟不能於肌肉新陳代謝時供其生長與修補。此則與炭水化物無異。苟有餘量。則儲藏皮下作爲體脂。其需要實次於蛋白質與炭水化物。盖發生熱力與動力。苟有充分之炭水化物。則脂肪可省。且炭水化物變成葡萄糖而有多量之吸收時。亦可在體內變成脂肪以儲蓄於各部。然依實驗結果。其生熱之能力。比較同量之炭水化物高出一倍有餘。且油類每含維生素。爲生長發育所必需。兼有特別滋味。爲佐食上品。此亦不可缺之養料也。

四　無機物質之功用

甲　鉄質。此質以含於有機物者爲適宜。如白菜。大豆。菠菜。蘋果等。均含此質甚富。蛋黃。牛乳。及各動物之肝臟。亦含鐵不少。人體中紅血球。以此質爲最要。凡運載養氣以供全身各部之需用。皆鐵質之功。依實驗結果。紅血球之鐵素。均取於有機物。至無機鐵素。其主要作用爲興奮。並非適宜之養料。成人每日需要此質甚少。惟婦女在經期姙期及授乳期內。兒童在方長期內。需要鐵質較平常人增加一倍以上。或謂吾人有面黃肌膄。呈血枯萎黃之象者。即係鐵質不敷。血液中缺乏血色素之故。不知此係別有原因。當早就醫。萬不可輕信此說。妄行購服市上所謂祕製補血等藥劑。因此等藥劑。多配有無機鐵素。祇有興奮一時之作用。不能有根治效驗也。

乙　鈣質燐質。此二質以動物素食物所含爲多。植物素食物次之。鈣質爲骨骼之主要成分。凡輔助血液之凝結。調節心臟之動作。多係此質之功。成人用量甚多。即有餘量。亦不至如蛋白質之吸收過多。或有妨於健康。凡授乳之婦人。方長之兒童。此質用量亦須特別增加。燐質爲細胞內胚珠必需之物。他若乳汁。血液。骨骼。神經系統及生殖素內。亦均含有此質。凡全身中立性之維持。神經刺戟之傳導。消化酵素之作用。細胞之蕃殖。均須有燐質參與。方能奏功。以上鈣燐二質。關係人體健全。實非淺鮮。苟有所缺。即可發生下列各病。一骨質萎軟症。二嬰兒軟骨症或佝僂病。三手足搐搦症。此皆嬰兒時缺乏母乳、或母乳內鈣燐不足之故。據多數實驗。凡患佝僂病之嬰兒。其血中燐質。較少於健全之兒。患手足搐搦者。其血中鈣質亦較少也。

丙　鈉素。此爲食鹽中主要原素。凡乳類。菜類。及未去皮之五穀類。均含有此質。人體血液中鈉素甚富。但常由尿汗排泄於體外。（尿汗味鹹即是確證）所以應予適量之補充。且植物食品內含鉀之量甚多。體內鉀素增加之後。即自然而然使人體對於鈉素增加其需求。如喜食鹹味。即是此故。凡鉀鈉鈣三質在人體內。須有一定之比例。方能保持各種細胞之生活。吾人一日不食鹹味。每感不快者。一因向來食鹹。習慣成性。一因血液內缺乏此素。體中機能。失其酸性鹼性之平衡。所以有此生理上自然之要求也。

(五) 維生素之功用

此爲現代營養學上最新發現之一種不可思議的養料。其功用雖不能直接造成組織發生體力。但此素缺乏之則他種食物之功用卽不能如常進行。是爲人類健康之必需品。已確實無疑。惟如何組合。尙未明瞭。故無化學的名稱。但名爲維生素。或名維他命。並因其對於溶液之易感性而分爲甲乙丙丁四種。維生素甲有脂溶性。含此素最富之食物。如魚肝油。牛乳油。蛋黃。肝。腎。心臟等。次爲綠葉植物。如菠菜白菜萵苣等。又次爲有黃色質之根。如甜薯胡蘿蔔等。若嬰兒食物缺乏此素。則生長不速。體內抵抗力薄弱。眼皮水腫。目光失常。

維生素乙有水溶性。多含於水菓蔬菜牛乳及未去皮之五穀類。若去皮之白米。白麵粉。白玉蜀黍粉。及線麵等之小麥製品。此質卽完全失去。倘食物中缺乏此素。則神經痲痺。四肢知覺失常。或兼水腫。行動不便。我國南部。有患脚氣病者。卽因多食白米。而佐膳食品。又缺乏此素之故也。

維生素丙有水溶性。見於新鮮之蔬菜及新鮮之水菓。如橘柿檸檬等。又新鮮牛乳中亦含少量。但一經烹煮殺菌。或保存乾藏。則大部份卽可失去。至雞蛋與穀豆。則絕無此素。凡嬰兒發生壞血症。牙齦高腫。易於流血者。卽因此素不足之故。所以用罐頭牛乳哺兒時。欲預防此病。須飲以新鮮之水菓汁。

維生素丁。能溶解於油。則與甲同。僅知有防止及治療佝僂病之力。此外功用。現尙未明。

以上所述各種質素對於人體之功用。雖屬近代化學家研究之成績。而各種質素之來源。試問能出此五穀五果五畜五菜之範圍乎。不過從前化學未發明。不言質素而言物類。今古相較名稱上稍嫌籠統實際上則猶二五與一十。然則吾國之營養學識。即謂在數千年以前。已足爲選擇適宜食物之確實指導者。不得謂之信口吹牛也。試更推演「氣味合而食之」一句之眞理。

內經所有氣字多隨文異義。漫無界說。有就局部言者如肝氣胃氣腎氣等今人釋爲即西說之神經。有就全體言者。如氣虛氣滯精氣元氣等今人釋爲即精神之作用如此說法殊有至理然此處氣味之氣字。與上說二義。均有不同。仍當作爲普通氣體之氣解。氣字界說確定。則味字下之合字。亦有着落。

人類食物。不僅原料之選擇。尤貴烹飪之適當。蓋烹飪不當。則氣味不合。即足以減退食慾。阻碍消化。頗不利於人體之生長與健康。所以必曰氣味合而食之。所謂氣味合者。即烹飪適當之結果。即氣合味合則食。不合則不食。吾人所以能分別食物以定去取者。全在嗅覺與味覺之作用。如嗅之而氣香。或嘗之而味美。具此應有之香味。即所謂合。否則不得謂之合。如此說法。則氣合二字可不煩言而解。抑嗅覺與味覺常相結合以成一個之心象。例如芳香食品。味必較美。若掩鼻而食。味必較遜。此因香氣刺戟嗅覺。感有一種愉快。以引食慾亢進之故。所以善烹飪者。於色香味三者必求其備。其次則香味兼美。又次則有味而無香。否則。即爲失飪。即不能藉以刺戟消化液之分泌。而有碍於衛生。孔子色惡不食。臭惡不食。失飪不食。即是此故。又此處祇言氣味合。而不言色香味合。以既言氣味。則色字自在言外。是在讀者見仁見智耳。試更推演「補益精氣」一句之眞理。

人體之構成。極其精妙。極其複雜。可謂極造物之能事。而中醫則以血氣二字概之。中醫之所謂血氣。卽今科學家之所謂質力。蓋力附於質。有質必有力。不過力有顯潛之分耳。宇宙萬有。皆此質力相附麗。今血氣相附麗。以成爲有生命而能活動兼有精神作用之人體。而中醫之研究。亦卽從此着眼。第人體之生命有兩種。一爲各個之生命。一爲共同之生命。血液組成之細胞。各個生命也。細胞組成之人體。共同生命也。共同生命雖甚長。各個生命則甚短。於是有資於食物之營養補充。以起新陳代謝之作用。而維持共同之生命。此卽需要食物之目的。卽所謂補。卽所謂益。卽所謂補益精氣。用所食一定之物質。以重造消耗之組織。而恢復其原狀者。此卽謂之補。用所食一定之物質。以造成新組織。使之繼長增高者。此卽謂之益。變食物之潛力爲有用之動作。兼能發生相當精神者。此卽謂之補益精氣。惟何以言精氣而不言血氣。此精氣二字。係指精神言。與所謂元氣。無甚差別。精神必附麗於物質。精氣必附麗於血液。一爲無形。一爲有形。既言無形之精氣。則有形之血。當然包含在內。是補益精氣者。卽補益血氣之謂。血爲有形之質。氣爲無形之力。力必附於質。有質始有力。氣必附於血。有血始有氣。質力二字。可以概萬有。血氣二字。可以概人體。此執簡馭繁。提綱揭領之一法。換言之。前者卽物理一定不易之通性。後者卽人體一定不易之通性。此卽謂之科學的智識。然則中醫本有科學性。而以全部科學不發達之故。致醫學不能有神速之進展。此非中醫之過。實吾國一般學者之羞。敬告同志。勉之而已。

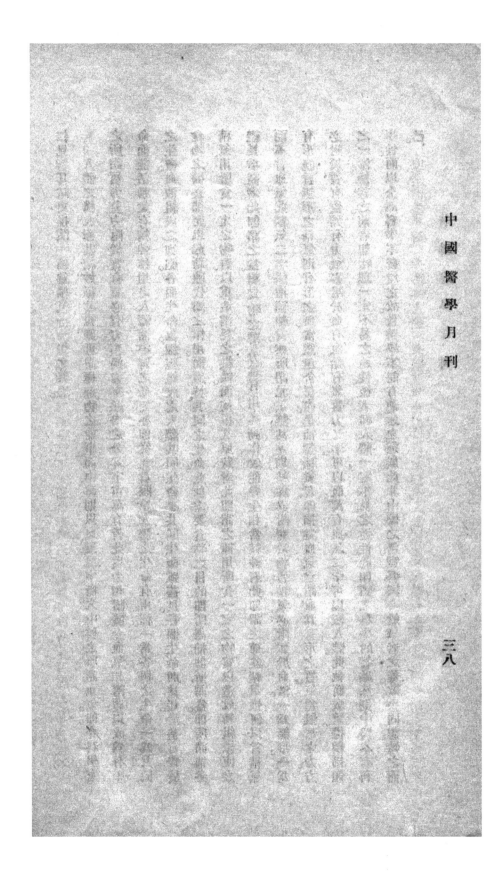

胎毒

趙澤漢

別人家的孩子。生得又俊美又肥白。一點毛病也沒有。多麼可愛。只有我家的孩子。不是生瘡生癤。就是耳爛鼻腫。一天到晚。哭叫不休。眞正可恨極了。這一種憎恨的感念。凡是做父母的遇着多病的孩子。總是免不了的。不過我要勸勸一輩做父母的。不遇着這種多病的孩子呢便罷。假使遇着了。亦不要怨恨。只要退一步想想。這孩子爲什麼這樣多病。這種病有沒有預防的法子。這樣去想。方才是道理啦。根據醫學上說起來。小孩子的生瘡生癤。以及種種外瘍大半是胎裏帶來的胎毒。譬如父母有梅毒的。生出來的孩子不免周身生瘡。脫皮落髮。譬如有濕毒的生出來的孩子亦必濕瘰滿佈。作痒作痛。這種說法呢。是由父母遺傳下來的毒。至於沒有梅毒亦沒有各種毒病的父母們。假使受孕之後。不能分房靜養。以致慾火妄動。時行房事。或者酒肉毒物。常常亂吃。生出來的孩子。亦不免生瘡生癤的。我現把種種預防胎毒的法則寫了出來。供給世上做父母的多製造些健全而俊美的孩子出來罷。

受孕之後。不可再行房事。宜分房睡臥。還要靜思慮。寡食慾。清潔自已的血液。自已血液一清。就沒有毒質結到胎裏了。

生產以後。最緊要的一點。就是肅清他的胎糞。因爲他的糞完全是血的糟粕。其毒無比。這個糟粕不肅清。總不免使小孩多病的。肅清胎糞的法子。用大黃一分。黃連一分。黃芩一分。三味和勻。研成細末。點在他的舌頭上。使他慢慢地咽下去。等到胎糞下了爲度。吃過了已上三味。還要吃一種三黃湯。法用犀黃一分。甘中黃一分。胡黃連一分。研成細末。服法如上。這一種藥。專去淸他血毒。這種法子用過以後。這小孩子一輩子也不會生癤生瘡的了。

迴輪湯

（卽自己飲自己的尿）

陳博山

不知何人想出迴輪湯一方。竟使千百萬病人。飲其溺。飽其鋒。死人於無辜之地。抱司命之職者。再不大聲疾呼。闢其謬。明其理。則其爲禍。且無窮期矣。同邑李祖善君。患欬血。體質雖强。欬血亦未久。在醫者視之。本無大患。李君心怯。以爲肺癆。惴惴焉。一若難保其殘喘者。聞迴輪湯能止咳血。心大慰。不問其穢濁。竟日日飲之。未飲之前。猶可强步。既飲之後。咳嗽愈烈。精神愈怠。纏綿床第。粒米不入。家人大恐。急請丁仲英先生爲之處治。丁先生曰。此飲迴輪湯之誤也。穢濁之氣。塞滿中宮。脾胃變化精華之處。頓成尿糞之鄉。淸者不升。濁者不降。再延幾時。胃陰胃陽一滅。難挽矣。乃爲之處芳香化濁之品。醒其脾胃。既乃爲之處淸肺化痰之品。順其肺熱。調理月餘始愈。

夫童便之所以能治血症。以其能滋陰降火也。故必擇其知識未開。相火未動者。去其頭尾。但用中間一段。淸澈如水者。始有功効。若帶有黃色。或有沉澱者。卽不可用。今以已病之人。令其自飲已溺。其溺何能淸澈。濕熱也。沉澱也。阿馬尼耶也。種種不良質地。逗留胃中。焉有不敗其胃者乎。且吐血咳嗽之症。大致肺火衝激。或痰熱戀肺。肺爲水之上源。肺有熱。無不下移膀胱。用膀胱有熱之糟粕。以治吐血。何異火上添油。宜乎李君愈服愈咳。而粒米不入也。四海之大。如李君者。當然不在少數。深願讀本刊諸君。廣爲宣傳。使世人共知迴輪湯一方。其理謬。其方不可用。則造福無量矣。

得效奇方

痢疾

宣古秋

痢疾一症。古名滯下。大致葷酒肉食鬱於小腸。小腸發熱。不能收攝精微。則滯澼下注。腹痛後重。甚則肛門脫出。法以西瓜一隻。置水内煮熟。剖而食之。食宜盡量。無論如何沈重痢疾。一劑可愈。此方余得之名醫郭伯良先生處。屢試屢驗。郭先生云。西瓜一物。含有鹹質。宜乎能肅清濕熱。而蕩滌腸胃也。

痰飲咳嗽

趙秉公

家嚴患痰飲欬嗽。已有年餘。喉中痰聲漉漉。一勞動卽氣急不舒。服藥無數。終不見效。後於親戚處得一奇方。法以生西瓜子三錢。白冰糖一錢。搗爛。用開水冲服。如飲杏酪湯然。連飲一月餘。病竟若失。常州朱鑑夫先生患痰飲欬嗽已十七年。鄙人告以此方。服之三月。病已去其七。奇效如此。不敢自祕。以告同病者。藥性平和而價廉。盍一試之。

耳中病痛流膿

徐海千

世傳金絲荷葉打爛取汁。治耳膿甚效。然余試之。或驗或不驗。今有一法。用冰片一分。麻油一小杯。和勻。滴入耳内。無不立愈。此方之意。用冰片化濕。麻油清肝熱。肝火濕熱一清。自然耳管清潔矣。

臨床實驗錄

醫之目的。爲欲治病。研究學理。無非爲治病之豫備工夫。然學理有定。病變無常。以有定之學理。衡無常之病變。往往不能應付裕如。醫家所以貴乎臨機活變。而習醫者所以貴乎實習也。本刊以闡發學理爲主。猶特闢比欄。載諸名醫所治疑難大症。以見臨機活變之一斑。想亦讀者所歡迎歟。編者附識。

歷節風

江陰曹鵬南

予向寓小西門興業里。治戴姓腹痛下利。用四逆湯方。一劑而愈。予固不知也。既而遷居福田庵路之華慶坊。會戴姓有病。其妻方孕。抱之坐人力車尋予。不得。後遇他醫。病尋愈。其妻子死腹中不知也。十餘日。覺腹中脹痛。就小東門醫士某君診之。曰胎其已腐矣。急爲用下藥。下之果已腐爛。然以貧故。未暇調理。未幾腹中時有塊跳動。手足肢節俱疼痛。甚至不可屈伸。兩足如脫。腋下時出黃汗。經二年矣。是年十月。途遇戴。戴曰。先生識我乎。予向患腹痛。經先生一藥而愈。後患他病。尋先生於方浜橋。不遇。後余病愈。而妻病不可治。問其故。以狀告。且曰可治乎。予曰此名歷節風。或可治也。凡物有氣者溫。無氣者寒。溫散則和。凝聚則毒。今汝妻以胎死腹中。瘀血不盡。竄入經絡。是爲寒濕。血瘀溼凝。乃生癰疽。今汝妻雖無外證。而死血留滯關節。久後必生流注。是爲寒濕夾毒之證。明日戴偕妻來寓。則足脛常冷。腳腫如脫。兩手不可屈伸。眞歷節證也。乃用金匱桂枝芍藥知母湯方。用桂枝三錢。白芍三錢。麻黃二錢。防風四錢。生草二錢。白朮蒼朮各四錢。知母四錢。熟附塊二錢。服二劑。不見動靜。翌日覆診。改熟附塊爲生附子。四劑後。汗液大泄。兩手足脹大發浸淫瘡。而關節疼痛減其太半。蓋寒溼毒由裏達表之驗也。聞之丁君甘仁曰。凡溼毒在裏之證。正當驅之出表。但既出於表。必重用大小薊丹皮赤芍。以淸血分餘毒。不獨外瘍爲然。治歷節風亦無不然。予乃用大小薊各四錢。丹皮三錢。赤芍三錢。佐以息風和血之去溼品。方中用海風籐四錢。尋骨風四錢。炒蒼朮三錢。生苡仁八錢。葳靈仙三錢。製乳沒各四錢。絲瓜絡三錢。忍冬籐三錢。猪苓三錢。阿膠三錢。苦參二錢。黃柏一錢。兩劑後。浸淫瘡略減。復用大小薊各三錢。丹皮二錢。佐以當歸乳香沒藥秦艽熟地忍冬籐海風籐葳靈仙等。以息風而和血。四劑後。浸淫瘡漸次結痂。惟頭暈如擊仆狀。診其脈。大而弦。大則爲熱。弦則爲風。小產後其血分必虛。血爲陰類。陰虛則生熱。血虛則生風。虛者不可重虛。乃用大熟地四兩。生潞黨四錢。製乳沒各三錢。生鐵洛四兩。服十餘劑。今已手足並光潤。不知其曾患浸淫瘡矣。

性的研究

陸淵雷

處於現在的時世上若使還要說「男女受授不親。」那一定是箇落伍者須得「社交公開。戀愛自由。」才算漂亮呢。再進一步把「男女媾精」的玩意兒也要澈底研究這就是最新的科學。叫做性學。性學博士的大名鬧得傳遍了中國。看官們料也有些知道。不必在下嚕囌了。實不相瞞在下第一次拜讀到性學書的時候。還鬧了一樁笑話哩。那一天有位西裝朋友頭髮梳得精光滴滑。蒼蠅踹着了也要翻筋斗。身上一陣陣香氣。竟把敝鼻子開了箇新紀元。手裏捧了一本新裝訂沒有切齊的書在那裏簡鍊揣摩的用功。連呌他幾聲只是不答應。直到握了他的手他纔抬起頭來。帶着乾欬沒精打采的招呼吾。吾見他臉色非常難看。雖是抹了好多粉。却依舊掩不過十分憔悴。就問他道。你看的什麼書就值得這樣奮不顧身的用功。他道。是性學書呀。看官們聽者在下小時候從了一位道學先生。承他循循善誘。把性理學竭力教導吾什麼朱子全書陽明全集性理精義。都逼着吾看。詎奈這種書的白話文比在下這篇性的研究還要不通。還要難懂。他老先生不但逼吾看。還要逼吾實行。那時吾是箇頑皮好動的小孩。要吾非禮勿言。非禮勿動起來這是何等的悶損。現在這西裝朋友也說看性學書。況且並沒有什麼老先生逼着他。他自已情情願願的用功。吾就覺得十分納罕。暗想「人心不同如其面」這句話着實不錯。怎麼這種枯寂無味的書。他就甘之如飴呢。當時勸他道。性學吾也被動的研究過。這東西最是戕賊性靈。直要教人學廟裏的泥塑菩薩。你用功這門學問。怪不得弄得像癆病鬼一樣。吾勸你不要再看他了。西裝朋友很詫異。說道。性是人人有的一種慾望。研究性學是最有趣味的事情。你怎的反過來說。既是你也研究過性學。想必很高明。吾有些不懂的地方。也好請敎請敎了。請問「第三種水」究竟是什麼東西。吾聽了倒一呆。心想今番要被他難倒了。可是宋元明的性理書上。那裏有這箇名目。就接過他手中的書來看。看不了一頁。不覺的衝口而出。呸。這是房中術罷哩。怎麽也冒充性學起來。西裝朋友聽了不服。分辨道。你的話不通。男女性交。何必定要躲到房中去幹。論他美的價值。簡直大菜間裏會客廳裏都使得。不過社會上程度太低。少見多怪。吾們性學同志爲避免無意識的攻擊。所以還沒實行。你睜着眼看罷。不出十年。隨時隨地可以見到美的性交哩。吾聽了自慚淺陋。不敢則聲。只得訕訕的走開。不到一箇月。聽得這位朋友果眞害起癆病來。什麽生殖靈哩。雄壽丸哩。性博士的實驗藥品哩。沒有一種不嘗過。中醫西醫有些名望的。沒有一箇不請敎過。結果依舊是一天重一天。嗚呼尙饗。完結。在下却不敢亂道。說這西裝朋友是用功性學用功死的。不過這「性」字的意義。從說文玉篇起。甚而至於玉堂字彙學生新字典。把些中國字典通查過了。竟沒有把他當作男女媾精解釋的。幸虧許多小報竭力的宣傳。耳中又常聽得一班青年紛紛討論。在下總算勉勉强强瞭解了性學的眞義意。你想吧。把男女媾精的性學。錯認做存養省察的性學。豈不一椿是笑話。

（未完）

本刊歡迎投稿啓事

本刊宗旨。欲以科學原理證明中醫學。同人等研究所得。不敢自是。就正有道。海內外宏達加以糾正。無任榮寵。如有闡發中醫學理之稿件。尤所歡迎。

學術愈研究愈精確。讀者諸君於本刊著作。如有異議。不妨儘量質難。本刊無不儘量登載。惟攻訐私人之文字。無關學理者。請勿見惠。

來稿文字本刊編輯部得以修改潤飾。以不改動原意爲主。若投稿人不願被修改時。請於稿上註明。惟登載與否。原稿恕不寄還。

本刊非營業性質。來稿登載後。除贈閱本刊外。不另送酬金。投稿人如欲取酬金者。請於稿上註明。登載後亦可酌量致酬。

投稿字迹。務請繕寫清楚。萬勿過於潦草。白話文言不拘體例。

稿件登載後。如有剽襲雷同。發生糾葛。由投稿人直接交涉。本刊惟宣布投稿人住址。餘不負責。

投稿人務請將姓名住址詳示。以便通信。

稿件請寄上海西門石皮弄中醫學會內中國醫學月刊社編輯部

爲解析疑難起見。特闢問答一欄。如有中醫學理上疑難問題。本刊揭載之後。徵請通人作答。惟患病徵方。恕不答復。蓋治病須當面診察。通函論診。事屬危險也。

本刊編輯部謹啓

中國醫學月刊

CHINA MEDICAL JOURNAL

(Issued Monthly)

定價表

時期	冊數	書價連郵費 國內	書價連郵費 國外
每月	一冊	一角	一角二分
全年	十二冊	一元	一元二角

郵票代價十足通用惟以半分至四分為限

廣告價目表

等級	地位	全面	半面
特等	封面底面之外面	五十元	三十元
優等	封面底面之內面正文首篇之對面	三十五元	二十元
上等	色紙夾張之前後頁	十六元	十一元
普通	白紙夾張或正文後	八元	五元五角

廣告如用銅版或用彩印價目另議　繪圖刻圖工價另議　連登多期或訂登全年者價目從廉　欲知詳細情形請至上海西門內石皮弄中醫學會內「中國醫學月刊廣告處」接洽　遠地函詢卽行奉復

中華民國十七年十月一日出版

中國醫學月刊第一期

零售每冊大洋一角

撰述者　全國著名中醫

編輯者　中國醫學月刊社

發行所　上海西門內石皮弄中醫學會內

寄售處

上海四馬路中華書局

上海三馬路千頃堂

上海大馬路望平街口康健報館

上海白克路人和里衛生報館

上海浙江路洪德里幸福報館

中國醫學月刊

白龍山人題簽

第一卷第二號

秋風起矣慎毋使氣急症之復發

服驥製哮喘氣急丹足以制之

精生氣氣生神神氣充盈則百病不侵凡人中年以後氣血漸賑故有哮喘氣急之患亦有兒童時天哮鹽哮食哮莫不面如菜色每屆秋冬其發更劇本廬發行之驥製氣急丹專治男女界新久哮喘氣急曾有患四十餘年之老症服一料卽斷根不發如在病未發時吞服更可制止其發生際此秋風乍起凡有宿疾而防止其復發者請購試之必能除去病根也

注意盒內有辨眞劵方是的眞無劵假藥有關生命萬勿嘗試

大盒二元　附送止哮膏一張　每打念元　小盒一元　每打十元

各省分支皆有出售　外埠函購寄費另加

上海盆湯弄甯波路崔氏蠏香廬大藥房啓

論中國膳食有改良之必要

毛仁仁

人類生活的要素。是「衣食住」三項。自從孫中山先生添了一個行字。總算變爲四項了。這四項當中「衣住行」三項。不過增進人類生活的安適。是形式上關係。惟「食」一項。於人類生長發育有極大的功用。是關係於生活實質。比較的重要。當然要加上一個更字。我們醫家所應注意的。就是我國膳食問題。要討論的範圍。就是「我國膳食有改良之必要」。但是講到這句話。照普通眼光觀察。必謂我國膳食已經盡善盡美。即就世界各國當中比較起來。也可大拇指一翹。要推尊爲第一了。難者敢說這話。並不是吹牛。也有幾分來歷的。

一，從前有許多人說過的。世界上有三絕。一是日本人的老婆。二是西洋人的房子。三是中國人的菜。

二，中國膳食有很久遠的歷史。按「適者生存」的定例。若有不好之處。應該早經革除。何能傳至今日。等到我們來改良。

這活不錯。是很對的。那末這個論題。簡直是不能成立了。然而我們仍是要主張改良的。因爲要改良的理由。極其正當。這個理由。是把「膳食不良所發現的各種證象」來做根據。並非理想空說。且等我在下面逐層說來。自然有個很明白很實在的結論。

一，我國人的體格。比較英美等國人爲小。壽命較短。嬰兒及成年人的死亡率亦較高。抗病能力頗弱。（如肺病及沙眼症的盛行。即是確證。）

二，我國人的性格比較英美等國人。未免懦弱。無恆。不進展。不冒險。適於苟且偷安。腦筋容易衝動。

我國人何以有這種體格及特性。執果求因。或說是由數千年以前東亞祖先遺傳而來。這話似頗有理。但據歷史所載。我們祖宗的體格及性情。都比現在的人爲雄健。如神農年百十一歲。顓項年九十八歲。帝嚳百零五歲。堯百十七歲。舜百十歲。總計五人平均年齡爲百零六歲。求之現在。能逾百歲的人。實不多見。又如史記孔子世家載孔子身長九尺有四。孟子告子章載文王十尺。湯九尺。曹交九尺四寸以長。卽謂周制量度比現在爲短。但每尺照現在九英寸計算。古人的身長也在六尺半以上。這個引證。雖屬不能代表古人平均的身長。然求之現在人的體格。卽偶兒最高的。也沒有這樣長大咧。

就以上事實推敲。可知我國人民身心柔弱的原因。並非純粹出於遺傳。大凡人類的體格和思想力。能夠發育到怎樣地步才算極度。這是一代一代由母體出來見世界的時候就安排定妥的。但是能否發育完全。卻要隨環境轉移了。那末遺傳性雖屬不會因膳食的優劣而有所變遷。而其所遺傳者。則可因膳食的不適宜。不克盡量發達。這是不可逃避的事實。

美國著名營養學家馬可倫。對於膳食問題說得很好。著有一部書。叫做營養學。我們把他第五三〇頁的一段引在下面看看。「人類健康墮落。原因雖屬甚多。而以緩慢不顯著的一類。爲人生最大的危險。這類緩慢不顯著的原因中目下尤以營養不足一項爲最重要。因爲營養不足。能使體力薄弱。神經衰弱。病後不易復原。處事不能持久。抗毒性不易發生。此外如吾人老境發現的遲早。壽命的長短。均視膳食之適宜與否而有所變遷。」按馬氏這段論文。實可爲我國人民身心柔弱。由於膳食不良。做一確證。可是理論雖有這樣透切。因爲這類事實。進行極其遲緩。變象不甚顯著。往往不能引起吾人注意。吾知讀者至此。或仍疑爲這是一種理想。這是學說上一種設解。那末。祇好再找出幾個事實做證據。拚着我們這枝禿筆再往下面寫去了。

大凡因膳食關係而發現的變態。不止人類有之。卽動物亦有這種證象。動物的營養稍有缺乏。必不至發生顯著的疾病。不但形態不會反常。並且生產力也不會減少。不過幼年的死亡率。必定增加。且生長遲緩。體重減輕。體格必定逐代減小。這可以鼠做證據。鼠的體格所以逐代減小。卽由於所得膳食。在普通的標準線以下也。還有英國的馬匹。引至施脫蘭島及呵客納島地方。體格卽逐代縮小。這與鼠的遞衰。有相同的原因。所以有此變態。若掉過頭來觀察。將施脫蘭島的馬匹。移殖於美國富饒的牧場。體格卽逐代增長。還有三十年前。許多日本人。移殖於美國加利福尼亞省。子女都在美國生長。其體格較在日本生長的爲高偉。以上所引的事實。都是眞確的證據。總括起來說。就是動物與人類。同有這種變態。而重要的原因在膳食。有了這種交互反覆的證明。那末。我國人民身心這樣柔弱。就是膳食不良所發現的證象。已的確無疑了。

人類食物。多與地理有關係。在樹棲時代以後。各民族所取食料。大都不能盡同。有的利於耕種。有的利於牧畜。有的利於漁獵。做各種職業。就取得各種食物。我們遠年祖宗的生活。都是這樣混過來的。後來演進。由簡單漸趨於複雜。生活的狀況。由是變遷。取食的難易。就由是不同了。我國古時膳食究竟詳細如何。雖屬無從查考。但證諸有史以來各種載籍。在春秋戰國時。猶以肉類爲膳食的重要部分。如論語「鄉黨」章云「肉雖多。不使勝食氣」論語「述而篇」云。「三月不知肉味。」孟子「梁惠王」篇云。「雞豚狗彘之畜。無失其時。」「數罟不入洿池。魚鼈不可勝食。」依據此項記載。可以知道古時膳食。肉米並重。古時人口稀少。經濟寬裕。肉食價廉。取得甚是容易。今時人口衆多。經濟窘迫。肉類昂貴。取得頗感困難。我國古時因得食容易。所以多食肉類。身心甚爲雄健。今人因得食艱難。所以少食肉類。身心逐漸柔弱。這是古今生活狀況自然之變遷。講到這裏。還要知道人類演進的道理。大凡經濟問題發生以後。全靠智識來補救。才可戰勝環境。免了淘汰的禍患。這話若要討論起來。數萬言也不能盡。現在祇好長話短說了。且再舉出幾個多食肉食足以强健身心的證據來。

現在世界各國。以澳大利人所食肉量爲最多。平均每人每日需用肉食三〇六克。美國一四九克。英國一三〇克。法國九二克。日本五〇克。全球各强國需用肉食最少者。都在五十克以上。至於弱國。那就不能說了。高麗祇有五克。據歐戰以前的統計。澳大利人民死亡率。比之世界各國爲最低。且體格強健。冠於全球。其次就要推尊英美法等國了。此外各國肉食之多少。大都與盛衰之序成一正比例。在亞洲各小國。如印度。緬甸。安南。交趾。等處人民。多以米粟爲食料。肉類幾乎罕見。這些小國人民的身心如何。姑不具論。而爲他人的附屬國。則盡人皆知也。那末我國肉食究竟多少咧。

實不相瞞。平均祇有二十克。幸而與高麗五克相比較。尚超過他們三倍。若與日本等國五十克以上相比較。那就覺得非常慚愧了。以上所引事實。都是肉食適量足以强健身心的證據。可見左傳上面「肉食者鄙」一語。簡直是欺人之談。但是裏面還有一個問題。應該寫個明白。就是多食肉類怎麼能夠强健身心。

吾人自離了母體以後。所有組成身體之物質。即不絕的起化學變化而消耗。個體的生活現象。也由是而起。第消耗必須補償。所以一方面排除舊物質。一方面攝取新物質。食物的各項功用。也由是發生。吾人利用食物以修補人體組織之消耗。增加人體組織之生長。雖屬各種適宜原素不可偏廢。而求其有此修補生長之奇功。實惟蛋白質是賴。此質以動物素食物中取得的爲最適宜。肉類食物者。含有最適宜之蛋白質甚爲豐富者也。據近世化學家證明。此質甚爲複雜。約有二十種。各種尚無一定之正確公式。在消化程序中。此質可直接吸收入血。以循環全身。譬之各種建築材料。由紛歧的河道運往各處。以供修理及建築之用。凡完全無缺點之營養及生長。全視此質之適宜與適量。其有合此質甚多之食物。食之不能生長强壯者。即因建築材料不甚適宜之故也。(植物中的蛋白質)今以各種蛋白質比筆畫。以身體各組織比之字。筆畫要寫完全。才能完成各字。蛋白質要供給完全。才能强健身心。事雖不同。理原一致。這類營養的道理。在本刊第一期內經新詮一則裏面已大略說過。今再說一遍。覺得更明白些。不過我們寫到這裏。又要將話分開來說了。一國之盛衰。固視國民之强弱。而國民之强弱。實在不是食物一種關係。此外尚有若干別的原因。惟肉食加多。足以强健國民的體力和腦力。此實不容懷疑。値得民衆注意的一椿重要事項。我們提出改良中國膳食問題。

在這裏反覆引證。熱心討論。也就是爲此。

天下事說之容易。做到頗難。所論改良中國膳食。無非「要增加動物素食物」一句話。可是要做到這一步。第一個問題就是經濟關係。我國社會經濟。已窮到十二分。人民購買力甚爲薄弱。不論怎樣勸告人民每天膳食務須參用葷菜。而以財力不及之故。無非過屠門而大嚼。徒然流點饞涎罷了。我們在這裏閉攏眼睛。大發其改良之議論。亦不過一種畫餅。此與晉惠帝「何不食肉糜」之笑話。簡直是半斤配個八兩。那末。除少數迷信素食論者不計外。其餘多數人民。既然自力不易做到。難道可以希望我們政府裏面袞袞諸公。提出一筆款子。設幾千處屠宰場。開幾萬間牛肉店。每天按照戶口册分送一斤八兩給我們白吃一頓麼。這話太滑稽了。不是道理。如今翻來覆去。這篇論文寫到這裏。總該有個結束的交代呀。……是的。有了。是個簡便易行。且能普及的辦法。茲特分項提出。請同志們研究一下。

一，禁止雞蛋出口——雞蛋的營養素。不亞於牛乳。我國牛乳的工業。既然不能即時提倡起來。這項雞蛋。又任洋商大賈販運出口。實無異奪我國人之健康。減我國人之壽命。所以非絕對禁止以供自用不可。

二，禁止擦白食米——自最新營養學發明以後。美國已有用整麥製食之提倡。並有以麩皮充早餐者。我國仍將寶貴之米皮舂脫。用爲飼畜。不知改革風尚。這與暗地自殘。有何以異。所以應該禁止。

這兩項不傷財力。可以勉強補救肉食缺乏之營養不足的辦法。同志們如認爲對的。還要請同志們托出上海許多醫會當中的大手筆。繕具公文一件。趕快呈送爲人民謀幸福的中央政府。如蒙核准施行。那是馬上發生效力的。萬一政府不瞅不睬。專靠我們憑這張報紙。弄一番筆墨。想閱者諸君總是表同情的。我們惟有至恭必敬。致謝大家努力宣傳罷了。

改造中醫之商榷

陸淵雷

內經學說之由來

有效驗的單方愈積愈多。同時社會上的情形也漸漸複雜起來。凡百事體。箇人自己做不了。遂有「分業」的傾向。在這時候。專門記熟了許多單方。替人家治病的。就是三百六十行中的醫生一行了。起初呢。醫生與病人的知識都很簡單。見有這一種病。把這一種單方給病人吃。醫生的責任就算完畢。病人吃了那種藥。只要病好。對於醫生。也就不生出別的問題。至於這種單方為什麼吃得好這種病。害病時種種的痛苦。病人與健康人種種不同的現象。究竟是身體上起了什麼變化。這幾箇問題。無論醫家病家都不去理會他。但是人類天生下一種「好奇心」與「求知性」。與一切高等動物不同。人類能夠好奇。能夠求知。所以會進步。動物沒有這種心性。所以不會進步。現在的學術技藝。進步到這樣光輝燦爛。可以說都是好奇心求知性發展出來的。那時人民的知識漸開。好奇心求知性逐漸發展出來。醫生替人治病。耳之所聞。日之所見。都是疾病的症狀。一面給單方給人吃。一面自然也要推想疾病的原因變化。病家請了個醫生。不僅是吃藥。自然先要問問病情。若使醫生不能回答。病家自然要不信任了。這個時候。有自動被動兩種勢力。

驅迫做醫生的研究病理。醫生於是絞盡腦汁。推想五臟六腑的功用。又裝點上些五行生克的話頭。經過了許多人許多年代。湊合起來。編成一部書。就是現在一班醫界老前輩奉爲金科玉律的內經。還怕當時的人不信他的話。少不得請出黃帝岐伯來。把自己的理想一齊推到這些聖人身上去。諸君要知道冒牌影戲。原是戰國時諸子百家的常技。無論那一種學說。總得請出一位古聖人來。裝裝場面。記得康南海有過一種著作。叫做諸子創教託古攷。就是揭穿戰國諸子冒牌影戲的把戲。內經這部書。從文學的眼光看來。也是出於戰國秦漢之際。習俗移人。怪不得醫生們要依託黃帝岐伯了。好得中國人篤信好古的美德。非常之發達。一聽到古聖人說的話。不問是非眞假。便一味地顛頭播腦。只有贊歎之功。並無辨別之力。你看自來醫家著書立說。或者治病時開個方案。縱使他所持的理由十分不妥帖。只要牽引上一兩句內經。就像保險公司出了保單一樣。保管沒有人敢駁詰他了。如今不佞甘冒不韙。把內經學說之由來。赤裸裸描寫出來。只怕醫界老前輩見了。還要加吾個非聖無法的罪名。把不佞罵得狗血噴頭哩。其實聖人自有聖人的功績。不佞前一篇所說的神農教民稼穡。便是一個實例。若把古代聖人一個個說得天生上智。不學而能。那就不但誣妄聖人。而且阻礙社會的進化。中國數千年沒有進步。就因爲篤信好古四個字。連冒牌聖人也不敢懷疑。把研究推理的本能阻塞住了的緣故。

內經的學說。既是從推想得來。不是從實驗得來。自然靠不住的地方很多。這其間也有很精妙的道理。不是不佞目空一切。這精妙的道理只怕無人懂得。所以不佞的主張。內經這部書。只好做醫學上研究參考的資料。若是學醫從內經開手。那就用力多而成功少。還怕一輩子不得清楚。白白的把自己頭腦弄得顢顢頇頇了完事。可笑有個醫學校。劈頭就是內經課。要教上一兩年。在教者的意思。無非想仰仗黃帝岐伯的威名。敷衍過幾年。就算完了教授的責任。詎奈現時代的青年很不馴良。遇到懷疑的地方。便不管黃帝岐伯。七張八嘴質問起來。教室裏鬧得煙舞氣漲。辦學的人沒法。死活拉不佞去担任內經課。不佞就老實不客氣。把那些五行運氣駁得個淋漓暢快。一方面根據科學上的實驗。證明了內經上幾樁精妙道理。那些學生聽得歡喜昏了。也不瞻前顧後。竟根據了不佞的話。去質問別的教員。內中有一位教員。與這學校有些特別關係。正是仰仗黃帝岐伯做護身符的。先就起了恐慌。他說「陸淵雷在此。不但吾個人無書可教。就是別的教員也無書可教了。」不佞聽着這個風聲。趕快脚底明白。辭職走路。聽說這個醫學校裏新定的計畫。請教員必須請完全舊式人物。不容參入些微科學化。一方面開除了幾個喜歡問難的學生。從此可以千萬年「有書可教」了。這種生存競爭上必要的手續。原也怪不得他們。只可憐每年要斷送多少青年的聰明才智。況且四面楚歌的中醫。那裏經得起這班人的一番生存競爭。不佞很有些杞憂哩。

兩漢之醫學

有了內經上那種推想所得的學說。對於種種病變的解釋。不問他事實上合不合。總算有了個交代。不過內經上的治療法。十分之九是鍼灸。偶然也用些藥物。用得很少。偌大一部內經。從中尋他的藥方。就只腹中論的雞矢醴治鼓脹。烏鰂骨藘茹丸及鮑魚汁治血枯。病能論的生鐵洛飲治陽厥。澤瀉朮麋銜散治酒風。奇病論的蘭草治脾癉。靈樞壽天剛柔篇的蜀椒乾薑桂心酒熨寒痺。經筋篇的馬膏桂酒桑鉤桑灰治口僻。邪客篇的半夏湯治目不瞑。癰疽篇的豕膏治猛疽米疽。陵翹草根治敗疵。還有辟疫的小金丹出於遺篇中。遺篇是不是素問原書很有疑問。此外沒有別的藥方了。不但藥方少而且藥方治病的原理。內經簡直一字不提。回頭看他空談病理的地方。或是講鍼灸治病的原理。倒是說得活龍活現。若使沒有科學去印證他。只怕直到今日還找不出破綻哩。做內經的人。既有這般粲花妙舌。爲什麼不想些話頭來。也把藥方解釋解釋呢。這也有個緣故。解釋藥方須比不得解釋病理。要難得多。不但古時如此。現在也是如此。不但中國如此。西洋也是如此。西醫也有三數種特效藥。也說不出什麼精當的道理。這個問題。過一天再來討論。如今先要談到兩漢間的醫學了。

從內經之後。一直到東漢的末年。所有講究理論的醫書。只有一部難經。難經相傳是秦越人做的。做來解釋內經的。但是荒謬的地方很多。於醫學上簡直沒有什麼價值。除此之外。史記上載着倉公淳於意的許多醫案。也有講究病理的地方。當時漢文帝聞得倉公是個起死回生的大醫生。叫他把生平治病經驗說出來。倉公就一條條奏對上去。後來太史公司馬子長被漢武帝割掉了雞巴。撇着一肚子悶氣。發很做一部史記。就把倉公的奏對編入史記裏。二千年後的吾輩。能夠讀到倉公的大手筆。歸根究底。還要感謝漢武帝一割之威哩。倉公自言。「治病人。必先切其脈。乃治之。」所以那些醫案裏。都說是切了脈。知道是什麼病。又知道爲什麼原因起的。他的脈法。眞是出神入化。普天下醫家比過江的鯽魚還多。脈法高明的料也不少。或者有人能夠懂得倉公的脈法。若問不佞呢。憑良心說一句。叫做「山東人吃麥冬。一懂也不懂。」讀者諸君若能根據科學。把倉公的醫案解釋一番。不佞就情情願願。叩頭如搗蒜。一輩子拜你爲老師。但若搬些模糊影響的老話頭來搪塞。那就對不起。吾這個頭還得保留一下子。不給你叩呢。

東漢的末年。可謂中醫學進步到了極盛時代。就中的頭兒腦兒頂兒尖兒要算着兩位國手。一位是華陀華元化。一位是張機張仲景。華陀的事迹。後漢書三國志及劉昭補註都有記載。又有一部「人手一編」的三國演義替他鋪張揚厲。所以華陀的大名。差不多婦人小孩都知道。（婦孺皆知本是句成語。從前的女子不能與男子受同等的教育。所以婦女的知識。總比不上成年男子。只好與小孩子一樣。若是一樁事弄得婦孺皆知。就是極普通的常識了。但是現在的婦女却不然。與男子一樣教育。加上她那冰雪聰明的資質。沈靜縝密的思想。她的造就。儘有男子們望塵莫及的。吾想婦孺皆知這句成語。也要隨着潮流革新一下。叫做男孺皆知才好呢。不佞隨手寫下一句落伍的話。特地向普天下英雌道個歉。不過一方面還要請求男子們原諒。不要說吾長他人志氣。滅自己威風。）刳破腹背。湔洗腸胃。是華陀的拿手好戲。這就是西醫所謂外科手術。從後漢書三國志上看來。華陀的手術。比現在最高明的西醫還要高明得多。西醫一用手術。不管病好不好。先要手術費。動不動幾百塊幾千塊。他們那種回春妙手。貧苦階級是萬萬享受不到的。華陀却不甚需索手術費。有時替人醫好了病。人家送他金帛。他還推却不受。這樣說來。華陀不但手術高明。道德也非常之高尚。可惜他的治療書。臨刑時已經燒掉了。一點沒有流傳。現在只有一部中藏經。相傳是華陀的書。也保不住是後人依託吧。

張機與華陀同時。兩人在當時的名聲也不相上下。吾人一翻歷代的書目。知道張機所著的書。有脈經一卷。五藏論一卷。傷寒雜病論十六卷。評病要方一卷。療婦人方二卷。口齒論一卷。華陀讀了傷寒雜病論。非常之佩服。說道「此眞活人書也。」現在所存的。只有傷寒論與金匱要略兩部。這兩部書。或者就是傷寒雜病論分了開來。原書是十六卷。現存的傷寒論是十卷。金匱要略是三卷。合計起來。比原書少了三卷。或者金匱曾經後人刪削。所以稱爲要略。這些目錄學上的考據。姑且不要管他。傷寒金匱。既是內經以後第一部有價值的醫書。須得把他的大段內容研究一下。

傷寒金匱之內容

傷寒金匱是方書的鼻祖。怎樣叫方書。就是教人用方藥治病的書。既是教人用方藥治病。可知全書的重心。就是那些藥方了。傷寒論的藥方共有一百十三首。金匱的藥方。除却後人附入的不算。也有一百八十四首。內中有三十九首。兩書中重複的。也除却不算。兩書共有二百五十八首藥方。內經是議論多而藥方少。傷寒金匱的藥方雖這樣多。却並不空談病理。只說怎樣的病證。怎樣的脈象。應當用那一首藥方去治療。所以傷寒金匱與內經。剛好成了個反比例。大概從東漢到唐朝。中國的醫學。漸漸脫去推想的理論。側重於方藥治療。自從張仲景開了這個例。一直到唐朝。總是採集許多有效的藥方。編成醫書。就現今所存在的說。葛洪的肘後方。孫思邈的千金方。王燾的外臺祕要。都是撰集效方。不尚理論。褚澄說得好。「由漢而上。有說無方。由漢而下。有方無說。」這就見得中國醫學。漢以後與漢以前大不同了。不佞要請問閱者諸君。醫學還是空說說病理就算了呢。還是要想法子醫好病。做醫書還是空說病理容易呢。還是撰集藥方容易。要是空說病理。無論編謊編掉了下頷。五臟六腑決不會開口駁你。倘若用藥治療。藥用的不對時。病立刻會變重。甚而至於可以送命。所以病理可以憑空結撰。藥方治療卻不能憑空結撰。傷寒金匱上的藥方。都是數千百年經驗下來的有效方。決不是張仲景創造出來的。至於這些藥方爲什麼能醫好病。不但張仲景無法說明。就是吾們有了許多科學的幫助。要去解說他。也是十分不容易。以不佞的一孔之見看來。內經可以說得是病理學。傷寒金匱可以說得是治療學。病理與治療。實際上不能夠打成一片。這是醫學上很大一樁闕憾。吾們所當努力去發明。務必找出一種具體解釋的。就是這個問題。不佞費了一大堆筆墨。要商量個改良中醫的辦法。也就是這個問題。

病理學說與治療方法之不相應

病理與治療。中醫不能夠一線貫通。打成一片。西醫也何嘗能夠貫通呢。現在有少數的西醫。飛揚跋扈。不可一世。好像把中醫一口氣吞得下的樣子。他們的學說。是從日本學來的。日本的學說。又是從西洋學來的。論起輩份來。西洋好比是祖父。日本好比是父親。這些少數的西醫。不過是孫子罷了。人們人格重財輕義的很多。貪圖人家的遺產。謂他人父。做人家的義子義孫。原算不得稀罕。不過既得了他人的遺產。反而把親生父母的遺產。拚命破壞。那就不免喪心病狂了。如今這些少數西醫。拚命地要消滅中醫。他們自己本是中國人。所用的武器。又是中國文字。所要消滅的又是中國醫學。在日本人一方面呢。收著了這些孝順義子。總算是眼力不錯。可是這些義子。昊天罔極的孝順他義父義祖。不佞倒要預先替他們擬定個謚法。叫做奴隸派的西醫。等他們「全受全歸」的時候。再造個紀念碑。表彰他們的潛德幽光。閱者諸君料也贊成這個辦法吧。

奴隸派西醫所自命不凡的。也只是空談病理。也與漢以前的中醫學一樣。不過他們的義祖義父。有種種科學的根據。有酒精鐙試驗管顯微鏡種種器械的幫助。不是完全出於推想。似乎與內經學說不同。所以由他們說得嘴響。但是病理儘說得精透。若要問到治療。依舊是毫無辦法。尤其是他們所沈迷不返的細菌學說。一見了急性傳染病。什麼驗血液哩。驗痰唾二便哩。培養哩。著色哩。顯微鏡下檢視哩。血清反應哩。費盡九牛二虎之力。總算難爲他把個病菌認識清楚了。要是在前驅期中。病菌沒有認識清楚的時候。病人倘若要求治療時。西醫一句話推得個乾淨。叫做「診斷未確。無從施行根治。」這時候的病人。只得忍着痛苦呻吟床褥。靜候診斷。這也是病人自己不好。須怪不得西醫。那個叫你不懂得預防消毒。自己傳染了病菌。只得耐着性忍受些。這還罷了。等到診斷明確了。就該實行根治大施回春妙手。像古人所說的「一劑知。二劑愈。」那才不負他平日飛揚跋扈。不可一世的態度。豈知西醫的回春妙手。還要看病人的造化。若是有造化的病人。只應當患梅毒。因爲西醫有六零六可以把你根治。或者患白喉破傷風。因爲西醫有比令氏血清。也可以把你根治。若是沒造化的病人。患了別種傳染病。縱使千熬百耐。等醫生診斷明確了。若要希望治療。哼哼。對不起。西醫也只要一句話。輕輕推得個乾淨。叫做「尙未發明特效藥。只有對症處置。」於是熱起來就用冰蒲包電風扇。冷起來就用水汀熱水袋。肚子餓了就是牛乳鷄蛋。諸君休得小覷了這種對症處置。說他沒有價值哩。須知西醫有數理化學生物學做根抵。有胎生組織解剖生理病理做基本知識。學問這樣高明。施行出來的對症療法。

饒你再不中用。也是有價値的。要是這種對症療法出於中醫之手。那自然是絕對謬誤了。這好比打罵一樣。家中的黃臉婆子。把你打一下罵一句。你就要火星直冒。跳將起來。窰子裏的娼婦。若蒙她輕啓櫻唇。高抬玉手。把你打罵一下。你就從骨髓裏舒服出來。堆着滿面笑容。成打的花頭。沒命價報效上去。若問嫖客何以這樣瘟。因爲娼婦得了烏龜老鴇的傳授。平時把嫖客灌足了迷湯的緣故。有一班迷信科學的人物。害了病請教西醫。領略了對症處置的妙法。也儘有死而無悔的。若問他何以這樣瘟。也因爲西醫得了西洋日本義祖義父的傳授。把那細菌傳染消毒預防的話頭。將迷信科學的人物灌足了迷湯的緣故。

因爲這個緣故。西醫遇到了傳染病。只要把病菌診斷明確。（其實。即使診斷得不明確。病菌也決不會開口分辨。蟲臂鼠肝。悉聽西醫胡謅罷了。）醫生的責任就算交卸。只消對症處置。悉聽病毒自起自滅。若是病人好了呢。自然是醫生的功勞。若是死了。也怪不到醫生。一來是義祖義父沒有傳給特效藥。做義子孫的那裏可以取用親生父母的財產。幹那敗壞宗風的不孝勾當。二來是病人自己的「自然療能」太不濟。醫生實在是愛莫能助。唉。只要有了細菌學說。醫一百個病人。那怕死了五十雙。醫生依舊是個國手。這是何等的便宜。

請問爲什麼要醫學。自然是要醫好病。爲什麼要診斷。自然是要決擇治療方法。如今既沒有醫好病的本領。要你這醫學何用。既沒有治療方法。要你這細菌診斷何用。有特效治療的傳染病。不過梅毒白喉破傷風這三數種。梅毒白喉破傷風的症狀。都是顯然容易鑑別的。用不到什麼細菌診斷。症狀容易誤認。必須細菌診斷的病。像傷寒與類傷寒。

發疹傷寒敗血膿毒症與瘧疾結核病。霍亂與菌中毒。痢疾與腸炎症。就算檢查細菌。診斷得千眞萬確。還不是一樣給你個對症處置。那末細菌診斷豈不是多事白饒麼。這個道理很淺顯。人人想得到。無如奴隸派的西醫早已被着色培養顯微鏡這些玩意兒。攪得眼花繚亂了。極淺顯的道理反而想不到。眞所謂「明足以察秋毫之末而不見輿薪」不佞說他們「沈迷不返」。可知不是冤枉哩。何况細菌爲病原的話。很有可疑的地方。不佞當另作一番討論。現在姑且按下不提。

平心而論。西醫也有西醫的長處。何嘗可以一概抹煞。就像丁福保。是留學日本的前輩。他的學問很淵博。奴隸派的西醫沒一個比得上他。他對於中醫學也有相當的瞭解。也常用中國藥方來治病。其次就像牛惠霖。是個美國派醫生。他的開刀手術。可稱一時無兩。但是遇到不是割得好的病。也常常勸病家找中醫治。還有刁性德。是個德國派醫生。他的內科很得社會上信用。他自己不懂得中醫學。從來不曾批駁過中醫。還有阮其煜。是廣濟醫學的前輩畢業生。他也很研究中醫。他辦的廣濟醫刊。中西並載。而且虛心下問。拉不佞做中醫研究股的顧問。可知眞有學識的西醫。並不曾輕視中醫學。西醫界中別有肺腸的。只那幾個奴隸派了。不佞對於奴隸派的西醫。實在是疾惡如仇。所以這一段文字。就不免寫得褊激了些。在不佞的主張。醫學的本身。原不必分什麼中西。醫界的人物却要淘汰一下。中醫界裏。死守五行運氣。濫充教授。貽誤青年的人物。和西醫界裏的奴隸派。一律在應當淘汰之列。至於湯頭歌訣的中醫。與看護出身的西醫。那就等於自檜以下。不在這篇商榷範圍之內了。

（未完）

藥物與陰陽

姚兆培

味厚者爲陰　薄爲陰之陽
氣厚者爲陽　薄爲陽之陰

中國醫學書籍。每每牽涉到陰陽二字。尤以第一部書內經爲最多。一頁上有五七個陰陽。全部書不知有多少陰陽。這許多陰陽的文字。有一般人看得他非常神妙。以爲是中國不可思議的哲學。有一般人看得他毫無價值。荒謬絕倫。以爲是科學前途的大障碍。其實在當時著書的人。提着筆寫陰陽二字的時候。也不過順着當時的風尙。用最普通的意義。來表明自己的意思罷了。既不知什麼叫做科學。也無所謂神祕。這多是後人對於陰陽二字定義隔膜之後。所生的議論。我願讀中醫書者。只要理會得陰陽的意思。就看他講的什麼話。不要籠統拿神祕奧妙的眼光來恭維他。也不要籠統拿不合科學的成見來評判他。如是古人的眞意。才能夠表現出來。

陰陽二字。最古而最普通的定義。在易經上說。乾爲陽。健也。坤爲陰。厚也。健字的意思。是健運不息。厚字的意思。是有體積容量。換一句新名詞來講。就是理化裏面『質與能』的定律。無論何物。多有『質與能』的存在。就是無論何物。逃不了陰陽。內經陰陽應象大論。開口就說。『陰陽者。天地之道也。萬物之綱紀。變化之父母。生殺之本始』。這豈不與現今『質與能』的意義一樣。古人的腦子。與今人一樣。今人所有思想。古人原也想到。不過『質與能』的名詞。從外國譯出來。覺得新鮮一些。陰陽從古相傳。未免是腐敗了。

既萬物多有陰陽。陰陽就可應用於一切。天空中有一種大力。力大無窮。能使日月星辰。一刻不停。似跑馬般的飛奔。這一種力。是宇宙之陽。叫他做乾。天空中有一種雲氣。團聚起來。變成日月星辰各種有體質的東西。這一種質。是宇宙之陰。叫他做坤。人身有各種機能。循環器司循環。呼吸器司呼呼。消化器司消化。排洩器司排洩。從生至死。一刻不息。這種機能。是人身之陽。叫他做氣。人身有各種組織。五藏六腑四肢百骸。併起來成個人樣子。這種體質。是人身之陰。叫他做形。內經陰陽應象大論中說『陽化氣。陰成形。』就是拿陰陽把人身分成形氣兩大綱。一個人。並沒甚麼希奇。死人加上一口氣。就是活人。各種組織完全無缺。各種機能周流無滯。就是一個很健康的人。這兩大綱的分法。豈不甚好。

人生既不外陰陽兩項的組合。疾病也就不外陰陽兩項的偏倚。治療也就不外陰陽兩項的補救。藥物也就不外陰陽兩項的分別。從解剖生理病理直至治療藥物各階級。陰陽二字。從頭至尾。一氣貫通。吾雖不敢說這是中醫最妙的地方。但是環顧各國的醫學。多沒有進化到這一點。不得不替陰陽二字。喝一聲好。現今的西醫。解剖生理是詳細了。但人身上自然的現象。欲一一考證他。捧了一本生理解剖書。有一大半是無從捉摸。再有病人病得很是痛苦。死了解剖開來看看。却發現不出甚麼原因來。即使得了原因。要想一個治療的方法。却很不容易。有了方法。去求藥物。更是難上加難。譬如一座五七層很高大的洋房。西醫是層層阻隔。向上鑽時。腦袋就頂住了天花板，若向旁邊走時。門又關了不開。這是通有的現象。吾中醫陰陽二字。雖是粗糙些。却上通下逹。升降自如。窺生理陰陽之常。以察病理陰陽之變。因病理陰陽之偏倚。而求藥物陰陽之補救。因這升降機太便利了。上通下逹。攢得爛熟了。於是把幾層洋房。打成一片。只有上下貫通的眼。看不見層級的障碍了。中醫診察的八大綱陰陽寒熱表裏虛實。多是一個個上下相通的眼。陰陽是其中的一個。故中醫的對證治療。不問什麼疑難雜症。就是不明瞭他切實的病理。依了八綱的法度。醫治下去，也能使他全愈。丁福保先生說『中國之藥及藥方每有突過西人之處。可以治西醫所不能治之病。』日本醫學士野津猛男亦曰。『漢法醫方大抵出於實驗之結果本諸經驗而發達。四千年來之經驗。決非千言萬語之空論所可比。竟有重視之價值焉』又曰。『漢法醫方臨床上每能奏卓越之效果。此吾人所不能反對者也。』野津猛男既知漢法方藥有特效。於是集效方數十首彙成一書曰漢法醫典。視爲臨床之祕寶。須要知道中國的藥及藥方所以能矯矯不羣稱善於世界。雖是經驗得多。也是八綱執簡馭繁的法子。好若拋了方藥。離了八綱去醫病。包得要鬧亂子。主症雖是治癒。後起症亦隨之而起。此愈彼病。變化無窮。故野津猛男雖取了我中醫的驗方。還依舊沒有澈底。爲何不更進而研究我中醫的八綱呢。

中醫的八綱。上通下達。一氣貫成。既如上述。最妙在藥物與病理。也能連串一氣。解剖生理病理治療。多是在人身體上的連串。當然容易。草木與人有何關係。如何也能與生理等打成一片呢。原來中醫對於藥物。專看他對於人身的功效。是如何有了功效。就拿人身所起的變化。來做藥物的藥性。故藥與人的生理病理也能打成一片。人身有陰陽寒熱表裏虛實。藥也就分陰陽寒熱表裏補瀉。吾這篇文字的題目。是藥物與陰陽。下文且專論藥物陰陽的分別法。以上所講的。既已知道了些大概。且擱起不談。

（未完）

肺癆病菌的新仇敵是「海帶」「海藻」「昆布」（續）

毛仁仁

要知道這類海菜怎麼可以治療肺癆病。第一層要明白含有若干原素。及其成分。第二層要明白所含原素。對於人體生理上有若何功用。在五十多年以前外國化學家化驗所得。祇知道這類海菜含有多量的「碘」質。因此發現了現代商業上「碘」質的大來源。最近有伊傅恩的論文發表。謂關於海藻類植物分析的結果。除「碘」質外。還有不少的「鈣」「砒」「鐵」等質。這類原質在治療上。很可引起我們的注意。或者各種海藻所含原質各有不同的成分。因此而有不等的治療價值。茲將中國幾種海草分析表列左。

海藻類　各項物質　按百分分之幾算	水分	鈣	硫酸鹽	砒（百萬分之）	碘	鐵
海帶	一、七	二、二五	一、八九	二五、〇	一、一六八	—
海藻	四一、五	七、二七	二、〇七	五、〇	〇、三三九	〇、〇九二
昆布	二七、三	二、三八	一、九三	二六、〇	一、二三四	—

並將最近分析得幾種普通食物的石灰質與鐵質的成分。列表如下。以備參考。

食物名稱	石灰質（百分之）	鐵質（百分之）
紅蘿蔔	○、○九六	○、○○八○
柿餅	○、二二四	○、○○三四
荳腐	○、一一二	○、○○四九
山查	○、四○○	○、○三一○
麥粉	○、七四二	○、○○一五

食物名稱	石灰（百分之）	鐵質（百分之）
黃荳	○、二三○	極微
波菜	—	○、○一八二
蘋菓	○、○一三	○、○○三○
牛肉	○、○一一	○、○○三八
雞蛋	○、○九三	○、○○三○

碘——中國海藻類所含碘量比開姆輪發表的動植物中所含碘量較高。普通的「海帶」含碘百分之一、一六八。「海藻」含碘百分之○三三九。「昆布」含碘百分之一、二三四。化學家里亨脫謂比普通「碘化鉀」的碘量還要高强百倍。並證明吃過這種海菜以後。人體「甲狀腺」內的碘量就增加不少。這是因爲這類碘質比較的容易被脂肪及膠質所吸收的緣故。普通人體。每日平均需要碘質○、○三八克。依生理學家甘獨的研究。我們平常只要每一月或二月吃海菜一次。就足以供給體內每日所需的碘質。這是因爲「甲狀腺」內能儲藏碘質的緣故。近時佳維司在美國醫學會報上發表一文。也注意到中國這類海菜。並提議充作平常佐膳食品。照這樣看來。中國這類海菜。確是一種有價值的東西。我國有了這樣出產。眞可說是一樁幸事了。伊氏還說。這種碘質。除醫治瘰癧等病外。還可

以治療「甲狀腺」腫。氣管支炎。水腫等病。這類說法。是不是與我國本草所載的意思大同少異。閱者一看就可明白。可是說到這裏。說話將要多起來了。如何能消瘰癧。消結核。如何能治氣管枝病。消水腫。化頑痰。都應詳詳細細有一個交代。恐怕說得太長。閱者厭煩。只好將「碘」與「甲狀腺」的關係。說個明白。其餘就不必嚕囌了。

「碘」與「甲狀腺」的關係——「甲狀腺」位於頸的前面。有兩外葉。在附近氣管的上部。由中部使兩葉相連。這相連處名曰「甲狀腺峽」。兩葉寬約一英寸又四分之一。沿喉向上約二英寸。這個腺質。係閉合的泡及囊所組成。裏面爲上皮細胞。並含一種濃厚的半液體質（類膠質）有許多毛細管圍繞於周圍。動脈有四所。以得血很多。有纖維若干。維持這腺的位置。附着於喉的兩旁。並氣管後面的筋膜。這腺的內分泌。可以激起心臟的活動。增加血壓。且能免去肥胖病。於身體的滋養。有重要關係。這就是甲狀腺內能夠儲藏多量碘質的緣故。中國本草上說。多食昆布。能令人瘦削。其實就是肥胖人食之能瘦削耳。與這裏所說能免肥胖病。道理是一樣的。若「甲狀腺」的內分泌缺乏「碘」素。在兒童的時候。就可的阻碍身心發育。在成人的時候。就可以阻碍新陳代謝。低落心靈能力。所以甲狀腺不可發腫。不可變性。凡病腫或變性。統是缺乏「碘」質的緣故。要治療這個病。就非有含碘的食物不可。若碘素供給充分。甲狀腺即可不病。甲狀腺不病。心臟的活動。就不至弱衰。血壓的常度。就不至減退。新陳代謝如常。心靈能力如常。就是抗病的能力。也不至於不如常。甲狀腺關係於身體健康。如此重要。那末碘質在甲狀腺的內分泌裏面。是個主要原素。於健康上有重要的功用。就更明白了。

鐵——海藻內鐵質的成分。爲百分之〇、〇九二三。參觀上列二表。就知道海藻含鐵成分。比普通食物爲多。鐵質在人體內。需用甚重要。這是人人知道的。凡運載養氣。以供全身各部的需用。統是鐵質的功效。這句話。我們已在本第一期「內經新詮一則」裏面說過一次。我們能夠將這種含鐵質的海藻。加入平常膳食。作爲蔬菜。必可供給人體所需的鐵質。但是說到這裏。還要附帶聲明幾句話。人體需要的鐵質。一定要從有機物裏面來的。並非無機鐵素。若是無機鐵素。祇有興奮作用。如市上所售韋廉士紅色補丸。裏面所混合的。是硫酸鐵百分之十三。這是無機鐵素。雖能興奮一時的精神。却　　　的養料。是萬萬不能補血的。各人不要上他的當。我們將來對於這類丸藥。另有專論刊登。現在惟恐閱者誤會。所以預先附帶聲明幾句。

鈣——海帶含鈣百分之二、二五。海藻含鈣百分之七、二七。昆布含鈣百分之二、三八。參觀上列二表。就可道海藻含鈣的成分。較普通食物高出多倍。並且平常食物內的鈣質。只有極少部分。能被人體吸收。海藻內的鈣質。比較上是很容易吸收致用的。可以輔助血液的凝結。調節心臟的動作。凡成年人需要量很多。於健康上有重要關係。

砒——平常食物內含砒的很少。海帶含百萬分之二五。海帶含百萬分之五。昆布含百萬分之二六。能刺戟人體內新陳代謝的作用。伊氏謂海藻治療肺癆病的功效。是含「砒」與「鈣」的關係居多。

以上說的。是這類海藻所含的原素及其成分。並各原素對於人體生理上的功用。寫了一半天。說得天花亂墜。却還沒有談到怎麼可以治療肺癆病。我們知道閱者必定不耐煩。不願意往下面再看了。可是我們下面所說的。仍是本刊第一期登載過的幾句話。第一期上面不是說過中醫治療肺癆病。就是利用人體自然抵抗力所奏的功效麼。因被肺癆病菌傳染以後。人體抵抗力不足。或因肺癆病菌傳染過多人體抵抗力薄弱。病菌得到這樣好的新大陸，就生子傳孫。興吐起來。病人就不知不覺的咳嗽咧。吐痰咧。胃口不開咧。精神疲倦咧。咯血咧。發熱咧。肌肉日瘦咧。夜不安眠咧。種種應有的症狀。陸續發現出來。成功了肺癆病。可是根本上不外乎心臟日衰。血壓無力。新陳代謝阻滯。心靈能力低落。若於險象未露時期。根據我們祖傳下來的老本領。用適當方劑。對症治療。並用這類海菜爲佐膳食品。有砒。有鈣。有鐵。有碘。一可激起心臟的本能。二可增高血壓的力量。三可促進新陳代謝的作用。四可恢復心靈能力的常度。身體健康既日進。抵抗能力必日强。抵抗能力既日强。肺癆病菌。就不適於生存。不生存。即死滅。肺癆病就可痊愈。就可斷根。這就謂之肺癆病菌的新仇敵。照這樣看來。仍是間接的力量。並非直接的力量。好比君子道長小人道消。這是用王道致太平。不是用武力戡禍亂。我們販運一點洋貨。寫滿這張紙頭。像煞中醫西洋化。擱筆一笑。（完）

傷寒病之四個步驟

俞培元

傷寒爲急性傳染病。邪從外受。其經過之步驟有四。可以內經陰勝則寒。陽勝則熱。陽虛則寒。陰虛則熱。四語爲提綱。試釋之如下。

（陰勝則寒）此陰字指冷空氣而言。人體本自有其一定之溫度。而空氣之溫度。則四時不同。若遇外界空氣過冷。人身之體温不能抵抗而失其協調之功能時。則起變化。皮膚表層之末梢神經。受寒冷之刺戟。則感惡寒。故受病之始。第一步必惡寒。(時間有久暫。)故曰陰勝則寒。

(陽勝則熱)古人言陰陽。連帶即言勝復。陰勝則陽復。陽勝則陰復。此亦從病之形能體會而得。其實所謂陽勝者。因軀體受外界寒冷之壓迫。而起之救濟作用也。外層觸寒。則血液奔集。造温機能亦亢盛。使體温增加。以爲救濟。斯時則發壯熱。熱愈壯。則與外界空氣之温度相差愈甚。故愈覺惡寒。迨體温亢盛至峯極時。則不復惡寒而惡熱矣。是謂陽勝則熱。所謂陽勝。即體温亢盛之謂。是熱病之極期也。

(陽虛則寒)因體温亢盛而病則進行不已。及亢盛過度。興奮過當。反呈衰弱之象。因軀體之衰弱。而病毒之勢焰反不如從前之劇烈。此則因病毒之盛衰與本身之抵抗力爲比例。故斯時病勢似衰。反見寒象虛象。故曰陽虛則寒。是全體機能衰弱至危極險之候也。

(陰虛則熱)全體機能衰弱。抵抗力盡失。而實際病則並不少減。病不減則正益傷。全身液體消耗殆盡。液體既竭。則軀體內碩果僅存之酸素燐質。悉數自燃。乃現最後之熱象。是謂陰虛則熱。是爲死證。熱病自始至終。其經過不外乎此。抑古人所言陰陽。其理亦不過如此。此二字是一種代名詞。並無何種深意。惟人以玄妙的目光視之。遂不可思議矣。

以上所說。僅就簡單言之。若論其細。則陰陽勝復。此長彼消。交互錯綜。不可究詰。斷非片言所能道其詳也。

禁烟聲中之戒烟法

趙公尙

鴉片一物。在他國僅供醫藥上之應用而已。而在吾國。初時亦不過用以治病。繼便發明燒吸之法。視爲消遣之品。於是積之既久。成爲習慣。毒根日深。民族因之衰弱。財源因之外溢。國勢因之不振。而尤以搆成中英之戰。訂立南京之約。開吾國外交上之奇恥大辱。試讀往史。莫不令人痛心長太息也。然而一般嗜者。明知其害。而故犯之。而國家之禁令。自清迄今。雖已數下。又皆一未收效。揆厥原因。實以內爲軍閥貪官汚吏土豪劣紳所包蔽。外爲帝國主義者所阻撓。故種者自種。運者自運。吸者自吸。根株終未淨絕。甚且蔓延益廣也。今者革命功成。政令統一。以黨建國。百度維新。對於烟禁。國府既有禁烟委員會之設立。民衆又有拒毒委員會之組織。將見通力合作。共剷毒根。數年之後。厥功告竣。財日裕而國日強。我黃帝子孫。誰復敢以東亞病夫相譏也耶。雖然。予以當此嚴行禁烟之時。要當妥籌戒烟之法。庶幾相輔而行。不生流弊。易竟全功。否則。烟雖禁絕。而癮未戒除。政府對於染此癖者。既不能聽其因斷煙而生變故。又將何法以善其後乎。予研究戒煙法。歷有年所。考證書藉。不下數十種。綜其所得。頗有種種經驗。茲爲贊助禁烟計。特發表如左。世之有志脫離黑籍者。其速試行可也。

余嘗考察多數吸煙者。非不知其爲損身耗財敗德犯法之事。然而戀戀不戒者。實以從前戒法。大都不甚完善。難免感覺痛苦。故多畏縮不前。茲予所述之法。約分三步。果能按步施戒。自得良好效果。而戒者精神上。身體上。亦必十分適意也。

（一）預備時期

在未實行戒煙之前。戒者須給醫者極詳細之診察。醫者須明瞭戒者之體質如何。諸臟之機能及現狀如何。初吸之原因如何。煙量如何。有無宿疾。並須令其行強身之衛生法。及與以相當之補養劑。如是者一二星期。使戒者體健而抵抗力強。然後再施行戒絕法。準是以行。戒者精神身體。及各臟器自無妨礙而各種流弊。斷不致發生也。

（二）戒絕時期

採用緩戒法與急戒法之標準。當視戒者之年齡體質煙量。及吸煙時間而定。如年輕。體強量小。時短者。可用急戒法。數日內使其斷絕。如年老。體弱。量大。時長者。惟有用緩戒法。如小兒斷乳。然漸漸減少而停止。用藥方面當以補中益氣為主。清熱解毒副之。蓋人身之元氣為正氣。煙癮為邪氣。苟元氣得補而充足。則邪不敵正。煙癮自除矣。且嘗考察嗜煙成癮者。多為虛弱善病之人。則市醫戒煙專用剋伐之品。非所宜矣。至於處方一節。可仿照林文忠公忌酸補正二方之法。（二方及加減法。附錄於後。）而視其體質症候加減之。蓋林公立此二方。以輕清宣通之劑。一面疏滌煙毒。一面伸復營衛。其用意可謂至矣盡矣。古今戒煙之方。實無出其右者。惟煙膏一味。初服不妨照用。迨後宜漸漸減去。如為迎合戒者心理起見。則不必對其說明。以免生疑。同時並導之習運動事娛樂。以移易其思想習慣。由是戒者必樂於從事。決不至有中道而止之弊。較之嚴刑峻罰。免強勸戒者。其收效多矣。

附錄林文忠公藥方

(甲)忌酸丸

東洋參　五錢　炒白朮　三錢　白當歸　二錢半　眞川柏　四錢　川黃連　四錢　炙甘草　三錢　廣陳皮　二錢半　生柴胡　三錢半　天麻　三錢（無頭暈者輕用）　廣木香　二錢半　炙成芪　三錢半　綠升麻　三錢半　沉水香　二錢半　生附子　七分

右藥共爲細末。加鴉片膏五錢六分。入石臼搗和。以麵糊爲丸。如桐子大。秤準分量若干。如有癮一錢。計算吞丸內有煙膏一分爲度。在癮前半時吞下。初吞一二日。或照癮加吞少許。令微有醉意。則便不思吸矣。吞服三五日後。每日按減一粒。加入補正丸二粒。挨次遞減。減至純服補正丸十餘日或半月。則煙癮癮盡矣。

(乙)補正丸

東洋參　五錢　炒白朮　三錢　炙成芪　三錢　炙甘草　三錢　軟柴胡　一錢半　綠升麻　三錢

川黃連　四錢　川黃柏　四錢　全當歸　三錢　沉水香　二錢　煨天麻　一錢

右藥共爲細末。麵糊丸。如桐子大。

加減法

夢遺者。加花龍骨。牡蠣粉。

諸痛者。重用木香。再加元胡索。
紅白痢者。加炒黃芩。水瀉者。加茯苓車前子。
咳嗽者。加紫菀款冬花枇杷葉。甚者加杏仁阿膠。
熱痰者。加川貝括蔞皮。寒痰者。加半夏南星。
下焦火旺。陽舉而壯者。重加知母黃柏。
目眩者。加丹皮白菊花。小便短者。加猪苓澤瀉。
氣短促而腎不納氣者。加破故紙蛤蚧尾。
肺陰虛弱者。去東洋參黃芪加北沙參西潞黨參代之。無頭暈者。不必用天麻。身壯癮重者。補正丸不用亦可。
右二方及加減法。皆載林文忠公湖廣奏議。

（三）休養時期

當烟癮新戒之一月內。戒者應注意下列幾點。

（甲）絕對遵守醫生戒約。不可私吞各種含有嗎啡或海洛因等麻醉之戒烟丸散。
（乙）飲食不可過飽。油膩生冷及酸味之物。宜暫禁食。
（丙）矯除夜眠晏起之舊習慣。改爲早眠早起。

（丁）大便須使順利。如有秘結。宜稍服瀉藥。並須多飲溫開水。學習運動。以助消化。

（戊）戒烟之後。百脈皆虛。惟陽物易舉。戒者宜淨心斷慾。以養精力。

（己）氣血兩虛者。時服東洋參。西潞黨。炒白朮。浙茯苓。大熟地。全當歸。炙成芪。炒棗仁。遠志肉。炒杜仲。懷牛膝。甘草。生薑。大棗等藥。以資培補。大虛者。肉桂。附子。乾薑。鹿茸。等藥。亦可服。陰虛火旺者。可服大熟地。陳萸肉。建澤瀉。浙茯苓。懷山藥。粉丹皮。白當歸。炒白芍等藥。又雞蛋有補身解毒之功用。每早可用開水冲服數枚。

（庚）從事正當娛樂。閱讀有益書報。以為消遣之資料。

（辛）毀棄吸烟器具。以免見而心動。

（壬）身體小有不適。可請醫生調治。不可認為戒烟所致。復想再犯。

（癸）休養時期。戒者最好仍住醫院。由醫生監視其行動。如不能住院。家人亦當設法監視。否則戒者如意志不堅。或致復癮。則前功盡廢矣。

瘧疾

濟華

夏秋蛻代之際。瘧疾一症。流行最多。其症狀有先發熱而後惡寒者。有先惡寒而後發熱者。有但寒不熱者。有但熱不寒者。有一日而發者。有二日而發或三日而發者。種種變化不一。此皆病狀上之分別。人所易見易曉。不必多言。我人所急欲研究者。不在瘧疾之病狀而在瘧疾之病理也。內經謂瘧疾之來源。因感冒風邪。邪伏於身。則正邪相搏。邪氣勝則惡寒。正氣勝則發熱。此一說千百年以來。爲醫者莫不宗之。至金元後。思想漸漸更改。謂瘧疾之來源。不獨風邪。亦有因脾寒者。夏時暑盛陽極。脾困體倦。或因納涼。或因泉浴。脾陽不能運行四末。皮毛腠理又疎。邪留皮膚。不卽爲病。至秋天氣收斂。表邪不能發越。則寒熱往來。於是立四獸飲常山飲等方。以溫脾截瘧。此說之外。又有謂瘧疾之發源。由於痰濁者。於是民間遂有無痰不作瘧等話。以上三說。皆我國數千年相傳之至理。我人正不敢有所批評。不過當此醫學革新時代。凡百學說務求澈底。瘧疾之病源。是否由於風邪。是否由於脾寒。是否由於痰濁。必須有正確之憑據。方可判其是非。不才如余。豈敢妄加斷語。然於舊書攤裏。研求古訓。則瘧疾之病理。似以傷寒論所言爲近。是瘧疾以往來寒熱爲主症。傷寒論云「血弱氣盡。腠理開。邪氣因入。與正氣相搏。結於脅下。正邪分爭。往來寒熱。」余細加思索。覺血弱氣盡四字。於瘧疾病理上有極大之關係。內經云寒傷榮。熱傷氣。蓋夏秋之間。早暮涼而日中熱。其熱時則人身之體溫盡量排液於外。熱隨汗出。氣隨汗泄。此生理上之公例。所以汗出之時。肢體反覺沉滯。神志反覺疲倦。此時若浴以涼水。或感冒風雨。閉其皮毛。不使汗出。雖能取適於一時。久而久之。離根之汗液。如膠如漆。凝於皮膚之間。加之秋涼重來。皮毛緊閉。愈使血運遲緩。榮衛不和。榮衛不和則寒熱作矣。春之溫病。夏之暑病。冬之傷寒。其病變雖無窮。而其致病之因。莫不由於血弱氣盡。至於瘧疾。又何疑焉。其寒熱往來。每日一發有定期者。正如陽明病之潮熱。因體溫本有低昂之故也。其有數日一發者。氣血衰弱。不能抵抗外邪也。所以瘧疾一症。發期頻數者。其病輕。發期較疎者。其病重。寒熱由於正邪之爭。觀其發作之疎數。可以知其正氣之虛實。然則古人所謂風邪。所謂脾寒。所謂痰濁。將無研究之價值乎。是又不然。須知學術愈研究而愈進步。茲篇所言。不過愚者一得。試看西國醫學可謂病理學最有研究者。然於瘧疾一症。亦無正確之表示。有主惡空氣說者。有主汚濁水說者。有主蚊嘴說者。現在西醫所公認者。爲胞子蟲說。此蟲之傳染。由於一種蚊嘴。胞子蟲繁殖於赤血球中。每成熟分裂一次。人卽發熱惡寒一次。成熟分裂之期有遲速。故瘧發之期亦有遲速。然西醫所謂瘧疾。(麻拉利亞)其熱有不退淸。僅作弛張狀。亦有熱狀稽留。並不弛張者。則胞子蟲分裂而成瘧。當未得爲定論也。且胞子蟲由瘧蚊傳染。夏日蚊最多。瘧疾乃不常見。反流行於蚊迹稀少之深秋。至於冬令。蚊已絕迹。竟常有瘧疾。而甚病甚重。其證甚確。則瘧蚊傳染胞子蟲。又不足信矣。

休息痢

尙

▲定義　痢之時發時止。日久不愈者。名休息痢。

▲原因　有因通常痢疾失治誤治而成者。有因下焦虛寒而成者。通常痢疾。以秋季爲多。蓋炎夏之時。外感暑濕。又復食寒飲冷。停積於中。一至秋季。金不能收。胃不能降。肝脾不能升。遂致下痢。此時宜進消導之品。兼利濕健脾。乃爲正當治法。若遷延失治。或誤用壅補之藥。病人幸而不死。往往轉成休息痢。亦有初下痢時。並不重篤。其痢時發時止者。則因下焦虛寒之故。

▲症狀　多不發熱。在休息期中。無病如常人。休息自三數日至一兩月不等。下痢時與通常痢疾相似。小腹隱隱作痛。常欲如廁。而所下不多。裏急後重。糞便與膠粘物相雜而下。其色或純紅。或純白。或紅白相混。每日二三次。多至數十次。

▲診斷　色白者。色紫紅而凝結如冰者。色白而稀者。皆寒證也。色紅者。色白而膠粘如飴者。色鮮紅而稀者。皆熱證也。病久者多屬寒。裏急後重不甚。其下滑利者。下焦虛寒也。

▲治法　宜利濕運脾。解鬱平肝。兼升大腸之陷。理肺金而降胃氣。如熱甚者可酌加芩連。寒甚者可酌加薑桂。病久而虛者宜金匱腎氣丸。下焦虛寒者宜破故紙。

對於金匱治痓病用葛根湯大承氣湯之疑點

俞培元

太陽病之所貴乎麻桂二湯解肌發表者。因太陽初受邪。達之向外。使從皮膚宣泄。其道最近。其勢最順。麻桂所以協助體溫之反抗。使風寒迅速外發也。然傷寒治法之惟一要點。在顧全津液。津液虧則熱熾而無以承其制。故用麻桂。皆取微似有汗。切忌大汗淋漓。未用承氣之先。必須攷慮周詳。慎之又慎。皆所以防虛虛也。然亦有當汗不汗。當下不下。熱向內攻。津液乾涸。津液愈涸。熱愈鴟張。延髓受影響。神經緊張。則攣急。齘齒。角弓反張等凶象備至。用香藥引熱入腦。或汗之再汗。津液受刦。熱勢愈亢。亦有此種現象。是即西籍所謂延髓炎腦膜炎。中籍所謂痓病也。若是。則痓之病因。可得而知者。爲延髓受病神經緊張之故。延髓所以受病。由於熱甚。熱甚由於液乾。液乾由於發汗太過。若見此種病象。卽可知其熱已甚。液已乾。熱已甚。液已乾。而猶用葛根湯之汗。大承氣之下。竊甚疑之。若在痓病將見未見之時。急汗急下。卽所以退熱存津液。猶可說也。今無汗。小便少。氣上衝胸。胸滿口噤。臥不着席。脚攣急。必齘齒。是痓病全見矣。（無汗小便少與諸證並提。疑亦熱甚液乾之故。尤註爲風寒濕甚。與氣相持。不得外達。亦幷不下行云云。疑未妥洽。）痓病全見。而猶一味汗下。絕不用清熱養陰蟲類熄風之藥於其間。得毋犯虛虛之戒乎。經文明言太陽病。發汗太多。因致痓。風病下之則痓。復發汗。必拘急。瘡家雖身疼痛。不可發汗。汗出則痓。是痓病之屬於熱甚液乾。絕無疑義。柯氏斷爲燥病。云不熱則不燥。不燥則不成痓矣。有明證也。熱無可熱。燥無可燥。病危矣。勢亟矣。猶不舍本而治標。得毋有鞭長莫及之憾乎。再三思之。殊乏理路可以探索。吾故疑金匱此節。非仲景原文。世有明達之士。繼起而討論之。亦研究之一助也。

得效奇方

頭痛

袁照光

余素體虧弱。稍受風寒。卽頭痛不堪。經商之人。不能安居不出。往來南北。爲頭痛一症。備受痛苦。後於世交孫惠伯處得一方。用荊芥穗三錢。黃菊花五錢。煎湯。漬絞毛巾。乘熱熨痛處。立刻止痛。余經商三十年。不致爲頭痛所累者。皆惠伯之賜也。特誌之以惠同病。

腰痛

哈同壽

八九月後。胡桃成熟。採藏家中。惜其不能歷久不敗。若患腰痛。與白酒同食。其效無比。按本草謂胡桃可以補肝腎。白酒可以溫通陽氣。此方吾鄉人皆知之。未悉全國人能知否。故寫出以載貴刊。○編者按哈君是武進縣孟河人。

小兒慢脾驚

陸淵雷

鄰居幼孩方朞歲。患病甚劇。招余診治。面色青黃。顖門及眼泡俱已低陷。昏睡不省。大便溏泄日三四次。身微熱無汗。舌萎色淡。惟兩手脈尚有胃氣。云滬南稍有名望之醫。俱經延治。而病則日劇。余索視其方。淡豆豉清水豆卷焦山梔鮮石斛。不可勝數。卽謝不能治。病家堅索方藥。乃用烏梅丸加養血之品與之。不知其果服否也。明日入西醫醫院醫治一星期了無進步。病家絕望。乃出院回家。不復醫治。靜待命期。又一星期許。有鄰家乳媼無意中見之。曰此慢脾驚。易治也。奈何坐視其死而不救。命取雞矢溏如飴。奇臭者。與服。云是慢脾驚必效方。病家既無他法。卽亦不嫌穢惡。覓溏雞矢。塗病孩口中。灌之以湯。竟日有起色。不半月。已憨跳如常矣。此病用雞矢後並未服藥。不可謂非雞矢之功。慢脾驚本是險症。而雞矢能愈之。不可謂非奇方。故錄之。

臨床實驗錄

醫之目的。為欲治病。研究學理。無非為治病之豫備工夫。然學理有定。病變無常。以有定之學理。衡無常之病變。往往不能應付裕如。醫家所以貴乎臨機活變。而習醫者所以貴乎實習也。本刊以闡發學理為主。猶特闢此欄。載諸名醫所治疑難大症。以見臨機活變之一斑。想亦讀者所歡迎歟。來稿多有用舊說。不合解剖生理者。一仍原文。不加註釋。編者附識。

氣脹治驗

沈仰慈

余任職海門中學校時。有同事季君。海門下沙人也。挈眷寓校之附近。其母年約五十餘。病遍體腫脹。歷治無效。而體力日憊。腫脹愈甚。季君為便於侍奉求醫計。迎之來海。覓醫診治。亦無起色。偶與余談及。余曰。腫脹有氣與水之分。腫屬水而脹屬氣。君母水腫乎。抑氣脹耶。是不可以不辨也。否則誅伐無故。病未退而元氣日漓矣。季君曰。誠然。因邀余往診。見狀甚疲乏。臥床不能興。週身皮膚膨脹。手臂亦似浮腫。按之陷而不即起。緊張而不堅實。余曰。此氣脹也。切其脉沉細如絲。索閱前服各方。大都以五皮飲為主。或參利氣疏鬱之品。余謂季君曰。此皆能對症處方者也。然何以不效。容余返校熟籌之。遂略詢其家庭狀況。及子女生育等瑣事。未出方而返。至校則諸生已在溫理夜課矣。余熟思氣何以作脹。五皮飲何以無效。忽有所悟。曰。此症固非五皮飲所能治也。人生不外氣血周流。氣以行血。血以載氣。兩者平衡。不能偏少。偏則病矣。季母生育子女既多。操持家政又勞。其精血之虧損。當異於常人。况婦人之體。以血為主。血不足則氣有餘。

壅塞於皮膚肌腠之間。於是爲脹。且其脈沉細。脈者行血之管也。細爲血不足。可無疑義。徒疏利其氣。氣耗而體益憊。非善策也。設不治其氣。專培其血。倘得營血一旺。氣得所依。或不致脹歟。遂趨告季君。大蒙贊許。謂老年人服補血藥。即不中病。當亦無害也。余乃書仲景炙甘草湯加歸芎香附等數味與之。曰此方服後。如覺適意。可連三劑。越三日。季君欣然來告曰。母已服藥三劑。頗奏奇效。向日臥不能興。今乃起床矣。向日食粥一盂。今乃思飯矣。遍體甚適。皮膚不如向日緊張矣。余躍然曰。吾國藥劑。果有若是神效哉。欣然往視。果大佳。脈亦有力。余曰無庸易方。再服三劑可耳。三劑完。尚未復元者。更服三劑可耳。又旬日。季君來告曰。母能行動如常矣。遍體舒適。爽然若釋所負焉。再旬日。擬返里矣。惟口覺微燥。何也。余曰無傷。方中有桂枝之辛溫。此熱藥之弊也。清解便愈。遂略書銀花生甘草綠豆衣等五六味與之。此民國七年二月間事也。將近清明。季母坐隻輪車。行程九十餘里。歸家。余治季母病既愈。亦爲愉快者久之。是年冬。遇忘年交蔣老先生及某生於友人喜席間。蔣老固儒而醫。行道鄉里間。某生爲余主任某商小校時第二期畢業生。習醫於某門下。卒業未久。亦懸壺問世者。偶談及醫理。余遽以仲景炙甘草湯能治氣脹一言告之。蔣老頷其首。沉思有頃。某生岸然曰。豈有此理。治氣脹有五皮飲耳。余笑曰。事固驗矣。乃盡以余之所見語之。余後讀醫籍。得「見氣不治氣。見血不治血。見痰不治痰」三則。更躍然曰。區區所見。昔賢固已言之。乃自恨讀書未多。而竊歎蔣老之能虛心。而某生之學力尚淺也。

性的研究

續第一號

陸淵雷

「性」字的意義。不過是人類的天然本能。並不是男女媾精。如今性學博士專門研究男女媾精。自稱是性學。就算他杜撰。也應當有箇似是而非的來歷。在下尋找他這箇來歷。一時那裏找得到。想來想去。只有孟子書上引告子的句話。「食色性也。」或者就是這箇來歷吧。不過性學博士一肚子的大學問。全夥兒在男女的外生殖器上面連類研究到女子的乳頭。男子的陰囊。已經是一百廿四分博涉泛覽了。像那數千年前業已退化的孟子書。博士是斷乎不肯寓目的。那末告子的話。究竟還不是性學的來歷。在下就另向嶄新進化的一方面想去。又想到英文文法上有箇 Masculine Gender 與 Feminine Gender 又稱 Male 與 Female 的翻譯的人。或譯做陽類與陰類。或譯做雄性與雌性。這位博士一定是根據了這個典故。創造出性學的名目來。不過 Gender 的分別。包括較廣。不僅在外生殖器上面分別。更不是指媾精的動作。況且英文之外。還有德文法文的文法。連小小一枝手杖。一頂帽子。都要分箇雄性雌性。這樣說來。把性學兩字代替男女媾精。畢竟有些不倫不類。或者博士的學問過於高深了。不妨「自我作古」罷咧。

男女媾精。當然也是人類的一種天然本能。也是性中間的一件事。告子說食色性也。可見得媾精與飲食。都是不消教得。不消學得。到了那個時期。自然會幹。若不是這樣。就算不得「本能」了。胎兒在母親肚子裏時。用不到飲食。一出母胎。就會張開小嘴。四面亂撞。撞不到什麼東西時。就會哭。撞到了東西。就會啣在小嘴裏吮。倘使這件東西不是乳頭。或是沒乳汁的乾癟乳頭。吮不到乳汁時。也會哭。一定要吮到了乳汁。一口口吞下去。把小肚子吃飽了。才肯安安靜靜睡覺。這就是飲食的本能。

小孩子一到了青春發動期。生殖器的內部外部發育完全。只要結了婚。讓他們兩口子在一處鬼混。不上一兩年。包管會生出白白胖胖的嬰兒來。生產是媾精的成績。這新娘娘既會生產。就知道他們兩口子的媾精動作。已經幹得十分到家了。中國人向來的風俗。做父母的只有早早替子女們結婚。饒你家庭教育十分講究。從來不曾聽見把媾精的勾當教給子女的。那時候性學尙未發明。性學博士尙未出世。指導性交的性學書籍。青年男女是萬萬拜讀不到的。然而結婚之後。一任他們橫七豎八瞎幹。一般也會生產。這就是媾精的本能。

生物界裏無論動物植物。天生下來就有種種本能。凡是本能。皆有一種目的。對於本體的生存上有絕大利益。這是生物學上已經證明沒有疑問的了。飲食與媾精既皆是本能。這本能的目的。看官們也會見得到。一定是養他自己的身體。傳他自己的種族了。不錯。飲食媾精的目的。不過如此。但是進一步研究下來。養他自己的身體。就是做傳他種族的預備。這個道理。只要把下等些的動物植物研究一下。就很容易明白啦。

植物的結子。相當動物的生產。二千四百年前的希臘哲學家 Empedokles 已經說過這個話了。任便取一種一年生的草本植物。做研究的資料。就像蘿蔔。你看他一從泥土裏鑽了出來。便急急忙忙。張開了綠葉。曬取陽光。下面的根鬚。也急急忙忙向泥土裏吸取養料。根鬚的工作。等於動物的飲食。綠葉曬陽光的工作。等於動物的消化。已經消化成功的滋養料。一小部份養他自己身體。一大部份貯藏起來。預備傳給兒子。（就是蘿蔔子）不過蘿蔔的發芽生長。宜於夏秋之間。他的開花結子。又宜於春天。中間須經過一個極寒冷的冬季。他所貯藏的滋養料。是他一生的寶貝。

經不起冰天雪地的威嚴。若使貯藏的滋養料吃冬天凍壞了。豈不是白辛苦一場。看官們休替他着急。你不要瞧不起他是一株小小蘿蔔。他的聰明。竟與自來水廠裏的工程師不相上下。工程師把水管埋於地下。便不憂冰凍。蘿蔔也會把貯藏滋養料的傢伙埋於地下。生成一個肥肥胖胖的「地下莖」憑你地面上冷得不可開交。他的貯藏器却安安穩穩度過一冬。絲毫無損。人們趁他貯藏富足的當兒。硬生生把他掯出來。加上油鹽調和。做下飯菜喫。可憐蘿蔔辛苦掙來的寶貝。想傳給兒子。却被人們白叨擾了去。若使蘿蔔有知。定要罵種園圃的是強盜哩。可是一過了冬天。蘿蔔就立刻活動起來。急急忙忙把身子伸得挺長。急急忙忙把貯藏的滋養料悉數運到上邊去。急急忙忙開花結子。開花的工作。等於動物的媾精。一到開花時期。倘使有人貪得無厭。還要掯他貯藏器喫時。那就對不起。給你個乾枯無味了。等到結成了蘿蔔子。綠葉也不高興再曬陽光了。根鬚也不高興再吸養料了。若問從前何以那麼樣勤奮。現在何以這麼樣懶惰。他若能回話時。一定說。「吾既已生了兒子。吾目的已經達到。再也不耐煩去工作了。」這樣說來。蘿蔔一生的事業。不過是爲的傳種。

再任便取一種昆蟲類的動物。做研究的資料。就像蠶。你看他一經孵化。便急急忙忙嚙食桑葉。把個身體吃肥胖了。他的表皮包他不住。便急急忙忙頭眠二眠三眠。脫皮換殼。三眠完畢。便急急忙忙吐絲作繭。想把自己身體從「幼蟲」變做「成蟲」。人們趁他繭子剛做好的時候。不由分說。硬生生丟向沸水裏。繅出絲來。越羅蜀錦。冠服章身。唉。世界上只有強權罷了。還講什麼公理。偷了「人」的東西。就要坐幾個月牢監。搶了「人」的東西。不是槍斃。就是終身監禁。

憑你政治脩明。法律完備。若是搶蠶繭做衣服。搶蘿蔔做食物。非但不算犯法。國家還要提倡他。獎勵保護他。說他是個實業大家。這是那裏說起。孟子說「親親而仁民。仁民而愛物。」原是博愛道德的三段階級。孫總理努力四十年。只提倡了中間一段仁民的階級。他老人家輕輕說了句「扶助弱小民族。」那些忠實同志繼續努力起來。南京首都。拆除了無數民房。築成迎櫬大道奉安國父。倘使有人提倡愛物的最高級道德。到處演說。扶助蠶繭。扶助蘿蔔。打倒纏絲主義。打倒園圃。這個人千秋萬歲之後。出殯安葬。起馬要踏平了幾省地方。才顯得同志們崇德報功的一片熱忱啊。閒話休題。且說蠶兒僥倖逃過了湯鑊的難關。變成蠶蛾時。便急急忙忙咬破繭子。鑽將出來。撲着翅膀。急急忙忙捉對兒交尾。交過了尾。雄蛾呢。就算責任終了。雖有嘴。却不高興吃東西。雖有翅膀。却不高興飛翔。一方面雌蛾還要急急忙忙產卵。等到產卵完畢。也就與雄蛾一樣。沒精打采。懶得動彈了。若問他何故前勤而後惰。答語也與蘿蔔一樣。只因種族已傳。目的已達。再也不耐煩工作了。這樣說來。蠶兒的一生事業。也不過是爲的傳種。

（未完）

中國醫學月刊

CHINA MEDICAL JOURNAL
(Issued Monthly)

定價表

時期	冊數	書價連郵費 國內	書價連郵費 國外
每月	一冊	一角	一角二分
全年	十二冊	一元	一元二角

郵票代價十足通用惟以半分至四分為限

廣告價目表

等級	地位	全面	半面
特等	封面底面之外面	五十元	三十元
優等	封面底面之內面正文首篇之對面	三十五元	二十元
上等	色紙夾張之前後頁	十六元	十一元
普通	白紙夾張或正文後	八元	五元五角

廣告如用銅版或用彩印價目另議　繪圖刻圖工價另議　連登多期或訂登全年者價目從廉　欲知詳細情形請至上海西門內石皮弄中醫學會內「中國醫學月刊廣告處」接洽　遠地函詢即行奉復

中華民國十七年十一月一日出版
中國醫學月刊第二期
零售每冊大洋一角
撰述者　全國著名中醫
編輯者　中國醫學月刊社　上海西門內石皮弄
發行所　中醫學會內

寄售處
三馬路
上海千頃堂
大馬路望平街口
上海康健報館
白克路人和里
上海衛生報館
浙江路洪德里
上海幸福報館

中國郵政掛號特准認爲新聞紙類

中國醫學月刊

王正廷題

第一卷第三號

中國醫學月刊第一卷第三號目錄

改造中醫之商榷 續第二號

中西學派之不同

陸淵雷

中國的學術。從古以來。偏重於精神一方面。與西洋學術偏重物質的。剛好成箇對峙之局。從漢武帝時代。一直到清朝末年。可以代表中國學術的中心人物便是孔子。孔子自己說。「吾十有五而志於學。三十而立。四十而不惑。五十而知天命。六十而耳順。七十而從心所欲。不踰矩。」若問學的是什麼東西。立的是什麼所在。不惑的又是什麼道理。孔子却不曾說出來。吾們後生小子。當然不敢硬派他是精神上學術。不過從「知天命」三字看來。不是精神學術。難道是物質麼。你想天命是何等空空洞洞的東西。憑你用酒精鐙試驗管顯微鏡三稜玻柱。要把天命拉到實驗室裏實驗。只怕三歲小孩都知道辦不到。孔子到了晚年。聚精會神研究一部易經。那時的書還沒有紙張印刷。把文字寫在竹片上。用皮帶一片片連綴起來。何等結實。孔子顛來倒去讀易經。竟把皮帶讀斷了好幾次。如今有好些大學學生。重價買了許多原板西書。皮面金字。光輝奪目。書桌上擺列得齊整整地。自己却忙於交際跳舞。照鏡子理衣飾。寫情書。或者忙着踢球賽跑。直到畢業時。那些原板西書保存得手指痕都沒有。好在煌煌學士頭銜。已經現成到手。陳列過的西書。打些折扣。依舊好賣到書鋪裏去。這種學士。見孔子那麼樣苦用功。一世也弄不到文憑。自然要說他退化落伍。應當打倒了。孔子把易經大用功一番。做了繫辭彖象等十篇易傳。易經易傳完全是精神的學術。可見孔子學派是偏重於精神一方面。惟其偏重於精神一方面。稍微帶些物質的事情。如農業商業等。孔子認爲是平民的本分。不是學者的任務。所以門弟子中子貢貨殖。樊遲要學農圃。都被孔子訓斥一頓。孔子又常叫門弟子用功詩經。說道「詩可以興。可以觀。可以羣。可以怨。多識於鳥獸草木之名」興觀羣怨是精神上事。孔子認爲讀詩的主要目的。鳥獸草木是動物學植物學。是物質上事。孔子認爲讀詩的副目的。而且並不叫人切實研究鳥獸草木。不過多記得幾箇名目而已。可見物質方面的學術。孔子是絕對不注重的。

與孔子同時。而名望與孔子不相上下的。還有位墨子墨翟。自從漢武帝聽了公孫宏等的主張。把孔子定爲一尊。墨子學派就漸漸不振起來。這果然是皇帝的威權利害。其實墨子的學說。究竟遠不如孔子。所以一經漢武提倡墨家就一蹶不振了。諸君要曉得政府勢力是一時的。學術眞際是永久的。盧騷的民約論。歌白尼的太陽系說。在當時何嘗不受政府的壓迫。但是政局轉變之後。學術的眞際發出光輝來。人人崇拜他是民權學天文學的先哲。漢家天下已經滅亡了二千年。若是墨學眞能彀比得上孔學。這二千年中一定會伸出頭來。決不讓孔子獨出風頭了。只因學術的眞際上。墨子遠不如孔子。所以孔學愈久愈光輝。墨學一經打擊。就闇然無光哩。如今奴隸派的西醫。不從學術眞際上研究。只管鑽天拍馬。在政府裏謀得幾箇小小地盤。就用政府勢力來壓迫中醫。中醫界裏朝也一箇呈文。暮也一箇電報。去和政府爭辨。你想現在的醫政。操在奴隸派西醫手裏。要從他們手裏爭中醫的地位。豈不是「與虎謀皮」麼。依不佞的主張。不如關起門來。切切實實研究中醫學的眞際。等到是非大定之後。蚊蟲蒼蠅遇到秋風。奴隸派西醫自然身不由己的銷聲匿迹。那時再與有學識的西醫携手起來。中醫於世界醫學上當然有相當的位置。還怕怎的。這是最正當的根本辦法。若是鈔些五行運氣的老話頭。販些似是而非的西學說出報紙。吹牛皮。打算個人目前之利。這樣幹下去。卽使政府眞肯提倡中醫。也決不提倡你這滑頭江湖。

漢武帝以前。一般學者說起先哲。總歸是孔墨並稱。在戰國時候。墨派的勢力比孔派還要大。所以孔派鉅子孟軻要「辟而闢之。」墨子的眞實本領。却是製造機器。同時有個公輸般。也是製造機器的能手。墨子是宋國人。有一次宋國京城被敵人團團圍住。公輸般又造了許多新式的攻城器械。不分晝夜攻打。看看宋國要支持不住了。墨子聽到這個消息。從千百里外徒步奔到宋國。溜進城去。趕造防禦器械。公輸般造出一種攻城器械。墨子也跟着造出一種防禦器械。公輸般無可奈何。想把墨子暗殺了再攻城。諸君。墨子有這種製造本領。若是生在西洋。當然是一位大發明家。和瓦特愛迭生等一般受人崇拜。可惜生在重精神不重物質的中國。連墨子自己也不願擔受製造家的名聲。但看他所著的書。倒有一大半講的精神方面。這是中國人尊重精神輕視物質的證據。

宋朝以後。孔子派的學者。吸收了佛家的菁華。成立一派理學。理學中的程朱一派。很注重「格物致知」的下手工夫。但是「格物」的「物」還是偏重在事理方面。不重物質方面。有時也研究物質。不過研究物質之目的。還是要通達事理。王伯厚的困學紀聞。就是榜樣。這樣說來。中國人對於物質方面的學術。簡直不曾有人專心研究過。

西洋的學術。剛好和中國立於相對地位。小小一種現象。便值得廢寢忘餐去研究他。奈端看見蘋果墮地。便發明了地心吸力。瓦特看見沸水吹起壺蓋。便發明了汽機。物質的科學過於偏重了。結果。釀成歐洲大戰。幾千萬生命。斷送於科學的器械上面。但是西洋人直到今日。還是把「人」當做機器一般看待。西醫的治療法。所以不如中醫。就爲這箇緣故。暫且按下。後文再說。中西交通以來。中國因爲物質上不如西洋。在這強權時代。工商業海陸軍都要吃虧。吾們販些科學來振興實業。擴充軍備。這是誰也不能反對的事情。至於精神上的學術。中國已是很發達。很細密。用不着退轉來請教西洋。可笑一班迷信西洋的學者。明明研究中國的精神學術。偏要套上些西式名詞。哲學哩。邏輯哩。瞎纏三官經。弄得不清不楚。道德禮教。是中國精神學術的特長。偏要一椿椿打倒革新。甚而至於一切不道德犯法的事情。實在沒有理由可以革新時。只要換上些不中不西的名目。就會變成新道德。說起來還可以改良社會。諸君不信時。但看弔膀子變成自由戀愛。淫畫變成曲線美。淫書變成性學。一切壞事情都可以變成新道德。怪不得綁票匪的恐嚇信。要自稱「籌借軍餉」了。

中國的科學趨勢

照上面的話。中國是長於精神學術。缺少物質的科學。這是確然無疑的事實。有心要破壞中醫的人。聽了這話。來得正好。又要說了。「中醫沒有科學。當然要取銷。快些把經效良方交給吾們新醫。你們舊醫趕緊改行。別謀話計。治病的職業。只好讓新醫擔任。休想分吾杯羹。」這話且慢說。中國並非絕對沒有物質的科學。不過中國的科學。是先有需要。後有科學的供給。西洋現在的科學。是先有科學。再把科學來引起人們的需要。諸君讀不佞的文字。到如今已是第三箇月了。好比聽「光裕社」的彈詞說書。只管插科打諢。賣關子。拖延時日。不肯把正文直捷了當說下去。諸君索性耐心些。聽不佞把中國的科學趨勢說一說。

人生最需要的東西誰都知道是衣食住三項。孫中山新添了一項行。現在變成四項了。要供給這四項需要。多少總要仰仗些物質的科學。若說中國絕對沒有物質科學。請問西洋科學未到中國之前。中國人是否不穿衣。不吃飯。不住宿。不行動呢。閉關時代的中國人。於衣食住行四項完全無闕。就知道中國的科學。已經很彀供給需要了。神農氏教民稼穡。解決了食的問題。黃帝嫘祖。作衣裳宮室。解決了衣住問題。共鼓貨狄。刳木爲舟。剡木爲楫。舟楫之利。以濟不通。解決了行的問題。到後來孟子主張的「百畝之田。五畝之宅。五十衣帛。七十食肉。」也是注意衣食住三項。這稼穡衣裳宮室舟楫。豈非因需要而生出來的科學麽。不過這些科學。僅僅供給需要而止。若是奇技淫巧。窮奢極欲。中國禮教是向來禁止的。至於行的問題。就比不得衣食住的重要。因爲平民百姓。本來用不到奔走旅行。所以孟子說「死徒無出鄉。」老子說「至治之世。鄰國相望。雞狗之聲相聞。民至老死而不相往來。」孫中山努力革命。奔走了四十年。大受輪船火車的利益。所以把「行」看得象衣食住一般重要哩。

西洋人與中國不同。把自然界的物質。儘量研究。科學一樁樁發明出來。便一件件應用到衣食住行四項上去。這並不是因需要而供給。實在是把供給引起人們的需要來。發明了電學。便多出電報電燈電話電車許多東西。發明了聲學光學。便多出拍照影戲留聲機許多東西來。其實這許多東西。於衣食住的需要上。絲毫沒有利益。上海開行電車。

不過二十年內的事。請問二十年前的老上海。坐不到電車。曾否覺得不便。有了電車。乘客們出錢作成他買賣。顛倒要受賣票人的氣。坐慣了電車。偶然工人罷工。電車停止行駛。反覺得十分不便。引得電車公司發起標來。倒說公司裏並不想圖利。只打算利便交通。殊不知資本家每年要增加多少收入。鐵輪下每年要平添多少冤鬼。不佞生長鄉間。在煤油燈下讀書寫字。並不覺光線不足。長大了跑向大都會裏謀食。總是在電燈底下工作。偶然到沒有電燈的地方過一夜。反覺得十分不舒服。這樣看來。西洋的物質文明。竟像雅片煙一樣。不去吸他最好。吸上了癮。反而終身受累。禮記上禁止奇技淫巧。不能不佩服先哲的先見之明。

中國科學的不發達。一半由於但求供給需要。不肯專心窮究。一半由於封建時代的家傳世守。不肯公開討論。周禮上有許多官職。必須有特種技能。纔能擔任。有能通鳥獸言語的。有能從月光裏取水的。這些特種技能。多是家傳世守。不教外人。周室東遷以後。國家貧窮了。養不起許多官職。這種絕技。也就失傳。別的倒也罷了。就像很切實用的數學。流傳下一部書。叫做九章算術。內容有「方田」「粟米」等九門。所用的方法。除基本四則外。有比例分數開方幾何等。但是九章算術。並不從方法上分門。却從應用上分門。所以有方田粟米等名目。這也是先有需要。後有供給的證據。論數學的程度。九章並不高深。只因一向家傳世守。不是公開的普及教育。以至一般學者。能通曉九章的很少。九章就是「六藝」裏的「九數」。孔門弟子三千。身通六藝者。只得七十二人。東漢末年。馬融的文采風流。傾動一世。他在門弟子中找箇通曉九章的人。找來找去。只有一箇鄭康成。史記上說。「周末。天子失官。疇人子弟分放。或在中國。或在四夷。

」就是說家傳世守的數學。也從周末失傳了。

這種因需要而產生的科學。在創造的人。當然有很清楚的學理。但是一入了家傳世守的途徑。就只呆記方法。熟練應用。談不到學理了。清朝欽天監裏的官員。老守着一部曆象考成推算日月五星。靠此餬口。民國初年來了一班留學外國的天算科博士。把欽天監改組中央觀象臺。用英美的航海通書 Nautical Almanac 推步出一種曆書。自然是又省力又準確。那些被擠去的欽天監官員。失却了世傳的地盤。氣不過。也另出一種曆書。說「觀象臺曆書用西法。西法只有二分二至。沒有其他節氣。曆象考成是中國曆聖相傳之法。決無錯誤。」這些話。在不懂天算的人看了。或者覺得不錯。豈知曆象考成本從徐光啓所譯的新法算書編成。已經是西法了。考成後編是另有箇西洋人，把橢圓法傳到中國來。另外編成的。後編的方法。與西洋通行的方法大致相同。不過日星行度。常有各種小差。西洋是隨時改正。欽天監只知老守曆象考成。三百年不改。便積下許去小差。而且推步日食的法子。西法早已通行倍賽兒氏 Bessel 的基本平面 Fundamental Plane 法。比考成後編的老法子。要簡便而準確。這種學術上的變遷。欽天監官員。那裏知道。說出話來。就不免貽笑大方了。（不佞曾在水產學校教過航海天算。編的講義裏。發過一種議論。說古西曆是陰曆。今西曆是陽曆。中國曆法是陰陽合曆。現在人趕着中國曆法也叫陰曆。其實是錯了。那時校裏的教務長。本是天算家。後來這教務長進了中央觀象臺。觀象臺曆書裏。把不佞的議論當作一種說明。）

凡是應用的技術。往往應用上很熟鍊。學理上一些也不懂。欽天監官員。就是這種人。雜貨鋪裏的夥計。珠算心算非常之熟鍊。其實不過記熟些口訣。什麼三一三十一的大九歸。一作六二五的斤求兩法。應用得爛熟。問他們所以然。却是一些也不懂。倒過來。研求學理的人。能造出法子來。給人家應用。臨到自己應用時。反而不及不懂學理的人。不佞研究算學的時候。有一年大除夕。在家裏演解析幾何。拿了鉛筆方格紙。埋頭沒案地 Plotting。父親拿出一篇帳。叫吾結算結算。吾拿着算盤。反覆打上三遍。得了三箇不同的結果。弄得自己好笑起來。吃父親一頓訓斥。「連這點子加減法都弄不清楚。還用功算學。有什麼用。」但是吾小子的算學學理。自信不算桂花。李壬叔是西法天算學大家。有一次不佞看他的則古昔齋算學。有人問「欲造整數句股弦。有何方法。能造若干組。李先生答道。可造無數量組。」不佞看到這裏。把書本合起來不看了。自己想有何方法。可造整數句股弦。從喫飯時候想到睡覺。還沒想出。拍拍頭顱。自罵笨極。睡到矇矇朧朧時候。驚醒過來。忽然想得方法了。披衣起床。再拿書看李先生的方法。豈知不佞的方法。居然比李先生的方法來得簡便。這本月刊是講醫學。不是講算學。吾這方法也不必說出來。不過從這些事情上看來。懂得學理的人。未必能熟鍊應用。熟鍊應用的人。未必能懂得學理。而且中國學術。但求供結最小限度的需要。在創造的人。不肯多造方法出來。在應用的人。又只一味老守成法。知其然而不知其所以然。中醫學就是這麼件東西。所以用藥治病。倒是不難。若要問問原理。那就不知所云了。

唐宋以後的醫學

張仲景的傷寒金匱。本來很直捷爽快。見怎樣的證候。（俗名症狀）就用怎樣的藥方。這眞正是對證治療。不過仲景的對證治療。與西醫的對症處置不同。西醫的對症處置。熱了就用冰囊。冷了就生火爐，這種辦法。腦筋簡單的人看了。覺得很不錯。其實人身體是活的。與死物不同。要是死物。一杯熱湯放在冰箱裏。立刻會冷。一塊冷鐵放在火爐裏。立刻會燙。人體須比不得熱湯冷鐵。對於外界刺激會起很劇烈的反應。譬如把棒椎向腦殼上擊去。照規矩被擊的地方。要癟下去。豈知腦殼被擊後。非但不癟。反長出箇老大暴栗來。這是什麼緣故。因爲要抵抗打擊。有多量血液奔集到那裏。打擊的棒椎早已離開腦殼了。奔集的血液還是源源而來。所以非但不癟。反而高起來了。又如冬天把兩手插向雪堆裏去。照規矩手要冷極了。豈知拔出來看時。非但不冷。反熱騰騰滾燙起來。這是什麼緣故。因爲要抵抗寒冷。有多量熱血流行於手上。手早已離開雪堆了。流來的熱血還是很多。所以非但不冷。反而熱將起來。從這些很淺顯的事實上看來。當然不能用處置死物的方法。來處置人體。熱度很高的病人。一用冰囊冰枕。往往愈冰愈熱。西醫呢。愈熱愈要加冰。到臨了病人的生溫機能來不得了。只有一死。這是耳目中常常聞見的事情。所以這種對症處置看似不錯。其實是大錯而特錯啦。華陀別傳上說。有箇婦人病了一年多。大冷天華陀叫他坐在石槽裏。叫人用冷水向病人身上澆去。要澆足一百桶水。剛剛澆到七八桶。病人抖得半死。動手的人不敢再澆。華陀坐定要澆足百桶。豈知澆到八十桶左右。病人身上騰騰放出熱氣。有兩三尺高。澆滿百桶。睡到暖被窩裏。出了身汗。從此全愈。諸君。華陀是箇一千七百年前不懂科學的舊醫。他要病人熱。却用冷水澆。結果果眞熱了。現在那些精通科學的新醫。要病人冷。直直落落就用冰。結果却是愈冰愈熱。不佞是沒有到過日本。沒有醫學士的文憑。不配批評科學。這其間的是非曲折。還請讀者諸君自己估量吧。

西醫的對症處置。看似很有理由。所得的結果。恰與所期望的相反。仲景傷寒金匱上的藥方。只要對準了證候用去。病馬上會好。若問這些藥方是根據什麼理由。傷寒金匱却未曾說出來。照上面所說。熟鍊應用的人。未必能懂得學理。那末。仲景雖能應用這些藥方。也許不能說出理由吧。從仲景以後。中國醫學的趨勢。就是熟鍊方藥的應用。直到宋朝初年。還是這種趨勢。若要證明這話。一點不難。只消把現成的幾部醫書考查一下。就知道了。晉朝有葛洪的肘後方。唐朝有孫思邈的千金要方千金翼方。王燾的外臺祕要。宋朝有沈括的蘇沈良方。董汲的旅舍備要方。陳師文等的太平惠民和劑局方。昝般的經效產寶。這些方書。但講對證用藥。並沒有好多理論。前人所謂「專門禁方。用之則神驗。至求其理。則和扁有所不能解。」自然。那時沒有解剖生理化學許多科學的幫助。要說明藥方的理由。除却附會杜撰。那裏說得出眞理呢。如今不佞為便利起見。把這一派醫書。起箇總括的名目。叫做「仲景派醫書。」

宋朝以後。出了劉張李朱四大名醫。叫做金元四大家。劉完素（守眞河間）主張「降心火。益腎水。」張從正（子和載人）主張「汗吐下。」李杲（明之東垣）主張「養脾胃。」朱震亨（彥脩丹溪）主張「滋陰降火。」從此以後。盛行朱丹溪一派醫學。一味甘寒滋補。把仲景派醫書束之高閣。面子上尊仲景為聖人。骨底裏存了箇「敬而遠之」的意思。他們的論調。是「只有聖人能用聖人的方法。吾們凡人。若是冒冒失失地也用聖人方法。好像小孩子弄刀槍。殺不退敵人。倒要戳傷自己。」這種論調。簡直是不上進的下流東西。自己先坐定是凡人。那就是限制自己。只許做箇庸醫了啊。

漢以前的醫書本草經但說什麼藥主治什麼病證。比較的覺得直捷了當些。但是說的功效往往不甚準確。又有許多藥可以「久服輕身不老。」那是道家方士的學說。不是醫家的學說。所以本草可取的地方也不多。內經除却幾句零金碎玉有極精妙的地方往往說到天道地道。其大無外。就算世界上眞有什麼天道地道。但是醫學不過人道中的一小部份。若是張開懸河之口。高談天道。那就是莊子所說的「大而無當」只好置之「無何有之鄉。」難經雖說解釋內經。與內經矛盾的地方也很多。這三部書。本來各說各的話。不相連屬。名爲醫書。其實於應用醫學上並沒有多大供獻。只有仲景派醫書。切切實實用藥治病。把那些本草藥性。內經空談。一概置之不問。（仲景派醫書亦有引經立論者。然與藥方不生關係。且其意重藥方。不重空論。）這才是眞正應用醫學。無如金元以後的醫家。凡是仲景不能說明的理由。偏要千方百計去說明。若能說出實際理由來呢。當然是醫學上的大進步。值得受後人崇拜。無如他們所說的理由。無非把內經上五行運氣的話頭。七拚八湊亂講。愈說得荒遠無稽。愈見得學問高深。疾病的眞際只有一個像肚皮的理由。十箇人可以十樣。於是分立門戶。著書立說。各人把自己的肚皮經當作眞際醫書。越多。學醫的人越是摸不着頭路。不佞曾教過一班「高級講習科」的傷寒論。這班學員。都是看過不少醫書的人物。教了兩箇多月。有一學員說。「從前看一部傷寒注解。似乎有些理會得。及至看了第二部注解。議論與第一部大不同。不知道那一種議論是。再看第三部時。更弄得彷徨無主了。如今聽了陸先生的議論。才知道從前所用功的皆是冤枉工夫。」可見得那種醫書越多。學醫的人越是摸不着頭腦啦。

起初不過把肚皮經來解釋古醫書。後來索性把肚皮經自己著書。甚至於抬出「温病」的招牌來。一想情願要與仲景的傷寒平分半壁江山。清朝的葉天士吳鞠通王孟英。便是這種妄人。本來三五天可以治好的病。定要把他醫得九死一生。三百年來。不知葬送了幾許人命。這個黑幕。惲鐵樵先生已經大聲疾呼。把他揭破了。近來秦君伯未編一部清代名醫醫案菁華。不佞做了一篇序。如今節錄序文一段。讀者諸君就可以明白傷寒之外沒有什麼温熱。

傷寒之外沒有温熱

此節係節錄清代名醫醫案的序文

有清一代醫工所致力者。厥爲傷寒温熱之辨。葉天士以此得大名。時師或尊異之。以抗衡仲景。然晉唐以前。凡流行發熱之病。皆謂之傷寒。其範圍至廣。故內經言熱病皆傷寒之類。難經言傷寒有五。有中風傷寒濕温熱病温病。仲景自敍。稱傷寒卒病論集。卒病者卒然而病。猶西醫所謂急性病矣。故傷寒論所集。不限於脈緊無汗之傷寒。亦不限於桿菌爲厲之腸窒扶斯。論中陽明病即賅括温熱。少陽病亦賅括瘧疾。他若小青龍證。賅括大葉肺炎及其類似之病。理中湯證。賅括慢性及結核性腸炎。而急性傳染病之前驅症。亦即傷寒太陽病也。由是言之。凡哆口談温熱。欲與傷寒對峙者。皆謬妄弗可從。葉氏首倡温熱之說。吳鞠通王孟英之徒。餔糟歠醨。大放厥詞。特其書平淺易曉。不若仲景書之簡奧難讀。下里巴人。和之者衆。故能風行一時。今之醫工。遂無不温熱者。西醫余雲岫著温熱發揮。刊於社會醫報。其意蓋譏中醫不能驗細菌以診斷。而混稱温邪。夫中西醫之診斷治療。以至病名分類。固自不同。不可以彼例此。然謂臨床所見。

中国近现代中医药期刊续编·第三辑

凡遇中醫方案定爲温邪者。驗其血。多是腸窒扶斯。此則足令温熱家深省者也。夫腸窒扶斯之病。見於譯本西醫書者。有太陽陽明少陰之證。一一與仲景書合。乃所謂正傷寒者無疑。而時師亦謂之温邪。是知時師口中之温熱。以爲當用葉吳王之法。不當用仲景法者。乃併正傷寒而一概温熱焉。是亦不可以已乎。然此猶得謂時醫之誤。非葉氏之過也。則請言葉氏之誤。葉氏之誤。有沿襲喻嘉言者。有出於杜撰者。嘉言誤解內經冬不藏精。春必病温。以爲温病起於傷腎。腎之經爲少陰。故寓意草中金鑑一案。治以麻附細辛。此其誤。在以少陰傷寒爲腎病。以內經精字爲男女媾精之精。然金鑑之病。本是少陰。故得少陰藥而愈耳。葉氏承其謬。亦謂温病起於傷腎。傷腎則當補。補腎當用熟地黃。温病固萬不可用熟地黃者。則燒爲炭而用之。臨證指南席姓一案。七診而病卒不起。以其病屬陽明。而用藥誤於温邪久伏少陰之謬說也。此葉氏伏邪之說。誤於沿襲喻氏者也。葉氏又倡温邪犯肺。逆傳心胞之說。謂初起須辛涼輕劑。延之數日。而不出方。吳鞠通作條辨。爲之補銀翹桑菊二方。僕自從師實習已來。遇所謂温病者。未嘗一用銀翹桑菊。亦未嘗一遇逆傳心胞之證。有之則銀翹桑菊之壞病耳。是知逆傳心胞。正是辛涼輕劑所造成。時師投辛涼輕劑時。必豫言其逆傳心胞。既而果然。則病家以爲神。醫家亦自以爲神。而篤信葉吳王。愈益不可破矣。温熱本非甚危之病。投藥二三劑。爲時五六日。可以霍然。今乃必欲使之九死一生而後已。此葉氏杜撰之謬。流毒三百年而未已者也。世常以温熱多清醫。清醫之温熱。果足多耶。（下略）

不佞這篇商榷。隨手寫來。差不多有兩萬字了。東拉西扯。空費讀者諸君的腦力。究竟中醫應當怎樣改造。依舊沒有說出來。實在非常之抱歉。現在把中醫學的既往情形約略說過了。要求讀者諸君再寬放吾一月限期。不佞定規把改造中醫的主張。不管他拙笨複雜。在本刊第四期裏和盤托出。好向讀者諸君請教。

（未完）

藥物與陰陽（續）

姚兆培

（一）人身的陰陽

陰陽二字。是中國學術上面的代名詞。用以代替一切事物。其中有一例。拿陽來代表動作。拿陰來代表物體。這一例應用到醫學的生理病理上面。陽就變做人身各器官的動作機能。陰就變做人身各器官的形體實質。這許多上篇已經講過了。這篇所講的。是專論藥物的陰陽。

（二）藥物的陰陽與分別法

人身的陰陽。是用這個定義來分割。藥物的陰陽。也是用這個法子來推求。如何推求法呢。譬如人吃一樣草。吃了之後。看他在肚內起如何作用。對於身體。發生如何變化。若作用起在陽的一方面。就定他做陽藥。若作用起在陰的一方面。就定他做陰藥。若陰陽兩方面皆起作用。就看他那一方面作用多。那一方面作用少。若兩方面皆不起作用。就不是藥物。也不是食物。再切近些。取個實例。烟酒興奮。附子強心。作用皆起在陽的一方面。這一類物品。就是陽藥。米麥五穀。可以養身。作用皆起在陰的一方面。這一類物品。就是陰藥。普通一切的食品。大概陰陽二方面皆有些作用。就可分做陰多陽少。陰少陽多二類。砂礫石塊。兩方面皆不生作用。這一類物品。就不是食品。也不是藥物。

（三）藥物的陰陽性與其他諸性是建築在藥效上面

各種藥物的本身。同一木石。並沒有什麼陰陽陰陽的假定。是在藥物對於人身的作用上分別他。故藥物陰陽的求法。不能在形式上推求。祇可在藥效的經驗上觀察。不但藥物的陰陽二性是如此。就是寒熱溫源補瀉升降等性。也是如此。藥物的最初。祇有藥效。從藥效方面種種觀察。然後有藥性。試看本草中最先的書。是一部本草經。本草經內所詳的。是某藥治某病。這就是藥效。從藥效方面看他所治的是何病。治熱病的。就定他是寒藥。治寒病的。就定他是熱藥。藥效平和的。定他爲上品。藥效劇烈的。定他爲下品。這就成爲藥性。那時對於藥效的觀察。不過如此。故本經所載藥性亦不過上中下三品。寒熱溫涼數性而已。到後來藥效的發明愈加增多。藥效的觀察。也愈加詳細。於是藥性方面。寒熱補瀉之外又添出宣通補洩輕重澀滑燥溼十種名目來。本經詳藥效。後來的書詳藥性。藥性是根源於藥效。即此一點。也可以看出來。故我國藥物的藥性。是建築在藥效上面。中醫書中最多的是倒果爲因。譬如有人說『因爲附子是熱藥。所以能治寒病。』這句話表面看去。好似一些不差。其實已經倒果爲因。說差了。應該倒過來說『因爲附子能治寒病。所以定他是熱藥。』如此才對。試問附子是熱藥。是如何知道的呢。還不是從藥效上試驗出來的。再有『某藥入某經治某病』。這句書也是倒果爲因。說得藥味好似生有眼睛。認得道路一般。太覺可笑了。應當倒過來寫。某藥能治某病。故入某經。本草書中有說柴胡一味曰。『因得春初少陽之氣。故能入少陽經。』這句書謬誤得很可笑。柴胡的入少陽經。是因爲柴胡能治少陽症。所以說他入少陽經。入少陽經乃根本於治少陽症。與春初少陽之氣。有何關係呢。草木得春初少陽之氣的。十中占有八九。爲何不皆一一入少陽經呢。做書的人。看見有入少陽經幾個字。要追求他入少陽經的原因。現成的治少陽症一語。被倒果爲因朦住了。於是抓得『春初少陽之氣』一句來。頂在入少陽經的上面。作爲入少陽經的原因。夾纏得看書人的腦子。十個有九個昏懞懞。同此一例。更有連翹似心而入心。百合象肺而入肺。諸如此類。不倫不類的話。本草書上隨處皆是。應該一一鉤去。才可以一清眼目。一方面更從藥物的基礎治效上研求藥物學才可以有進步。

(四)本草之歷史

本草的起原。雖是很古。遠在黃帝之前。但現時可以看見的書。祇有梁陶宏景名醫別錄中神農本草經一書。要算他爲最古。陶宏景之前。有痕迹可尋的。漢末有張仲景的傷寒金匱方。再前內經中有單方十二張。內經是周秦間的書。周秦以前。就無可考了。祇有淮南子中說。『神農嘗百草之滋味。當此時。一日而遇七十毒。由此醫方興焉。』幾句話。我人對於這幾句書。雖不能完全無疑。但神農時已有藥草。神農爲藥草中一個有關係的人物。可以無疑。依醫學發達的程序。先是有疾病而苦無治法。進一步是發明草木以可治病。由無治法而生出有治法的新希望。於是單方漸次發明。至於吃食問題。穀食可以代替肉食。亦於此時在無意中得到。此一時期。可名之曰單方發明時期。爲醫學之起點。神農發明的單方最多。故後世醫學本草推神農爲始祖。單方的始初。並不甚多。所應用的藥物。也沒有幾樣。故並沒有本草的名目。腦子可以記憶。故也用不到記載。父傳子。子傳孫。一直傳到周秦。尚是如此。內經中只有幾張單方。並沒有本草的名目可以看出來。後來單方漸漸多了。不是普通人人可以記憶得盡。於是有一部份人出來。專門搜集單方。而單方的一門學問也就從醫學的範圍中分裂出來。自己獨立。成爲一種專門科。這個時期。相當在漢朝。漢書藝文志方技略中。有經方一家。經方就是單方。家字就是自己獨立成爲一種專門科。那時對於單方。已有記載。有好幾部書。在當時可以看見。可惜現在多亡失了。故本草的歷史。自神農起至漢初止。可告一段落。此一段落。吾無以名之。姑且叫他做單方時期。自此之後。單方成爲專門科。不叫他單方而立他一個經方的名目了。再到後來。治病的方子。你也發明一張。我也發明一張。愈發明愈多。幾位經方家。拆空了腦子去研究。他也研究不盡許多。於是經方又漸漸分裂起來。分成二派。一派是以病爲主體。某病用某藥。某病用某藥。一派是以藥爲主體。某藥治某病。某藥治某病。以病爲主體的書。漢末有傷寒金匱。晉有千金。唐有外臺。以藥爲主體的。漢張仲景傷寒序中有胎臚藥錄。此書不可得見。可見的就是梁陶宏景名醫別錄中的神農本草經。至此本草的一門學問。始正式從經方中分裂出來。自己獨立。成爲一種專門科。故本草的歷史。自漢初至晉末。又可告一段落。此一段落。可叫他做經方時期。自此之後。本草一學。就正式開始。一直流沿至今日。尙沒有什麼大變動。

（未完）

糖尿與消渴

沈本琰女士

血液及尿中含糖分過多。西醫統名糖尿病。凡糖皆是炭水化物。糖尿之糖雖非一種。而以葡萄糖爲主。炭水化物爲供給體溫及工作精力之原料。食物中富有炭水化物者。爲五穀果實。一切植物性食物。此等食物。消化之後。必先化爲葡萄糖。然後能吸收。血中所含葡萄糖之量。常有一定。通常爲百分之〇・一至〇・二。若所食炭水化物過多。血液不能容。則化爲動物澱粉。貯於肝臟。肝臟又不能容。則化爲脂肪。貯於體內。食少或絕食時。則動物澱粉及脂肪皆能還化葡萄糖。以補充血液之需要。

通常致糖尿之原因凡五。(一)食多量之糖類。肝臟不及容。脂肪不及化。經二小時後。其尿現糖反應。(二)刺激小腦前房底近運動血管中樞之處。此處爲變化動物澱粉之腦中樞。亦現糖尿。(三)胰腺之內分泌與糖之新陳代謝有關係。割去胰腺。則亦致糖尿。(四)服副腎精。Adrenalin亦致糖尿。因副腎之內分泌能使肝臟放出動物澱粉。以成葡萄糖。無病時胰腺之內分泌能敵副腎分泌。故不致糖尿。服副腎精。等於副腎分泌加多故也。(五)

中毒性糖尿。以服食梨根精 Phloridzin爲最。此外。精神興奮亦能糖尿。大學學生當考試時。其尿常現糖反應。考試既畢。尿卽不糖。然此皆生理上常態。未足爲病也。若無以上原因。而尿中仍現葡萄糖。且持續不已者。乃爲糖尿病矣。

臨床上之原因。多有得之遺傳者。如遺傳肥胖病或痛風病之家族。多發糖尿。又有因他種疾患而併發續發者。如癲癇、臟躁、及外傷性神經病。腦出血、腦軟化、腦腫瘍。及脊髓硬化、脊髓勞等腦脊髓疾患。急性傳染病中。如傷寒、急性關節炎、痲疹、猩紅熱、霍亂、赤痢、瘧疾（或謂瘧與糖尿無關係。而梅毒似爲誘因。）等亦多續發糖尿。肝臟硬化、膽石症、胰腺疾患、亦能引發。若單純之糖尿病。則因動物澱粉化糖過速者有之。因食糖過多。或肝臟有病。致不能截留動物澱粉者有之。因蛋白質之新陳代謝不規律者有之。

糖尿病之主要證狀爲尿量加多。一晝夜中達三千cc以上。多者至二萬cc。尿量不增多者稀有。尿作淡黃色。比重亦增。富於泡沫。滴於衣服則留白色斑痕。所含葡萄糖量自百分之十二至五十。初病時。往往口中無味。不欲食。噁心嘔吐。胸滿眩暈。耳鳴頭重不寐。其後則消化器、呼吸器、循環器、五官、神經。無一不感疾苦。善飢而飲食不作肌膚。體溫低降。常苦形寒。女子則影響月經。病至重。則呼氣芳香。譫妄昏睡而死。

日人丹波元簡所著醫賸。引王世懋二酉委譚云。閩參政王懋德自延平歸。忽瘦甚。鬚髮皆枯。云乃消渴症。百藥罔效。先是延平一鄉官潛謂人曰。王公病。曾有嘗其溺否。有此患者其溺甚甜。此不治驗也。王後聞之。初試微甜。已而漸濃。愈益甜。王亦自知不起。乃曰消渴病聞之。溺甜則未之聞也。丁福保氏據此。謂糖尿卽消渴。然惟有男子消渴。小便反多者。足以當之。外臺祕要引近效方祠部李郎中論云。消渴者。原其發動。腎虛所致。每發卽小便至甜。按洪範稼穡作甘。以物理推之。淋餳醋酒作脯法。須臾卽皆甜。足明人食之後。滋味皆甜。流在膀胱。若腰腎氣盛。則上蒸精氣。氣則下入骨髓。其次以爲脂膏。其次爲血肉也。其餘別爲小便。故小便色黃。血之餘也。臊氣者五藏之氣。鹹潤者則下味也。腰腎既虛冷。則不能蒸於上。穀氣則盡下爲小便者也。故甘味不變。其色清冷。則肌膚枯槁也。又肺爲五藏之華蓋。若下有暖氣蒸則肺潤。若下冷極則陽氣不能昇。故肺乾而熱。故腰腎常須暖將息。其水氣卽爲食氣。食氣若得暖氣。卽潤上而易消下。亦免乾渴也。是故張仲景云。男子消渴。飲一斗。小便亦一斗。宜八味腎氣丸主之。神方。消渴人宜常服之。

按李郎中之論。頗與糖尿病理不謀闇合。彼時無醫化學食物化學。僅憑理想。居然十得六七。李亦醫界之人傑哉。惟金匱所載消渴病。不皆是糖尿。如五苓證。脉浮發熱。小便不利。尤其明著者也。故謂糖尿卽消渴則可。謂消渴卽糖尿則不可。千金方所載消渴。則什九是糖尿。其方數十首。皆確然有效。西醫治糖尿除注射胰臟島素外。苦無特效藥。求之千金方。有餘師矣。

糖尿病亦有不甚渴而小便不甚多者。而飲多尿多之病。亦不僅糖尿。如尿崩症、瘧疾、臟躁。皆煩渴而溺多。然瘧疾與臟躁。別有顯明之證狀。易於鑑別。惟尿崩與糖尿原因證狀皆類似。其所以異者。尿崩之尿。絕無糖分耳。糖尿多不治。尿崩雖不易愈。然無生命危險。

西醫治糖尿。首禁炭水化物之食料。然腎氣丸治消渴奇效。不但中醫無間言。卽日本醫學士野津猛男所著漢法醫典。亦以腎氣丸治糖尿。腎氣丸重用地黃薯蕷。地黃薯蕷固富有炭水化物者。於此知治療貴於方劑之配合。僅僅解析成分。辨別效用。未足以言醫也。

中國醫學月刊社

遷移地址

本社現已遷入上海四馬路西中和里八十三號新屋此後函件請逕寄新地址為荷

中國醫學月刊　一卷三號　二四

嘔吐症的一般治法

丁濟華

人體臟腑的功能。自有一定程序。失了這程序。以致發生種種變態時。就是疾病。胃的功能。是消化食物。古人不能詳悉消化的過程。但知道飲食吃到胃裏。由胃移到腸裏。就變成希臭的大便。從肛門裏排泄出來。從這事實上看來。胃一定有下降的功能。有時候吃下的食物不下降。不變大便。反帶些酸水苦水。仍舊從嘴吧裏嘔吐出來。這就顯見得胃的功能大起變化了。因爲本來是下降的。如今却不下降而上升。就是胃腑功能失了程序。起了變態。成爲疾病了。古人因此叫他吐逆或嘔逆。嘔吐爲什麼要加上箇逆字呢。因爲不下降而上升。與生理功能相反。所以叫他逆。外國人研究嘔吐的原因。把他分成四類。叫做「反射性嘔吐」「閉塞性嘔吐」「腦脊髓性嘔吐」「血液毒性嘔吐」。在病理及病理解剖方面。研究得很詳細。比較古人混稱嘔逆吐逆。自然來得進步了。但是治療藥物。普通用些草酸鈰、溴化鉀、克羅雷呑、阿西坦尼利、硝酸甘油等。往往沒有大效驗。有箇英國人。在日本患急性胃炎。英美醫生用盡方法。止不住他嘔吐。末了請到一位日本醫學士野津猛男。這野津平時很嫌惡漢醫。（日本人稱中醫爲漢醫）那天遇到這箇病用西醫眼見得無望了。只得在漢醫書上檢查藥方。也虧他聰明。被他檢着箇小半夏加茯苓湯。煎來一吃。奇效忽顯。嘔吐幾止。連服數日。竟回復原有之健康。從此半夏浸劑。成了一種嘔吐特效藥。從日本推行到西洋了。

我們中醫的真本領。不過對準了病證用藥。開口談談病理。就要給西藥笑掉下頦。什麼心肝脾肺。太陰陽明。老實說。不過哄哄人罷了。但是治療上的成績。似乎比西醫高明得多。否則日本醫藥界裏。爲什麼拚命研究漢醫藥呢。

中醫治嘔吐的藥。最普通的是半夏生薑吳茱萸。嘔者用生薑。嘔而有痰者用半夏。嘔而胸滿者用吳茱萸。此外黃連黃芩人參。皆兼有治嘔功能。今將最效驗之嘔吐方及病證。略舉於下。

（一）大半夏湯　治食已卽嘔吐。心下痞鞕。

半夏　人參　白蜜

(二)小半夏湯　治嘔吐不渴。穀不得下。心下有支飲。

半夏　生薑

(三)小半夏加茯苓湯　治先渴後嘔。或卒嘔吐。心下痞。膈間有水。眩悸。

半夏　生薑　茯苓

(四)半夏瀉心湯　治嘔而腸鳴。心下痞。

半夏　黃芩　乾薑　甘草　人參　黃連　大棗

(五)生薑半夏湯　治胸中似喘不喘。似嘔不嘔。似噦不噦。徹心中憒憒無奈者。

半夏　生薑汁

(六)半夏乾薑散　治乾嘔。吐逆。吐涎沫。

半夏　乾薑

(七)吳茱萸湯　治嘔而胸滿。或乾嘔。吐涎沫。或吐利。手足逆冷。煩躁欲死。

吳茱萸　人參　生薑　大棗

（八）黃芩加半夏生薑湯　治心下痞。腹中痛。下利。嘔吐或乾嘔。

黃芩　甘草　芍藥　半夏　生薑　大棗

（九）黃連湯　治傷寒胸中有熱。胃中有邪氣。腹中痛。欲嘔吐。

黃連　甘草　乾薑　桂枝　人參　半夏　大棗

（十）乾薑黃連黃芩人參湯　治吐上後。更逆吐。下食入口卽吐。

乾薑　黃連　黃芩　人參

（十一）橘皮湯　治乾嘔。噦。若手足厥者。

橘皮　生薑

中風之研究

中醫學會會員沈仰慈

中風一病。西醫屬之神經系。謂爲腦膜出血。故譯名腦膜卒中。或簡稱卒中。其出血部分。分爲數種。曰硬膜上出血。卽頭蓋骨與硬膜間之出血也。曰硬膜下出血。卽硬膜與蜘蛛膜間之出血也。曰蜘蛛膜下出血。卽蜘蛛膜與軟膜間之出血也。曰軟膜下出血。卽軟膜與腦間之出血也。出血多量者突然死亡。中量者發種種症狀。其療法謂行穿顱術。除去其血液可愈。或貼冰囊於頭部。與以興奮劑而已。夫中風。重病也。推其致病之由。斷無若是單簡之理。而穿顱去血。冰囊掩護。其因而愈者。亦倖焉耳。考中風之人。大抵四十歲以上之男子爲多。而女子次之。若以體質論。則左列四種人。尤易患之。

一。嗜酒無節者

二。平日懶惰者

三。過勞精神者

四。體甚肥胖者

此四種人體質習性。迥不相同。而皆易罹中風病。則知中風之原因。非祇腦膜出血之單簡。可斷言也。

我醫先哲之論中風也。較爲備矣。李東垣主虛。劉河間主火。朱丹溪主痰。各就平素經驗。發明病理。西醫所謂腦出血。殆近於劉河間之所謂火。蓋少火生氣。壯火食氣。氣以生津。氣耗則津枯。津枯則火旺。火曰炎上。冲逼腦膜。血脈暴漲。乃致破裂而出血。此中風之一端。而尚未盡焉。竊維東垣主虛。方可謂一言扼要。涵蓋諸因矣。河間主火。是也。然非因於虛。火何自炎。惟其虛也。故無根之火發焉。丹溪主痰。是也。然非因於虛。痰何由生。惟其虛也。故逆上之痰生焉。未有痰與火之發生。而不由於虛者也。河間之言曰。中風癱瘓。非外中風邪。亦非肝風獨盛。由將息失宜。心火暴盛。腎水虛衰。不能制之。則陰虛陽盛。而熱氣怫鬱。心神昏冒。筋骨不用。卒倒無所知。曰腎水虛衰。曰陰虛陽盛。豈不以火之爲患。由於虛乎。

丹溪之言曰。西北氣寒。爲風所中。誠有之矣。東南氣温多濕。有風病者。非風病也。皆濕土生痰。痰生熱。熱生風也。夫人身之氣。根於脾。主於肺。苟脾氣充盛。自能健運。內因之濕何自生。外來之濕何自感。痰卽少而不能爲患矣。然則痰之壅逆。又豈不以脾氣之虛而不能健運乎。由是知痰也火也。一本於虛。虛者固爲中風之根矣。臟虛者中臟。腑虛者中腑。血脈虛者中血脈。虛處不同。見症遂異。脾虛者見脣緩二便閉。心虛者見舌強不能言。腎虛者見耳聾。肺虛者見鼻塞。肝虛見目瞀。血脈虛者見口眼喎斜。身痛拘急。偏枯疼痛。半身不遂。凡此種種。固非盡屬腦膜出血也。吾意腦膜出血。亦由腦膜薄弱。不能抵抗火勢之衝激。以致硬裂。正是腦虛之見症。殆中風之一端耳。吾乃於前列四種人易於中風之理由。可得而言矣。

一。嗜酒無節者　酒含興奮性。有刺激神經。改變體質之力。故嗜酒過度之人。往往神經痲痺而失知覺。腦髓消鑠而減記憶。血脈硬化而失彈性。脂肪增多而碍氣機。心臟減其翕張之力。肺臟失其淸肅之功。肝臟肥厚。疏泄不暢。脾臟變質。消化不良。腎臟凝塞。分泌不旺。凡全體機能健全者。浸漬酒毒。漸變爲虛弱。此酒客之所以多中風症也。

二。平日懶惰者　神經愈用而愈靈敏。筋肉愈動而愈強健。流水不腐。戶樞不蠹。常運故也。彼平日懶惰者。筋肉脆薄。神經虛弱。臟腑嬌嫩。血行遲鈍。氣機弛緩。抵抗之力。斷不強健。故易於中風。

三。過勞精神者　諺曰精神愈用而愈出。此指勞逸相當使用適宜者言耳。若使用過度。勞過於逸。未有不轉爲虛弱者。所謂積勞致病。良不謬也。夫人體對於外界六淫。有自然抵抗之能力。精神過勞。抵抗力薄。自易爲外邪所襲。至色慾過度。腎精耗竭者。相火不戢。尤易罹中風。

四。體甚肥胖者　身體之肥胖。由於脂肪組織異常發育。夫脂肪爲人體必要之物質。惟其供給與消費。理宜相等。設供給過分。或消費減退。則脂肪充積。卽成肥胖。嗜酒者。懶惰者。老年陰萎及婦女經閉者。輒多得之。脂肪既多。身體之運動。漸覺困難。臟腑之機能。漸見減退。外似旺盛。內實不足。且腠理緻密。氣血鬱滯。痰涎易壅。壅極生熱。熱盛生風。故多卒中。丹溪所論之中風。大概屬此居多。

如上所列。中風之原因。一言以蔽之曰。氣體虛而已。世欲預防中風者。對於氣體宜如何保衛。以求康健。可知所先務矣。至於治療之術。宜見症用藥。方書備詳。可酌取焉。惟吾人常識上所不可不具者。更有兩事。一曰中風有眞中類中之別。一曰中風有閉症脫症之分。試略述之。

甲。　中風有眞中類中之別。

一。眞中　眞氣虛者。營衛不固。猝爲寒風所中。是名眞中。經所謂風中五臟六腑之俞也。中在表者。身痛拘急。宜小續命湯對症加減治之。中在經絡者。口眼喎斜。偏枯疼痛。宜大秦艽湯加減治之。直入臟腑者。九竅驟閉。見口噤。耳聾。鼻塞。目瞀。唇緩。便閉。痰。壅昏冒。宜酌用三化湯下之。

一。類中　眞陰虧者。津液不足。風自內生。虛陽上冒。以致昏仆。是爲類中。與外風無涉。故無六經形症。經所謂陽之氣。以天地之疾風名之也。痰多壅塞者。宜用稀涎散或三聖散吐之。治以滌痰湯。脾虛嘔痰者。用六君湯。腎虛水泛者。用六味丸或八味丸。中氣虛者。用補中湯。陰虛者用補陰煎。吾意此症都由氣血兩虛。以致風火相煽。而成卒中。故治法大要以參芪補氣爲君。歸地補血爲臣。佐以治風之品。如秦艽茯神竹瀝姜汁梨漿等。最爲穩妥。

乙　中風有閉症脫症之分

閉症者臟腑氣閉。便溺阻塞。牙關緊閉。兩手握固。宜用辛香走竄之品。開之通之。如蘇合香丸。牛黃丸。至寶丹等。可以救治。脫症者五臟氣絕於內。而元陽暴脫也。如口開者心絕。手撒者脾絕。眼合者肝絕。遺尿者腎絕。聲如鼾者肺絕。若五症不全具者。急用大劑參芪朮附進之。或可救十中之一。若誤服辛香走竄之藥。禍不旋踵矣。

强種

戈靜芳女士

同是圓顱。同是方趾。彼白色人種。則體格偉大。志慮堅強。稱雄於世界。我大好中華。地方數千萬里。人民數萬萬衆。而以病夫聞於時。其故何哉。豈民生憔悴。不克強其身乎。將醫學家不知提倡衛生方法。以爲民衆之先導乎。余思之。余重思之。我華人致弱之原因固多。婦女之不識健身法。乃其最大原因也。何以故。因婦女爲人類之母。故母體衰弱。安能望子女之強壯。譬之植木。根本堅固。然後枝葉能暢茂。未有根本腐蝕。而枝葉榮盛者。彼歐西婦女。於健身之道。不讓男子。男子能騎馬游泳。婦女亦騎馬游泳。男子能競走擊球。婦女亦競走擊球。男子能駕駛汽車飛機。婦女亦駕駛汽車飛機。凡體育之普及於男子者。女子皆優爲之。不多讓。雖婦女也。而赳赳桓桓。儀態萬方。則白人之母。固已強於華人之母矣。不特此也。於男女嫁娶。尤爲注意。年齡太穉者不嫁娶。身體衰弱者不嫁娶。痼疾殘廢者不嫁娶。意氣不相合者不嫁娶。夫如此。故西人終其身無偶者比比然也。非樂於無偶也。欲其種族之強盛優秀。則不得不爾也。吾國婦女則不然。恥爲強健活潑。必欲裹其足。束其胸。弱不禁風。扶掖旋轉於閨閫之間。然後謂之纖美。謂之幽嫻。至於運動衛生。則終其身不知爲何物。不特此也。嫁娶之道。尤爲謬妄。不問對方身體是否健康。脩短穠纖是否合度。有無遺傳病殘廢。所以合兩姓之好者。惟媒妁之言是聽。嗚呼。國家之所以不強。人民之所以無進取改革冒險之性者。豈無由哉。今欲轉弱種爲強種。必自強健母體始。婦女多患肝氣。腰痠帶下。月經不調諸證。多因鬱閉少運動之故。若能從事於婦女體育。二十年之後。彼條頓族日耳曼族。不足羨也。

備急得效方

救吞洋火方　藜蘆　川大黃（各五錢）　白礬（須要透明）　硼砂　甘草　菉豆（各二錢）　上藥俱用生。共研細末。再用雞蛋清十四枚。同藥調勻灌下。輕者一劑可痊。重者二劑卽安。凡吞雅片官粉信石者。皆能救治。但吞雅片已久者。急服此方。並須扶行。不使其睡。

救吞水銀方　凡多吞水銀者。急用香油灌下。取其滑潤。能包水銀自大便而出。百試百驗。其效如神。

救吞金方　急取青韮菜。切去上梢。滚水燙軟。（不宜燙熟。更不宜切短。）恣意食之。囫圇嚥下。不可嚼爛。至飽爲度。越一時。再用豬油（香油亦可）服下。必須二人摻扶患者。搖動行走。約過二十四點鐘。則韮裹金物從大便而出。

小兒誤吞鐵物　炭皮研末。調粥二三碗食之。炭末卽裹鐵物。由大便而出。神效無比。

急救解砒霜毒　防風一兩。毒重者可加數倍。研末。冷水調服卽活。

難產神效方　熟地（一兩）　眞成芪（一兩蜜炙）　當歸身（四錢）　西黨參（四錢）　淨龜板（四錢醋炙）　白茯神（三錢）　枸杞子（四錢）　白芍藥（一錢酒炒）　川芎（一錢酒炒）　產久不下。此方連服四五劑。祇用頭煎。無論平素氣質强弱。胞衣已破未破。連服此方。痛可立減。而胞自下矣。

乳癌險症第一良方

法用香附餅　香附（一兩研末）　麝香（一分）　蒲公英（一兩）　用燒酒二碗。煮蒲公英數沸。去渣。取酒。將香附末和入作成餅。少則分成二三餅。多則分成四五餅。餅中置麝香少許。趁熱敷患處。外以布紮之。每日更換。四五日見效。一月全愈。敷乳癰乳腫皆效。

心胃氣痛良方

專治九種心胃氣痛。受寒而痛者更妙。　五靈脂（二錢）　公丁香（四分不見火研末）　明雄黃（四分研末）　巴豆霜（四分淨末）　白胡椒（四分）　廣木香（四分不見火研末）　子紅花（二錢）　枳殼（二錢）　上藥八味。稱準分兩。各研細末。和勻。再共研極細。收貯磁瓶。勿洩氣。每服五厘。以藥置手心內。用舌尖緩緩舐咽。服後一個時辰內。不可飲茶。不論遠年近月。發時服二三服。皆可除根。

臨床實驗錄

沈仰慈

欬逆倚息不得臥

民國七年冬。余從兄叔謙之室張氏。小產。患血崩症。血止後。忽起欬嗽。其欬也。連嗆數十聲。出痰涎少許。頃之又大欬。日夜不能臥。臥則欬愈劇。以被擁坐。欬稍稀。自謂欬劇時。聞得臭穢之氣。似腐肉。又似敗蛋。殊難堪。以爲臟腑腐敗矣。歷延諸醫。或謂感冒風寒。或謂肺氣燥逆。或主疏散。或主潤肺。其尤淺陋者。以二陳加杏貝爲普通治欬之方。余細爲考慮。此等方治。皆未愜意。張仲景治欬逆倚息不得臥。有小青龍湯。葶藶大棗湯兩方。一治外感寒邪。故以麻桂解表。一治水飲冲肺。故以葶藶行水。唐容川謂失血症。淤血挾痰阻滯肺氣。亦致欬逆倚息不得臥。以逐瘀爲主。余思嫂氏之病。頭不甚痛。發熱亦微。非外感可知。痰涎極少。非水飲又可知。先患血崩。是失血症也。外得是血由下脫。非吐血可比。何致淤積於肺。且鼻聞穢臭。抑又何歟。余謂此欬非肺臟自有之病。逆欬數十聲。乃出白沫少許。血冑肺之津液。亦非痰欬也。此種嗆欬。最易傷肺。若復投以化痰之劑。誠所謂誅伐無過矣。夫血藏於肝。肝血充盈。其氣冲和。斯之洩患。婦人之血由肝而通於太衝脈。由太衝而達於胞宮。下爲月經。孕則養胎。小產血崩。是病在胞宮。而涉及於肝。因其血之歸源出於肝也。肝血空虛。則衝脈逆氣。直冲而上。肺在上焦。適當其衝。肺葉翕張。遂發嗆欬。其氣上冲一陣。則嗆欬一陣。欬透其氣。略爲舒適。頃之氣又上升。嗆欬復作。倚被而坐。則肺葉下垂。欬自稍稀。臥則肺張。氣易冲動。故欬愈甚。穢氣出於下焦。隨衝脈之氣透於肝而犯於肺肺開竅於鼻故鼻聞穢氣也豈臟腑腐敗哉。病原如此。普通治欬之方皆非對症之劑。宜補肝以治其本。降衝以治其標。補肝之方有滑氏補肝散。降衝之方有金匱麥冬湯。合而用之。當可奏效。叔謙學校教員也。聞余言極首肯。嫂亦明理。謂深合病情。立索方。余即書方與之。時在臘月二十九日下午。及晚藥煎甚濃。服一劑頗適。俗忌元旦服藥。除夕連進兩劑。竟能安臥不欬。新正初二日。竟起床。曝日廊下。調養至燈節。操家政行走如常。茲將當時方案補錄如次。

病由小產崩漏。肝血大損。左脅痠疼。衝氣上逆。犯肺作欬。倚坐而不得臥。欬劇時。下焦濁氣。隨衝氣而上。亦由肝血虛損之故。所聞臭氣。非肺痰腐敗。乃腸胃濁氣也。擬補肝降衝爲治。

大熟地四錢 炒黨參三錢 山萸肉三錢 姜半夏三錢 當歸身三錢 生白朮三錢 酸棗仁三錢

肥麥冬二錢 正川芎一錢 淮山藥三錢 陳木瓜一錢 炙紫菀一錢 清阿膠二錢化冲 炙甘草一錢

桑寄生二錢 五味子六分

右即滑氏補肝散合金匱麥冬湯之複方也

風溫變痓

西鄰黃氏子年十三。余從兄叔謙私立學校之小學生也。民國八年春。病亟。適余春假在家。其姨氏來告曰。黃氏止此一子。病甫數日。勢已危殆。良醫無覓處。束手無策。舉家惶泣而已。奈何君知醫。可一援手乎。余以鄰誼不可却。隨之往診。見病者面赤。氣粗。眼閉。牙緊。唇裂。齒乾。强啓其口。察舌苔焦黑。頸項背脊強直。已呈角弓反張之狀。仰臥不能轉側。背脊下離席寸許。兩脚彎屈。手指屈伸如撮空狀。切其脈。洪數無倫。余曰此風溫重症。津將涸矣。病起何時。曾服藥否。其父母含淚曰。病甫六日。初祗頭痛發熱。泛噁。呼腹痛。始延甲醫診治。曰食積腹痛也。繼延乙醫診治。曰外感風寒也。先後僅兩劑耳。乃忽變如此。余索閱其方。甲醫專主消導。乙醫專主溫散。余曰是矣。如此藥方。誠所謂火上添油。無怪劇變矣。黃是農家。目不識丁。余遂不與談醫理。急書一甘涼生津大劑。時已旁晚。囑速市藥。用大號瓦罐。疊磚爲爐。（農家無茶爐。卽在飯鍋中煎藥。故爲言之。）煎汁一大盌。分作四服。以箸啓齒。用匙灌之。約間兩小時。灌一服。灌至天明。可盡四服。如見轉機。速來告我。翌晨。余尚高臥。黃之戚。吳某來告曰。先生方。不啻仙丹也。昨晚初更。黃氏子牙關緊閉。呼之不應。以爲無救矣。撤床帳。舁入廚下。或謂藥已煎就。姑撬其齒而灌之。生死惟命耳。初灌一杯。無變動。頃之再灌。及三杯灌完。氣似稍平。及四杯灌盡。天將曙。忽啓口呼母。眞不啻仙丹也。余自床躍然披衣起。喜曰得生矣。早餐畢往診。病者目開。氣稍平。神識稍清。自知啓口示舌。苔乾焦黑。脈仍洪數。余將原方略爲增減。囑市兩劑。每劑一煎作三服。兩劑共六服。間三小時服一次。以一日夜服完。及明日又往診。舌苔焦黑中現黃色。頭頸能轉側。手脚較舒。脊強如故。小溲短赤。余將前方倍舒筋活血之品。囑仍如前法煎服。又明日往。其母曰。背脊較直。仍強硬不能俯仰。兒忽欲食硬飯乾餅。彼稀粥不能療其飢也。與飯半盂。頃之又索。食得毋礙乎。余曰此亦病也。胃火旺極矣。筋絡中之熱邪。已入胃府矣。問得大便否。曰病起及今。未一便也。驗其舌。焦黃而乾。余思此時宜通府撤熱矣。乃於涼潤劑中。加元明粉。生大黃。囑煎一劑作兩服。一服後須得大便。宜以淨盆盛之。如乾黑穢惡。則閉半日。與次服。再得大便。見黃色則愈。又明日往。其母欣然曰。兒昨日服藥後。腹中擾動。解得黑糞甚多。如羊屎狀。臭惡不堪。下午次服藥盡與之。晚間又大解兩次。糞轉溏。見黃色。一夜安睡。不復如前日時時呼飢索食矣。背脊已不強屈。能稍輾側。但似不甚舒耳。余曰病去矣。驗其舌。焦黃厚苔盡去。留有微黃薄苔。脈息太平。乃書養陰清胃舒筋活絡方與之。曰食宜稀粥。勿驟進乾飯。梨汁蔗漿可恣飲之。善爲調護。方藥無須更易。連服數劑可也。余春假將滿。須即到校。不復來矣。越一週。余自校歸。黃具食來邀。至其家。見其子已行動如常。余曰暫勿過勞。再休養兩星期。可就學矣。黃曰藥肆中人初見先生方分量甚重。頗以爲訝。余曰此等重症。其初沃焦救焚。惟恐不及。非大劑曷能速效耶。

寒瀉治驗

余初到滬。寓大生紗廠滬事務所宿舍。某夕。大生同事洪君忽患腹痛泄瀉。時在夜半。瀉已十餘次。急切間。無從延醫。同舍茅君。諗余知醫。曰。洪君痛瀉劇烈。若延至天明。不將殆乎。曷爲一治之。余義不可却。遂往診視。見洪君精神萎頓。以手掩腹蜷臥。脈沉細遲軟。曰此寒入太陰症也。遂以胃苓湯加乾姜吳萸大棗爲方。一煎頓服。痛瀉遂止。安臥至翌晨九時起。照常治事。其同事某見之。曰聞君夜半泄瀉。今愈乎。洪曰愈矣。曰何以愈。曰服沈某方。曰沈某能醫乎。索方閱之。訝曰。此方可服耶。方中厚朴乾姜不少。又皆熱藥也。余後聞之。歎曰。藥以治病。舍病議藥。失之遠矣。今一劑霍然。業奏效矣。尚謂不可服耶。方中厚朴。乾姜。吳萸。不過一二錢。餘藥各不過三四錢。尚非大劑。何致驚訝若是。毋亦囿於成見焉耳。是知醫之不易爲也。

本刊歡迎投稿啓事

本刊宗旨。欲以科學原理證明中醫學。同人等研究所得。不敢自是。就正有道。海內外宏達加以糾正。無任榮寵。如有闡發中醫學理之稿件。尤所歡迎。

學理愈研究愈精確。讀者諸君於本刊著作。如持異議。務請儘量翻駁。本刊無不儘量登載。惟攻訐私人之文字無關學理者。恕不登載。

來稿文字本刊編輯部得以脩改潤色。惟以不改動原意爲主。若投稿人不願被脩改時。請於稿上註明。

本刊非營業性質。來稿登載後。除贈閱本刊外。不另送酬金。如投稿人欲得酬者。請於稿上註明。亦可酌量致酬。

如有醫學上專門著作。未經刊印。欲託本刊流傳者。本刊當於專著中分期印出。印完時奉贈紙板全套。不另送酬。其板權著作權仍歸著作人自有。

來稿字迹務請繕寫清楚。萬勿潦草。白話文言。不拘體例。惟無論登載與否。原稿恕不寄還。

稿件登載後。如有剽襲雷同。發生糾葛。由投稿人直接交涉。本刊惟宣佈投稿人住址。餘不負責。

投稿諸君務請詳示姓名住址。以便通信。

稿件請寄上海中二郵區四馬路西中和里。八十三號。中國醫學月刊社編輯部。

爲解析疑難起見。特闢問答一欄。如有醫學上疑難問題。本刊揭載之後。徵請通人作答。惟患病徵方。恕不答復。蓋治病須當面診察。通函論診。事屬危險也。

本刊編輯部謹啓

專著

鄙人現在中國醫學院講授傷寒金匱。所編講義。索者坌集。油印本不敷分贈。特將金匱今釋於本刊上分期印出。藉供諸君痂嗜之需。此書撰述時。深得祝君味菊商榷之助。附書於此。以誌感謝。惟急就之章。紕繆甚多。容於再版時修正。此書有著作權。禁止翻印轉載。陸淵雷附識。

金匱玉函要略方論今釋卷一

川沙陸淵雷撰述
成都祝味菊校閱

張仲景自敘云。爲傷寒雜病論十六卷。而梁七錄有張仲景辨傷寒十卷。新唐書藝文志有傷寒卒病論十卷。此卽今所傳傷寒論。乃十六卷中之十卷。其六卷當是雜病論。卽今之金匱要略。然唐以前不見於著錄。巢氏病源於婦人帶下三十六疾。引張仲景所說。而云仲景義最玄深。非愚淺能解。則巢元方嘗見其書。外臺祕要多載金匱方藥。而云出張仲景傷寒論。則王燾所見。或爲傷寒雜病論十六卷之舊本歟。今所傳三卷之本。乃宋王洙得於館閣。不知何時有所刪削。故曰要略。周禮疾醫疏引張仲景金匱云。神農能嘗百藥。則炎帝者也。今要略無此文。知已刪削矣。其曰金匱玉函者。殆非仲景原名。古人祕惜師傳。動言藏之金匱。自內經已然。晉葛洪所著書。亦有金匱玉函之名。見肘後方抱朴子及晉書洪傳。

●臟腑經絡先後病脈證第一

論十三首　脈證二條

此篇雜論病源診斷諸法。冠於全書之首。然仲景主對證用藥。此篇則空言理論。疑非仲景所爲。每篇所標論若干首。脈證若干條。數目不能悉合。以其無關弘旨。故略而弗斠。原文依明趙開美影宋刻本。若有顯然譌誤者。據他本斠改。即附注於各條下。

問曰。上工治未病。何也。師曰。夫治未病者。見肝之病。知肝傳脾。當先實脾。四季脾王不受邪。即勿補之。中工不曉相傳。見肝之病。不解實脾。惟治肝也。夫肝之病。補用酸。助用焦苦。益用甘味之藥調之。酸入肝。焦苦入心。甘入脾。脾能傷腎。腎氣微弱。則水不行。水不行。則心火氣盛。心火氣盛。則傷肺。肺被傷。則金氣不行。金氣不行。則肝氣盛。故實脾。則肝自愈。此治肝補脾之要妙也。肝虛則用此法。實則不在用之。經曰。虛虛實實。補不足。損有餘。是其義也。餘藏準此。

此條當分三段。自問曰至惟治肝也爲一段。舉例以明上工治未病之理。且示肝實之治法。自夫肝至調之爲一段。言肝虛之治法。自酸入肝至要妙也爲衍文。當删。肝虛以下爲又一段。總結上兩段。今分釋之。

上工治未病一段。意謂治病須先知其傳變而預防之也。肝病傳脾者。所謂木王侮土也。先實脾者。補脾氣。使不受肝之尅賊也。難經七十七難。亦持此說。然上工治未病之文。昉見靈樞逆順篇。其文曰。上工刺其未生者也。其次刺其未盛者也。其次刺其已衰者也。下工刺其方襲者也。與其形之盛者也。與其病之與脈相逆者也。故曰。方其盛也。勿敢毁傷。刺其已衰。事必大昌。故曰。上工治未病不治已病。此之謂也。靈樞所云。不過言一種疾病。當及其未生與其方衰而刺之。非謂預防傳變。義與金匱難經自異。意者上工治未病。蓋醫家自古相傳之法語。後賢見仁見智。解釋遂有不同耳。

於此須研究者。肝病是何種病。脾病是何種病。肝病又何以必傳脾。若謂肝木脾土。

木能尅土。則顱顖塞責。不足饜學者之望也。內經之法。以愉悅舒暢爲肝德。以憂愁鬱怒爲肝病。然則古醫書所謂肝。乃泰半指神經。愉悅則神經舒緩。憂怒則神經刺激也。太陰陽明論及厥論。皆言脾主爲胃行其津液。然則古醫書所謂脾。乃指腸胃之吸收作用。然細繹古書。又多包括消化器官之全體而混稱脾。故肝傳脾者。乃謂憂愁鬱怒足以阻滯消化耳。憂愁鬱怒何以能阻滯消化。則其理頗奧。一言以蔽之。乃交感神經之刺激也。交感神經者。不隨意神經之一部。故不聽意識之指揮。其分布至廣。外而瞳孔汗腺毛髮。內而血管藏府。無莫非交感神經之領域。上古之人。渾渾噩噩。與鷙鳥猛獸相搏食。勝負之際。生死繫之。故恐懼忿怒。常所不免。恐懼則逃遁。忿怒則鬥爭。無論逃遁鬥爭。皆須劇勞其筋肉。然人體一切器官。不能同時並用。筋肉劇勞。則內臟之作用。必須暫時停止。故當逃遁鬥爭之際。消化作用完全停止。惟心房須供給多量血液於筋肉。肺藏須爲筋肉加增吸養排炭作用。大腦須量度彼吾情勢以爲應付。故心肺腦之作用。與筋肉同時加劇。此種情形。正如國家有敵國外患時平日所藉以生產之農工商業。不惜一時停止。而以全力應付軍事。惟兵工廠軍需部參謀部則與海陸軍同時活動。以期戰勝敵國交感神經之分布與其作用。適合於逃遁鬥爭時之需要。故當恐懼忿怒之際。交感神經傳出刺激。則腸胃停止其分泌蠕動。心臟加增其張縮。肺臟加增其呼吸。全身血壓增高。動脈管或張或縮。務使血液由內臟輸送於筋肉及大腦。他若瞳孔放大。毛髮森立。鬚髯戟張。則又顯於外而張其威武者也。人體賴有此種本能。始得生存於洪荒世界。其後社會進化人類無須與鳥獸搏食。則恐懼忿怒之刺激日少。然人欲漸多。生活程度漸高。有所求而不得。則憂愁鬱怒起焉。且人體之有交感神經也如故。憂愁鬱怒之足以刺激交感神經也如故。交感神經受刺激而行其職務也如故。憂愁鬱怒固非逃遁鬥爭所能解決。則無所用其筋肉。於是筋肉有餘力則經脈奮張。大腦有餘力則夜不能寐。心肺有餘力則心悸而喘。若是者古人謂之肝病。腸胃常日受制。則消化不良。或乾嘔。或便閉。或胃脘痛。若是者古人謂之肝傳脾。西醫書載神經性胃病多種。

西醫但知其原因爲精神過勞。憂鬱過度。神經衰弱。而不能言其所以然。最近美國生理學教授卡儂氏Walter B. Cannon費四年之實驗。證明痛楚恐懼忿怒時。皆因交感神經之刺激。消化爲之阻滯。正可爲肝傳脾之說下一確鑿注解。嘗謂中醫古訓。極荒誕而極精當。然精當之事實。往往掩於荒誕之想理。古人能知憂怒之阻滯消化。此事實之極精當者也。而內經云邪氣之客於身也。以勝相加。肝應木而勝脾土。以是知肝病當傳脾。則理想之極荒誕者也。讀書貴乎知人論世。當內經之時。科學尚未萌芽。而五行學說最爲發達。以五行解說病變。亦固其所。觀其事實之精當。吾人且崇拜之不暇。夫何忍求疵索瘢。獨怪今之醫界聞人。生當科學昌明之世。猶復墨守風木濕土之說。以此著書。以此教學。必欲錮蔽青年之腦筋。使同化於顢頇而後已。誠不知其是何居心。至於國人之習西醫者。搖筆弄舌。大肆譏彈。如余雲岫之靈素商兌。究其所指斥。不過皮相文字之論。若夫精當之事實。彼固未嘗夢見。自吾觀之。亦五十步笑百步已耳。

夫肝之病一段。言肝虛之治法。肝虛之病。實際上不經見。補用酸。亦與藏氣法時論辛補酸寫之法不同。靈樞五味篇。言肝病宜食麻犬肉李韭。又言麻犬肉李韭皆酸。則與此正合。然其言五穀五果五畜五菜之味。頗與吾人味覺不同。此當別行研究者也。

酸入肝至要妙也六十二字。荒謬不可爲訓。上文言補用酸。助用焦苦。益用甘味。可知補爲主。助益爲輔。此處專從甘入脾立論。置補與助於不問。一誤也。治肝而傷腎傷肺。五藏俱受牽動。是爲誅伐無過。二誤也。以五行爲說。則瀾翻周轉。固當漫無定論。此段當是後人旁注。傳寫者誤入正文耳。

末段明虛實異治。辨寒熱虛實。本是中醫之特長。靈樞九鍼十二原云。無實無虛。損不足而益有餘。難經八十一難亦申其說。

夫人稟五常。因風氣而生長。風氣雖能生萬物。亦能害萬物。如水能浮舟。亦能覆舟。若五臟元眞通暢。人卽安和。客氣邪風。中人多死。千般疢難不越三條。一者。經絡受邪入臟腑。爲內所因也。二者。四肢九竅。血脈相傳。壅塞不通。爲外皮膚所中也。三者。房室金刃。蟲獸所傷。以此詳之。病由都盡。若人能養愼。不令邪風干忤經絡。適中經絡。未流傳腑臟。卽醫治之。四肢纔覺重滯。卽導引吐納。鍼灸膏摩。勿令九竅閉塞。更能無犯王法。禽獸災傷。房室勿令竭乏。服食節其冷熱苦酸辛甘。不遺形體有衰。病則無由入其腠理。腠者是三焦通會元眞之處。爲血氣所注。理者是皮膚臟腑之文理也。

此條言一切疾病之原因。且示人以衛生之道也。五常卽五行。風氣包括自然界之氣候變化而言。東方學說。以爲造物至仁。凡氣候之變化。皆所以生長萬物。然天下事有利必有弊。雖造物亦無可如何。故生長萬物之風氣。有時亦足以害萬物。是以有浮舟覆舟之喻。西方達爾文之說。則謂動植諸物。適者生存。氣候之於生殺。無所容心。東方之說。偏於哲理。西方之說。偏於科學。醫學是科學而非哲理。吾寧從西方之說矣。動植物有宜於春夏不宜於秋冬者。入冬卽枯死。人及高等動物。能歷數十寒暑而不死者。以其身體有一種調節機能能適應氣候之變化故也。惟調節機能之力量有限度。若氣候變化過於急劇。調節機能竭其力而不足應付。則生活狀態起異常變化。是爲疾病。然則疾病也者。身體自起變化。邪風不過爲引起病變之原因。初非入而客於人體也。調節機能之說。出於英人斯賓塞氏。西醫至今遵用之。東考其實。乃卽金匱所謂元真。亦卽所謂真氣。調節機能不能應付氣候之劇變而病。乃所謂邪之所湊。其氣必虛也。故曰五臟元真通暢。人卽安和。客氣邪風。中人多死。可知真理所在。中西本自一貫。

病由三條。第一條卽傷寒卒病。第二條乃拘攣癱瘓風痺之病。第三條文意自明。不煩解釋。陳無擇亦言百病不外乎三因。而以六淫所感爲外因。七情所傷爲內因。房室金刃蟲獸之等爲不內外因。與金匱不同。而立意更爲完密。一切經音義云。凡人自摩自捏。申縮手足。除勞去煩。名爲導引。若使別人握搦身體。或摩或捏。卽名按摩也。吐納謂口吐濁氣。鼻納清氣。膏摩卽摩膏。見千金方。

靈蘭祕典論云。三焦者。決瀆之官。水道出焉。靈樞營衛生會篇又著其出入之路。然後世所言三焦。不過將軀殼分成上中下三段而已。三焦究屬何物。久爲醫家疑案。唐容川以三焦爲油網。著書盈車。自矜創獲。信如所言。則三焦乃胸膜肋膜腹膜矣。諸膜所以襯貼軀殼藏府。免除摩擦損傷。絕無決瀆行水之用。其爲病不過發炎。亦與古書所言三焦病不合。可知三焦決非油網。祝君味菊以爲卽淋巴管。殆得其真。蓋淋巴液自血漿中滲出。浸潤於各組織之罅隙中。淋巴管吸收之。以迴入靜脈。此與決瀆行水之義正合。金匱所言腠者。三焦通會元真之處。爲血氣所注。乃謂血漿滲出淋巴於組織。腠卽組織之罅隙也。

問云。病人有氣色見於面部。願聞其說。師曰。鼻頭色青。腹中痛。苦冷者死。原注一云腹中冷若痛死者鼻頭色微黑者。有水氣。色黃者。胸上有寒。色白者。亡血也。設微赤非時者死。其目正圓者痓。不治。又色青爲痛。色黑爲勞。色赤爲風。色黃者便難。色鮮明者有留飲。

此條是四診中之望法。古人以鼻頭爲脾之部位。故望色莫重於鼻。其實望色當包括顏額面部脣舌爪甲。不可專主鼻也。色青是鬱血。若兼見腹中痛而苦冷。則是陰寒內盛。體溫不能上達。致令面部鬱血。故當死。色黑者水氣。是指淋巴滲出過多。淋巴管不及吸收。欲成水腫之候。色黃者胸上有寒。未詳。色白亡血。驗之脣舌爪甲。尤爲明顯。微赤非時未詳。尤怡金匱心典以此句從亡血說下。謂亡血而面色反微赤。又非火令之時。則是虛陽上泛。故死。亦通。目正圓謂直視也。凡直視岐視戴眼。皆爲病入腦。病入腦則十九不治。痙字當作痓。詳次篇。色青爲痛。亦是鬱血。色黑爲勞。注家以爲勞力傷腎。其事至確。蓋古醫書所謂腎。多指無管腺之內分泌。而於副腎腺關係尤切。副腎腺之分泌物。爲量甚少。爲效甚大。其作用與交感神經相似。能使肝臟放出肝糖。以供筋肉之需要。能使筋肉增加伸縮力。能消除筋肉疲勞時所生有害物質。能增加動脈血壓。能加速血液之凝結。以防失血。凡此種種作用。大有利於筋肉之劇勞。內經云。腎者作強之官。伎巧出焉。猶言副腎分泌能使筋肉作強。成其伎巧也。古人就生理病理之形能上推想所得。乃與西人最新發明之事不謀而合。孰謂內經荒誕耶。由此推之。若筋肉劇勞不已。則副腎分泌必致竭涸。而副腎必病。副腎有病。始則衰弱倦怠。惡心便閉。骨節腰痛。繼則頭眩眼花。失神貧血。其人面色。始則黃濁。繼則暗滯如青銅。如黑鉛。然則古人謂劇勞傷腎。腎病色黑。其事乃至確。特所謂腎者。不必指睪丸卵巢。亦不必指泌尿之內腎耳。色赤為風。指風熱。酒家齇鼻是其例。亦有得之遺傳者。病深則為神經變性。色黃便難。未詳。色鮮明者留飲。尤氏引經云。水病人目下有臥蠶。面目鮮澤。則是腎水腫。非留飲。留飲與水腫。俱是淋巴液還流障礙。一則在軀殼內臟腑間。一則在軀殼外肌肉中。以此為異。

師曰。病人語聲寂然。喜驚呼者。骨節間病。語聲喑喑然不徹者。心膈間病。語聲啾啾然細而長者。頭中病。（原注一作痛）

語聲寂然。時喜驚呼。是骨節作陣痛之故。喑喑。聲氣低微也。蓋因心膈間窒塞。不能

中国近现代中医药期刊续编·第三辑

鼓動氣息故使爾。凡頭中痛者。作大聲則頭痛愈甚。故發聲不得不細。然胸中不病。則氣息自盛。故聲雖細而氣則長也。頭中病依或本作頭中痛爲是。凡此所言。不過謂某種病可以致某種聲息耳。非可據以診斷。學者勿拘泥。他皆仿此。

師曰。息搖肩者。心中堅。息引胸中上氣者欬。息張口短氣者。肺痿唾沫。

息搖肩。謂呼吸時肩部搖動。心中堅。謂胸部窒悶也。肺葉雖有彈力。然不能自行張縮。故呼吸動作非肺葉所自營。吸氣時橫膈膜下壓。腹部季脅向外擴張。使胸部容積增大。則胸部氣壓低於外界氣壓。於是外界空氣從鼻入肺。至胸部與外界之氣壓平衡而止。呼氣時腹部季脅收縮。膈膜上推。使胸部容積減小而氣壓高。則肺中之氣從肺出鼻。亦至胸部與外界之氣壓平衡而止。若胸部窒悶。則膈膜之上下推動不利。而腹部季脅之張縮不能增減胸部之容積。胸部容積不增減。則無由呼吸。於是兩肩起救濟。代償庖代腹部季脅之張縮。兩肩上擡。雖膈膜不動。而胸部之容積亦增。兩肩下壓。雖膈膜不動。而胸部之容積亦減。肩部擡壓不已。以營呼吸。故息肩搖者。知其心中堅也。

氣管發炎。則喉頭作癢。於是喉口收縮。以阻出氣之路。一面肺中之氣急迫湧上。衝開喉口。突然而出。是爲欬嗽。其意蓋欲驅除作癢之物也。試觀飲食之際。若有水滴飯顆誤入喉管。立即作欬。必至水滴飯顆欬出而後已。喉癢而欬。亦與鼻癢而嚏同一作用。其事刻不容緩。故吸氣工作未完時。往往急迫作欬。乃因空氣通過喉管之發炎部時。惹起喉頭之癢。故急於作欬也。故曰息引胸中上氣者欬。

肺痿者。肺葉失其彈力。膈膜腹膂雖照常張縮。而肺氣不能出入自如。則炭養氣之交換。不足供身體之需要。不得已。乃張口以利氣道。然肺葉既不能張縮如常。口雖張。仍不能利肺氣。故呼吸時張口而氣之出入仍短者。知爲肺痿。肺痿唾沫。詳第七篇中。

師曰。吸而微數。其病在中焦。實也。當下之卽愈。虛者不治。在上焦者。其吸促。在下焦者。其吸遠。此皆難治。呼吸動搖振振者。不治。

中焦有病。阻礙橫膈膜之下壓。則吸不得深。而入氣少。入氣少故濟之以微數。數猶促也。如其中焦之病爲實。則當下之而愈。其虛者。乃因膈膜無力鼓動之故。是以不治。病在上焦者。胸腔不能擴張。入氣之少。更甚於中焦之病。故其吸促。促則甚於微數也。病在下焦者。不致障礙呼吸之路。故其吸深遠。如常人。難治。從上文虛字說來。凡病屬虛而見呼吸障礙者。多難治也。若呼吸時全身振振動搖。則虛弱已甚。故不治。此條所言。亦屬理所或然。而不必盡然。以此爲例。作臨床診察之一助則可。拘泥執著則不可。

師曰。寸口脈動者。因其王時而動。假令肝王色青。四時各隨其色。肝色青。而反白。非其時色脈。皆當病。

此條頗似叔和脈經。殊無理致。學者須知脈之應用於診斷。不過察心臟之强弱。血液之多寡。血壓之高低。血管之張縮。及血管壁神經之作用而已。凡病之無關於心臟血液血管者。脈卽不變。四時氣候。有顯然之變化。生理機能固不能不隨四時以俱變。若謂四時之變必形見於色脈。吾斯之未能信。今姑隨文釋之。
古書凡寸口與關上尺中對舉者。指兩手寸部也。單舉寸口。或與人迎趺陽對舉者。卽包括寸關尺三部而言。內經舉四時之平脈。春弦夏鉤秋毛冬石。假令春時肝王。其脈當弦。其色當青。若得毛脈白色。是爲尅賊。故當病。

問曰。有未至而至。有至而不至。有至而不去。有至而太過。何謂也。師曰。冬至之後。甲子夜半。少陽起。少陽之時。陽始生。天得溫和。以未得甲子。天因溫和。此爲未至而至也。以得甲子。而天未溫和。爲至而不至也。以得甲子。而天大寒不解。此爲至而不去也。以得甲子。而天溫如盛夏五六月時。此爲至而太過也。

上至字謂時之至。下至字謂氣之至。漢之太初歷法。先上推至某年之十一月甲子朔夜半冬至。其時日月五星皆在黃經二百七十度。所謂日月若合璧。五星如貫珠者。以爲歷元。爲推步所從起。既以甲子日爲冬至。則冬至後之甲子。正當雨水節。氣

中国近现代中医药期刊续编・第三辑

候當溫和。是爲少陽起。然自冬至至明歲冬至。卽地球繞日一週。約爲三百六十五日五小時四十七分四十八秒。則冬至不能常當甲子日。此云冬至後甲子夜半少陽起。據歷元而言也。且日月五星之行度。時時有小盈縮。所謂合璧貫珠之甲子冬至。乃亙古無此時日。故太初歷法不久卽廢。

舊說謂六氣運行。各以六十日一交替。故一歲則六氣一周。六氣太過不及。影響人身。則生種種疾病。換言之。卽疾病隨節氣爲轉移也。夫六氣者。氣候變化之代名詞耳。地球繞日而行。其軌道卽所謂黃道。地軸與黃道面斜交成六十六度三十三分之角。故四季之晝夜有長短。因晝夜之長短。日光射於地面之斜正。故氣候有溫涼之變。地球之繞日無時或息。則氣候之變化亦無時或息。節氣之日。與平常之日同在變化之中。則節氣與疾病。宜無何等關係。春分秋分爲晝夜平等之日。冬至夏至爲晝夜長短之極。皆氣候變化之大關鍵。謂其能轉移疾病。猶可說也。若其他節氣。不過以人意分黃道爲二十四段。每段十五度。地球每至各箇十五度交界之處。卽爲節氣。然則節氣日之氣候變化。與平常之日無異。豈能影響人身。然年老之人。遇節氣則骨楚無力。大病之起。及其死亡。常在二分二至。而分至前後之節。如冬至前之大雪。冬至後之小寒。皆爲大病死亡之期。此固歷驗不爽者。則又何說耶。天下事不可索解者甚多。不獨醫學。而醫學爲尤甚

師曰。病人脈浮者在前。其病在表。浮者在後。其病在裏。腰痛背強不能行。必短氣而極也。

前謂寸口。後謂尺中。徵之實驗。病在上者。脈變見於寸口。在下者見於尺中。在表者其脈浮。在裏者其脈沈。事實則然。理論固不可通。學者可參看鐵樵先生脈學發微及拙著生理病理講義中之脈理篇。此條云云。似以浮爲病脈。而寸口爲表位。尺中爲裏位。與實際不符。腰痛以下十三字。文不聯屬。不可強釋。沈明宗金匱編註雖有說。亦不免傅會。方言云。極。疲也。總之本書之首篇。文多踳駁。疑非仲景所爲。

問曰。經云。厥陽獨行。何謂也。師曰。此爲有陽無陰。故稱厥陽。

經云厥陽獨行。今內經難經無此文。有陽無陰。語意混函。亦不可强釋。程林金匱直解云厥陽即陽厥也。以其人秋冬奪於所用。有陽無陰。內經謂腎氣日衰。陽氣獨勝。故手足爲之熱。果爾。則是陰虛陽盛之病耳。

問曰。寸脈沈大而滑。沈則爲實。滑則爲氣。實氣相搏。血氣入臟即死。入腑即愈。此爲卒厥。何謂也。師曰。脣口靑身冷。爲入臟。即死。如身和汗自出。爲入腑。即愈。

寸脈沈大以下十八字。傷寒金匱中類此者甚多。疑皆是王叔和沾益。惟叔和欲以脈法解決疾病。若仲景則辨證爲主。不專恃脈也。且與下文不相順接。故醫宗金鑑直以爲衍文。血氣。程氏及金鑑並改爲厥氣。於義爲長。此條言猝然暈厥。或死或愈之故。著者曾經兩次暈厥。頗堪取證。一次約當十七八歲。其時方專攻許鄭之學。手不停披。口不絕吟。忽有同學强以足球之戲馳突一小時許。甚困乏。方坐定。即眩暈不能自持。急入室而臥。心中了了。而口不能言。身不能動。遍體汗出如瀋。歷半小時而蘇。又一次因右手患濕瘡。不能執筆。就診於西醫。西醫於胸口行皮下注射。其注射劑。據云是銀質所製。注射迄命看護爲吾揉二百度。揉畢整衣。驟覺目昏無所見。勢欲仆。急呼人扶持。比登床。亦已不能言動。而心中仍了然。亦大汗一刻許而蘇。此皆所謂身和汗出而愈也。至於暈厥之故。不難推想而得。蓋身體機能。隨習慣而轉變。文人學士。腦經愈用愈靈。而筋肉日以退化。拳勇之士。筋肉愈練愈强。而腦經日以退化。是以人之操業。勞心勞力。不能兩兼。著者勞心日久。腦部之毛細血管。異常發達。血液之分布。腦部多而筋肉少。一旦驟作劇烈運動。全身血液。集中於筋肉。腦部不免貧血。然當馳突之際。藉交感神經之刺激。得以維持一小時而不病。及其坐定。交感神經不復有刺激傳出。而腦部業經發達之毛細血管。需血方殷。於是筋肉間之血液。驟還於腦。其勢過暴。有如大飢之後。忽然飽食。乃發急性腦充血症狀而暈厥。一方面因久不勞力之故。馳突時筋肉疲勞所產生之有害物質。不能適當排泄。不得不藉大汗以泄之。汗出之後。有害物質既除。血液分布亦復常態。乃霍然而

中國醫學月刊
CHINA MEDICAL JOURNAL
(Issued Monthly)

定價表

時期	冊數	書價連郵費 國內	書價連郵費 國外
每月	一冊	一角	一角二分
全年	十二冊	一元	一元二角

郵票代價十足通用惟以半分至四分爲限

廣告價目表

等級	地位	全面	半面
特等	封面底面之外面	五十元	三十元
優等	封面底面之內面正文之首篇之對面	三十五元	二十元
上等	色紙夾張之前後頁	十六元	十一元
普通	白紙夾張或正文後	八元	五元五角

廣告如用銅版或用彩印價目另議　繪圖刻圖工價另議　逾登多期或訂登全年者價目從廉　欲知詳細情形請至上海西門內石皮弄中醫學會內「中國醫學月刊廣告處」接洽　遠地函詢即行奉復

中華民國十七年十二月一日出版
中國醫學月刊第三期
零售每冊大洋一角
撰述者　全國著名中醫
編輯者　中國醫學月刊社　上海四馬路西中和里八三號
發行所　中國醫學月刊社

◀寄售處▶

上海千頃堂　三馬路　大馬路望平街口
上海康健報館　白克路人和里
上海衞生報館　浙江路洪德里
上海幸福報館

問日進，冀他日出人頭地，光耀門楣，如欲償此願望，首當熟諳兒童資質而培植之，則進步自速，如面黃肌瘦稟賦單弱，腦筋遲鈍，秉性庸愚，爲父母者，宜設法以改造之，其法如何，惟有常服人造自來血，補充血液，强健腦筋，面黃者轉爲紅潤，腦鈍者立致靈敏，智慧大開，過目成誦，他日飛黃騰達，光耀門庭，可預卜也，世之爲父母者，欲使兒女爲志士，爲偉人者，盍注意焉，人造自來血，大瓶二元，少瓶一元二角

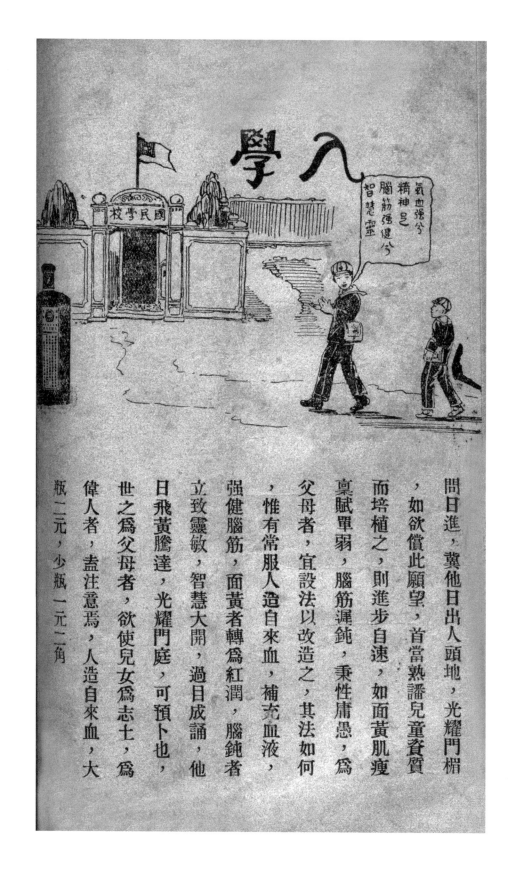

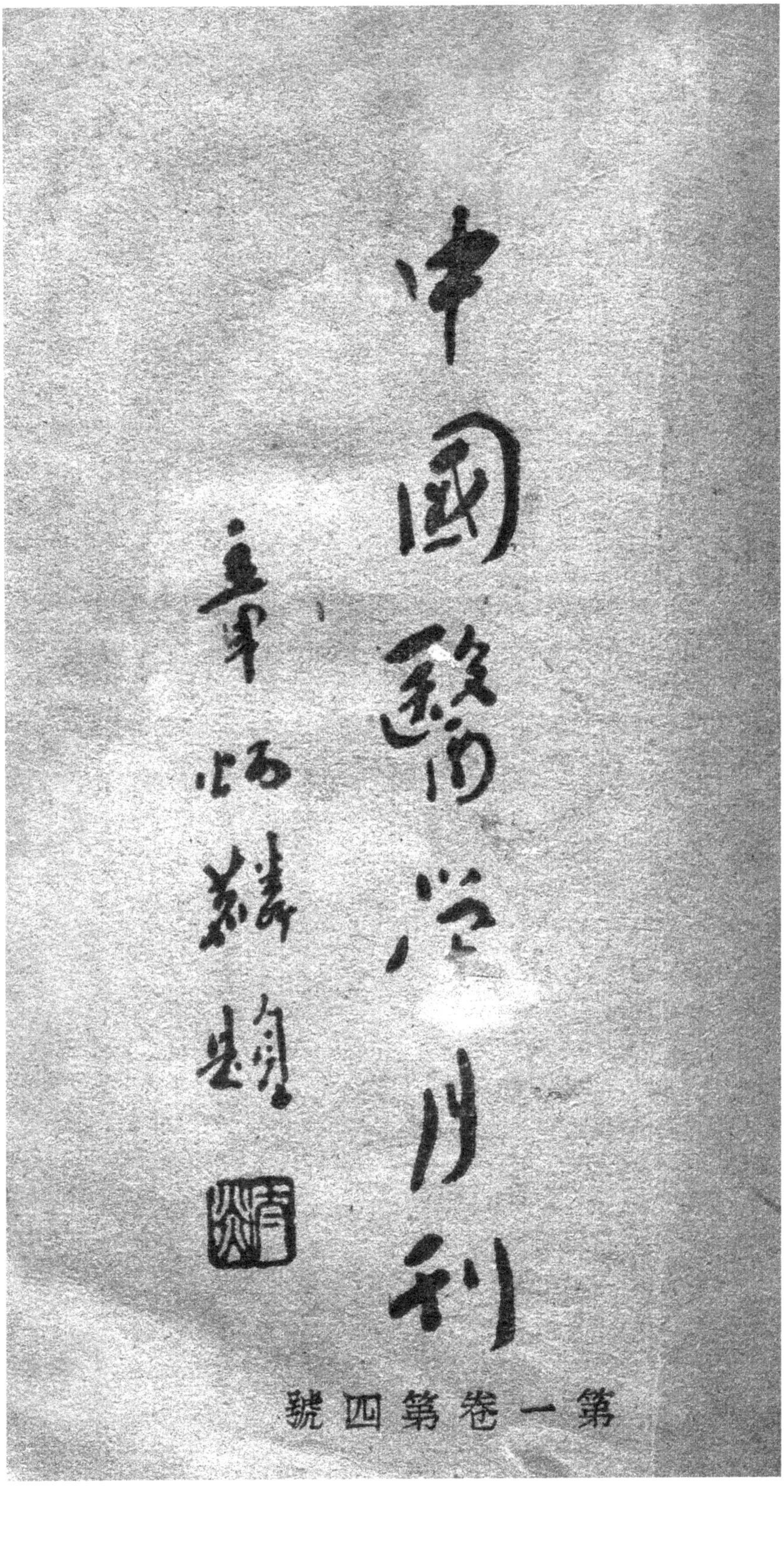

中國醫學月刊

章炳麟題

第一卷第四號

恭賀

新禧

中國醫學月刊社叩

先生、經營操慮，辛苦了一年了，

請到上海葉樹德購一瓶

百補膏滋汁

補補罷！

此汁爲本堂首先獨一發明之純正補品行銷十餘年聲譽早馳功效卓著男女老幼皆宜盛名之下仿冒影射易啓購服諸君務請認明紅色三星商標庶免受欺大瓶一元每打十元小瓶六角每打六元朔望九折發售飲片丸散參燕選擇配製靡不精細其他重要補品如人參再造丸參桂鹿茸丸虎鹿龜驢諸陳膠等修製精良定價低廉用副惠顧雅意陽歷一號十五號照例朔望鋪設四馬路石路口

中國醫學月刊第一卷第四號目錄

本期共附二十頁自二十一頁起至四十頁止

章太炎先生論醫兩則

治溫退熱論

溫病與傷寒異治。然傷寒論所說。本爲傷寒廣義。中風溫熱悉在其中。故不通傷寒論。卽不能治溫。夫太陽病翕翕發熱。陽明病發潮熱。少陽病寒熱往來。此何故耶。太陽病營衞兼病。營卽血脈。佈于周身者。血之循環展轉便利。故發熱無間斷時也。陽明病熱聚胃腸。（大論言陽明病胃家實。然亦兼統腸言。如云胃中有燥屎五六枚。屎在腸。不在胃。故可知。）而散布血脈者。但其分支。熱旣凑聚于府中。故不能循環迅疾。特晡時則發熱也。少陽病熱在三焦。三焦爲水道。卽今所謂淋巴腺。內則鬲上鬲下臍下。如上焦中焦下焦。外則布列肌腠。通會元真。而內外諸淋巴管本無維網。末流漸會如二大幹。右曰右淋巴總幹。左曰胸管。此二者又各不相注。（二幹皆入靜脈。稱幹者依日本人語。其實此乃衆流所匯。是末非本。不得稱幹。）故發熱不能無間斷。而爲寒熱往來也。（少陽亦或發熱不斷。然無過一二日。）

大論稱陽明發汗。津液越出。大便爲難。表虛裏實。久則讝語。此固無有疑義。又稱少陽不可發汗發汗則譫語。說者但云少陽少血而已。夫血管張大。則水道取汁以為汗。然汗固自水道出也。少陽三焦本是水道。而不可發汗者。蓋少陽口苦咽乾。咽乾所由在水道得熱。津液被煎。復發其汗。則燥熱轉甚。而為譫語矣。（其太陽篇本有柴胡證。蓋太陽有兼病營衛者。有病入募原者。募原卽三焦。亦稱太陽者。以太陽主表。而三焦亦外布腠理之間也）由此言之。少陽視陽明得病為輕。祇虛熱游行而止耳。其最淺者。纔及外腠。而不壅於內之三焦。不見胸脅滿證。其發熱也涓涓相屬。而較之營衛俱病者為殺。吳鞠通銀翹散。本于葉氏。用亦頗合。但自謂手太陰方（肺）則誤。其中銀花連翹。本瘡瘍排膿藥。加之竹葉豆豉牛蒡。皆退治游熱之品。而桔梗甘草為利咽喉。咽喉則膽之使。此數味皆于少陽為近。唯薄荷荆芥近於表散。乃亦非純肺藥也。有方而不能自解。所謂行之不著。習焉不察者歟。

自注　肺于五藏。處位最高。獨司呼吸。空氣所遏。故客邪為病。涉肺者多。巢氏病源云。風熱者。先从皮毛入于肺。其狀令人惡風寒戰。目欲脫唾。出候之三日內及五日內。目不精明者是也。祕要所錄數方。皆以葳蕤及豉為主。而加入人參者。則謬甚矣。

陽明證變法與用麻桂二湯之正義

問曰。「大論說陽明外證。身熱汗自出。不惡寒。反惡熱。」又云。「陽明病。脈遲。汗出。外微惡寒者。表未解也。可發汗。宜桂枝湯。」「陽明病。脈浮無汗而喘者。發汗則愈。宜麻黃湯。」此二條。似與陽明外證條自相違戾。何也。答曰。此爲內有蓄熱。外受風寒。陽明病之變也。夫太陽之爲病。頭項强痛而惡寒。今二證與太陽表證同。特無頭項强痛爲異。是以知爲陽明。不下利。故不得與葛根。不煩躁。故不得與青龍。非桂枝麻黃二湯。固無與勝此者矣。若蓄熱本輕。解肌發汗。卽無餘事。若蓄熱重者。服桂枝湯已。大汗出。大煩渴不解。脈洪大者。自可與白虎人參湯。服黃麻湯已。不惡寒。但蒸蒸發熱者。自可與調胃承氣湯。是由初得病證。胃家本實而風寒外錮。使內證不形於表。故先以桂枝麻黃與之。服已。微惡寒及喘皆解。而胃家之實暴著。則必與白虎調胃矣。治病之法。勢如轉規。夫豈局促顧慮者所能勝耶。麻桂二湯證。本是陽明變局。仲景慮周藻密。于正變悉無所遺。是以獨著斯義。今人見發熱汗出微惡寒者。與發熱無汗而喘者。明知當與麻桂。而以頭不痛項不强故。猶豫不前。觀此則可以悟矣。若內熱蒸動。外無風寒者。雖荆芥薄荷。猶當屏絕。而况于麻桂二湯。柯氏韻伯論翼說此詳矣。

本刊編輯部啓事

蒙賜稿件及學術上之討論請寄上海南市王家碼頭懋業里陸淵雷君訂閱本刊及關於發行部函件仍請逕寄上海四馬路西中和里八十三號中國醫學月刊社

上宗人太炎先生論王樸莊所說古方兩數書

章次公

太炎先生左右。自王樸莊倡傷寒方之一兩。準今七分六釐之說。治仲景學者。靡然從之。成之往昔與蘇派俗醫相冰炭。故甚推崇世補齋。九芝先生既盛道其外曾王父所考者為準確。因亦從而信之。詎年來服務卍會。用其說施諸實驗。每苦少效。或者王氏所論。僅足為文弱之吳儂說法。而成之所治泰半為齊魯閩粵之健兒。宜取效者鮮矣。顧反復考核。而樸莊所斷。亦有不能自圓其說者。例如四逆湯之附子。大青龍湯之石膏。一用大者一枚。一用大如雞子。二方餘藥。以七分六釐計。四逆凡再服。則乾薑僅得錢許。青龍三服。麻黃可得錢半。但大枚之附子。以今量較之。可得一兩六七錢。雞子大石膏。以今量較之。可得三四兩。何多寡相懸若此。此仲景方所以失效也。

嘗覽無錫小報名轟者。載邑之楊紳得漢泉一。背篆半兩二字。秤之得二錢。以數千載泥沙磨滅。已非新出錢範輪廓完備者比。半兩猶得二錢。則漢制一兩。不止四錢可知。日本吉益東洞所著方極。據隋書引漢志攷證古代一兩。準今二錢九分六釐許。先生前年論霍亂之治。引孔繼涵同度記所質古一兩當今法馬二錢五分有奇。以及敝業師江陰曹拙巢先生據日知錄。謂漢之一兩。當今二錢六分。凡此皆足爲王氏反證。然則七分六釐之說。有失精確。應予淘汰。夫亦較然明矣。愚者千慮。必有一得。先生其許我乎。倘蒙不棄樗材而賜教焉。則幸甚。成之再拜。

附太炎先生按語

按秦半兩重十二銖。卽古之真正半兩也。漢時高后所鑄半兩。止重八銖。文帝所鑄半兩。止重四銖。雖有半兩之名。而無半兩之實。樸莊但以文帝半兩爲據。此迺過欲就輕之病。彼豈不知文帝以前。本有秦半兩耶。古今權度之比。其說甚繁。余別有考。爲幅過鉅。異日當出示之。章炳麟識。

仲景之兩數。吾人此後。究以何者爲準。太炎先生未有明示。因特晉謁而請先生以曹拙巢師及孔繼涵之說爲然。幷謂清代醫家。論古代權度之可採者。則徐洄溪以「三代至漢晉。升斗權衡。雖有異同。以今較之。不過十分之一二之說。尚近是。徐說見所著醫學源流論成之附誌。

改造中醫之商榷 續第三號

陸淵雷

具體的條目

今番與讀者諸君相見。剛好是陽曆新年。不佞未能免俗。也隨聲附和的說句恭賀新禧。千萬恕我不恭敬則箇。不佞這篇商榷。敷衍到如今。醜媳婦總要見翁姑。少不得把鄙見一條條具體的寫出來。請求讀者諸君批評誨正。不過依論理學的規矩。先要立箇大前題。大前題若是弄錯了。下文的小前題與結論。就跟著一步步錯到底。不佞固然不大信仰論理學。但是這篇商榷的前三期文字。雖是輕嘴薄舌。却也髣髴是箇大前題。如今爲清醒眉目起見。再把中醫的本來面目。分做二條說。

(一)中醫的方藥。對於證而有效。不是對於病而有效。

(二)由第一條之結果。中醫不識病而能治病。

中醫的本來面目眞實本領。既只有上面的兩樁。若要學會中醫能夠治病。那是很容易的事情。就算天資不甚聰敏。也只要一年讀書。一年臨證。就夠了。諸君聽了不要詫異。要知道不佞所說的讀書。決不是讀湯頭歌訣溫病條辨。也不是讀內經難經。若要讀這些書。只怕一百年也讀不通醫學。何況是一年呢。若讀張仲景的傷寒金匱。用正當的讀法。那就只消一年夠了。講到臨診。若是從了一位上海名醫。跟他看門診。寫方子。只怕一百年也得不到臨診經驗。上海人的通病。晚上的工作極忙。吃大菜聽戲坐汽車打牌。睡眠時間太少了。明天有些頭昏腦脹。就得化上一元二角錢。找箇名醫看看。上海名醫的門診。老實說。多半是這種病。開的方子。無非是冬桑葉光杏仁一派清湯白水的藥味。偶然睡眠不足。只要休息一二個鐘頭。或是打箇中覺。不服藥也會好。做名醫的叫做「得人錢財。與人消災」。殺鷄用不到牛刀。自然只消清湯白水彀了。那班臨診的高徒。寫慣了這種方子。弄得膽小如鼷。柴胡葛根。怕他升陽不敢用。麻黃怕他發汗不敢用。桂枝太熱了不敢用。黃連太寒了不敢用。至於附子乾薑。那是只配古代的北方人吃。現時代的江南人。萬萬吃不得。等到三年滿師。自己掛牌應診。不消說得。自然套著老師的老調。也是冬桑葉光杏仁。一派千妥萬穩的藥方。說也奇怪。同是這幾味藥。老師用下去就靈。銀盾匾額常常有得送上門來。做高徒的用下去就不靈。一次次復診。病只管一次次加重。弄到後來。病家就另請高明了。在心虛的人。只道老師的經驗富。自己究竟經驗不足。還把讀過的湯頭歌訣温病條辨。拿出來温習温習。在迷信的人。只道老師的運道好。或是命宮裏有天醫星。自己命運不濟。也就罷了。若遇到滑頭碼子的高徒。倒說老師的應酬周到。交際廣闊。所以會生意興隆。於是自己想出滑頭法子來。請大菜。出報紙。登廣告。吹牛皮找箇交通繁盛地方。掛起大醫士的招牌來。立志要搶老師的生意經。這並不是不佞歡喜罵人。其實眞有這種人啦。殊不知偶然缺少睡眠的病。只有闊老大少爺姨太太們會有。這種病家有的是錢。當然要找名醫看。況且名醫的鑑別法。第一是診例。第二是年齡。門診賣到一元二角。是個普通名醫。賣到二元四角。那就是個大名醫。年齡到了五十開外。是有經驗的先生。若是白鬍子掛得像土地公公一般。那就是經驗最充足的老先生了。新出師初掛牌的醫生。年齡也不及格。診金也太低廉。這種富貴病。那裏會上門。上門的多半是中等以下人家。非萬不得已。決不肯尋醫服藥。這種眞張實貨的病。那裏是冬桑葉光杏仁吃得好的。無怪其服藥不靈了。這就是從了上海名醫臨診的結果。若使臨診時。從了一位有實學而無甚虛名的醫家。那就一年儘夠了。如此說來。學中醫只消一年讀書。一年臨診。並不曾把中醫說得太輕易哩。

話可是要說轉來。這樣學成的中醫。最優等的也不過熟練應用。知其然而不知其所以然。學理方面是完全不懂的。只好算箇醫匠。不能算是醫學家。現在那些少數奴隸派的西醫。拚命攻擊中醫。却也不敢說中醫治不好病。不過攻擊中醫的說理不通。這也不能算他們完全無理由。中醫不走錯門路的。皆能醫病。若要找箇能說學理的人。實在是千百中難得一二。在他們呢。自己覺得一肚子的五運六氣。說他們不懂學理。決不肯承認。非但不肯承認。還要編印報紙與西醫爭辯。還要開學堂教學生。傳佈「古聖人的心傳絕學」哩。這就怪不得奴隸派西醫要罵他們「開倒車」了。不佞的鄙見。若是不甘心做箇醫匠。定要懂得學理。做醫學家。那就必須破工夫學下列的科學。

（三）生物學。物理。化學。數學。等普通常識。

（四）解剖。組織。生理。胎生。等接近醫學的科學。

（五）病理解剖。病理學。病原細菌。診斷。等西醫學。

學通了這些科學。還要知道兩椿事情。

（六）中醫書中。有許多名目及理論。確有精義。西醫所不懂。然而可以用科學來證實說明。

（七）細菌原蟲。並不是傳染病的絕對病原。

中醫的學問到了這箇境界。治病的本領既勝過西醫。學理的根據又不讓西醫。那才是中醫界揚眉吐氣的日子。也就是中醫學推行到全世界的日子。必須這樣才好算溝通中西。必須這樣才是中醫學吸收西醫學。並不是中醫學投降同化於西醫學。除此之外。不佞還有兩種主張一併寫出來。

（八）化學分析及動物試驗。不能解決藥性。

（九）中醫學不必要求列入學校系統。也不必向政府要求補助金。

以上九條具體的條目。讀者諸君料想反對的多。贊成的少。有幾位筆頭健的。或者要立刻動筆辨駁了。諸君少安無躁。聽不佞一條條把理由說明了。再行勞動大筆。諸君若是不棄固陋。肯批駁誨政時。不佞是欣忭雀躍再歡迎沒有了。

中醫方藥對於證有特效對於病無特效

什麽叫做證。證是證候。也就是用藥的標準。仲景傷寒金匱裏的種種名目。例如發熱。惡寒。項背强几几。頸項强。胸脅苦滿。煩躁。煩渴。心下悸。臍下悸。心下痞鞕。心下痞按之濡。汗出。無汗。大便鞕。轉矢氣。下利清穀等等。皆是證候。這些證候。不可以完全望文生義。須得名師講解。或看精當的註解。這就是上面所說「傷寒金匱的正當讀法。」

證候與西醫書中的「症狀」不同。症狀不過描寫病人的異常狀態。於診斷治療上沒有多大的關係。仲景書中的證候。却處處是用藥治療的標準。西醫書的症狀。說得很詳細。就是沒有眼見過的病。看了書上的症狀便宛然有箇病人在眼前一般。仲景書中的證候便不是這樣。有許多很顯明的狀態。仲景偏偏不說。很微細的狀態。仲景却不憚再三詳說。諸君就可以明白。凡是仲景所不說的。皆是不能作爲用藥標準的狀態。只好交給西醫們做症狀。凡是仲景所詳說的。皆是用藥的標準。吾們讀仲景書時。千萬不可輕忽過去。

什麽叫做病。病就是病名。例如中醫的傷寒。溫病。濕病。血痺虛勞等。西醫的傷寒。副傷寒。卡他性(或稱加答兒性)炎症。結核。貧血等。皆是病名。一種病的全經過中可以有許多證候。數種病的全經過中。也可以有同一的證候。中醫用藥的標準。只問證候。不問病名。因而一種病。可以先後用幾箇藥方。一箇藥方也可以適用於好多種病。最奇妙不過的。只把證候袪除。害的病也同時好了。若問是什麽緣故。仲景書中也沒有說出所以然來。好像是留待後人解釋的意思。吾們生當科學昌明的時世。對於這一點。就應當用科學方法去解釋他。第一步要研究這箇證候。是身上起了何種特異機轉。第二步要研究這箇藥方。爲什麽能袪除這箇證候。第三步要研究這箇證候袪除了。爲什麽害的病會全體好。這三步研究皆有了準確的答案。就成了一種有根據的學理。學理積得多了。從已知道的部分。推究到未知道的部分。於是乎仲景不會醫的病也會醫。古人沒有的藥方也會造出藥方來。這才是醫學上眞正進步。決不是葉天士一般人的肚皮經。胡說亂道。

仲景的方法。是對證用藥。不是對病用藥。所以仲景書中對於病名。很是媽媽虎虎。絕不注重。但看傷寒論中。「名曰剛痙。」「名曰柔痙。」「名爲中風。」「名爲傷寒。」勉勉強強說幾箇病名出來。還要加上「名曰」「名爲」的字樣。見得雖是這樣叫他。等於老子書上的「無以名之。強名之曰道。」也等於人的姓名一樣。姓黃的固然是黃種。姓白姓烏的就不是白種黑種。（不過如此說說。通志氏族略元和姓譜一類的書。不佞也曾瀏覽過。諸君休得笑我完全不懂姓氏之學。）就像不佞表字淵雷。諱名叫做彭年。其實那裏就會「淵默而雷聲。」也罰咒活不到八百多歲。中醫的病名。竟有些像人名。多半不能代表這人的行爲品性，倒是西醫的病名。好像死鬼的諡法。可以代表他生前的行爲品性。好在中醫所重的是證候。病名不準確些。也就無關緊要。

醫書到了巢氏病源。病名已多得不可開交。仲景派的醫書到了千金外臺。病名也多得不勝枚舉。這箇風氣流傳下來。病家請了醫生時。先要問這是什麼病。江湖醫生不肯說不識病名。就杜撰出許多惡俗不堪的名目。同是傷寒。倚坐不得臥的叫做「豎頭傷寒。」棄衣狂走的叫做走頭傷寒。下利的叫做漏底傷寒。同是霍亂。腹中疞痛的叫做絞腸痧。兩脚攣急的叫做弔脚痧。到了血中液體乾涸的時候。叫做癟螺痧。有一種傳染病。頭面腫脹的叫做大頭瘟（即西醫之丹毒）越是這種惡俗不堪的病名。越是通行於社會。人人知道。據爲典實。江湖醫生多得到處皆是。這種惡俗病名也越撰越多。這篇商榷的第一期中。曾說有幾位中醫界領袖。要編中醫課本。對照中西病名。你想中醫的病名。如此漫無限制。西醫科學式的病名。都有很嚴整的規律。請問怎樣對照。不佞眞箇是莫測高深了。

中醫的藥方。只是取效於證候。不是取效於病名。西醫却不注重證候。他們所努力研究的。要想各病皆有一種特效藥。所以西醫治病時。先忙著診斷鑑別。定要得個眞確的病名。希望從此生出治療法來。可是對不起。對於病的特效藥。只有寥寥五六種。診斷雖是明確了。治療依舊毫無辦法。一方面看着中醫的診斷並不費事。用藥却極有效驗。就以爲中醫不如西醫。中藥勝於西藥。於是收買中藥。拿囘去化學分析。動物試驗。豈知化驗出來的成分效用。多半與中醫的用法不合。有些西醫。不懂得中藥對證不對病的道理。竟根據了化學成分驗中醫的用藥法。還有一輩妄人。竟希望化驗成功。要把中藥應用到西法診斷上去。有個什麼龐京周的。做了一篇「書讀通中西醫學後。」登在社會醫報三十九期裏。原文共有十條。似乎說得很有道理。不佞也沒工夫逐條駁他。諸君看過了不佞這篇商榷。再看他那篇大作。就覺得不值一駁了。如今把他第七條鈔出來。

要說拿中醫應用的藥品。應用到西醫斷定病上去。那麼對不起。外國人正在那裏越俎代謀柴胡甘草大黃當歸一樣一樣用科學方法。弄了多時了。他們有結果。就是中醫失敗。

西醫斷定病的方法。決不是應用中藥的方法。這層姑且不要說。他就算能彀應用。就算定要一樣一樣用科學方法弄過了。纔能彀應用。那麼中醫是不懂科學的舊醫。弄不來。不弄也還可恕。龐京周。你是個精通科學的新醫。就應當自己動手弄。還須比外國人先弄成功。那纔是替中華民國掙臉面的好國民。爲什麼自己不弄。悉聽外國人越俎代謀。語氣中還很希望他們有結果。很希望中醫失敗。好像外國人有了結果。龐京周就非常榮寵。中醫失敗了。龐京周就非常快樂。請問這是什麼心理。還不是把外國人當作義祖義父。忘却自己是個中國人。只管搖旗吶喊。替義祖義父虛張聲勢。要把中國弄得失敗麼。不佞在本刊第二期裏。說的奴隸派西醫。正是指廳京周一輩人。諸君到今天也要暗暗點頭。說不佞一點沒有寃枉他們了。

五苓散的證候

上文說中藥取效於證。不取效於病。只是空口說白話。恐怕讀者諸君要懷疑。如今仟便取個五苓散藥方。做個舉例。把來說明。

五苓散的證候。傷寒論裏共有八條。金匱要略裏也有二條。把他歸納起來。可知五苓散的證候是。

消渴。　小便不利。　或渴欲飲水。水入則吐。　脈浮。　微熱。

「渴」人人知道是口渴。渴上加個「消」字是什麼意思呢。因為渴了。就得多飲水。通常飲水若多。撒的小便也多。若飲水多而小便反少。水飲下肚子去。好像消滅了似的。就叫他消渴。所以消渴與小便不利。有連帶關係。這兩個證候其實是一個證候。在這裏。消渴是證名。不是病名。另有把消渴當病名的。金匱要略以及巢源千金外臺諸書。皆有一門消渴病。消渴病中。也有飲水多而小便亦多的。就與消渴兩字的名義有些矛盾。這也是中醫的病名太不規律。千金方中別出「渴利」的名目。就比較的規律了。這是閒話。姑且擱起。五苓證的脈浮微熱。是病人的熱度些微高一點的意思。大概不出攝氏三十八度吧。脈浮與微熱也有連帶關係。見得這微熱是陽證。不是陰證。（陽證陰證脈浮。在中醫是普通常識。人人懂得。現在姑且不談。待有機會時再談。）五苓散的證候說明了。再把這方子開出來。

猪苓三份　澤瀉五份　白朮三份　茯苓三份　桂枝二份

藥量的幾份幾份。是照原方各藥多少的比例寫出來。因爲這方子是散。是末藥。可以任便多製些藏起來。但是藏得太陳了就無用。因爲桂枝研了末。氣味很容易揮發掉的緣故。把五味藥一共研成細末。每次服時。少則三錢。多則五六錢。用米湯調和了。慢慢嚥下。爲什麼用散不用煎湯呢。因爲病人「水入則吐。」服煎藥怕也吐掉。這個吐又來得特別。不是止吐藥所能奏效的。吃了湯水要吐。吃藥末就不致於吐。所以用散不用湯。藥味藥量服法都說明了。再說他的功效。

猪苓澤瀉茯苓都是利小便藥。白朮是健脾燥濕藥。其實是催促腸胃及全身各組織的吸收力。桂枝是芳香性神經藥。能擴張肌表的小血管。脈浮發熱的病。本有出汗的傾向。等到肌表小血管擴張了時。就會濈然汗出。桂枝又能降衝逆。對於「水入則吐。」很有救濟的功效。這不過說個大略。若要一味味細說起來。只怕寫上三五千字也說不完。這一章文字。就要弄成個尾大不掉了。

從證候藥性兩方面參合起來研究。就很容易明白。五苓證的病理。是腎臟機能起了障礙。腎臟是製造小便的腰子。不是製造精蟲的睪丸。腎臟機能起了障礙。不能照常製造小便。故小便不利。小便不利了。血液中的水份就無從排泄。同時有許多尿毒。留在血液中陳宿的水份裏。全身各組織。本來不住地吸收血中的液體。如今因爲液體中多含尿毒。各組織爲自衛起見。也就不吸收了。若是依舊吸收。便會起「尿中毒」症狀。五苓證多數不見尿中毒證。可知是不吸收。既不吸收。就不能分泌。因口腔粘膜及唾腺皆不能分泌。故病人覺得口渴。口渴了飲水。却因血液中陳宿水沒有排泄掉。腸胃裏的水份也不再吸收到血液中去。腎臟不排泄。腸胃不吸收。腸胃裏積水太多了。就起代償作用而嘔吐。故渴欲飲水。水入則吐。

五苓散的藥。通共只有五味。倒有三味是利小便藥。可知注重在恢復腎臟機能。小便一通。血液中的陳宿水份便漸漸排泄掉。於是就要向腸胃裏吸收新水以補充。各組織也 要吸收血液以自養。故用白朮以催促他吸收力。組織裏吸收了榮養份。粘膜腺體也跟着恢復他的分泌機能。故不消用得止渴藥。自然會不渴。一方面因有脈浮微熱的證候。體工有自然出汗的傾向。故用桂枝擴張肌表的小血管。幫助他出汗。此時血液裏面陳宿水份的尿毒。蓄積得很多。腎臟機能初恢復。還怕他一時來不及盡行排泄。如今出了汗。就有一部分宿水尿毒從汗液中排泄。這就幫了腎臟不少的忙。還要借重桂枝降衝逆的力量。把三味利小便藥導引下去。不致於隔住在胃的積水中間。使藥力不行。仲景教人服五苓散的法兒。還交代兩句話。「多飲暖水。汗出愈」。汗出愈。就是汗液幫助腎臟的好處。有人疑心「水入則吐」的病。那裏能彀多飲暖水。豈知服藥之後。藥力既行。腸胃恢復了吸收機能。正很盼望新水。要做他「推陳致新」的工作。那裏還會吐出來呢。

如此說來。五苓散的妙處。全在一味桂枝。現下的醫生。通行葉天士的甘寒藥。把桂枝當作大熱之品。抵死不敢用他。要用五苓散時。也得除去了桂枝。叫做四苓散。這就好比一條船上沒有了舵。還能彀行動自如麼。再從另一方面看來。小小一首藥方。却是面面顧着。關係到全身種種的機轉。要是西醫所奉爲至寶的特效藥。一藥只治一病。顧了一面。失照了其餘諸面。西藥書所說的副作用。多半是顧此失彼的弊病。這種治療方法。眞是拙笨到了極點。若使儘管化學分析。動物試驗。希望發明特效。如此研究下去。要想進步到像仲景方一樣通身靈活。那就眞所謂「開倒車」了。（開倒車是汪企張的得意語）

適用五苓散的病

中藥只有所對的證。沒有所對的病。適用某藥方的病。本可以無須討論。但是仲景書中。於各藥方的證候上。往往冠着個病名。這也很值得研究。可以研究仲景是否識病。五苓散金匱裏把他治消渴。治水病臍下悸。吐涎沫而顛眩。傷寒論裏把他治太陽病。治傷寒。治中風。治霍亂。這些病名。若要用西醫病名來對照。却也不難。消渴就是糖尿病及尿崩症。水病臍下悸。吐涎沫而顛眩。就是尿中毒。太陽病及傷寒中風。皆是急性傳染病。太陽病及傷寒中風的五苓證。就是急性傳染病中併發或續發的腎臟炎。霍亂就是虎列拉。西醫也譯作霍亂。糖尿病。尿崩症。尿中毒。腎臟炎。皆是腎臟機能障礙。與上文的理論符合。有五苓證候時。當然可以用五苓散。沒有什麼問題。至於霍亂也用五苓散。似乎有些疑問。這要知道霍亂初起。沒有到陰證四逆證的地步。往往有五苓證。四逆證陽回之後。也往往有五苓證。這是不佞親自經驗過的事實。諸君倘若不信。還可以引書爲證。

類聚方廣義（日本人尾台榕堂著。尾台是吉益東洞的再傳弟子。東洞是仲景派大名醫。）曰。霍亂吐下後。厥冷煩躁。渴飲不止。水藥共吐者。嚴禁湯水果物。每欲水。與五苓散。但一貼分二三次服為佳。不過三貼。嘔吐煩渴必止。吐渴共止。則必厥復熱發。身體惰痛。仍用五苓散。則漐漐汗出。諸症脫然而愈。

但是西醫看了這些話。恐怕還是不信。——霍亂是大腸裏感染了霍亂螺菌所起的病。病原在腸。不在腎臟。五苓散是治腎臟病的藥。況且既不能殺菌。又不能中和菌毒。如何治得好霍亂。張仲景與尾台榕堂所治愈的。一定是別種中毒症。因為他們都是舊醫。不懂得細菌診斷。把別種中毒症誤認霍亂能了。——治傳染病定要殺菌。這是迷信細菌學的糊塗話。西醫治霍亂。注射生理食鹽水之外。無非用些雅片丁幾。纈草丁幾之類。這何嘗是殺菌的藥。就是撒魯爾。甘汞。果真能殺菌麼。若說霍亂的病原在腸不在腎。舊醫把別種中毒症誤認霍亂。那麼。就再引一節新醫的書來證明。這箇新醫。是大袖木屐的真正日本貨。吾們國內那些自稱新醫的人物。不過到日本住箇三五年能了。兩相比較起來。真正日本貨的新醫。他的科學程度。不見得不如國貨新醫吧。不過這位日本貨新醫。已經大開倒車。一直開到舊醫隊裏。現在竟完全用舊藥方治病。想必是做新醫做得太膩煩了。所以倒行逆施起來。不過他既是新醫出身。如今對於新醫倒起戈來。好像鄭康成的發墨鍼膏起廢。竟是「入室操戈。」教新醫無從抵敵啦。這人名叫湯本右門衛。這裏引他一節書。書名叫「臨床應用漢方醫學解說。」

虎列拉病。由腸內感染虎列拉菌而起。固不待論矣。然其生產毒素有一種特性。常從腎臟細胞侵入他臟器細胞。

且不甚侵襲他臟器。獨先攪亂腎臟。遂令發代償性吐瀉。爲本病之特有症狀。乃腎臟障礙之結果也。故本病初期。大多數當急投大量之五苓散。此所說有六種證據。（一）最早常起尿閉。（二）於初期常發煩渴口燥水逆等五苓散證。（三）其人尿利者。常得救。（四）經過中常發尿毒症。（五）貽後病常爲慢性腎炎糖尿。（六）剖驗上腎臟之變化最甚。

據湯本氏的話。霍亂病必起腎臟障礙。用五苓散所治的霍亂。竟是眞張實貨的虎列拉。仲景雖是舊醫。竟沒有認錯病。

中醫不能識病却能治病

張仲景能識病。又能治病。當然是醫學家。不是醫匠。不過治病的方法。只須識證。無須識病。本來識證很容易。識病却很難。中醫學但求滿足治病的需要。那難而無用的識病方法。就不很注重。張仲景遇見王粲。一片熱心的告訴他。「你身上有病。到四十歲時。要脫落眉毛。眉毛脫後半年。就性命不保。趕快服五石湯。可以恢復健全。」說了這話。還向藥包裏檢出五石湯的藥味來送給他。這是何等熱心。豈知那時王粲的年紀。只得二十歲左右。做官又已做到侍中。正是翩翩年少裘馬輕肥的氣概。那裏把張仲景放在眼裏。心上還嫌惡仲景無端咒咀他呢。他受了五石湯。隨手一丟。早已忘懷了。過了幾天。張仲景又遇見他。問他服過藥沒有。王粲只得說服過了。仲景道。看面色。一定沒有服過藥。爲什麽這樣輕視性命呢。王粲只是不信。過了二十年。眉毛果然一根根脫下來。再過一百八十七天。就嗚呼哀哉了。諸君。張仲景識病的本領。神妙欲到秋毫顛。但是他所著的書。只教人對證用藥。那些神妙的識病方法。簡直不提。並不是守祕密。不肯教人。也沒有什麼怪異法術。實在因爲「梓匠輪輿。能與人規矩。不能使人巧」的緣故。

凡是藝術方面的造詣。一半由於學力。一半也限於天資。若是人人學得會的玩意兒。那就大高而不妙了。不過迷信科學的人。一定要反對這話。不佞只得把自己的經歷說出來。有了事實。就無須在理論上爭辨了。不佞天生成是箇書獃子。什麼人情世故。弄錢的方法。簡直不大懂得。只有書本子是性命。無論中國學問外國學問。總要想法子略知一二。小時候醉心科學。什麼物理化學。都要動手實驗。但是實驗的時候。不是炸了燒瓶。就是把藥水潑到衣服上。爛成箇老大窟窿。發電的 Dynamo。一經上了不佞的手。搖不上十來轉。玻璃片就會迸裂。這還可以說手法沒有純熟的緣故。至於揮翰塗雅。截長補短。統計起來。也有十餘年的工夫。寫的字。從商周彝器。漢魏碑。晉唐帖。直到元朝的松雪。現今的髯老。都要偷他些小關子。報紙上常常吹牛。自稱書家前輩的。那幾手法書。不佞簡直是正眼不屑一望。那麼用筆的手法。總不算十分生疎了。有人說用功過寫字的人。學起畫來。一定容易。不佞也曾弄些畫譜臨過。但是畫的人倒像鬼。畫的牛倒像羊。自己看着生氣。就縮手不敢再畫了。再說到文學。俗語說「熟讀唐詩三百首。不會吟詩也會吟。」那唐詩三百首。不佞是從小讀得稀爛。長大來。又把少陵太白右丞義山。以及清朝的漁洋商邱定盦等詩集。也很命讀過幾遍。結果。不過讀高了一雙眼睛。對於人家的篇什。輕易不敢贊箇好字。若要自己做詩。却是一句也謅不起來。這樣說來。藝術方面的造詣。光是用功不中用。也有爲天資所限。一輩子學不成的。況且有許多門道訣竅。筆下也寫不出。嘴裏也說不出。照片也攝不出。「輪扁斲輪。疾徐應手。」正是深知甘苦之言。張仲景望色而識病的法兒。就是這一類東西。金匱頭一篇裏有一條講望色。但是很簡略。內經說得詳細了。只是教人讀了不懂。這必須於醫學上有了學理。於治病上有了經驗。再加上能讀古書的本領。纔可以領悟得他一二。若要憑空讀懂。那就是「從糟粕裏覓古人。」等於妄想。凡是中國學術。都有這一種境界。這一點。也是與科學方法不能強同的地方。諸君要知道科學方法的好處。只是使人人能懂。人人能懂的法門。只是最下乘。好比佛家的淨土宗一樣。爲下等人說法而設。如今那些自命新醫的人物。自以爲一肚子科學。開口就罵人舊醫。他們的大作。不佞也拜讀過不少了。只有余雲岫的。不講他議論的是非。總覺得是箇學者。這也因爲他未學西醫之先。已有中國學術根柢的緣故。若是其他諸位。哈哈。簡直是箇箇草包。還要神氣活現罵人。眞不顧人家笑斷肚腸根。

仲景書中。教人憑了證候用藥。不佞以爲是古人淘鍊出來的一種方便法。因爲要使人人能懂。就不得不如此。這也好算古人的科學方法吧。所以讀了仲景書人人會做醫生。人人醫得好病。不過成爲熟鍊應用。不懂學理的醫匠罷了。無如唐宋以後學醫的人。偏生不甘心做醫匠。定要把內經難經等一齊拉過來。高談病理。反而弄得笑話百出。這種笑話。醫書上多得箇更僕難數。上文既是說過五苓散。就把關於五苓散的引兩節出來。

張杲醫說云。春夏之交。人病如傷寒。其人汗自出。肢體重痛。轉側難。小便不利。此名風濕。非傷寒也。陰雨之後卑濕。或引飲過多。多有此證。但多服五苓散。小便通利。濕去則愈。切忌轉瀉發汗。小誤必不可救。初虞世云。「醫者不識。

作傷風治之。發汗死。下之死。」己未年京師大疫。正爲此。予自得其說。救人甚多。壬辰年。予守官洪州。一同官妻。有此證。因勸其速服五苓散。不信。醫投發汗藥。一夕而斃。不可不謹也。

博聞類纂云。春夏之交。或夏秋之交。霖雨乍歇。地氣蒸鬱。令人驟病。頭痛壯熱。嘔逆。有舉家皆病者。謂之風濕氣。不知服藥。漸成瘟疫。宜用五苓散半帖。入薑錢三片。大棗一枚。同煎。服一碗。立效。

這兩節書中所說的病。分明是霍亂。有五個證據可以證明。（一）流行於春夏之交。或夏秋之交。（二）其證候。汗出。肢體重痛。小便不利。嘔逆。（三）忌汗下。小誤必不可救。若是他種熱病。初起病時一次的誤汗誤下。決不致立時送命。（四）有全家皆病者。不知服藥。漸成瘟疫。己未年京師大疫。正爲此。（五）宜五苓散。〇參合這五個證據看來。不是霍亂是什麽。張杲等不識得是霍亂。反叫他風濕。還要說出原因來。以爲是陰雨卑濕。引飲過多。若是這些原因會起這樣的危險急病。那麽一陣大雨之後。應當要屍橫遍地了。茶館裏的茶客。回家去一定要害病了。豈非可笑之至。但是病名原因雖弄錯。用五苓散醫治。却一點不錯。不佞因此說中醫不能識病。却能治病。歸根究底。只因仲景但教人認證用藥。無法教人識病的緣故。

讀仲景書的中醫。雖不能識病。却還能治病。可是現代中醫界裏的人物。讀仲景書者。能有幾人。只知道「温邪犯肺。逆傳心包」罷了。只知道「古方不可治今病」罷了。這班人物。非但不能識病。連治病的本領也若有若無了。西醫呢。又一天到晚與這班人比較短長。把這班人來代表中醫學。不佞奮著一枝秃筆。拚命價替中醫衝鋒陷陣。想到這箇地方。怎不教人灰心短氣。只有志心朝禮。祝禱中醫界諸君趕快覺悟回頭罷。

（未完）

本刊因印刷所延誤屢次愆期出版。非常抱歉。以後當設法提前付印。務使準期出版。

人體循環系與神經系發生變化之疾病

沈仰慈

循環系者。運輸血液。以榮養全體之系統也。以心臟爲中樞。而動脈管。靜脈管。及毛細管屬之。心臟翕張鼓動。以催送血液。行經動脈。分布於各部毛細管。復由各部毛細管。會集於靜脈管。而歸心臟。上下昇降。如環無端。分布養料。吸收廢物。全體各部組織。莫不被其沾濡榮養。以致其効用。此循環系生理作用之大概也。

神經系者。節制諸器官知覺運動之總軸也。分腦髓脊髓神經三部。各種神經之一端。必連於腦脊髓。又一端必合於諸組織。故腦脊髓爲神經系之中樞。如中央政府。節制各部。頒布命令。而神經纖維爲之傳達。傳刺激於中樞。達命令於各部。以發生知覺運動。此神經系生理作用之大略也。

西洋學者將人體機官。分爲九系統。其實全體官能。不論何種系統。均不能缺少血液營養及神經作用。故各種機官之生活效用。一賴血液營養。一賴神經作用。且神經之能起作用。又賴血液之營養。使無血液。則神經麻木矣。血液之能致營養。又賴神經之調節。使無神經。則血液凝滯矣。我中醫論人體生活。不外氣血。故曰。氣以行血。血以攝氣。又曰。氣血之帥也。血氣之宅也。血爲體而氣爲用。血是實質。卽是循環系之血液。氣無跡象。似爲神經系之作用。循環系與神經系固有密切關係焉。

循環系心臟肌肉翕張之遲速。有神經以節制之。動靜脈管壁之中層。亦有神經以節制其伸縮。血液流於脈管中。其多寡遲速。繫於脈管之擴張與收縮。而脈管之擴張與收縮。則繫於神經之弛緩與緊張。故血液之循環。胥賴神經之調節。若調節失宜。循環系發生障礙。而疾病作焉。然神經之作用。胥賴血液之營養。若營養失宜。神經系發生變化。而疾病亦作焉。

循環系與神經系發生之疾病。不可僂指計數。約可得三種現象。

一曰充血。　神經被刺激而興奮。則心臟鼓動劇烈。動脈中血行疾速。斯時全體毛細管。均起充血現象。肌膚緊張。全體燔灼。是爲發熱。其局部充血者。吾中醫謂之火。如肝火胃火。

卽局部充血也。又如大腦皮質之神經中樞。血管擴張。血液上升。致頭疼眩暈。顏面潮紅。卒倒神昏。卽所謂腦充血矣。

二曰貧血。 神經因衰弱而沉滯。心臟機能微薄。動脈中血行遲緩。斯時全體毛細管起貧血現象。肌膚起粟。肢體振慄。是爲寒戰。其局部貧血者。吾中醫謂之寒。如胃寒腸寒。卽局部貧血也。又如心臟不能輸送適量之血液於腦髓時。致顏面蒼白。四肢厥冷。眩暈卒倒。卽所謂腦貧血矣。

三曰鬱血。 神經作用沉滯時。靜脈血流行遲緩。全體毛細管起鬱血現象。身軀倦怠。四肢乏力。所謂濕蔽淸陽。氣機不暢。皆鬱血所致也。

又神經興奮過烈。而起强度之充血。則爲痙攣。神經沉滯過甚。而起强度之鬱血。則爲麻痺。前者中醫謂之燥。後者中醫謂之風。其燥與風相煽。痙攣與麻痺間作。則又神經由興奮而沉滯。由沉滯而興奮之現象也。是故神經系之疾病。有基於循環系者。當以治理血液爲主。如淸血養血是也。循環系之疾病。有本於神經系者。當以治理神經爲主。如調氣壯氣是也。中醫治療之術。首重氣血。豈非於神經循環兩系微妙之生理。早有所悟歟。

養身術

趙澤漢

天下斷無不死之人。幸虧源源而死。如果不死。早已把全世界所有的土地。擠得水洩不通了。這話並不是扯謊。從前歐洲人沒有尋到新大陸時候。大家都愁着有人滿之患。當時的歐洲。地方固然狹小。未必人人不死。不過死下去的人。不及新生出來的多。年復一年。計算起來。就不免起這種恐慌。假使全世界人類都能不死。不是全世界實現人滿之患麽。照這樣說來。人類對於「死」這一個字。是免不了的。聖賢要死。奸佞也要死。不衞生要死。衞生也要死。那末這篇養身術也不用說了。這却不然。人類生存於世。自有一定天賦之壽命。假使不到天賦之壽命而死亡。這就叫做枉死。現在人之壽命太短促了。身體太衰弱了。差不多到了五十多歲就要死亡。能夠活到七八十歲的已屬罕見。要活到百歲以外者。數十百年也不能一見。韓愈佛骨表。把長壽的古帝王搬出來。黃帝在位百年。年百一十歲。少昊在位八十年。年百歲。顓頊在位七十九年。年九十八歲。帝嚳在位七十年。年百歲。帝堯在位九十八年。年百一十八歲。帝舜及禹。皆百歲。把現在人之壽命。與古代人之壽命。兩兩相較。不是有霄壤之別麽。况古代沒有什麽新醫。沒有預防消毒衞生的玩意兒。其壽命反較現在人高。現今新醫比過江的鯽魚還多。預防消毒衞生。何等講究。而人之壽命反較古人爲短。這不是令人大惑不解麽。我現在把這養身術。源源本本寫出來。俾全世界的人類個個長壽。人人百歲。這就是我的意旨了。

人類生存於天地間。處處要受天地的支配。如氣候的寒暖。地土的燥濕。以及風霜雨露。與人體均有極大關係。假使元氣不强。筋骨不堅。一受侵襲。或氣候太過不及。即不免生病。即不生病。亦不免減短壽命。所以養身的第一要義就是「保養元氣强健筋骨」這八個字。我國古代傳下來的養身術。其精妙絕倫之處。正不在少數。如華佗的五禽戲。道家的胎息。按摩家的推拿。於人體修養方面極有貢獻。可惜給後世無賴的方士。賣弄玄虛誘惑權貴。大倡神仙辟穀之法。把無上寶貴之養身術。反弄得令人將信將疑。在下讀內翰良方裏面有幾段講神仙辟穀等法。特節錄下來。以供讀者一粲。

神僊補益　王倪丹砂。無所不主。尤補心。益心血。愈痰疾。壯筋骨。久服不死。王倪者。丞相遵十二代孫。文明九年。爲滄州無棣令。有桑門善相人。知死期。無不驗。見倪曰。公死明年正月乙卯。倪以爲妄。囚之。又使驗邑人之言死者數輩。皆信。倪乃出桑門。禮謝之。日爲死計。忽有人不言姓名。謂倪曰。知公憂死。我有藥可以不死。公能從我授乎。倪再拜稱幸。乃出陳丹砂法餌之。過明年正月。乃復召桑門視之。桑門駭曰。公必遇神藥。面有異色。且不死。開元元年。倪妻之弟。亦遇異人授以杏丹曰。吾聞王倪能煉丹砂。願以此易之。以杏丹賜其子弁。而倪與授杏丹者。後皆僊去。法用光明辰砂二十八兩。遠志二大兩。去心。檳榔二大兩。柯黎勒皮二大兩。紫桂肉八大兩。上藥剉碎。以二大釜。用細布囊盛丹砂。懸於釜中。著水和藥。炭火煉之。

（煉法太長不錄）

辟穀　洛下有洞穴。深不可測。有人墮其中。不能出。飢甚見龜蛇無數。每旦輒引首東望。吸初日光嚥之。其人亦隨所向効之不已。遂不復饑。身輕力强。後卒還家。不食。不死。不知其所終。此晉武帝時事。

陽丹訣　冬至後。齋居。常吸鼻液。漱煉令甘。乃嚥下丹田。以三十瓷器。皆有蓋。溺其中。已。隨手蓋之。書識其上。自一至三十。置淨室。選謹樸者守之。滿三十日。開視其上。當結細砂。如浮蟻狀。或黃或赤。蜜絹帕濾取。新汲水淨淘。澄無數。以穢氣盡爲度。淨瓷瓶合貯之。夏至後。取細研棗肉丸如梧子大。空心酒呑下。不限丸數。三五日後取盡。夏至後。仍依前法采取。却候冬至後服。此名陽丹陰煉。須淸淨絕欲。若不絕欲。眞砂不結。

陰丹訣　取首生女子之乳。父母皆無恙者。養其子。善飲食之。日取其乳一升或半升。以朱砂銀作鼎與匙。如無朱砂銀。山澤銀亦得。慢火熬煉。不住手攪。如淡金色。可丸。卽丸。如梧子大。空心酒呑下。亦不限丸數。此名陰丹陽煉。世人亦知服秋石。然非淸淨所結。又此陽物也。須復經火。經火之餘。皆其糟粕。與燒鹽無異也。世人亦知服乳。陰不經火煉。則冷滑而漏精氣也。此陽丹陰煉。陰丹陽煉。蓋道士靈智妙用。沉機捷法。非其人不可輕泄。愼之。

以上幾個法子。無非是延年輕身。長生不死。試問現在可有神仙不死的人。可有不吃東西的人。這種事決沒有的呵。有句老話。千年之木。不火自焚。木頭也要死亡。而況血肉之人麼。我可以說。養身術要把神仙辟穀等法拖在一塊。這不是養身簡實叫做養死。那末說了大半天閒話。究竟這養身術。怎樣養法。諸君莫忙。下期自會說出來。（未完）

與王君宇高論肝病傳脾

陸淵雷

拙著「肝病傳脾之研究」。卽金匱今釋第一卷第三至第六頁之文。見本刊第三號。先是曾錄登醫界春秋。蒙王君宇高有所指正。因作書以遺之。王君之原文如下。

（上略）細觀陸君所言。貫串中西。以古人之實驗。合於近世之科學。夐乎尚矣。然而核以吾所研究者。尚有毫髮之差。當今吾人初下中西貫通功夫之際。譬如困居危城。單槍匹馬。各尋出路。尙未突出重圍。第一要道。在於互相照應。各以辛苦艱難中所經歷者。以相告語。始於實際有裨。故吾不揣冒昧。就管見提出討論。吾不敢自以爲是。諒陸君亦必不以吾爲多嘴也。

肝病傳脾。欲明其關係之理。先須研究肝與脾之各個生理。陸君以神經歸肝。消化歸脾。憂愁忿怒歸交感神經。似仍不免蹈古人之籠統。且於生理學有背謬之處也。

哈氏生理學言肝之功用曰。「肝之功用。與體朊新陳代謝有關係。更與糖類新陳代謝。及脂之新陳代謝。有重要關係。又有成胆汁之功用。」又曰。「胆汁卽肝所恆常生之泌。流入小腸上段。惟當食物恰至小腸上段之後。流入更多。」又曰。「肝生胆汁。非腦經所司。而係生泌素之作用。因此素能激刺胰腺及肝。」

哈氏又論吸收食物曰。「小腸爲吸收食物之要部。大腸之吸收力較小。胃之吸收力更小。」

又論腸動曰。「諸腦經割斷。腸仍能動。故腸腦經。可謂自主。」

日本大阪市西淀川區大仁町四十番地日新治療社。於昭和三年九月二十日出版之日新治療第三十八號內。有上海東南醫科大學后長德氏所作「交感神經及副交感神經之概論」一文。有曰。「神經系統中可分爲兩大類。一爲動物性神經。一爲植物性神經。動物性神經分佈於橫紋肌。司官能知覺等之隨意作用。植物性神經分佈於滑平肌。司理一種不隨意的特別作用。植物性神經廣佈於全身。以營其植物性之機能。如身體之營養及生殖等。行使其平滑肌心肌及腺體等之神經作用。而與內分泌腺化學的連絡。尤有至切之關係。而與隨意機能及意識無關。動物性神經與植物性神經。在組織學上亦判若霄壤。本篇所述植物性神經。卽交感神經與副交感神經也。」

就哈后兩氏所述觀之。則肝之所主。爲助消化與新陳代謝而已。於憂愁忿怒無關也。卽其助消化。亦自生胆汁而已。與腦神經亦無關也。交感神經爲植物性。爲不隨意性。於消化系統之機能。固賴其主動。而與憂愁喜怒則風馬牛不相及也。此陸君所言。與吾所見聞之大相反處。

后氏謂交感神經與意識知覺無關。卡儂氏謂痛楚恐懼忿怒。皆因交感神經之刺戟。（按拙著語意劇不爾。在金匱今釋六頁二行三行。可以覆按。）二說相反。然證以吾之研究。常見痛楚者。除胃痛外。苟不發高熱。與胃納皆無關係。而忿怒者氣平後。往往飢餒喜食。雖恐懼者多不思食。非不消化之關係。乃腦神經之無暇及此也。故余亦非卞而鼎后。以交感神經與憂愁忿怒無關也。

至於內經所言情志。心樂肺悲肝怒腎恐脾思神經分佈五臟。陸君一以歸於肝臟。是較古人更籠統矣。故吾於陸君所言。吃吃期期不敢贊同也。

然則吾對於肝病傳脾之見解如何。亦提出以請陸君之評判。肝主生胆汁以助消化。科學所告吾而爲吾所信者。消化系統有口咽食管胃腸胰胆數種。古人以脾爲之主。脾即統言消化系統。不可以詞害意。陸君此言。吾亦云然。但證於古說。則經謂肝主風。風主動。黃坤載謂肝主木。木疏土。所謂動者。即肝生胆汁與胆汁激刺胰腺及大腸之蠕動是也。所謂疏者。即肝所生之胆汁能消化食物是也。若肝胆病。勿論爲肝萎縮及壞變。爲肝炎。爲肝變硬。爲肝之寄生物。爲胆石。皆於生胆汁助消化有礙。是吾於肝病傳脾之見解。如是而已。(下略)

宇高先生閣下。黃生祖棠持示中醫新刊第八期。得讀大作。於拙著肝病傳脾一篇。有所商榷。嚶鳴之友。千里相求。欣忭無似。尋繹尊意。有與鄙見不同者。以神經歸肝是也。有誤會鄙意者。謂拙著以憂愁鬱怒歸交感神經是也。亦有與鄙見相同者。古書稱消化器官爲脾是也。夫賞奇析疑。不厭求詳。請伸鄙意。用質高明。

若以肝爲解剖上之肝。Liver 則肝泌膽汁。膽汁爲重要消化液。肝病則膽汁不分泌。

消化液失其主要成分。以此釋肝病傳脾。非不簡捷易曉也。然溝通中西。須貫澈全體。不可斷章取義。統觀古書所言肝者。惟「肝藏血」一語。似指解剖上之肝。人身血液之分布。肝臟獨得四之一。正合藏血之義也。此外言肝者。稍一尋思。卽知其指神經系統。略舉數例。如四氣調神大論云。「被髮緩形。以使志生。生而勿殺。予而弗奪。賞而弗罰。此春氣之應。養生之道也。逆之則傷肝。」此言春時宜慈惠寬和。否則傷肝。慈惠寬和之情緒。出於大腦。今云逆之傷肝。是指大腦之情緒爲肝也。痿論云。「思想無窮。所願不得。意淫於外。入房太甚。宗筋弛緩。發爲筋痿。及爲白淫。故下經曰筋痿者。生於肝使內也。」夫思想無窮。所願不得。意淫於外。卽拙著所謂憂愁鬱怒也。（意淫於外。謂心意奔馳於外。非性慾之淫。）憂愁鬱怒而入房。下經謂之肝使內。憂愁鬱怒之情緒在大腦。是肝指大腦也。靈樞本神篇云。「肝氣虛則恐。實則怒。」又云。「肝悲哀動中則傷魂。魂傷則狂忘不精。不精則不正當人。」恐怒悲哀。皆大腦之情緒。狂忘不精。不正當人。皆神經病之證候。而靈樞歸之於肝。知肝之爲神經系統也。巢源肝病候引養生方云。「肝藏病者。憂愁不樂。悲思嗔怒。頭旋眼痛。」此亦以七情之病爲肝病。卽今人所謂肝氣者也。所見肝氣病。皆由憂愁鬱怒得之。拙著以憂愁鬱怒爲肝病。實由於此。不特此也。凡神經系統之疾患。其證候爲偏枯不遂。爲掣引瘈瘲者。古人皆謂之風。風則屬於肝。故亦謂之肝風。然則肝之爲神經系統。殆無疑義。若解剖上之肝。其病爲肝硬化。爲肝膿腫。爲肝癌。肝瘤爲脂肪性肝澱粉樣肝。其症狀乃無一合於古書之肝病者。故知古書所謂肝。非解剖上之肝爾。若謂肝病不生膽汁。致阻礙消化。則可以釋「肝病傳脾」。不可以釋一切肝病。所謂斷章取義。而不能貫澈全體者也。閣下云。「內經所言情志。心樂肺悲肝怒腎恐脾思。神經分布五臟。陸君一以歸之於肝。是較古人更籠統矣。」夫神經之分布。除毛髮爪甲骨組織外。無所不至。豈特五臟而已。悲樂恐怒思。皆大腦所主。內經分配於五臟。正嫌古人太不籠統。閣下乃責鄙人太籠統。豈別有所見耶。

以憂愁鬱怒歸於交感神經。鄙人論旨劇不爾。閣下自誤會耳。憂愁鬱怒之情緒在大腦。而交感神經爲不隨意神經。卽閣下引后長德所謂植物性神經也。植物性神經不出於大腦。而出於延髓脊髓。似與大腦之情志風馬牛不相及。然羞愧則面赤。驚恐則面白。面赤由於面部充血。面白由於面部貧血。充血貧血由於血管之張縮。司張縮血管之神經。則植物性神經也。植物性神經官與大腦之情緒無關。然大腦感羞愧驚恐時。面色之赤白。如響斯應。於此知大腦有情緒衝動時。植物性神經卽有刺激傳出。拙著謂「憂愁鬱怒足以刺激交感神經。」蓋由於此。閣下乃謂鄙人以憂愁鬱怒歸於交感神經。此非鄙人之過。閣下自誤會耳。

以脾爲消化器官。已得閣下同意。然鄙意尙不盡。別有論。刊於醫光第二期中。茲不贅述。閣下又云「常見痛楚者。苟不發高熱。與胃納都無關係。而忿怒者氣平後。往往飢餓喜食。雖恐懼者多不思食。非不消化之關係。乃腦神經之無暇及此也。」此論固是事實。然限於一時。非所以論持久者也。患肝氣病者。其憂愁鬱怒持久不已。交感神經亦繼續傳出刺激。日久卽影響消化器之官能。此是慢性病。不可例以一時間之事實。至卡儂氏之實驗。乃證明忿怒時雖納食。胃液不分泌。腸壁不蠕動。此與生理學並無抵觸。其書商務書館有譯本。可以一閱。惟譯筆之拙。視哈氏生理學更甚。讀之欲睡。若能識西文者。不如閱原本爲佳。

抑更有進者。閣下論肝與腸胃之生理。引哈氏生理學。論交感神經。引日新治療雜志。其實此等皆普通常識。不須引據出處。著作之體例。似宜斟酌也

閣下與鄙人。初未嘗知姓氏。接杯酒之歡也。此次筆墨相見。或以文字因緣。遂相契合。則學理愈爭辨。友誼愈敦睦。此則鄙人所馨祝者也。有張君治河者。投稿於廣濟醫刊。鄙人稍與討論。竟爾悻悻。深以爲懼。今者駁難起於閣下。或不以鄙人爭辨爲忤乎。陸淵雷頓首。

奇方得效

沈仰慈

金針菜能治血痔

一味單方　氣死名醫

南通張芝山布商印君素嗜酒健啖。因患痔。某歲痔疾大發。肛門內腫痛突起。上有小孔。每大便血自小孔一縷射出。量極多。綿延數旬。體日疲羸。凡通海著名醫生。無不遍邀診治。或謂爲內痔。或謂爲血痔。方藥徧嘗。終不能治。其同業某君問之。與一單方。向南貨肆買金針菜二兩。赤沙糖兩許。同入瓦罐。即以南貨肆包貨之粗草紙。剪爲罐蓋。而加水一大盌煮之。藥熟取汁。空腹飲之。印君初以爲金針菜乃平常佐食之品。何能治痔。不甚深信。但和糖煮汁飲。亦無害。始一

試之。乃一服血止。再服病若失。竟有不可思議之奇效。自後每遇血痔。投以此方。無不獲愈。誠所謂一味單方氣死名醫矣。戊辰冬十月。余爲其甥張君治病。過於滬上。診餘閒談。印君面述如此。余謂此亦足供醫林之研究也。爰紀之入本刊。

臨床實驗錄

靖江盛大賢

鄙人家世習醫。專治傷科。已五世矣。所治雜症。指不勝縷。最近治一金創。亦頗駭人聽聞。今已痊愈。緣錄登貴刊。

王某者。博於賭場。方呼盧喝雉間。其妻縱至。告以家有局丁催科。無錢繳納。王未及答。局丁亦至。叫囂隳突。欲縶王。比追。王情急。轉身取廚刀自割其勢。應手而落。登時面白如紙。昏仆於地。鮮血直流。濡浹衣袴。局丁乘間遁去。諸博徒驚惶無措。王之父聞信奔至。痛哭失聲。或言盛某擅傷科。盍往延之。其父即忽息奔至家祖前。長跪飲泣。扶起詢之。以實告。家祖許之。大賢侍往。至則其人呼吸垂絕。胸口尚溫暖有脈博。急用自製金瘡藥傅之。血立止。內服補胃養血湯。越數日又視之。則瘡口爛。流膿。臭不可聞。家祖喜曰。生矣。乃用甘葱煎湯。洗

中国近现代中医药期刊续编·第三辑

去封藥摻收濕拔膿散。外蓋止痛生肌散。數旬而全愈。此症全恃藥物。非手術也。傷科內服藥。多以攻瘀爲主。若金創則裏本無瘀。而失血已多。故不可攻瘀。宜補胃養血爲主。夫脾胃屬土。土生萬物。爲人身陽血之源。陽氣旺則陰血易生。今將補胃養血湯方公布如下。

人參　白朮　小茴　澤瀉各二錢　當歸身五錢

蓋人參大補元氣。能生陰血。白朮補氣生血。健脾燥濕。當歸養營活血。舒筋排膿。小茴理氣開胃。澤瀉去濕熱之病。使清氣上行。此方用於折骨脫血。著手成春。其餘封藥。次期登錄。

肝與神經

香港盧覺愚

肝爲何物。肝之功用若何。肝病又若何。吾知一般答語當曰。肝爲五臟之一。在六經爲厥陰。主氣爲風木。應時爲春日。爲將軍之官。故主怒。與膽相表裏。故主驚。應筋故爲抽搐。乘脾則消化障碍。謂之木尅土。凌肺則上氣喘呼。謂之木侮金。如此答語。在中醫方面而當然不錯。若問肝何以稱將軍之官。何故與膽相表裏。何以能乘脾侮肺。何以稱厥陰風木。則答語顢頇難究詰矣。且以西學眼光視之。簡直無絲毫價值。然則中醫學果無足取乎。是則不然。內經論病。最有系統。說理與西學多相通。有時且精當過之。後人不善讀內經者。每拘於字面。祇識得淺層意義。不能知其所以然之故。種種曲說。無非輾轉相傳。承訛襲謬。為不澈底之片面學理。以此談內經。是豈知內經者。以此言醫學。又有何意味。

素問陰陽應象大論「……東方生風。風生木。木生酸。酸生肝。……神在天為風。在地為木。在體為筋。在臟為肝。……」後人據此。遂立肝風之名。然試問東方何以生風。生風何以限於東方。風何以生木。木何以生酸。酸又何能生肝。且其言神在天為風。在地為木。在體為筋。在臟為肝。竟是變動不居之虛位。以是知內經之言。不能呆講也。內經全書。原以四時為骨幹。故四氣調神大論曰「夫四時陰陽者。萬物之根本也。」四時曰春夏秋冬。四時有美德曰生長化收藏。地球上之萬有物類。莫不受四時支配。隨氣候而變化。莫知其然而然者也。為便於說明起見。因別為四時。列為五行。劃為四方。區為六氣。本大自然之現象。為之背景。本宇宙間之萬彙。為之比附。綜合之。甄別之。得其公例。然後求諸人身。就其類似者。為之比擬。為之說明。以人體生理之現象。與自然界之現象。貫通一氣。實為內經立說之根。明乎此。則以上疑問。可不煩言而解。

素問風論「……風者百病之長也。……風者善行而數變。……」陰陽應象大論「……風氣通肝。……在志為怒。在變動為握。……」握即筋攣抽搐之謂。以肝主筋。故以筋攣抽搐歸之肝。肝氣調達者。其人愉悅舒暢。肝氣鬱結者。其人多疑善怒。以病時之多疑善怒。即可推知愉悅舒暢之為肝德。以不病時之愉悅舒暢。即可推知多疑善怒之為肝病。凡驚懼憤怒之暴者。每每筋攣抽搐。其慢性者。亦怔忡不寐。飲食不消。體瘠而神浮。由前之說。則在志為怒。在變動為握之所以屬肝。由後之說。則金匱「……見肝之病。知肝傳脾。……」後人所謂木尅土也。蓋內經論理。在根據形能。有生理之形能。有病理之形能。凡標著於外之病狀曰病形。體內各器官因諸般激刺而起變化。足以引起異常之生活狀態者曰病能。蓋凡生活體皆有必要之二條件。一爲物質。一爲勢力。無無勢力之物質。無無物質之勢力。故勢力之變化。原根據物質之變化來。病形之不同。原根據病能之不同來。就外表種種症狀以推測體內各器官之變化而爲之治。治之而效。積學理經驗之結果。以肯定臟腑內景之若何變化。斯外表症狀必有若何變化。復以甲例乙。就外表所現之病形。即可推知內景之病能。就病時之形能。即可推知不病時生理之形能。故肝主筋。即以筋攣抽搐爲肝病。肝主怒。故以爲將軍之官。易經「風以動之。」左傳「風淫末疾。」筋攣抽搐動也。末。四肢也。筋攣抽搐多見於四肢。此風之所以屬肝也。

雖然。在體爲筋。故以筋攣抽搐爲肝病。其實筋攣抽搐爲運動神經方面事。在志爲怒。怒爲知覺神經方面事。病源皆屬腦。皆與肝無關。即至眞要大論「……諸風掉眩。皆屬於肝。諸暴强直。皆屬於風。……」掉眩爲精神方面事。强直爲肢體方面事。亦皆與肝無關。解剖上之肝臟。不外攝取糖分以供營養。製造膽汁以助消化。流通血液以利轉輸。無他作用。知覺與運動神經。主於腦。非主於肝。則又何也。夫固曰內經論病在根據形能也。故所云之種種肝病。皆非解剖上肝臟所有。若以內經所云之肝病。於解剖上之肝臟求之。則南轅北轍。相去萬里矣。梁漱溟先生東西文化及其哲學中有曰「……中醫所說的心肝脾肺。你若當他是循環器的心。呼吸器的肺。……那就大錯了。他都別有所指。指的非復具體的東西。乃是某種意義的現象。而且不能給界說的。譬如他說肝經有病。乃指別一種現象爲肝病耳。……」視味菊先生中國醫學概論中有曰「……內經言臟腑如左肝右肺。乃指其作用。非指其部位。設詞取譬。隱託五行。故有五色五聲五味諸說。後人不知爲譬況之詞。以爲臟腑實體如是。已足軒渠。今之駁中醫者。又但據後人學說以駁內經。不學無術。尤堪噴飯……」觀此。則內經之義自明。質言之內經之肝病。非實質上肝臟爲病。直神經病也。(未完)

專著

鄙人現在中國醫學院講授傷寒金匱。所編講義。索者坌集。油印本不敷分贈。特將金匱今釋於本刊上分期印出。藉供諸君痂嗜之需。此書撰述時。深得祝君味菊商榷之助。附書於此。以誌感謝。惟急就之章。紕繆甚多。容於再版時修正。此書有著作權。禁止翻印轉載。陸淵雷附識。

本刊歡迎投稿啓事

本刊宗旨。欲以科學原理證明中醫學同人等研究所得。不敢自是。就正有道。海內外宏達加以糾正。無任榮寵。如有闡發中醫學理之稿件。尤所歡迎。

學理愈研究愈精確。讀者諸君於本刊著作。如持異議。務請儘量翻駁。本刊無不儘量登載。惟攻訐私人之文字。無關學理者。恕不登載。

來稿文字本刊編輯部得以脩改潤色。惟以不改動原意爲主。若投稿人不願被脩改時。請於稿上註明。

本刊非營業性質。來稿登載後。除贈閱本刊外。不另送酬金。如投稿人欲得酬者。請於稿上註明。亦可酌量致酬。

如有醫學上專門著作。未經刊印。欲託本刊流傳者。本刊當於專著中分期印出。印完時奉贈紙板全套。不另送酬。其板權著作權仍歸著作人自有。

來稿字迹。務請繕寫清楚。萬勿潦草。白話文言。不拘體例。惟無論登載與否。原稿恕不寄還。

稿件登載後。如有剽襲雷同。發生糾葛。由投稿人直接交涉。本刊惟宜佈投稿人住址。餘不負責。

投稿諸君務請詳示姓名住址。以便通信。

稿件請寄上海南市王家碼頭懋業里陸淵雷轉。

為解析疑難起見。特闢問答一欄。如有醫學上疑難問題。本刊揭載之後。徵請通人作答。惟患病徵方。恕不答復。蓋治病須當面診察。通函論診。事屬危險也。

本刊編輯部謹啓

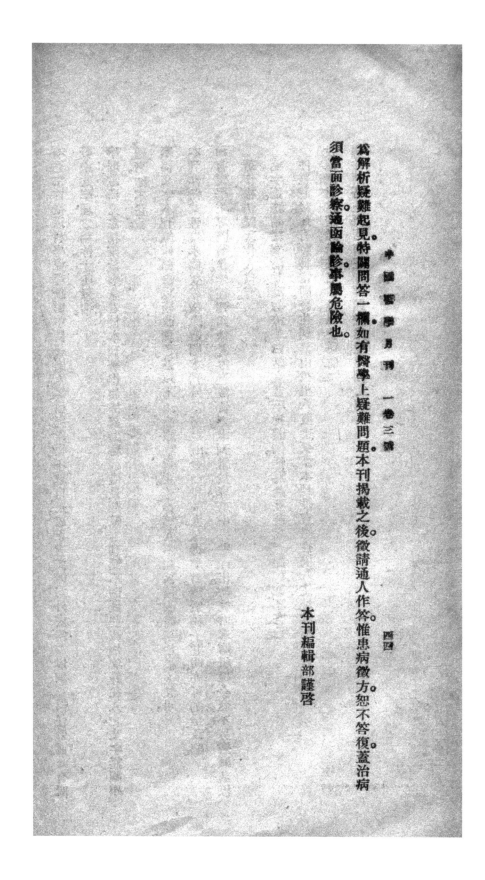

蘇矣。其第二次暈厥。乃是藥力反應。既不知其所用何藥。卽無從懸揣暈厥之故。然亦必汗出而蘇。則知身和汗自出云云。乃古人實驗有得。非虛言也。入腑入臟。不過古人想像之詞。於病理實際。初不盡合。蓋謂臟藏而不寫。腑寫而不藏。入腑則病毒有去路而得愈也。靈樞邪氣藏府病形篇云。邪入于陰經則藏氣實。邪氣入而不能客。故還之於府。故中陽則溜于經。中陰則溜于府。亦言陰證以溜府而得愈。此則臨床治療上所習見者也。

問曰。脈脫入臟卽死。入腑卽愈。何謂也。師曰。非爲一病。百病皆然。譬如浸淫瘡。從口起流向四肢者可治。從四肢流來入口者不可治。病在外者可治。入裏者卽死。

脈脫謂脈乍伏也。浸淫瘡詳第十八篇。觀此條知入臟入腑。乃病勢向裏向表之學術語。不可以詞害意。

問曰。陽病十八。何謂也。師曰。頭痛。項。腰。脊。臂。脚掣痛。陰病十八。何謂也。師曰。欬。上氣。喘。噦。咽。腸鳴脹滿。心痛拘急。五臟病各有十八。合爲九十病。人又有六微。微有十八病。合爲一百八病。五勞七傷六極婦人三十六病。不在其中。淸邪居上。濁邪居下。大邪中表。小邪中裏。槃飪之邪從口入者。宿食也。五邪中人各有法度。風中於前。寒中於暮。濕傷於下。霧傷於上。風令脈浮。寒令脈急。霧傷皮腠。濕流關節。食傷脾胃。極寒傷經。極熱傷絡。

此條分爲兩段。前段就經絡藏府之病位。而舉病證之數目。後段就風寒霧濕之病邪。而言諸邪之所中也。

十八病九十病一百八病。蓋古醫家相傳有此說。今不可考。師所舉答。亦難得其條理。程氏云。陽病屬表而在經絡。故一頭痛。二項。三腰。四脊。五臂。六脚掣痛。病在三陽。三六一十八病。陰病屬裏而在藏府。故一欬。二上氣喘。三噦。四咽。五腸鳴脹滿。六心痛拘急。病在三陰。三六一十八病。姑備一說。噦卽呃逆。咽讀如噎。謂咽中哽塞。六微未詳。沈氏以爲小邪中裏。邪襲六腑。周揚俊金匱衍義補亦用其說。然亦難信。千金翼云。五勞者。志勞思勞心勞憂勞疲勞也。六極者。氣極血極筋極骨極精極肉極也。七傷者。一曰陰寒。二曰陰痿。三曰裏急四曰精連連而不絕。五曰精少囊下濕。六曰精清七曰小便苦數臨事不卒。婦人三十六疾。詳婦人雜病篇。

清邪霧也。濁邪濕也大邪風也。小邪寒也。寒邪有直中太陰者。故曰中裏。槃飪即穀字之異體。飪熟食也。中前中暮。文意不明。金鑑以前爲早亦於詁訓無徵。脈急乃拘急之急。即脈緊。丹波元堅云。風則泛散。故稱之大。寒則緊迫。故稱之小。且風之傷人爲最多。寒則稍遜。亦其所以得名歟。風性輕揚。故先中表。而令脈浮。寒性慓悍。故直中裏。而令脈急。陶氏本草序例云。夫病之所由來雖多端。而皆關於邪。邪者不正之目。謂非人身之常理。風寒暑濕。飢飽勞逸。皆各是邪。非獨鬼氣疫厲者矣。

極寒傷經。極熱傷絡。亦以陰陽比象爲言。內經所謂經絡。意指血管。直行者爲經。支分而互聯者爲絡。深者爲經。淺者爲絡。然經絡之徑路。與解剖所見血管之徑路大異。則經絡究屬何物。尚在不可知之列。淺人傅會傷經傷絡之文。乃謂傷寒在經。溫熱在絡。在經者傳。在絡者不傳。傳者當用麻桂。不傳者當用石斛。則憑臆之見矣。祝君味菊則以脈爲動脈。絡爲靜脈。經爲神經。當再考之。

問曰。病有急當救裏救表者。何謂也。師曰。病醫下之。續得下利。清穀不止。身體疼痛者。急當救裏。後身體疼痛。清便自調者。急當救表也。

此條解在傷寒論今釋中。

夫病痼疾。加以卒病。當先治其卒病。後乃治其痼疾也。

痼疾謂慢性病。病已沈錮。不能旦夕取效。亦不至旦夕死亡者也。卒病謂新感急性病。不急治卽可致命者也。痼疾加卒病。當先治卒病。後治痼疾。是爲大法。若欲同時兼治。則藥力龐雜。反不能取效。然有時因卒病而痼疾加劇。則方藥亦當稍稍並顧如喘家作桂枝湯。加厚朴杏子。是其例也。又醫書所載證治。卒病與痼疾。各不相蒙。而臨床實驗。常有卒病痼疾混淆者。謂爲某種痼疾。固不似。謂爲某種卒病。又不似。初學者往往迷於診斷。是當細問經過證狀。以詳辨之。不可苟且鹵莽也。金匱首篇中。惟此兩條與末一條。足爲醫家圭臬。學者宜究心焉。

師曰。五臟病。各有得者愈。五臟病各有所惡。各隨其所不喜者爲病。病者素不應食。而反暴思之。必發熱也。

有得。如肝苦急。得甘則緩。肝欲散。得辛則散。又如肝病愈在夏。愈在丙丁。心病愈在長夏。愈在戊己。皆有得而愈也。見藏氣法時論。所惡。如肝惡風。心惡熱。肺惡寒。腎惡燥。脾惡濕。見靈樞九鍼論。然此等諸說。有真有妄。學者不可拘執文字。

病者素不應食三句。文不相屬。當是別一條。暴思。婁全善作暴食。爲是。病後暴食往往發熱。亦臨床上所常見者。

夫諸病在藏。欲攻之。當隨其所得而攻之。如渴者。與猪苓湯。餘皆倣此。

病在藏。謂病在裏也。病在裏者。所病既不可得而知。將如何施治。曰是不難。病雖不可知。證則可知。隨其證之所得而攻之。無不效者。攻之謂用藥袪病。不必指攻下。隨其所得。謂審證選方。須方與證鍼鋒相對也。同是發熱惡寒無汗之證。項背強者與葛根湯。骨節疼痛或喘者。與麻黃湯。煩躁者與大青龍湯。欬而喘者與小青龍湯。是之謂方與證相得。猪苓湯之於渴。亦然。惟古文簡質。往往意在言外。小柴胡湯白虎湯五苓散猪苓湯。皆有渴證。而五苓猪苓。俱主脈浮發熱。渴欲飲水。小便不利。其證幾於悉同。此云渴者與猪苓湯。將與五苓散如何分別。學者但記取五苓散是太陽方。猪苓湯是陽明方。則胸有定見。不致眩惑矣。五苓是太陽方。故仲景所舉五苓證。曰太陽病。曰有表裏證。曰發熱汗出復惡寒。又申之曰。病人不惡寒而渴者。此轉屬陽明也。曰頭痛發熱身疼痛。熱多欲飲水。（言熱多則知尚有惡寒在非但熱不寒也）皆所以明五苓散有表證也。猪苓湯之證。傷寒金匱所言殊簡略。然既是陽明方。可以推知不惡寒反惡熱。脈大舌絳。不難與五苓分別。故同是發熱口渴小便不利之病。見表證者與五苓散。無表證者與猪苓湯。又以今日之病理言。則五苓散之病變在腎臟。猪苓湯之病變在膀胱尿道。故猪苓證有膀胱尿道之出血疼痛。而五苓證無之。同是小便不利。猪苓證常淋瀝。五苓證則頻數而不淋瀝。二證俱有見浮腫者。猪苓之浮腫爲局所性。

五苓之浮腫爲全身性。以此種種。取舍於二方。是謂隨其所得而攻之。仲景諸方。有主證。有副證。治病選方。但得主證。恰合副證有一二證相合。則藥到病除。效如桴鼓。吾故曰學醫不難。惟在審證處方而已。

中醫之基礎在藥效。而用藥之標準在審證。審證確而用藥當。則治療之能事已畢。至於生理病理之理論。乃治療既效之後。依傅五行運氣而強爲之說爾。故治療雖效。理論反多失實。吾故曰中醫是實用之學。非理論之學。西醫之基礎在科學。而科學之應用在實驗。實驗所得。可以確知病竈之部位狀態。病菌之種類情勢。然病竈既無法剷除。病菌亦無法消滅。故診斷雖確。自三數種特效藥外。殆無治療方法。吾故曰西醫是理論之學。非實用之學。中醫既有治療之效。若能借助科學。以推究所以致效之故。則理論確實。治效亦可以推演而愈進。西醫既有診斷之法。若能采用效方。以補治療之闕。則亦不致束手無術。坐聽病毒進行。吾故曰中醫當儘量采用西醫之理論。西醫當儘量采用中醫之療法。柰何今之中醫。不知辨析方證。惟務翻騰五行運氣之說。設學授徒。皋比坐擁。未嘗不望之儼然。及其治病處方。無非豆卷豆豉銀翹桑菊。若是者。不特理論全非。其治療亦無效矣。今之西醫。不知研求療法。惟務鑑別細菌。搜索病竈。檢查血液痰唾二便也。愛克司光透視也。用力未嘗不勤。及其診斷既確。則醫者之責任已畢。但施對症處置而已。若是者。以病人供吾實驗則可。將治愈疾病則未也。彼固以爲中醫之療法非出於科學。其得效爲幸中。彼之不療。非不欲療。無科學療法故也。不知人體至繁賾。今之科學。決不能盡其祕奧。食飲養身。極平常之事。科學猶不能盡知其理。西醫不此之疑。獨疑乎中醫之藥效。何哉。

●痓濕暍病脈證第二 俞橋本證下有治字

論一首　脈證十二條　方十一首

痓濕暍類列爲一篇者。傷寒論云。傷寒所致太陽病痓濕暍。宜應別論。以爲與傷寒相似。故此見之。案似是王叔和語是也。本篇痓病之解釋。係祝君味菊造意。不敢掠美。附識於此。

太陽病。發熱無汗。反惡寒者。名曰剛痓。原注一作痙餘同

太陽病。發熱汗出。而不惡寒。名曰柔痓。

痓病以項背强急爲主證。字當依或本作痙。說文云。痙强急也。廣雅云。痓惡也。巢源千金諸書俱作痙。金匱作痓者。字形相近而譌也。

考金匱所列脈證及方。所謂痙者。不過項背之末梢運動神經痲痺痙攣。其病不在腦脊髓。所以痲痺痙攣。則因血燥津傷。神經失於榮養之故。血之所以燥。津之所以傷。則因感冒外傷。或患傳染病之故。凡末梢運動神經之病。無生命之險。故金匱之痙。雖有初期失治而成痼疾者。然非死證。自巢源千金諸書。以腦脊髓病之見角弓反張者爲痙。後人遂以痙爲不治之證。轉疑仲景方不效。千金云。太陽中風。重感於寒濕。則變痙也。痙者口噤不開。背彊而直。如發癇之狀。搖頭馬鳴。腰反折。須臾十發。氣息如絕。汗出如雨。時有脫易。得之者新產婦人及金瘡血脈虛竭。小兒臍風。大人

涼濕。得痓風者皆死。巢源有金瘡中風痓候。腕折中風痓候。小兒中風痓候。婦人產後中風痓候。證皆相似。案千金所云。是腦脊髓膜炎。其云新產婦人金瘡小兒臍風。則是破傷風。巢源所云則皆是破傷風。二者證狀頗相似。惟腦脊髓膜炎初起卽惡寒發熱。故千金冠以太陽中風。破傷風多不發熱。病人必身有瘡傷。以此鑑別。十得八九。此二病至瀕死時皆發熱。脈初病皆極遲。瀕死則數。得此病者。十不救一。金匱三方固不適用也。

治破傷風之方。有華佗愈風散。諸書盛稱其效。用荆芥穗微焙爲末。每服三錢。豆淋酒或童便調服。又三因方胡氏奪命散。亦名玉真散。天南星防風。等分爲末。水調敷瘡。出水爲妙。仍以溫酒調服一錢。已死心尙溫者。熱童便調灌二錢。別一方有天麻羌活白芷白附子。以上二方。重證恐亦不效。治腦脊髓膜炎。有鐵樵先生自製安腦丸。然治延髓炎效。治大腦炎不效。其方先生尙未公布。今故暫闕。

傷寒論云。太陽病。項背强几几。無汗惡風。葛根湯主之。又云。太陽病。項背强几几。反汗出惡風者。桂枝加葛根湯主之。案葛根湯證卽剛痓。桂枝加葛根湯證卽柔痓。兩方意在解其太陽。使血不燥。津不傷。而以葛根之升陽解肌。治項背强直。太陽之治法。須分辨有汗無汗。故太陽之痓亦以此分剛柔。剛柔二字。不過名詞上分別。非謂强急之有力無力也。傷寒論兩條皆言惡風。巢源於柔痓亦言惡寒。金匱言柔痓不惡寒。不字乃衍文也。傷寒論於桂枝加葛根條著反字。金匱則於剛痓條著反字。反字蓋隨文便。無關義例。

太陽病。發熱。脈沈而細者。名曰痓。爲難治。

太陽病發熱。其脈當浮。今沈而細者。氣血不能載體溫以放散於外。故沈。血中水分少。故細。若是者津血不能榮養末梢神經。有成痓之傾向。故爲難治。

太陽病。發汗太多。因致痓。

傷寒論云。太陽病發汗。遂漏不止。其人惡風。小便難。四肢微急。難以屈伸者。桂枝加附子湯主之。與此條文有詳略。病理則一。蓋發汗太多者。津液既傷。衛陽亦虛。運動神經因而失養。或致項背强直。或致四肢拘急。惟四肢爲諸陽之本。四肢拘急者。可知衞陽偏傷。故治以附子耳。

夫風病。下之則痓。復發汗。必拘急。

發熱汗出之太陽中風。誤下則傷其津。誤汗則虛其陽。神經失養。則痲痺痙攣。故內經云陽氣者。精則養神。柔則養筋。

瘡家雖身疼痛。不可發汗。汗出則痓。

瘡家賅瘡瘍及金創而言。瘡瘍初起。本有汗散之法。身疼痛亦是痲黃湯證。似可發汗。然久患瘡瘍及刀劍所傷之瘡家。流膿失血。已苦液少。更發其汗。則神經無所資以榮養。於是乎成痓矣。

病者身熱足寒。頸項强急。惡寒。時頭熱。面赤目赤。獨頭動搖。卒口噤。背反張者。痓病也。若發其汗者。寒濕相得。其表益虛。卽惡寒甚。發其汗已。其脈如蛇。（原注一云其脈浛）

錢潢傷寒溯源集云。上文有脈無證。此條有證無脈。合而觀之。痓病之脈證備矣。身熱者風寒在表也。足寒者陰邪在下也。惡寒者。寒邪在表則當惡寒。在下焦而陽氣虛衰。亦所當惡也。時頭熱而赤目赤者。頭爲諸陽之會。陽邪獨盛於上。所以足寒於下也。時者。時或熱炎於上。而作止有時也。成無己傷寒論註云。卒口噤。皆不常噤也。有時而緩。尤氏云。寒濕相得者。汗液之濕。與外寒之氣。相得不解。而表氣以汗而益虛。寒氣得濕而轉增。則惡寒甚也。沈氏云。其脈堅勁。動猶如蛇。乃譬掙紐奔迫之狀。

案此條。獨頭動搖。卒口噤。背反張。直是腦脊髓病證。病之見口噤背反張者。腦脊髓膜炎及破傷風外。有腦腫瘍藏躁子癇尿中毒及土的年中毒症。然此等病皆不發熱。且腦腫瘍之經過甚緩慢。藏躁子癇皆係發作性。子癇必起於姙娠中及蓐後。尿中毒別有腎病證候。古人不用土的年治療。亦無由中毒。惟腦脊髓膜炎及破傷風合於此條。此二病固非下文三方所能治。自來醫家以腦脊髓病當金匱之痓者。皆因此條而誤。

又案。若發其汗以下六句。傷寒論無之。金鑑以爲當屬下條。日人丹波元簡以爲他篇錯簡。

暴腹脹大者。爲欲解。脈如故。反伏弦者。痙。

痙病爲津液衰少。神經失養所致。已如上述。津液之來源。則由飲食之物。經消化吸收分泌等作用。然後布諸全身。痙病在於項背肌肉間。津液之來源。則在於內臟。治之之法。惟有使內臟之津液輸達於肌肉。則神經得所濡養。而强急者舒。藥物之具此功用者。首推葛根。本經言葛根能起陰氣。古文簡奧。猝不易解。其實卽謂輸達內臟之津液於肌肉耳。然人體對於疾病。本有抵抗消弭之功能。西醫謂之自然療能。中醫謂之正氣。項背之神經。因失養而驟然痲痹。正氣則令內臟津液急迫輸達於外。當此之時。腹爲之暴脹大。故見暴腹脹大。則知津液當外布。其病爲欲解也。然正氣之力量亦有限度。若暴腹脹大之後。脈之沈細者。轉爲浮緊浮緩。則正氣已勝。津液已達。而病可解。若脈如故。反伏弦。則正氣雖起用作。而津液仍不得外達。病仍不解也。

夫痓脈按之緊如弦直上下行。（原注一作築築而弦脈經云痓家其脈伏堅直上下）

如讀爲而。古字通。玉函脈經皆作緊而弦。津液衰少。不能布達於外。脈管壁之神經亦因失養而拘急。故其脈如此。

痓病有灸瘡。難治。

有灸瘡者。火氣熏傷津液。故難治。

太陽病。其證備。身體强几几然。脈反沈遲。此爲痓。栝蔞桂枝湯主之。

此條出柔痓之方也。當與傷寒論桂枝加葛根湯條參看。彼言汗出惡風而不言脈。此言脈沈遲而不言汗出惡風。互爲省文也。太陽證備者。謂頭痛發熱惡風諸證具備也。几音殊。說文云。鳥之短羽。飛几几也。蓋雛鳥羽短。不能飛騰。動則伸引其頸。病人自覺項背强直。動亦如之。故曰身體强几几然。

栝蔞桂枝湯方

栝蔞根二兩　桂枝三兩　芍藥三兩　甘草二兩　生薑三兩　大棗十二枚

右六味。以水九升。煑取三升。分溫三服。取微汗。汗不出。食頃啜熱粥發。

日人吉益東洞謂此方當有葛根。是也。方用桂枝湯以解有汗之太陽。用葛根以輸津。蔞根以生津。

太陽病。無汗而小便反少。氣上衝胸。口噤不得語。欲作剛痙。葛根湯主之。

無病之人。有汗時小便必少。無汗時小便必多。因人身水分之排泄。有一定限度。故盈於此者必絀於彼也。今無汗而小便反少。是津液不足。分泌失職之候。氣上衝胸者。亦是正氣輸津之作用。與上文暴腹脹大同一機杼。口噤不得語者。顏面及舌咽神經痲痺也。欲作剛痙者。項背將強急而未強急也。

葛根湯方

葛根四兩　麻黃三兩去節　桂二兩去皮　芍藥二兩　甘草二兩炙　生薑三兩　大棗十二枚

右七味。㕮咀。以水一斗。先煑麻黃葛根減二升。去沫。內諸藥。煑取三升。

去滓。溫服一升。覆取微似汗。不須啜粥。餘如桂枝湯法將息及禁忌。

桂當從傷寒論用桂枝。趙本芍藥二兩作三兩。水一斗作七升。今從諸家本改。

痙爲病。（原注一本痙字上有剛字）胸滿口噤。臥不著席。脚攣急。必齘齒。可與大承氣湯。

此言痙之燥實者。可以攻下也。臥不著席。反張甚也。齘者上下齒緊切作聲。齘齒者。口噤之甚也。云可與者。明此湯非治痙之主方。特以燥實而用之耳。大承氣之用法。當參考傷寒論。若但據本條之證。遽與攻下。必致僨事。

大承氣湯方

大黃（四兩酒洗） 厚朴（半斤炙去皮） 枳實（五枚炙） 芒硝（三合）

右四味。以水一斗。先煑二物。取五升。去滓。內大黃。煑取二升。去滓。內芒硝。更上火。微一二沸。分溫再服。得下止服。

火微當作微火。宋本傷寒論作微火。

太陽病。關節疼痛而煩。脈沈而細（原注一作緩）者。此名濕痺。（原注玉函云中濕）濕痺之候。小便不利。大便反快。但當利其小便。

太陽病。頭痛發熱悪寒。其脈浮者爲傷寒。濕痺之異於傷寒者。脈不浮而沈細。太陽病。脈沈細而項背强急者爲痓。濕痺之異於痓者。項背不强急。但關節疼痛而煩。古書凡言痺者。其病皆在肌肉。而涉於肌肉之神經。

濕之爲病。可分二類。曰外濕。曰內濕。外濕者。空氣中水蒸氣飽和。汗液不得蒸發。因不得適量排泄也。健康人之排汗量。平均一晝夜有二磅之多。勞力之人及夏日。猶不止此。然皮膚上不常見汗滴者。以其一出汗腺。卽蒸發成汽。飛散於空氣故也。黃梅時節。或潮濕之地。空氣中水蒸汽常有飽和狀態。則汗液之已出汗腺者。不得蒸發。未出汗腺者。阻於腺口。未蒸發之汗。不能復出。則爲濕病。濕爲六淫之一。屬於外感。其實外界水分。決不能透皮膚而客於人體。不然。篙工舵師。漚麻洴澼。日與水居。柰何不見其病濕耶。

內濕者。因炎症所起之炎性滲出物也。炎症初期。患部之毛細血管擴張。呈充血症狀血液之流動成分。及固形成分。常滲出於管外。滲出管外之流動成分。名炎性滲出物。其停潴於體腔內者卽爲飲。浸潤於組織中者卽爲濕。甚者則爲水腫。水腫與飲。固皆濕之類也。炎症之屬於加答而性者。多發於胃腸子宮咽頭氣管枝等有粘膜之器官。其時粘膜表面由毛細血管滲出漿液。而粘液之分泌。亦同時增加。此種病變。發於胃則爲痰飲。發於子宮則爲帶下。發於咽頭氣管枝則爲喉痒欬嗽。是皆吾所謂內濕。故痰飲帶下及欬聲如在甕中者。皆從濕治。其發於大腸者爲下利。發於十二指腸者。往往爲黃疸。疸與利。古人皆以爲濕病而責之脾。故知內濕是炎性滲出物。外濕內濕之分。雖似鄙人杜撰。而尤氏心典已發其蘊。尤氏云。其人平日土德不及。而濕動於中。由是氣化不速。而濕侵於外。外內合邪。爲關節疼痛。爲小便不利。大便反快。治之者。必先逐內濕。而後可以除外濕。故曰當利其小便。

於此須連帶解釋者。爲濕與脾之關係。脾病生濕。乃確然不易之事實。非古人憑臆之說也。吾於本書首篇。嘗言古醫書所謂脾。本指腸胃之吸收作用。吸收則液體由腸管入於血管腸炎症之滲出則液體由血管入於腸管其機轉適相反。故吸收爲脾之生理。滲出爲脾之病理。推而至於一切組織。凡生理的吸收皆爲脾德凡病理的滲出皆爲脾病。滲出物爲內濕。故曰脾惡濕脾屬太陰故曰太陰濕土。尤氏所謂土德不及。濕動於中者其事實蓋如此。古人無顯微鏡。無醫化學。不能確知汗液與滲出物之成分。以爲不過是水分。故概謂之濕。然其推勘病變藥效。爲之立名定義。擲筆天外。恰在彀中。此內經之所以有價値。彼靈素商兌者。烏足以知之。此等事說破亦易曉。而中西醫曾無一人道及。留此荒洲。令鄙人獨闢。不亦快哉。

關節疼痛之病。劇者爲歷節痛風。說在第五篇中。輕度之關節疼痛。則急性熱病常見之。小便不利。大便反快者。因水分之排泄不循常軌。亦成內濕。前人所謂水穀不能泌別是也。利其小便。則濕去而病愈。若外濕之病。脈浮惡風。身重疼痛。所謂清邪居上。霧傷皮腠者。則當以汗解。非利小便之治矣。

濕家之爲病。一身盡疼。（原注一云疼煩）發熱。身色如熏黃也。

中國醫學月刊

CHINA MEDICAL JOURNAL

(Issued Monthly)

定價表

時期	冊數	書價連郵費 國內	國外
每月	一冊	二角	二角四分
全年	十二冊	二元	二元四角

郵票代價十足通用惟以半分至四分爲限

廣告價目表

等級	地位	全面	半面
特等	封面底面之外面	五十元	三十元
優等	封面底面之內面正文首篇之對面	三十五元	二十元
上等	色紙夾張之前後頁	十六元	十一元
普通	白紙夾張或正文後	八元	五元五角

廣告如用銅版或用彩印價目另議　繪圖刻圖工價另議　連登多期或訂登全年者價目從廉　欲知詳細情形請至上海西門內石皮弄中醫學會內「中國醫學月刊廣告處」接洽　遠地函詢卽行奉復

中華民國十八年一月一日出版

中國醫學月刊第三期

零售每冊大洋二角

撰述者　全國著名中醫

編輯者　中國醫學月刊社　上海四馬路西中和里六三號

發行所　中國醫學月刊社

寄售處

上海三馬路千頃堂

上海白克路人和里衛生報館

南洋分社主任趙澤漢

地址 Hone Ying Hongt 608, Dalhousie Stree Rangoon

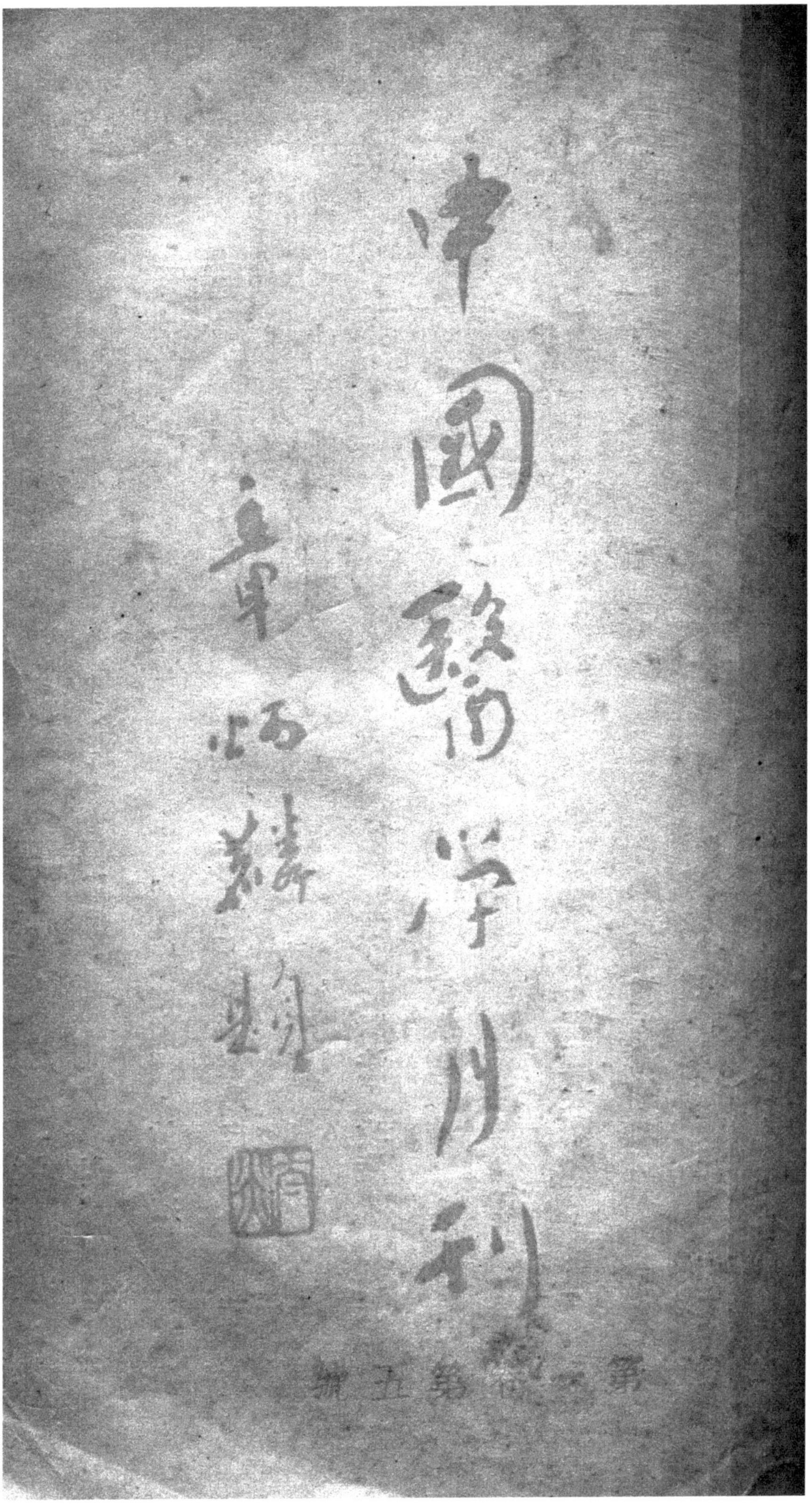
中國醫學月刊

章炳麟書

第一卷第五期

爲父母者，嚋不喜兒童勤攻書籍，學問日進，冀他日出人頭地，光耀門楣，如欲償此願望，首當熟諳兒童資質而培植之，則進步自速，如面黃肌瘦禀賦單弱，腦筋遲鈍，秉性庸愚，爲父母者，宜設法以改造之，其法如何，惟有常服人造自來血，補充血液，强健腦筋，面黃者轉爲紅潤，腦鈍者立致靈敏，智慧大開，過目成誦，他日飛黃騰達，光耀門庭，可預卜也，世之爲父母者，欲使兒女爲志士，爲偉人者，盍注意焉，人造自來血，大瓶二元，少瓶一元二角

中國醫學月刊第一卷第五號目錄

現第（一）（二）（三）期月刊再版已出定閱諸君如缺少第幾期月刊請具一郵片來本社立卽奉上

發行部啓

章太炎先生論醫兩則

黃疸論

要略治黃疸方。徐靈胎以爲用輒不效。余嘗患膽氣上逆。痛引胸背。殆十年矣。素不禁酒。飲必酣醉。一日偶食橘肉。膽氣上攻。第四日乃定。右脅下扇動如旋風。須臾胸背引痛。若攢針狀。詰旦面目盡黃。小便亦赤。徧問東西諸醫。皆云膽中凝汁爲石。石猝吒裂。上入血管。以是作痛。膽汁色黃。自血中排泄而出。則徧體皆黃。而小便特甚也。以芒硝下之。當得燥糞堅如礫者。余思要略本有大黃硝石湯。服芒硝不疑。二日果應。因念千金所云。太醫校尉史脫家婢患黃疸。服猪膏髮煎。下燥糞十餘枚者。卽此是也。膽汁上滲之義。中土舊籍未有其徵。獨喻嘉言論錢小魯嗜酒積熱證云。酒者淸冽之物。惟喜滲入。滲入必先及膽。化溺雖多。其烈惟膽獨當之。膽之熱汁滿而溢出于外。以漸滲于經絡。則身目俱黃。爲酒疸之病。此乃正與西說相同。喻公精思冥悟。所得往往如此。然于醫門法律黃疸門中又未舉是義。何也。經言肝熱病者。小便先黃。又言溺黃赤安臥者疸病。肝膽同處。膽熱則肝亦熱。此又其證也。

余自服芒硝後。膽石雖下。黃猶未已。緜延至于浹月。因思血中黃汁。自小便泄出。則必以通利小便爲主。茵陳蒿湯過駃。且以茵陳五苓散處之。喻氏亦云因其滲而出也。可轉驅而納諸膀胱。從溺道而消也。于是朝下芒硝。夕下茵陳五苓散。二十日始愈。由是言之。要略方非無效。然西人論黃疸。以膽汁上逆爲主。劇者因膽石。輕者因膽口炎腫。汁不下于小腸。中土所謂黃疸者。惟熱病發黃。不名黃疸。其餘發黃。通以黃疸目之。要略有桂枝黃耆湯。小建中湯諸法。皆與膽汁上逆之證絕殊。不辨而用之。固宜其不效也。大抵膽石爲病。胸脇無有不結痛者。當其吒裂。則大黃硝石湯。梔子大黃湯。茵陳蒿湯。擇而用之。未有不愈者也。其虛寒裏急者。腹亦切痛。面亦萎黃。則小建中之證。若見胸脇結痛者。卽以小建中湯與之。豈徒不效。且又增劇矣。欲辨此者。膽石吒裂。則脈如平人。虛寒裏急症。則陽脈濇。陰脈弦。且胸脇痛與腹中痛。亦有辨也。

答張破浪論誤下救下書

破浪足下。來書疑僕過信叔和。叔和于太陽篇痓溼暍外。未嘗改易仲景舊次。拙著卒病新論中。已有證明。可參究之。夫叔和之誤。在其序例。（强引內經一日傳一經之說。與本論義不相涉。）而不在其編次論文。方喻以來諸師。疏發大義。卓然可觀。其攻擊序例。不遺餘力。僕亦猶是也。若夫自我作古。變易章句。反以叔和爲誤編者。此猶宋儒顚倒大學。以舊本爲錯亂也。是乃晚世惡習。亦何足尙焉。

舒君（案卽舒馳遠作傷寒論集註者）書素所未見。其疑大陷胸湯。以下救下。請得以陽明篇證之。傷寒若吐若下後。不大便至十餘日。潮熱見鬼。微者但發熱讝語。大承氣湯主之。此非以下救下乎。陽明之病爲胃家實。往往因下得愈。然所以致胃家實者。仲景則曰。「太陽病發汗若下若利小便。此亡津液。胃中乾燥。因轉屬陽明。不更衣內實大便難者。此名陽明也。」然則太陽誤下致內實胃燥者。可不以大小承氣救之乎。夫以大陷胸湯救誤下成結胸者。其道亦猶是也。蓋誤下內陷以後。有令津液枯者。則轉屬陽明而爲內實。有津液上迴者。（下後津液上迴。此爲實事。）則與內陷之熱。遇于胸中而爲結胸。內實則有燥屎結胸則有惡涎。此並有形之物。非徒無形之熱也。非更以下救下。將何術哉。然江南浙西。

妄下者少。故結胸證不多見。而大陷胸湯之當否。亦無由目驗也。吾昔在浙中。見某署携有更夫。其人直隸人也。偶患中風。遽飲皮硝半盌。卽大下成結胸。有揚州醫以大陷胸下之。病卽良已。此絕無可疑者。凡事虛擬其理。不如實徵其狀。況醫道自古至今。長於空議。多不徵實。隨吾所發。必至甲乙相爭。無裨實益。此誤下救下之實況。故書以告。

又大陷胸丸。舒君疑急病不應緩治。然按其方下云。四味合研如脂。和散取彈丸一枚。別擣甘遂末一錢匕。白蜜二合。水二升。煑取一升。溫頓服之。是仍煑丸成湯也。此義本事方已有發明。唯四味但取如彈丸者一枚。則分劑視大陷胸湯爲輕。甘遂同用一錢匕。大陷胸湯二升分再服。大陷胸丸一升頓服之。是甘遂分劑視大陷胸湯爲重。（以一服計）硝黃雖減。甘遂反增。又何疑其緩乎。章炳麟頓首

改造中醫之商榷 續第四號

陸淵雷

中醫學有吸收科學之必要

中醫雖有很妥善的治療方法。無如說理太荒謬。倒有十之八九。是虛無縹渺的話頭。這種形勢。若在一百年前閉關自守時代。碧眼高鼻的外國人不跑到中國來。擦鼻搖頭的中國人不跑到外國去。中國地方永遠沒有科學。那麽這種虛無縹渺的醫學說理。儘可以維持信用。不生問題。如今呢。幾萬噸的大輪船。太平洋面上穿梭價往來不絕。陸地上的鐵路交通。走滬甯津浦平奉南滿西伯利亞。可以從上海直通到科學老巢的柏林。在這種形勢之下。要想把科學擋駕。不使他到中國來。那就好比螳螂舉起臂膊。要擋住車輪。其實不可能的了。科學這東西。又來得結實。一步步脚踏實地。鐵案如山。你若是閉著眼睛。掩著耳朶。不去看他聽他。倒也罷了。若是破戒學了他些兒。就不容你不信。心上信了科學。再看中醫的說理。覺得沒有一樁合於科學的。同是人體的內臟。科學說「循環排泄消化。」中醫說「心腎肝肺火水木金。」同是用藥治病。西醫說「利尿強心。」中醫說「色白入肺。味苦入心。」兩相比較下來。要教人家丟開了脚踏實地的科學。聽信你虛無縹渺的理想。那裏能彀。因爲這個緣故。凡是懂得些科學的人。除却特種關係之外。害了病總得請教西醫。明知西醫治不好。倒是死而無悔。明知中醫也有治病本領。倒是不敢領教。禮記說得好。「上焉者。雖善無徵。無徵不信。不信民弗從。」這「雖善無徵。」就是中醫的實在情形。也是中醫界不懂科學的苦處。

中國人與西洋人風俗習慣雖有不同。皮色黃白雖有不同。但是臟腑構造是一樣的。生理機轉與病理機轉也是一樣的。西洋的白喉血清破傷風血清。一般也醫得好中國人的白喉破傷風。日本人野津猛男用小半夏加茯苓湯治愈英國人阿來甫的胃病。美國舊金山波士盾地方。也有中國人用中國藥治美國人的病。轟動一時。這樣看來。中醫治得好外國病。西醫也治得好中國病。若說中國人體質與西洋人不同。所以西法不宜於中國。這就腦筋太簡單了。

同是一種病。西醫與中醫的治療法不同。病一樣會好。這却用不到疑異。好比走路一樣。從上海到南京。可以坐長江輪船。可以坐滬甯火車。也可以坐飛機。甚而至於帆船。牲口步行。都可以達到目的地。不過時間有快慢。費用有多少罷了。至於中西醫理論上的不同。那就不是這樣。因為病的眞際只有一個。沒決有兩種理論可以同時存在。有了兩種不同的理論。一定有一種是對的。那一種是不對的。或是兩種都不對的。如今西醫的理論。根據科學。一步步從實驗得來。雖不能完全對。大部分總不會不對。中醫的理論既與西醫截然不同。西醫既對了。中醫自然是不對。理論既不對。治療怎麼會對呢。就再把走路來比方。從上海到南京。西醫說「南京的方位在上海之西。應當向西走」中醫却說「南京者南方之京也。欲到南京須向南走。」嘴裏雖說向南走。實際上依舊是向西。所以理論雖錯。治療却不錯。有了這種陰差陽錯的事實。西醫因為駁中醫的理論。索性把中醫的治療一概抹煞。中醫因為自信治療的有效。連帶要保守那虛無縹渺的理論。現在中西醫學之爭。鬧得不可開交。這其間的癥結。就只這一點。說到這個地方。不佞在前一冊裏所主張的第三第四第五個具體條目。說中醫要學了那些科學。纔可以算醫學家。這理由就很容易明白了。因為既懂了中醫的舊說。再懂了西醫的科學。只要稍微加些思考力。把科學法來解釋舊說。並不十分困難。這就是溝通中西的下手方法。而且這項工作。只有中醫做得。西醫卻做不起來。因爲先懂了許多科學。再要教他學中醫學時。就覺得到處模模糊糊。沒有心情去澈底研究了。

科學頭腦與中國學術的枘鑿

中國學術皆是渾然整個的東西。不像科學那樣。可以一步步瞭解。學習科學。用功一天有一天的知識。用功一年有一年的知識。中國學術卻不是這樣。就把文學做個代表。起初上學讀書。簡直是一懂也不懂。只有把古人的文字熟讀玩味。十年二十年之後。自然而然的心領神會。就一懂百懂了。懂了之後。若問他文藝作品怎樣是好。怎樣是不好。卻依舊說不出顯明的標準來。假使讀了一兩年書中途輟學。那就等於不讀。一點得不到文學的知識。自從停止科舉。開辦學校以後。那些教育家想盡方法。要把中國文學納入科學軌道。最初發現的是一部馬氏文通。用西洋 Grammar 的法子。解說中國文法。結果讀馬氏文通的人。沒有一個把文學讀通了的。這一著失敗了。教育家就另想方法。以爲中國文學太艱深了。不合兒童心理。須把國文教科書編得淺顯。使他由淺入深。一次二次試驗下來。還是不中用。還以爲教科書淺得尚未澈底的緣故。於是淺之又淺。就連想到文言合一。統一國語的問題。弄出什麼注音字母及語體文來。豈知中國的幅員遼闊。各省方言不同。若要逼著廣東福建兒童學北京口音。就像讀古人文字一樣的艱難。後來開會議決。把注音國語的讀音分爲數種。湖廣人用一種。閩廣人用一種。北方人又用一種。所以這國語的讀音。還是不統一。

諸君試想。國語未統一之前。中國文字本是統一的。現在打倒了原有文言。用國語的語體文。弄得反而不統一起來。這不是庸人自擾麼。到如今。有許多留學生。讀了幾册西洋的戲劇脚本。便自命不凡。高唱文學革命。套上西洋的新式標點。滿紙「她」呀「牠」呀的新字。什麼新詩哩。新文學哩。鬧得煙舞氣漲。在讀過西文的人看了呢。勉強還揣測到些意思。在不懂西文的人看了。簡直是莫明其妙。自從有了學校教育以來。科學方面果然增加了不少知識。文學方面可稱退步到極點了。因為文學與科學各有各的軌道。科學是惟物的。是客觀的。文學是惟心的。是主觀的。西洋留學生要包辦教育。苦於不通中國文學。索性老著臉自稱新文學。就弄得這樣非驢非馬了。

講到醫學。本來是惟物的客觀的科學。不是惟心的主觀的文學。無如中國醫學却帶著很濃厚的文學色彩。中國醫書多是渾然整塊。沒有一部合於科學方式的。有科學頭腦的人要他學中醫學。簡直比「愚公移山」還要難。倒過來。有文學頭腦的人。要學科學。却很容易。尤其是讀過四子五經的人。頭腦格外靈敏。說起來好像是迷信。諸君休厭煩絮聽不佞道來。

不佞在十歲以前。過的是私塾生涯。天天挨打手心。牙牙地念那四子五經。十歲以後進了新學堂。把打手心跪板凳的日常刑罰一概赦免了。好比猴子脫了樊籠。歡喜得無可不可。耳朵裏又聽著教師的議論。四子五經不過是做八股的資料。八股是專制皇帝的愚民政策。惟有科學可以富國強兵。那時不佞年紀雖小。却也省得甲午庚子兩回國恥。時常握著小拳頭。把外國人恨得牙痒痒地。如今聽說科學可以富國強兵。便鞠躬盡瘁的研究起科學來。又因常聽著科學教師的論調。要破除迷信。那時的不佞。以爲迷信與科學是勢不兩立的東西。若要精通科學。須得先做一種工作。實行破除迷信。於是一個人偷偷的溜進土地堂裏。爬到土地公公膝蓋骨上。把他頷下的白鬍子很命拉得精光。剛巧被廟祝看見了。一聲吆喝。不佞就一溜煙飛奔大吉。心裏還好生得意。吾的工作既已完成了。就受人吆喝也值得。諸君。若論破除迷信的工作。自然要算現今下級黨部裏的同志們。做得澈底了。你看他們排齊隊伍。浩浩蕩蕩。殺奔各處廟裏。把泥塑木彫的偶像。一個個打得稀爛。絲毫不敢抵抗。那些廟祝師巫。嚇得縮頭縮脚。一息兒大氣也不敢出。黨同志的威風。比較不佞那時候偷偷摸摸的樣子。自然有雲泥之判。不過不佞拉脫土地鬍子的時代。處於專制淫威之下。城隍土地又是列入祀典的神明。不佞那種工作。不但廟祝可以吆喝。官廳也可以拿辦。況且那時不佞所有的同志。只有自己兩個小拳頭。比不得如今的黨同志們。處於青天白日之下。黨國要人又大半是耶穌教裏忠實信徒。打倒偶像。自有堂堂國民政府做後盾。這種順水推舟的工作。比不佞自然要容易百倍。可是有一層。不佞的破除迷信。是小孩子見解。好像拉脫了土地鬍子。吾的科學就可以突飛猛進。這不是小孩子的妄想麼。如今的黨同志。却都是成年男女。又是精通三民主義的大學問家。他們的主張行爲。竟像十一二歲的不佞一樣。這就很難索解的了。再進一層。偶像是迷信。應當打倒。「耶穌愛我」就不是迷信。無須打倒。這種理性。只怕小孩都講不出口吧。

閒話休題。不佞既這樣醉心科學。自然拚命用功。反嫌學校裏的課程教得太慢。自己買了些科學書。作課外讀物。切記得有一年暑假裏。讀了十來天數學書。開學後課堂上講了半年。還沒講完。有時把些疑義問問教師。教師答不出來。在不佞呢。眞爲求學起見。並不是故意要難倒教師。教師却以爲不佞有意作難。在教務會議席上彼此訴說陸某桀驁不馴。那時不佞也漸漸長大了。知道科學未必能直接富國強兵。又感覺到世途荆棘。大多數人只打算個人的發財問題。無人可以合作。就存了個消極厭世的念頭。把研究科學的心。冷淡了一半。於是索性搬出十三經廿四史來。做開倒車的工作。隨便涉獵。只當消遣。因此得了些國學的門徑。要不是這樣。不佞的頭腦早已成了科學化。如何會學起中醫來呢。

後來被生計問題驅逼著。再進學校。想弄張文憑。當做喫飯執照。自然又要磨科學的刀背了。那時的同學。有一半還是私塾出身。讀過四書的。還有一半却是欽遵教育法規。從初等小學一步步升上來的。這些小學出身的同學。當然不能責備他們把國文卷子做得韓潮蘇海般好。至於科學課目應當駕輕就熟。很容易了。豈知他們對於科學雖是很用功。却不見得高明。考試時候。常見黃豆大的汗珠。從他們額上直滾下來。揭曉出來。十人中往往有四五人不及格。倒是那些私塾出身的同學。文字既做得好。科學也很不費事的「派司」了。

同時學校裏的教員呢。最體面的自然是留學生。都是秀才廩生。到日本去了幾年。改造出來的槃槃大材。記得有兩句打油詩。詠這班人物。却也繪影繪聲。叫「從今不說之乎者。換得新腔愛吡西。」不佞常聽到這班老師夸張自己學業說「吾們到日本。不過補習了一年語言文字。直接入大學校專門學校。與日本人同班肄業。考起來。總是吾們名列前茅。同班的日本人。從小學中學升上來。成績反不及吾們。可見得中國人聰明。日本人笨。」不佞把教師與同學的情形。參合起來研究。斷定是私塾出身的聰明。小學出身的拙笨。換句話說。就是四子五經能濬發性靈。教科書能使人愚拙。後來不佞自己做教師。留心比較學生成績。竟逃不出這箇例。這話雖是無人說過。教育界中與不佞抱著同樣感覺的。料也很多吧。至於讀國語教科書出身的學生。不佞却未曾測驗過。民國以來的教育家。一天天革新進步。造就出來的學生。當然要特別聰明些。吾們睜著眼瞧罷。

根據上文的事實。有文學頭腦的人。很容易學科學。有科學頭腦的人。很不容易學文學。要溝通中西醫學。先要兼習中西醫學。中醫的書籍帶著文學色采。西醫的人才帶著科學頭腦。西醫既不能學中醫學。那裏能溝通。近來西醫的報章雜志。常說中西決不能溝通。就爲這個緣故。倒是中醫界的人物。除却不學無術的江湖醫生不算。都帶著文學頭腦。若能破工夫研究些科學與西醫學。就不難溝通中西。因此不佞說「溝通中西的工作。只有中醫做得。西醫却做不起來。」能溝通中西的中醫。惲鐵樵先生自然是開山始祖。讀者諸君料也見過他的著作。無須不佞捧場了。此外就不佞所知。却也有三五人、這三五人中間。不佞也要當仁不讓。叨陪末座的。

脾臟的解釋

去年不佞在中國醫學院教書。學生辦一種醫光雜誌。坐定要不佞做些稿子。不佞隨便做了篇「臟腑論。」內中的細目。第一章是「開場白。」第二章是「論脾。」以下還沒做下去。「醫光」剛出了兩期。把那兩章文字登完了。中國醫學院忽然鬧起風潮來。今年能不能開學。尚有問題。就開學了。「醫光」的內部已宣告結束。大概不再繼續了。不佞那篇臟腑論也落得省些功夫。不必廣續。但是醫光的銷數很少只有二三百本。不佞的臟腑論。「開場白」是油腔文字。埋沒了不足惜。「論脾」的一章。似乎還有些價值。如今自己介紹到本刊裏。請讀者諸君指教。恰好當作溝通中西的一例。以下便是「論脾」的原文。

先要知道解剖生理的脾。是西醫心口中的脾。不是中醫所說的脾。西醫心口中的脾。西文叫做Spleen。是個卵圓形的東西。位於左邊季脅（即軟肋）部。大小略如腰子。柔輭得很容易破裂。裏面血液很多。這東西在人身上究竟有什麼用處。現在那班生理大家還沒有弄清楚。有人說他製造白血球。有人說他毀滅紅血球。也有人說他把血液中蛋白質的老廢成份變成尿酸。議論紛紛不一。但是製造白血球是淋巴腺的職司。排除血液中老廢成份是內腎的職司。紅血球又是血中極重要的成份。無毀滅之必要。若說Spleen的作用就是這麼幾種。那就成了個贅物。簡直可以不必有啦。可是人害起病來。這東西却非常高興。往往要參加病變工作。凡是發熱的病。他總是興高采烈。脹得肥胖胖地。好叫病人增加些痛苦。這就是西醫常說的脾臟腫大。害瘧疾的人。若使幾個月不愈。左脅就得結成個硬幫幫的痞塊。金匱上叫他瘧母。就是這東西脹大了不肯還原的緣故。外國人研究這東西的作用。犧牲了無數動物做試驗品。想盡方法還是弄不明白。桄起火來。索性把他割掉了。這動物倒也不死。人身上有了這件東西。沒有沾著他的光。反而生出許多病痛來。除却急性熱病之外。還有什麼脾血管栓塞哩。脾膿瘍。脾腫瘍哩。巨大脾遊走脾哩。都是這勞什子不安本份的緣故。這樣說來。Spleen這件東西。於人身上好像有損無益。不如及早打倒的好。但是天生成的東西。多少總是有些功用的。不能因爲科學家弄不清楚。就硬派他無用。看他組織是個腺體。也許有什麼內分泌吧。

中醫說的脾呢。誰都知道是個消化器官。與左脅骨裏的Spleen當然是絕不相干。所以內經靈蘭祕典論說。「脾胃者。倉廩之官。五味出焉。」六節藏象論說。「脾胃大腸小腸三焦膀胱者。倉廩之本。營之居也。名爲器。能化糟粕。轉味而入出者也。」中醫把脾胃當消化器。把大腸當排糞器。又把小腸當泌尿器。現在生理學發明出來。知道脾不是消化器。小腸也不是泌尿器。因爲這個緣故。外國人對於中醫學。死也不得明白。頭腦簡單的人。像余雲岫一類。自然要把內經大罵了。看官們須知世界上的事物。都是先有需要。後有供給需要的事物。一切學術技藝。都因供給需要而產生。醫學的產生。也只爲供給治病的需要。中醫學本是先有了經效的藥方。再從藥效上推想出理論來。這種理論。在當時的知識範圍以內。能彀說明病理藥效。就算完事。只要治病有效。理論雖不能盡合事實。於醫學的需要上並沒有闕點。這層道理。在下已經在改造中醫之商榷裏發表過了。中醫的診斷治療。都是從健體病體各種機能的不同上定出方法來。病體機能與健體的不同。就是所謂「證候」。中醫注意在證候上面。至於臟腑的名目。不過當作機能變化的代名詞。所以中醫的病名。以及疾病分類法。都從證候上生出來。現在的西醫。恰與中醫成了個反比例。太迷信科學了。病名病類以及治療方法。都要從科學裏生出來。凡是科學的治療。就無效也是好的。非科學的治療。就有效也不肯用。自從有了病理解剖學。西醫的目光。便射定在病竈上面。自從有了病原細菌學。西醫的目光。就射定在病菌上面。至於機能上的變化。以爲不過是一種症狀。無關緊要。直到如今。病竈既沒法子消除。病菌也沒法子殺滅。一味價對症處置。弄得治療的效驗幾乎等於零了。奉勸西醫。不要只管迷信科學。分些腦力出來研究研究機能上的病變。或者治療法可以有些進步吧。如今兜轉筆頭。又要說脾了。中醫說的脾。也是一種機能。僅僅當他是個消化器官。實際上還隔著一層韈統子。抓不著脚踝骨上痒處哩。

內經把脾胃代表消化器官。脾與胃既是兩件東西。這其間也得有個分別。不能媽媽虎虎混過去。先要知道飲食之目的。是要補充身體各組織的消耗。在幼少時期。還要供給全身發育生長的用途。食料吃下肚子去。並不是在胃腸裏遊歷一番就算了。須把食料裏的精液提出來。給胃腸吸收到血液裏。由血液循環到全身。再給全身組織吸收去。纔算達了飲食之目的。這樣說來。吸收是飲食上主要作用。消化反而是吸收的豫備工夫。因爲食物須溶解之後方能吸收。消化作用就是把「不溶解物」變成「溶解物」。把「不可吸收物」變成「可吸收物」。吸收作用是胃腸中毛細血管與淋巴管的職司。毛細血管吸收的食物。直接到靜脈管裏。淋巴管吸收的食物。經過淋巴總管。也到大靜脈裏。在小腸中的淋巴管。因吸收了許多富有脂肪的液體。顏色白得像乳糜一樣。與別處的淋巴不同。所以特別有個名稱。叫乳糜管。

內經把脾胃代表消化器官。脾與胃究竟怎樣分別呢。稍微加點子思索。就知道內經把消化機能歸之於胃。把吸收機能歸之於脾。怎樣見得。因爲太陰陽明論及厥論皆說「脾主爲胃行其津液。」津液就是已經消化溶解了的食物。你看內經當他是胃的成績。行津液就是把溶解的食物吸收到全身組織裏去。你看內經當他是脾的職司。可知古人說的胃是指消化。說的脾是指吸收哩。內臟的組織。因古人不大開剝人體。就不大仔細。軀殼外層的肌肉組織。是很顯明的。肌肉吸收到食物。就長得豐腴潤澤。吸收不到食物。就不免瘦削枯腊。吸收機能既叫脾。所以說「脾主肌肉。」肌肉的肥瘦。四肢上最顯明。所以說「脾主四肢。」多食多痰。肌肉瘦削的人。是能消化而不能吸收。所以叫他「胃強脾弱。」說到這裏。內經上脾字的意義。已是怡然理順。渙然冰釋。看官們平時或許瞧不起內經。當他是部朽腐書。吃在下道樣一解釋。也許要化朽腐爲神奇了。豈知內經的神奇還不止於此。

無論毛細血管淋巴管。凡是吸收的食物。都入靜脈。靜脈血經右心房右心室。噴射到肺裏。再經左心房左心室。噴射出來。由動脈運輸到全身。所以吸收的食物。先要經過了肺。纔能榮養到全身組織。這個路徑。內經也已見到。經脈別論說。「飲入於胃。游溢精氣。上輸於脾。脾氣散精。上歸於肺。通調水道。下輸膀胱。水精四布。五經並行。」靈樞榮氣篇說。「榮氣之道。內穀爲寶。穀入於胃。乃傳之肺。流溢於中。布散於外。」他說「上歸於肺。」「乃傳之肺。」分明飲食先要經過肺。纔能傳布到全身。不過古人不知道心臟專司噴射血液。不知道小循環大循環都從心臟裏噴出。因此沒有說到心臟罷了。

中醫既把脾字來代表吸收機能。所以遇到了吸收障礙的病。就叫他脾病。治療上用催促吸收機能的藥。就叫健脾。吸收機能亢盛時。身上的水分。多數吸到了血管淋巴管裏。組織裏就不免比較的乾燥些。所以健脾藥都是帶些燥性的。催促吸收機能的藥。不但催促胃腸的吸收。一般也催促其他組織的吸收。從藥效上說來。健脾與脾病。竟是泛指任何部分的吸收機能。並不限於消化器官。既不是一部分一器官的作用。若使從解剖生理的臟器裏想找一件東西。與內經上的脾對照。自然一萬年也對照不起來。惲鐵樵先生曾經說。「內經之臟腑。非實質之臟腑。」這話委實是一針見血。不愧爲新中醫的開山老祖。單單一個脾臟。就關係到全身機能。那裏是實質的臟腑呢。中醫對準了證候用藥。從藥效上推究得各種病變機轉。把病變機轉概括起來。成立臟腑的名目。及至把他解釋開來。却又無一處不合於生理病理。這樣近情著理執簡馭繁的學術。若使還有人說「靈素殺人四千年。」說中醫愈病是幸中。不吃藥也會自己好。」這人若不是存心要破滅中醫。定是個一竅不通的渾沌。

嘴裏說脾病。說健脾。實際是吸收障礙。是催促吸收。催促吸收也用不到開刀割治。那麼嘴裏只管說脾。心裏連脾的形狀大小部位。一概都不知道。於治療上也毫無妨礙。前面說過了。中醫的目的。只要醫好病。並不要趕著生理解剖做科學的跟屁蟲。莊子說的「得魚忘筌」。好像替中醫寫照。不過到了現今的時代。還要「戊胃己脾。燥金濕土。」滿嘴亂嚼。那就只好算個醫匠。不能算醫學。至於余雲岫這班人。跑到日本去學了個Spleen。拿回來與內經上的脾一比較。覺得龍頭不對馬嘴。就膽敢潑天大罵。說「靈素殺人。」那就只好算是笨驢。不能算學者。

肺主皮毛的解釋

去年上海出過一種「益智」醫報。辦報人借重他老師的名義。向不佞要稿子。不佞隨手寫了篇「肺主皮毛說。」勉強交令銷差。稿子寄去之後。報紙也沒有看見。不知道那篇拙著。合得上主筆先生的法眼否。現在「益智」報早已停刊了。不佞那篇「肺主皮毛說。」竟沒有留稿。如今用白話文默想出來。湊湊字數。與前面一章的「释脟。」做個無獨有耦。

內經金匱眞言論云。「西方色白。入通於肺。……是以知病之在皮毛也。」六節藏象論云。「肺者氣之本。魄之處也。其華在毛。其充在皮。」五藏生成篇云。「肺之合皮也。其榮毛也。」痿論云。「肺主身之皮毛。」肺主皮毛這句話在中醫是普通常識。記在心頭。掛在口頭。治病開方案的時候。常常應用得著。好比太史公的「當此之時」一樣。也算是得意之筆。若要追根究柢質問起來。答案無非是「內經上有的。聖人教吾們的。」再也說不出別的理由。在稍微懂得些生理學的人。自然知道肺與皮毛是絕不相干的兩件東西。不必勞動余雲岫等如椽之筆。對於「肺主皮毛的話。自然會不信。不佞敢斗膽武斷一句。肺主皮毛這句話委實不錯。不過這個理由。不但中醫不懂。西醫也不懂。不但余雲岫不懂。做內經的人也未必眞懂。如此說來。中外古今。只有你陸淵雷一個人懂得。這法螺未免吹得太大了。諸君且慢責備。聽不佞說個比喻。有農夫供給蔬穀。漁人供給水產海味。獵人牧人屠夫供給肉粮。樵夫供給柴薪。工匠供給鍋鼇器具。再有了鹽梅調和。不佞不過加些縷切燔炙的工夫。做成大漢全席。衛生和菜。成盤整碗價端出來。請讀者諸君大嚼。偶然一兩樣做得可口些。把諸君喫得吮嘴咂舌。不佞便落得個烹調好手的美號。其實自農夫漁人以至樵子工匠。都是勞苦功高。那裏是不佞一個人的能耐。如今的中醫呢。那些家學淵源。用不到讀書的不用說。就是醫校裏的大教授。醫報裏的大主筆。他們鄴架上的錦簽玉軸。無非是一部湯頭歌訣。一部臨證指南。一部內經知要或是素靈類纂合計價值。一尊哀頭還有得找出有了這幾部最要的書。足敎開方子寫脈案。一世喫著不盡了。最肯發奮用功學問最淵博的。向當家太太面前再三疏通妥當了。在家庭豫算案之外。提出一宗特別經費。買他一部精校斷句的御纂醫宗金鑑。那就綽乎有餘。儘可以掛「男婦內外方脈」的招牌。至於科學書西醫書。動不動就是幾塊大龍洋。與經濟學的原則大相矛盾。要買他做怎的。只要牢牢謹記兩句話。「西醫長於解剖。中醫長於氣化。」硬著頭皮。也可以將就與西醫對罵。這個。並不是廚子的烹調手段不高明。實在因爲經濟絕交的影響。廚房裏原料的來源斷絕。只賸得些空心蘿蔔黃蚨白菜。如何做得出好菜來。至於余雲岫這班人。呢廚房裏的原料倒也充足。不過他們的烹調法。別有宗旨。把火雞鮑魚那些。來路貨特別做得可口。把熊掌駝峯鱸魚蒓菜這些國貨。特別做得不堪下箸。不是少放了鹽。便是多加了胡椒。好叫讀者諸君喫了他的西餐。下次再來。喫了他的中菜。不敢覆試。這是因爲他們受了西餐公司的委託。也叫忠於所事。上面這兩種人。各有各的宗旨束縛著。却造就了不佞這個幸運兒。

閒話又說得太多了。要知「肺主皮毛」的理由。先須知道肺與皮毛的生理作用。因爲古人說的肺。就是解剖生理上的肺。Lungs 古人說的皮毛。也就是解剖生理上的皮Skin與毛Hair。不過古人說的皮毛。皮與毛雖是兩件東西。意思側重在皮上。皮毛（皮而已。於毛無關。）的生理作用。約有七端。一裹護全身。二感觸外物。三調節體温。四吸養排炭。五分泌汗液。六分泌皮脂。七吸收油調之藥物。就中以調節體温爲最重要。人身的體温。須法倫表九十八度。最適宜於生活。無論冬夏。須保持這個常温度。體温之生成。由身體上種種化學作用而來。所以要起化學作用。因飲食及新陳代謝而來。飲食及新陳代謝源源不斷。故體溫之生成也源源不斷。因爲要保持九十八度的常溫。故皮膚上也源源不斷的將體溫放射到空氣中去。體溫的來源多了。皮膚上放射出去的也多。來源少了。放射出去的也少。這樣調節體溫。就是皮毛的最重要生理工作。

在冬天外界的氣溫很低。體溫很容易放失掉。生理功能要解決這層困難。身體上的化學作用就登時亢盛起來。增加體溫的來源。同時皮膚也收縮起來。把放射的面積減小。體溫就不容易放失掉。這麼一來。體溫就不至於跟著氣溫而低落。在夏天外界的氣溫很高。有時竟與體溫不相上下。則體溫很難放散。生理功能要解決這層困難。身體上化學作用就登時低減起來。減少體溫的來源。同時皮膚也伸展開來。增加放射的面積。這麼一來。體溫就不至於跟著氣溫而高昇了。諸君但留心考察自己的皮膚。冬天收縮得縐起來。夏天伸展得平平坦坦。這就是尊皮膚黽勉工作的一種表示。到了天氣很熱的時候。皮膚儘量伸展。還不彀放射體溫。就有一種補教方法出汗。本來皮膚上的汗是源源不絕的擠出來。每人每晝夜要出兩磅。折成天平稱。足有一斤半。把嗬囒水瓶裝起來。足有兩瓶。不過這種液汗一出到皮膚表面。馬上蒸發成汽。吾們肉眼瞧不見他罷了。一到天氣很熱的時候。或是劇烈勞動的時候。汗特別加多。肉眼纔瞧得見汗珠子。汗液蒸成汽。必需相當的溫度。所以出汗也能彀放散體溫。出汗與放射。皆是皮膚的職務。可知皮膚的生理作用。最重要的就是放散體溫。

肺是個呼吸器官。呼出自家身上產生的炭酸氣。吸取空氣中的養氣。吸養排炭的功用。諸君料也澈底明白。不佞省些筆墨。不說了。諸君倘若瞧過梅蘭芳的新編好戲。或是聽過性學博士的演講。場子裏人山人海。擠得水洩不通。那時聳耳聳目。雖是享著視聽之娛。可是聳鼻尋肺却大受影響。覺得氣悶非常。這就因爲場子裏的養氣被瞧戲聽講的同志們吸完了。所有的盡是些呼出來的炭酸氣。吸氣時候。好像做買賣的進了劣貨。非但沒銷路。還要受反日會的干涉罰金。那得不氣悶呢。不過一出了戲館演講廳。吸到新鮮空氣。就登時爽快了。

說了大半天的生理功能。肺與皮毛各行各的職務。如何發生聯帶關係呢。原來放散體溫雖是皮毛的職務。肺也幫他的忙。呼吸時呼出熱的炭酸氣。換進冷的空氣。當然也放散少量的體溫。生理學家計算放散體溫的比例。皮毛放散四十分之三十二。肺放散四十分之七。還有四十分之一。是從大小便裏放散的。從這個比例看來。肺所放散的體溫。不能算是少數哩。一方面呼吸雖是肺的作用。皮毛也狠幫忙。不過皮膚上排出的炭酸氣。僅及肺的二百分之一。不能變靜脈血爲動脈血。久不洗澡時。皮毛的呼吸作用當然要受影響。一洗了澡。身體上爽快。也像剛出戲館吸到新鮮空氣時一樣。這是皮毛的呼吸作用忽然恢復了的緣故。若是靑蛙一類的薄皮動物。皮毛的呼吸能力更大。割掉肺也可以不死。

這樣說來。肺主吸呼。同時助皮毛放散體溫。皮毛主放散體溫。同時助肺呼吸。他們倆的合作精神。只怕比英日同盟更來得道地切實。這就是肺與皮毛的聯帶關係。也就是「肺主皮毛」的眞確解釋。但是爲什麼不說「肺與皮毛互助」。倒說「肺主皮毛」呢。因爲古人把生理病理機轉概括起來。分配於五臟六腑。把其餘的器官。都當作臟腑的附屬品。這也是古人缺少生理實驗的短處。肺是個臟。皮毛既不是臟。又不是腑。所以肺主得皮毛。皮毛主不得肺。而且彀不上說一句「與肺互助」哩。

不佞這個理由。是研究傷寒論時悟出來的。傷寒麻黃湯證。發熱。汗不出。氣喘。吃了麻黃湯。出了汗。熱也會退。氣也會平。這是什麼緣故。麻黃湯中四味藥。麻黃的功效。只是發汗。李時珍說他是肺經專藥。不佞却不大相信。桂枝的功效。擴張肌膚表層的小血管。幫助麻黃汗發。甘草好像是位黨國要人。各機關都有他的大名。却不甚負責辦事。只有一味杏仁。如何就平得氣喘。心裏懷疑。不肯罷休。就從病人想到健康人。又從人身上想到動物身上。想到一條狗。居然想出道理來了。無論天氣怎樣熱。從來沒見過狗出汗。只見他張口喘氣。伸舌流涎。可知狗皮與人皮不同。不會出汗。既不會出汗。就不能充分放散體温。於是乎放散體温的大副——肺——就不得不格外偏勞。大呼大吸起來。喘作一團。一面伸出舌子。流出狗涎。把蒸發口涎來代替蒸發汗液。這也是狗生理上一種救濟代償作用。聞得中醫界裏有位鼎鼎大名的狗博士。不知理會得這些道理否。害傷寒麻黃證的人。皮毛上因爲有惡寒的感覺。皮膚就守著過冬天的老例。收縮起來。汗腺也緊閉起來。把體温牢牢守著。死也不肯放散。但是體温的來源。却並不因此減少。體温蓄積起來。所以成了發熱。雖已發熱。皮毛上依舊感著惡寒。反因發熱之後。體温與外界氣温相差愈遠。皮毛拿體温去測氣温。愈覺得外面寒冷。就愈加緊閉起來。所以成了「汗不出」。這時身體上體温太高了。想要放散一點。無如皮毛不肯從命。大班曠職。只有大副出場。把體温從呼吸裏放散。可是肺的散温力。基本只有四十分之七。如今要他代理皮毛。把積壓下來的公事。登時理清。自然見得力小任重。要氣喘了。這樣說來。傷寒證的汗不出而喘。竟與夏天的狗。一般無二。不過狗皮天然不會出汗。無法可想。傷寒證的不出汗。那是「不為也。非不能也。」做醫生的用麻黃桂枝。強迫皮毛出汗。也像官廳政府一樣。叫做「強制執行。」出汗之後。熱血暢行到皮毛。皮毛自然不惡寒。不再緊縮了。體溫也得充分放散。肺也不必再喘了。不佞因此悟得麻黃湯四味藥。得力的只有麻黃桂枝兩味。遇到傷寒病時。往往不用杏仁炙甘草。只用麻黃桂枝。一般也能出汗退熱平喘。并且因此悟得「肺主皮毛」這句話。也有了真確解釋。

前期中說的第六個具體條件。以上兩章的解釋。就算做個舉例。不過不佞這一期的文字。已經特別賣力。比前幾期加多了幾千字了。至於第七第八第九個條件。只得休息一個月。且聽下回分解。

（未完）

藥物講義之片斷

章次公

年來於醫校講授藥物。所編講義。幾經修改。近復增入藥徵考徵與近人研究兩門。自視尚稱完備而切實用。今節錄附子柴胡編者意見一段。就政時賢。全書整稿就緒。卽刊行問世。

附子

編者頻年讀仲景書。無所心得。然于附子之效用。則固略具經驗。先君子以書生從戎于軍幕。得胃寒痼疾。病作時必用生附子乾薑幾錢。然后嘔吐迺定。故兒時對附子。印象已深。比負笈中醫專校。見江陰曹拙巢孟河黃體仁兩授教。恆于夏日以四逆湯療治吐瀉交作。脈伏肢冷之霍亂。時機未失者。多具奇效。自此更視附子爲國產藥物極有價値者。丙寅夏霍亂盛行。吾家太炎先生于報端發表霍亂治法。亦以四逆爲主。且言生附子有强心作用。予昔日視四逆湯爲霍亂之殺菌劑者。今乃知其不然。從附子强心上。更悟及古人謂附子同陽之說爲恢復體溫。蓄體溫之升降。與血液之流行。關係至密。服附子後。心臟不致衰歇。血液循環得以如舊。肢厥膚冷者。亦因之而除矣。當今之世。薛華學說盛行。膽小如鼠。用藥又拘泥時令。于夏日炎蒸之際。幾無人敢以生附子療治霍亂。必待周身之水分排泄殆盡。然後求救于西醫之鹽水針。且稱西醫之所長即在急救。以文其過。仲景之學日就陵替。可勝慨哉。

年來服役紅卍字會醫院。就診者亦有軍隊之士兵。除感冒及水瀉等證外。大半周身痲痺與脚氣。根據仲景用附子於歷節疼痛不可屈伸。或手足不仁之義。用桂枝附子湯。桂枝附子去桂加白朮湯。烏頭湯。多效。至于衝心之脚氣。心窩苦悶嘔吐等惡象已見。亟投生附子以强其心。稍加逐濕下行之藥。奏效者固非一二人。其脚氣之輕者。用附子合通行之鷄鳴散。而去無聊之蘇葉桔梗。亦驗。照吾用附子治脚氣之經驗。收效者多。失效者少。視西醫治脚氣無特效藥。固不可相提并論矣。

通脈四逆湯用附子一大枚。作二次服。蓋急欲强心。故藥取悍速。本方加減法下注明脈不出者加人參二兩。用附子强心之後。何以脈仍不出。脈不出何以必加人參。從此研究。可見仲景方劑博大精深。而中土强心急救方法亦遠邁西醫。西醫于已用强心劑後。脈搏依舊不起。恐再無善後辦法。夫病而至于脈微肢冷。則心臟疲弱可想。强心劑僅能刺激心臟使之陡然興奮。譬如油燈將燼。轉捩燈心。非不暫明也。然不轉瞬而熄矣。惟添油于燈而後轉捩之。乃能久而不滅。仲景以通脈四逆强心。猶之轉捩燈心。藥後脈仍不出。急加人參。猶之注油于燈。即以生理學解釋方義。亦無不合。蓋病者服通脈四逆後。心臟即能恢復收縮及擴張之運動。然而病者血管中充實之血液。其量甚少。故脈依然不出。人參據日本富長壽成氏之報告。脈波微弱而易壓迫者。用之。血壓增進。用脈波計。見脈波漸漸高起。又據古代相傳。人參能大補真陰。所謂真陰。大概津液之謂。或即細胞原形質。準此以觀。則仲景通脈四逆脈不出加人參之理。豈不顯然可見。

服大量生附子後。每有暈冒如醉之現象。此即瞑眩作用。不足慮。仲景亦曾詔人注意及此。桂枝附子去桂加朮湯條曰。一服覺身痺。半日許再服。三服都盡。其人如冒狀。勿怪。

柴胡

宋元以後。于本品之記載蓋至夥。總合之。可得根本觀念凡三。

(一)以時令定其功用　自陽陰五行之說盛行以後。論藥者動以藥物產生時令而附會其功用。柴胡生長春初。春初爲少陽司令。遂附會柴胡得春初少陽之氣以生。自有此語橫梗于中。致生許多曲解。夫柴胡既生長于春。春氣發揚。故柴胡性升而散。肝旺于春。故柴胡入肝。肝主鬱。鬱則生火。內經曾以木鬱達之。火鬱發之爲言。柴胡既能入肝。性又善升而散。以之疏肝解鬱。升陽散火。是學理上勢所必然者矣。

又柴胡爲近世婦科要藥。蓋女子善鬱——鬱爲肝氣不能條達而成——柴胡入肝解鬱。既成定例。故柴胡爲婦人情志要藥。因柴胡入肝之說。遂又附會柴胡能引清陽之氣從左上升。蓋內經謂「肝生于左」也。按之今日生理學。肝臟實偏胸膈之右方。然則「柴胡能引清陽之氣從左上升一語。」不攻自破矣。

(二)以柴胡爲升提藥　余曾根本否認藥物之作用有升降浮沈之說。蓋藥物所起之生理變化。皆屬于化學之現象。其變化不過對細胞分子間之結合上呈其作用。而無所謂升降浮沈也。彼以柴胡爲升提藥之理由。無非因柴胡生長春初得少陽之氣。氣味俱薄。因斷定其具升散之性。于是張元素謂其氣味俱輕升也陽也。李東垣謂引陽氣而行陽道。又謂能引胃氣上行。不求真理。徒尙空想。此中藥之所以日就頹癈歟。

既認定柴胡具升散之性。後世從內經清氣在下則生飧泄悟及柴胡具升清之能。故柴胡有時遂爲大便泄瀉之副藥。甚之謂止瀉之劑中不用柴胡。病必不除者。

李東垣補中益氣湯之用柴胡實屬駁雜。張石頑勉爲之說曰。「……………迺引肝胆清陽之氣上行。使升達參耆之力耳。…………」近世補劑中每以柴胡爲「使」。職此之由。痘　疹　瘡　瘍亦用柴胡。此亦根據其升散之理。謂其發散諸經血結氣滯。柴胡之用愈多。而柴胡之功愈晦矣。

(三)以柴胡入少陽經　自張仲景以柴胡爲少陽篇寒熱往來之主方後世遂從少陽病之寒熱。推想痎瘧之寒熱往來。復從痎瘧之寒熱往來。連及一般寒熱發作如瘧。于是寒熱往來與寒熱如瘧。無不視柴胡爲點綴品。柴胡治寒熱往來。事實上不誣。惟用柴胡必有條件。蓋必其人寒熱往來具有定時。及兼見胸脅苦滿。方能取效。若其人寒熱發作如瘧狀。但一日二三度發或日再發。卽非柴胡所主。（此節採取藥徵及本經疏證之說）近人于用柴胡之定義未能了然。見一日二三發之寒熱及日再發之寒熱。亦用柴胡宜其不效。

後人以柴胡爲少陽藥。遂倡麻黄入太陽經。葛根入陽經明。柴胡入少陽經之說。夫藥物僅可言其能治何種疾病。而不可言其能入某臟或某腑也。「入」如作假定字用。原無不可。奈後人頭腦顢頇者。以詞害義。視「入」當作實有其事解。故支離穿鑿之理論。因之發生。故近人張錫純氏有瘧邪伏于脅下兩板油中。乃是少陽經之大都會。柴胡能入其中。升提瘧邪。透膈上出」之語。張氏在最近著作界中負有聲譽。猶作此僞生理僞藥理之說。其他更無論矣。

旣泥定柴胡爲少陽藥。遂生「病在太陽早用柴胡將引賊入門」之邪說。夫病爲藥所誤。必致傳變。傷寒論中原有其例。夫柴胡仲景以之治胸脅苦滿而往來寒熱者。病在太陽。無柴胡證。謂無用柴胡之必要則可。若太陽病而早用柴胡。遂變而爲少陽病。就吾經驗所得。殊不爾也。

柴胡梢　近世用作濕熱淋濁之使藥。蓋內經厥陰之脈遶陰器。淋濁之病。因以濕熱下注治法。宜清化濕熱。然必有入肝經之藥爲之使。當其選者。莫若柴胡但柴屬升散之性。無下行之理。故用柴胡梢以自圓其說。

西醫胡定安在社會醫報發表論文。大致謂中醫于瘧疾。極詆毀金鷄納霜而用柴胡。殊不知柴胡成分正含有金鷄納霜云。胡之說。未諳有所本否。

肝與神經　續第四號

香港盧覺愚

試再進一步從治效上研究。以求中西學理之匯通。中醫於肝病。有種種治法。今擇其最要者。略論如後。

（一）補血。如地黃當歸之屬。肝病何故補血。以肝爲藏血之藏也。素問五藏生成篇「人臥血歸於肝。目受血而能視。足受血而能步。掌受血而能握。指受血而能攝」以今日解剖生理學證之。毫無疑義。目視足步掌握指攝。皆運動神經隨意筋一部之動作表現。似與血無關。其實全身之血。皆賴神經爲之調節。全體神經。亦賴血爲之營養。神經得血則健全。故目視足步掌握指攝。以得血爲言也。神經失血則拘急。或萎縮。故痺論「風寒濕三氣雜至。合而爲痺。其風氣勝者爲行痺。寒氣勝者爲痛痺。濕氣勝者爲著痺」風寒濕乃形容詞。行痛著爲感覺詞也。神經賴血爲養。血賴神經爲調節。中醫以肝藏血。風生肝。爲言治風治肝當補血。故曰「治風先治血。血行風自滅」。

（二）補氣。如人參黃耆之屬。人體除肺司呼吸。與空氣有直接關係外。其他臟器。不過賴與血中養氣相合而營養化。與空氣無直接關係。然則補氣云云。不過沿襲舊說。却有商量餘地矣。實則中醫所謂氣。原指神經之作用而言。杜亞泉先生中西驗方新編序曰「……中醫所謂氣。即西醫所謂神經。蓋神經興奮則鎮靜之。神經衰沈則激刺之。一切機官之病狀。與其療法。無不與神經作用有關係。不過譯西籍者。曰神經。意在指其實質。我國古來謂之氣。意在指其作用而已。……」此言與吾意不謀而合。須知此非吾個人之私言。事實確是如此。本此義以觀。所謂氣逆氣滯氣虛諸說。

肺氣腎氣肝氣諸病理氣順氣補氣諸法。皆可迎刃而解。且血旣賴神經調節。神經又賴血管養。二者關係爲密切的。二者影響爲直接的。故曰「氣以運血。血以載氣。」神經以作用言。血液以實質言。故曰「氣藥有行血之功。血藥無益氣之理。

（三）驅風。如獨活川芎之屬。驅風之名。亦沿舊稱。蓋古人以拘攣爲筋病。以掉眩爲風病。以筋屬肝。肝爲風臟。拘急掉眩。得獨活川芎而愈。因目獨活川芎爲風藥。獨活川芎何以能愈拘急掉眩。眞相如何。非待生理醫化學更有進步時不能闡明之。然古人根據治效立言。亦至確當。吾人但能心知其故。不必泥於字面。斯可已。惲鐵樵先生幼科全書曰。「……驚風以蟲類爲特效藥。此是事實上積久之經驗。執果溯因。可以斷定蟲類能弛緩神經攣急……」準之蟲類能弛緩神經。所謂風藥。亦能弛緩神經矣。特弛緩神經。無非麻醉之效。古人有單服川芎過量而暴絕者。其故可想。然麻醉之藥。必先呈暫時間之興奮性。興奮過後。麻醉之作用始顯。古人知其然也。制劑服其適當之量。轉能收興奮之效果。故謂「風藥有行氣活血之功。」惟藥性烈者。如曼佗羅花草烏番木鱉雙鸞菊等。縱服少量。已呈麻醉作用。過量卽足致命矣。且風藥對於神經之攣急。不過能弛緩之。究非根本治法。况風藥皆燥。燥復傷血。故古人用風藥。必以血藥輔之。

（四）涼肝。如梔子膽草之屬。至眞要大論「諸熱瞀瘛。皆屬于火。諸吐嘔酸。暴注下迫。皆屬于熱。」昏悶曰瞀。抽搐曰瘛。酸。木之味。暴吐下迫。肝氣之逆也。此二節雖非明言肝病。然就形能求之。是肝病無疑。是府病之屬火屬熱者無疑。屬熱屬火。而又斷定屬肝。以梔子膽草治之而效。於是執果溯因。涼肝之名。爲不謬爾。凡養化機能亢進。體溫增高而發熱。謂之全身症。如是本難斷爲某臟某腑之病。然全體血量賴神經之調節。得以平均分佈各處。生理本如是也。苟神經因激刺而起變化。調節血行之力。卽受影響。於是有一部分充血而一部分貧血者。有此部分貧血而他部分充血者。充血貧血。皆屬病之現象。就病之現象。以斷病竈是何部分。則某臟某腑之病。可得而言矣。肝風肝火之名。涼肝平肝之法。無非就形能治效以下定義而已。此外如介類潛陽石物鎮墜。或事疏導。或兼逐瘀。皆治肝法中所當有事。然苟明瞭以上各節。則正不難索解。

神經之解剖生理病理。皆詳見西籍中。吾以西說爲言者。原借其說以彰吾固有之學理。無所謂軒輊。且以古書所言。證以西說。益信而有徵。於以見吾國醫學之確有價值。玆篇之作。特其小焉者耳。

養身術 續第四號

趙澤漢

我上一期曾說。養身術要把神仙辟穀等法。拖在一塊。那就不是養生。簡實是養死。這並不是虛話。江左時逸人先生的鄰居。有一位姓陸的。年事約有三十左右。去年忽然異想天開。要學張果老呂洞賓。飛升登天。痴顛了一樣。成日成夜在家打坐凝神。沒有多時。手足也不能動了。耳朵也不能聽了。眼也花了。結果坐成了一個殘廢。天生一個有耳目鼻舌手足的人。本來是叫他活動起作用的。如今停止他的作用。砠礙他的活動。卽使不死。當然要成殘廢了。所以不佞的主張。一個人並不要長壽不死。只要能終其天年。達爾文人類進化論說。人類死是進化的。這句話一點不差。怎樣就能終其天年呢。一日光二熱三空氣四飲食五水這五種事件能調養得宜。自然康健強盛無病無恙哩。

日光　日光與人生長上極有關係。一箇人如果長居在暗室中。或無日光之處。其人體魄必定瘦弱。血液必定淡薄而不能鮮紅。從前英國舊法律。凡居民的玻璃窗。過了若干定數。就要重征其稅。這種惡法律的結果。使他國內的民衆不致多出來。雖有嫁娶而生出來的嬰兒。因日光不足。就不容易生長。英國這種惡法律早已取消。所以現在的英國人。體格又強盛又活潑。較其他國人尤爲健全。我們中華人既沒有這種惡法律規定。而一般民衆。大都蒙蒙昧昧。不知利用日光。終日蟄居足不出戶。甚而至於日上三竿。還高臥未起。尤其是婦女們以爲日光能晒黑皮膚。不但不利用日光。反見了日光生畏。不知日光的功能。並不晒黑人的皮膚。而且能嬌豔人的皮膚。不看見鄉村裏的小姑娘。紅紅的臉兒。嬌憨跳笑。多麽美麗。那些大家閨秀。終日足不出門。面上塗了厚厚的粉。暮氣沉沉。令人望而生厭。兩相比較。就可想而知了。所以養生的要義。日光是最要緊的。日光的功能。能興奮人之精神。強盛人之血液。堅固人之筋骨。讀者諸君公餘之暇。能在光天化日之下時時散步。當知余言之不謬也。

熱　地面上的熱。也從太陽裏射出來。來路與日光同。不過因四季氣侯的變化。空氣的熱度。昇降甚大。就長江一帶而論。夏天最熱時有九十多度。冬天最冷時只得二十多度。可是人身體上的熱。無論冬天夏天。常要有九十八度。纔能保持健康。人體熱度太高太低了。起馬也要害病。弄得不好就是送命。空氣中所得太陽的熱度。既是比人體應有的熱度低。因此人體上熱度。不能全依賴太陽。須別有法子生出熱來。身體生熱的法兒。叫做燃燒作用。譬如把柴炭油煤等燒起來。燒得急速。不但生熱而且發光。燒得緩慢。就只生熱而不發光。人體要時時補足這九十八度應有的熱度。所以不住的起緩慢燃燒。凡是燃燒作用。皆是可燃體與助燃體化合時所生的作用。人體內的可燃體。就是一日三餐吃下去的有機物質。即如澱粉糖質油質皆是。助燃體只有呼吸時所得的養氣。沒有第二種東西。呼吸所得的養氣。遇到人體內可燃體中的炭。就化合而成炭酸氣。遇到可燃體中的輕氣。就化合而成水。化合之時。就起緩慢燃燒而生熱。人若是少吃了東西。人體內的可燃體就要缺少。但是燃燒作用不能停止。那時人體就有一種挖肉醫瘡的補救方法。先燒身體內的油。油燒完了就燒肉。肉燒完了燒血燒筋。燒到了血與筋時。身體內生熱材料告罄。性命也就告終了。飲食之物。一半為生熱材料。一半為滋補百體之用。下面「飲食」一章裏再詳說。現在先說箇大略。凡是澱粉油類含炭質的食物。都能直接生熱。凡是肉類米麥等含輕氣的食物。都能滋補血肉。知道了這層。對於熱的養生法。就有箇標準。冬天須多吃含炭質的食物。夏天須多吃含輕氣的食物。

人身大問題。飲食之外。就要算衣服。衣服不但是章身之具。也是維持人體熱度的緊要東西。好比理財方法。一方面要開源。一方面要節流。飲食就是體熱的開源法。衣服就是體熱的節流法。不過金錢這件東西。人們總以為多多益善。那麼開源節流兩方面儘可以無限度的努力。體熱却比不得金錢。坐定要九十八度。少了果然不行。多了也使不得。那麼飲食衣服都得有箇限度。若不是這樣。天天狐裘貂帽。美味膏粱。就可以壽比南山。豈不是很容易很簡單。吾這篇養身術大可以不必獻醜了。閒話少說。衣服如何是體熱的節流法呢。因為空氣的熱度。常低於體熱。空氣是不傳熱的東西。但得他靜定不動。體熱不致於傳散到空氣中去。但是要空氣不動。很難很難。一動了就刮出風來。風吹到人身上。就把體熱吹散去了。穿了衣服。把皮膚與流動的空氣隔絕。就可以節制體熱的去路。平常人少穿了衣服。又吹著風。就會傷風欬嗽。那些舊式中醫說起來。是風寒跑進身體的結果。其實這話是絕對謬誤的。風是空氣動的現象。沒有空氣時。決不會有風。若使空氣到了身體裏邊。有肌肉臟腑四面的障礙。決不會動。不動就不是風。況且西醫注射藥針時。設使手術不高妙。針管裏有空氣。注射到身體裏邊。肌肉就要腐爛。起絕大的危險。決不止於傷風欬嗽就算了。那麼靜的空氣都不可以——而且不致於跑進身體去。而況風是動的空氣呢。至於寒。那不過是一種感覺。並不是實質的東西。更不會跑進身體去。受了風寒要傷風欬嗽。却另有一種道理。因爲人體生熱時產生出來的有害物質。多半於出汗時從皮膚上排泄出去。受了風寒。皮膚有了寒冷的感覺。就縮得緊緊的不肯出汗。那些廢物要別尋出路。紛紛跑向呼吸器官裏。於是氣管粘膜鼻粘膜很命的分泌粘液。爲的是要把有害物質從分泌裏排泄出去。氣管粘膜所分泌的就是痰。鼻粘膜所分泌的就是涕。痰多了就喉痒欬嗽。涕多了就鼻塞噴嚏。有時分泌特別加多。眼睛也幫起忙來。弄成箇涕淚俱下。推原禍始。却因爲少穿了衣服。皮膚多接觸了冷空氣的緣故。

少穿了衣服要傷風欬嗽。多穿了就怎樣很明顯的結果。是體熱不易放散。體熱不放散。高於九十八度時。肌膚筋絡就會鬆懈。血液的流行也加速。弄得頭腦裏昏昏沈沈。身體懶於動彈。有時熱出一身大汗。身體就格外的困倦了。所以穿衣服不宜太少。也不宜太多。最好。覺得冷了就添衣服。覺得熱了就減衣服。吾們家鄉有兩句俗語格言。「脫脫著著。勝似喫藥。」雖是淺俗。却極有至理。

在熱帶地方。空氣中的熱度。往往要高於九十八度。穿衣服的目的。就倒轉來。不是防體熱散到空氣中去。却是防空氣中的熱射到人身上來。無論那一種目的。總要使衣服不傳熱。方爲合用。這就要講究到顏色了。凡是深黑的顏色。容易傳熱。淡白的顏色。不易傳熱。所以穿衣服的要道。冬天要多穿。夏天要少穿。而不可不穿。顏色却不論冬夏。總是淡白的好。

（未完）

冷罨療熱病之感想

沈仰慈

竊讀上海醫報第一號冷罨與熱病一則。觸發平日之感想。若鯁在喉。不吐不快。爰作是篇。先敘事實。次陳管見。以供社會人士之研究。

一、事實　約在民國九年夏秋間。師山某生在滬求學。患溼熱症。送某醫院治療。未旬日。其戚某君邀余往視。見病者頭戴冰帽。身罩冰囊。手足挺直。仰臥病床。不語如尸。病房中置冰盆。窗牖洞開。涼風習習。而病者肺部高突。呼吸翕張。上下起伏。勢甚喘促。腹部不動。呼之再三。目似微啓。喉音已失。不能出聲。按其脉搏。沉數無倫。大肉消脫。皮膚清涼。余問其戚屬曰。病幾日矣。曰未滿旬日也。初起症狀若何。曰頭痛發熱。胸悶腹痛。惡食欲嘔也。余曰。據此則中醫所謂溼熱症也。何劇變若此。其戚曰。院長斷爲流行性熱病。故用冰罨療法。大便祕則灌腸。每日哺以牛乳雞汁。維持其體質。余曰。

功效何如。曰已問之院長。院長謂如法療治。曾得其師德人某贊同。且看進行何如。余默然出病室。其戚屬追詢曰。何如。余曰。唉。疾亟矣。目瞀。音啞。脉亂。氣促。聲帶枯。大肉脫。呼吸不及下焦。敗象顯然。命在旦夕。尚待治療進行耶。此積熱在肺胃。無所發泄。外用冰罨。皮膚固已涼矣。其如裏熱不得發泄何。吾醫所謂熱邪內攻。此症似之。今肺已熱極。故呼吸喘促。肺津不潤。故聲帶失音。神明將閉。故不語如尸。津血銷爍。故大肉消脫。若再內攻。必瘈瘲躁擾。熱入心臟。必見血而死。雖有名醫。莫可挽救。況在醫院。誰負其責。卽有回春妙手。又何從延致。余惟有謹謝不敏焉耳。遂與某君偕行。時在下午三四時許。翌晨五時許。某君岔息蒞余寓。歎曰。某生逝矣。速起助余爲辦殮事。余急披衣起。曰。死狀若何。曰誠如君言。夜間。其舅氏伴宿病床首。午夜後病者忽嗚嗚然。嚶嚶然。如讝語。頃之。蹶然起。肢體擾動。滾於床下。輾轉反側。似活鯉之初脫於鉤而跌撲於地者。萬狀難過。不可強制。急以電話招院長。及院長蒞止。病者已口吐鮮血。橫挺地上。嗚呼死矣。余被此強烈之刺激。深印腦際。凡當時目所覩耳所聞者。今一還想。猶歷歷顯像。絲毫不爽。冰罨與熱病何如。遂永永不能無感於中矣。

二、管見　吾國醫經有云。「熱者寒之。」此固治熱病之正鵠。寒之云者。卽今所謂寒涼解熱也。又曰「行水漬之。和其中外可使必已」此以冷水却熱。尤重在「和其中外」一句。若冷其外而中不能和。則外固冷矣。裏熱仍伏。何能必已。又曰「傷寒陽毒熱盛昏迷者。以冰一塊置膻中良。」膻中在兩乳間。不過方寸之地。所置之冰。不過一塊。又係陽毒熱盛之症。非一般溫熱病也。古人文字渾括而活潑。少一定範圍。無確切界說。正予後人研究餘地。且體質之強弱。

古今中外。斷不相同。病機之變化。經絡臟腑。又各萬殊。若執前人數句成語。便謂冷罨之法。與古相符。萬無一失。則期期以爲斷斷不可。余親見某生冰帽冰囊冰盆掩護其週身。卒不能退其肺胃之熱。以致口出鮮血而死。余又聞死者之姪。在其叔亡後數日亦病。初起症狀。與叔相似。鑒於叔之亡於醫院也。急買棹歸里。用中藥醫治。未用冰罨。竟獲痊愈。然則冰罨之治熱病。其利弊得失。甯不有應研究者哉。唐容川先生醫經精義五臟所傷條。有云「肝熱筋灼。驚癇瘈瘲。肺熱欬嗽。氣上口渴。脾熱消肉便祕潮熱。腎熱骨蒸精枯髓竭。上焦熱則心煩口渴頭眩目痛。中焦熱則飲食減少。腫脹痢瘧。下焦熱則小便不利。大便失調。熱之見證不一。西醫一見熱病。卽以冰置胸前。熱輕者可以立撤。若熱重者。外被冰阻。熱反內攻。爲熱毒伏心而死。香港疫症。爲西醫十治十死。皆此故也。」唐氏之言。誠有所見。但熱輕立撤一語。亦未盡善。蓋熱輕者可無須冰罨。而冰罨亦未必盡合也。余謂此種治標之策。大抵陽明經白虎之症。或可取效。何謂陽明白虎症。曰。陽明者陽分熱極。必自汗出。必大煩渴。其脈必洪大。治宜白虎湯。或加人參。煩渴爲裏熱甚。自汗出則熱不閉。此時邪火亢盛。血熱沸騰。故脈必洪大。身必喜冷而惡熱。於是置冰膻中一法。可以應急而濟變。然猶不如含冰飲冰之妙。某歲夏季。酷暑炎熱。余與龔君遂初同寓其戚串家。一日。龔市物午歸。面赤。氣粗。汗出。煩渴。頭暈。目眩。急招余診。謂見空中白雲。盡作紅色。切其脈洪大而數。余曰此中暑症也。急迫間不及待湯藥。可速食冰。而寓中無冰。向比鄰乞而得之。食冰一大塊。自謂涼沁心肺。神氣清爽。竟未藥而安。此熱者寒之之效也。若夫寒閉之熱。溼鬱之熱。陰虛之熱。均用冰罨。斷然僨事。

(一)寒閉之熱。　人之傷於寒也。毛竅閉塞。肌腠不通。於是臟腑之氣。不得暢泄。鬱而爲熱。其證頭痛。發熱。氣促。無汗。此宜開啓汗孔。發汗而解。經所謂「體如燔炭。汗出而散」者是也。夫體如燔炭。其熱可知。若以冰罨。汗不得泄。體功起反應作用。勢必愈罨而愈熱。燥津銷血。禍變不測矣。

（二）溼鬱之熱。熱症淸之則愈。濕症宣之則愈。惟溼熱相搏之症。往往宜先宣而後淸。步驟一亂。變症蜂起。王孟英曰「熱兼溼者必有濁苔而多痰也」若不宣化其濁痰而一見熱象便用冰罨必致阻碍其氣機。而病變不測也。

（三）陰虛之熱。經云陰虛則熱。陰是何物。大抵指全體之津與血也。津消血耗。是謂陰虛。陰虛者體功發生救濟之作用。將軀體內之酸素燐素。悉數自燃。發現熱象。所謂「陰虛則陽浮」也。若用冰罨。速其死而已矣。

善哉軒岐之論治熱病也。曰「當瀉其熱而出其汗。實其陰以補其不足」此言也可爲治熱病之金科玉律。西洋學者誠能研究中國醫學。熟繹斯言。吾知其必五體投地。斷不恃冰罨法而一意蠻幹矣。

（贅言）同學王君之哲嗣。現在某醫校習西醫。一好學之士也。余屬稿竟。過之。語以大意。王曰誠然。冷罨治療。本非完全妥善之法。西醫界已曾公認。今德日派醫生。亦不甚採用矣。余曰善哉。善哉。足徵醫界之日有進步。

傷科概論

傷科錢達九

傷科臨症。手術多而用藥少。此人盡知之。夫關節脫臼。骨折骨歪等症。固全恃手術。然整復以後。尙須以藥餌養攝。否則傷處脆弱。官能上之健痊。不能復舊矣。滬上西醫。對於傷科一門。實感才難之嘆。曩養病於白克路某醫院。有脫牙牀者來求治。余請於院醫。得隅處而視。先令病者坐手術椅上。固定其頭部。一人復旁立持下頷。一人面立施手術。敷藥水也。窺探口內也。擾擾幾一時。病者始得釋。而口內流血。奪齒出矣。余啞然笑。默思上一牙牀。乃如是費力。苟遇環跳骱肩頭骱脫臼。不知將病人若何磨折也。

吾國傷科。於整復下頷脫臼時。祇須命病者端坐椅上。醫生面立。施用手術。經過時間。至遲不過三分鐘。病人亦不感痛苦。且西醫於整復脫臼骨折等症後。惟施他動的適當運動。或電氣法。視藥餌爲無足重者。故經西醫診治之骨折或胯關節脫臼。遇氣候劇變。或勞動之時。多發酸痛。中醫於手術後。必投以補腎壯筋生血補髓之劑。一經治癒。官能健康。一如曩昔。吾故曰。傷科手術。西醫呆滯。而中醫靈敏。至用藥之妥愼周詳。西醫遠不如中醫。吾國傷科所不如西醫者。則爲切除術。血管縫合術。而作者對於切除術。尚有不滿者在。蓋脫臼及單純骨折。固無不可整復者。即使閱日久遠。其官能作用。亦不致全廢。惟遇複雜骨折。醫者少感棘手。然除防止引起破傷風及衰弱虛脫外。實無殞命之虞。而死於切除術者。時有所聞。知切除術之未能滿意也。

總上所述。非作者故抑西醫。或誇大吾言。質之精手術。研藥理之傷科前。當不河漢吾言。

醫藥劄記兩則

姚兆培

其一

余姪年六歲。去歲四月間。患喉痧症。初起不過發熱。喉嚨紅腫作痛而已。是時余適在家。即用清熱發表藥。囑家中服二劑。余即外出。越五日。家中忽遣急足至。謂病勢危急萬分。速即返家診治。余至家。見病者膚間痧點隱隱。約略可見。膚質枯燥。甲錯如樹皮。脈極數。每分鐘一百五六十跳。唇焦。齒黑。耳鼻流膿。口舌糜爛。口不能張。喉嚨亦不可得見。但聞喉間痰聲漉漉而已。所可異者。熱勢如此。而口不渴。略不思飲。與飲亦拒也。

余診視既竣。即問家中此病何由致。是家中人謂余行後。即有西醫來。因西醫治喉症血清有特效。故即請其針血清。予所處清熱發表方因恐與西醫血清相衝突。故雖購而未服也。越日血清無效。喉症加劇。膚間更微露疹點。西醫遂更用猩紅熱針。越日又無效。病益劇。乃改用中醫。歷請滬上負名諸先生。服後亦俱無效。予索視其方。則非薄荷青蒿輕淡之品。即地黃犀角大劑清熱養陰之輩。予即舉薄荷青蒿一方問家中人曰。此方服後如何。家中人曰。無變動。予更舉地黃犀角一方問家中人曰。此方服後如何。家中人曰。此方服後更增煩躁。藥無對症。遷衍數日。病勢遂變成今日之模樣耳。

余既詳悉此症本末。家中人即促余處方。余曰。證甚險惡。容予審思之。不必急急以藥試病。病必無幸。苟無對症藥。不如停藥也。是日即未服藥。予思此症。膚間點點者為疹。疹當透。但肌膚撫之厚硬如牛皮。望之乾枯如樹皮。疹點隱沒其間。欲透不能出。欲進不能入。殆如礦物中之化石。蓋已失其功能而成死肌矣。肌既死。藥必無應。汗必無望。彼以薄荷數分希冀透表者。相去遠矣。唇焦齒黑。口舌糜爛。具為燥熱無疑。燥當滋。熱當清。清熱養陰。是其正治。但口不渴。是胃不能消水也。水尚不能消。麥冬生地滋膩之品。何能投乎。必使口不渴轉為口渴。胃能消水。然後能用滋陰藥也。今口不渴。當屬胃中有痰。蓋喉間痰聲漉漉。可聞而得。小兒不知吐出。但知嚥下。其胃實不啻一痰盂矣。膠痰黏涎。滿儲胃中。胃不能消化。又不能排洩。故口不渴耳。彼用地黃犀角者。似矣。但未滋其液。先助其痰。漏此一着。故服後反增煩躁也。現今宜先除痰。痰去口渴。然後可用清熱滋液湯劑。余即於治痰諸藥中。取地栗一味。翌旦即命僕購鮮者三斤搗汁。

是日西醫來。予即以予意告之。西醫曰。否。否。無其事。胃有排洩功能。若胃中有痰。早已排入腸中。且昨日已行灌腸手續矣。余聆西醫此論。暗中不覺笑其眞𥈭𥈭。負名之西醫。見解亦不過如是。亦知此症上不飲食。下無二便。已數日。消化機能。顯已停止。排泄功用。當然阻滯。若胃能排入腸中。腸又何獨不能排出肛門。而必待昨日之灌腸手續乎。且灌腸只能及腸。灌不到胃。痰在胃不在腸。與灌腸又奚涉哉。更請其處方。西醫曰。脈太數。熱不退。須防其心臟衰弱。用強心劑。數日無小溲。宜利之。用利尿劑。寫畢。即忽忽提皮夾而去。家中問余此藥可用否。余曰。强心藥。無庸。利尿藥。不可服。數日無小便。此非小便不利。津液乾涸而無小便也。今更利之。津液不更涸乎。液充小便自利。速與服地栗汁可也。不肯飲。强灌之。盡二茶杯。漸肯飲。汁共一斤餘。一晝夜頻頻與之。盡劑。口乃大渴。索飲。予擬進鮮地黃汁。仍恐其膩。乃用金汁。取其益津清熱而行水道也。索飲即與。亦一晝夜盡二斤餘。至是得小便。色深紅而溷濁如米泔。數次後。始漸淡。繼進穀芽湯與金汁合劑。明日得大便。黏滯如膏。而上部耳鼻流膿。唇焦齒黑等症。亦漸輕減。再隨症調理一月餘。始全愈。所不能愈者。右耳已聾。蓋耳內流膿時。曾有骨一小塊。自耳內隨膿流出也。

其二

僧道符呪等事。余素不信。然亦願一窺其祕。而破其奸。聞滬上有一道士。能以符咒治小兒百病。生涯頗不惡。余遂忻然往領教。見其始則循行符籙之老例。繼則抱兒於懷。而遍體撫摩之。乘間以指甲作掐。口中念念有辭。是即所謂呪矣。每遇搯則必口中雜以敕嘿等字。撫摩先額。繼太陽。繼手足。繼大腹小腹。卽畢事。噫。此推拿也。特較之通行之推拿醫生。則少用葱蒜二物耳。不曰推拿。而曰撫摩。不曰撫摩。而曰符呪。世間愚夫愚婦獨多。以此號召。宜其生涯獨盛矣。推拿頭腹手足。不過汗下二法。且搯時小兒遇痛必狂哭。哭時更寓汗下意。小兒百病風寒食積最多。宜其撫摩呪語。能治百病矣。此道士亦狡矣哉。余曩聞有人以傷寒專家名於時。所謂傷寒者。乃風寒食積時行感冒有寒熱病者之總稱也。其初診方。不外解表寬胸和中下氣。千篇一律。可以刻板。蓋輕症遇此方卽解。重症先以此方疏通表裏。表裏既通。汗解下解。惟聽自然療能之便。覆診時窺其趨向而順治之。此誠妙法也。不圖道士亦偸得此巧妙。但只能得初診之汗下。汗下不應。卽告伎窮耳。

凍瘡效方

開化夏道懷

戊辰臘月。予友趙君。患凍瘡。足根紅腫。勢將腐爛。痛癢之甚。不能履地。夜不安眠。百藥罔效。予於江蘇錫山周莘農先生手輯之集驗方瘡毒門。索得治凍瘡一方。法用鍛瓦楞子研極細末。麻油調敷。予將是方告諸趙君。依法治之。立止痛癢。數日卽痊矣。按凍瘡乃冬令嚴寒。皮膚爲寒冷所侵。致血氣凝結而不宣。故作痛癢。並發紅腫。類若癥瘕。然內外治之各殊耳。瓦楞子爲甘鹹瀉品。散結行瘀。並治一切氣血癥瘕。佐以麻油之清熱解毒敷之。故其紅腫痛癢自若失矣。予不揆愚昧。謬妄議評。企望海內同志有以教正。則幸甚焉。

臨床實驗錄

沈仰慈

溼毒誤治幾成癱瘓

魯人唐西園君。業書畫接件者也。交游頗廣。丙寅夏有事漢皋。得溼毒症。秋初返滬。寓小西門盛祥里。其友某君爲之醫治月餘無效。適楊惕深兄與唐對宇而居。朝夕過從。成相識。見唐之日漸萎頓也。力勸易醫。唐乃持楊介紹書來診。余見其皮膚紅疹成粒。點點作癢。搔之則流脂而痛。唐謂已醫治月餘。不得愈而兩腿關節漸强。屈伸不利。步履重著。須人扶持矣。余索閱所服方。出示十餘紙。大都苦寒淡滲。清火利溼。後數方且雜以禹餘糧一味。余曰。君曾久瀉乎。曰。未也。曰。曾便血乎。曰。未也。然則用禹餘糧何居。余又問之曰。君日來食糧得無銳減乎。曰。然。向固健啖也。余按其脈。沉細而數。驗其舌。無苔而絳。乃告之曰。是病原係溼熱之毒。伏於營分。故發爲癢疹。而所服方藥。多治氣分溼熱者。惟苦寒伐胃。久利傷陰。胃衰則食減。陰傷則筋急。況又疊進禹餘糧質重性濇。能妨血液之流行。人身關節。以兩膝爲最巨。既以陰傷而失潤。又以血滯而阻塞。無怪其日痺矣。唐聞余言。卽大贊服。余曰。治病須權緩急輕重。而腿不急治。恐成癱瘓。皮膚瘡癢。無大害也。今宜先矯藥誤。以恢復脾胃運化之力。然後養陰活血。伸筋通絡。以治兩腿之痺着。隨參清血化毒。以療皮膚之猪瘮。但此非一二方所能奏效。能守余言服藥。期以一月。或可復元。唐極首肯曰。先生言是也。乃書醒胃扶脾方與之。越二日。唐命其子來邀余往診。唐曰。服藥兩劑甚適。食慾較佳。前醫某君。多年稔友也。本不以醫問世。前治吾病。全爲友誼。昨復來視。吾以先生言告之。渠甚贊服。且亦自承藥誤。余歎曰。君友知過不諱。君子人也。如有機緣。請爲介紹見之。唐曰甚善。吾不良於行。屈駕來診。至感厚誼。亦與先生締交。可乎。余曰善。乃爲易方。以養陰活血伸筋通絡爲主。囑服三劑。越三日。余又往視。唐曰。前夕兩腿骨節間。忽痛楚異常。竟夜不得寐。今較差矣。余喜曰。積痾可愈矣。由痺而痛。正是血行欲暢。筋節將通之兆。可知藥已奏效也。唐曰某君來視。亦云然。余曰某誠君子人也。得渠一言。足以堅君信仰。否則同行嫉妬。謗必隨之。君尚敢盡藥三劑耶。余見方已中病。遂稍爲增減。囑再進三劑。越三日。余又往。則唐已起床。兩腿屈伸。不如前之重著矣。乃減伸筋通絡之味。而加清血化毒之品。服三劑。紅疹漸少。又三劑。諸恙悉退。乃與調理方。未一月而復原。唐君病既愈。來謝曰。吾業全恃各地奔走。設不遇先生。竟成癱瘓。子女未成人。將奈何。余曰是亦緣也。楊君之介紹。某君之贊許。皆與有力焉。雖然。非君信余之深且堅。又烏能每方三劑以告成功耶。翌年。唐君往漢皋。繼又遊香港。赴天津。往通必來晤。情甚殷焉。

瀉痢後腹痛

友人郭君寓小西門時。其夫人夏季患痢。西醫以灌腸法治之。轉爲泄瀉。又經西醫治療。復轉爲滯下。欲泄不得泄。飲食不進。腹痛甚劇。以呢毯掩護腹際跪臥。自病起至是。將月餘矣。聞余曾治愈甬人唐西園君之錮疾也。乃舍西醫。邀余爲治。診其脈沉細無力。余曰此證此脈。是虛寒腹痛也。殆初由攻利太過。及繼泄瀉又驟與止濇脾腎元陽。因此大傷矣。現當盛夏天氣酷熱。然脈證如此。非投姜附熱藥不可。郭君曰然。余乃書理中湯加歸身。白芍。附子。吳萸。生姜。大棗。爲方。時已旁晚。囑之曰此方以三盌水煎取一盌。分作兩服。初服後如適意。至夜半再服之。腹痛當愈。否則再以電話見招可也。翌日不見郭君來邀。後數日遇郭君語余曰。君之方奏效如神。一劑服後。其病若失。遂不復藥矣。時在民國十五年六月下旬。

論中西醫學之爭與杏林醫學月報社書

陸淵雷

辱賜書。獎飾逾恆。愧且勉矣。僕近年始留心醫學。朋輩中常要索稿件。充其書報篇幅。辭不獲已。則捉筆率成若干言。聊以塞責。每見西醫攻擊中醫者。叫囂隳突。不可嚮邇。僕以爲淺俗不足與辨。故作滑稽之言以譃之。初不欲與此輩爭一日之短長。亦不欲爲今世所謂中醫者。保其飯椀也。中醫勝於西醫者在治療。治療莫善於仲景。仲景書但據證候以用藥。直捷了當。未嘗雜以陰陽家言。千金外臺。間有玄誕之論。猶未失仲景矩矱。金元諸家。始專以五行六氣爲說。下至葉桂吳塘王士雄之徒。乃揭櫫溫熱。以自異於仲景之傷寒。今世所謂中醫者。皆宗葉吳王。不讀仲景書。不用仲景法。此皆左道旁門。非中醫之大宗嫡系也。五運六氣十二經脈之說。始自素問靈樞。蓋出入於道家陰陽家。非經方疾醫之流。自七略冠黃帝內經於醫經之首。後世言醫者。莫之或易。然此是李柱國所爲。非劉氏父子意。仲景自敘。雖云撰用素問九卷八十一難。然傷寒金匱。頗與內經難經殊異。今之靈樞難經。亦未必仲景所見之九卷八十一難。且天元五運等七篇。係王砅附益。非素問原書。則五運六氣之說。仲景固未嘗撰用矣。至於葉桂所謂溫邪犯肺。逆傳心包者。其病卽西醫所謂大葉肺炎。僕遇此等病。每視其證候。投麻杏石甘。小青龍。麻黃等湯。不過三五日卽愈。瘀血之病。西醫所謂血栓栓塞者。殊無治法。僕於此等病。每視其證候。投桃核承氣抵當湯丸。桂枝茯苓丸。大黃牡丹皮湯。當歸芍藥散。下瘀血湯。大黃䗪蟲等劑。取效亦速。由是言之。仲景之法。不特葉桂所不及。西醫亦遠不及。夫據一定之證候。投一定之藥方。而其病愈。則愈病不得爲倖中。投藥據證候。不據五運六氣十二經脈。則五運六氣十二經脈。非中醫之險要也。僕質魯。於仲景書用力殊苦。曩讀徐氏傷寒類方。以爲得仲景治療法之條貫。嘗擬取金匱方治。

增益而重編之。以觀其匯通。奔走衣食。卒卒未暇。近見東醫吉益東洞之書。如類聚方。方極。藥徵等。與鄙見不謀而合。以其言施之病者。良效。且東洞之所守尤約。不但五行六氣俱被擯斥。即仲景書中一切病名議論。亦所不取。乃益信向日之主張爲不謬。知中醫之菁華。在此不在彼也。往者東醫皆宗丹溪。東洞出。提倡復古。一以仲景爲師。而丹溪之學微。明治維新。德醫之勢大張。漢醫幾乎絕迹。今則漸知德醫不足恃。相率研求漢醫學。祖仲景而宗東洞。號爲皇漢醫。旗鼓大振。然使向無東洞。則漢醫早已滅亡於明治維新之際。安能復振於今日。何則。丹溪之治療。不能賢於德醫耳。今中土之所謂中醫者則不然。不能宗仲景。且不能宗丹溪。獨守葉桂吳塘之書。以爲中醫學在是。復沈迷於五行六氣之說。死而弗悟。彼固尊仲景爲聖人者。然聖人之書則不讀。聖人之法則不用。問其故。則曰古方不可治今病也。曰江南無正傷寒也。嗚呼。中醫之不學無術。夷於江湖賣伎也久矣。江湖賣伎者不足責。獨怪張元素秦景明之徒。樞機不愼。一言之流毒。如此其烈也。（運氣不齊。古今異軌。古方新病。不相能也。見金史張元素傳。江南無正傷寒。見秦景明傷寒大白）今國內西醫之摧殘中醫。不亞於東邦明治之際。而中醫之學術治療。遠不及東洞之徒。以彼鑑此。中醫雖欲不亡。其可得乎。西醫攻擊中醫。以陰陽五行六氣十二經脈爲放矢之的。是猶韓昌黎之闢佛。昌黎本不知佛。所闢者特念經募化之和尚耳。中醫貿然自辨。亦以陰陽五行六氣十二經脈爲固國之險。甚且自承爲哲學醫。恬不知怪。是猶和尚以念經募化爲佛耳。夫闢佛者以念經募化爲佛。閑佛者亦以佛爲念經募化而已。楚則失矣。齊亦未爲得也。且以念經募化而啓人闢佛。則和尚者佛之罪人耳。故旁門左道之中醫。不讀仲景書。不用仲景法者。卽無西醫攻擊。僕亦不敢引爲同道。西醫欲摧滅中醫者。余雲岫汪企張最健。其餘不過吠影吠聲而已。企張淺陋不足道。雲岫固不失爲學者。彼亦知傷寒金匱千金外臺爲有用。而上不取靈素難經。下不取金元四大家。嘗陳其意於章太炎先生。則學識既是矣。學藝雜志嘗載雲岫之文。於傷寒金匱方中。尋繹附子之功用。此卽吉益東洞考徵藥性之法。雲岫留學日本。又憙涉獵中醫籍。度亦嘗見東洞之書。且知日人趨向漢醫之故矣。然猶摧殘中醫。甘爲戎首。且於東洞之法。祕不肯言。則其學雖可取。其心乃不可問也。然則吾儕今後所當致力者。厥有兩端。其一。須使中醫界悉擯謬說。而宗仲景。其二。宜究仲景方所以得效之故。加以科學說明。使中醫學推行於海外。則人類之福。邦家之光。若夫中西之爭。意氣之論。非所急也。鄙見如是。未審諸君子以爲何如。數千里遠辱下問。用敢略陳其愚。陸淵雷頓首。

青浦唐映書君來函

編輯先生。我是最歡喜看醫界刊物的一個。尤其是歡喜看有價值的醫界刊物。所以無論那一處出版了一種雜誌或報紙。總要討一份樣本來看看。若是好的。那就節衣縮食的抽出幾個錢來去訂閱。現在單拿我已經訂閱的算起來却也有七八種。可是好的很少。而且限於經濟。不能盡量的定閱。所以如某刊某報及某誌等。就無緣會面了。前月看見了貴刊的樣本。不禁油然起敬。不得已似的就定了一份。這又何故呢。因爲貴刊所刊載的。篇篇具有改造醫學的可能性。不若時下的出版物。專以陳死人的閒話來出風頭的所可比擬的。常說這種翻舊句充著作的。猶如骨董商。沒有精粗美惡的鑑別。祇知年代久遠爲可貴。所以說來說去。總跳不出五運六氣相生相克的話頭。但是醫學是活的。不是死的。是進化的。不可比之於骨董玩器的。若處此二十世紀科學昌明的時代。還以顢頇頭腦去應付一切。不知研究。不事改良。吾恐中醫距「壽終正寢」的日子不遠了。陸淵雷先生是一個有學問有見地的人。今春有人聘他到某醫校裏教內經。他趁着機會。將內經裏的精義。盡量的發揮。對那虛無飄渺。如五運六氣等謬說。一掃而空。用全副精神。要想拿醫學來澈底的改革一下。可是急壞了一個骨董商派的眞學者名教員。以爲陸先生這樣的教學。不是消滅吾國四千餘年的國粹嗎。同時又想到恐學生同他問難。若是答不出。不但有關體面。而且飯碗也說不定要打碎。於是盡力的發出一種反宣傳高喊着「離經叛道」啊。「不知保存國粹」啊。後來陸先生知道了。因與這腦筋充滿了澱粉質的學者。實沒有同他講話的餘地。於是抱着孤芳獨賞的態度。就遠走高飛各行其道了。噫。這是何等沉痛的事情啊。在這裏吾却要聲明一下。因爲吾不是某醫專的學生。至於當時的眞正聲色。實沒有聽到。以上所說。是從陸先生的著作中。字裏行間懸揣出來的。但是雖是懸揣。吾知事實必是如此。閒話少說。言歸正傳。貴刊第二期裏登的陸先生記的慢脾風一文。吾看了之後。却有些不明瞭。這不消說是醫學程度幼穉的關係。但是吾生性好問。不願因吾程度幼稚而不問。照所序症狀看起來。似乎莊在田回陽壯水的法子可用。不是附子理中再加熟地似也對症。而陸先生偏偏寫上一張烏梅丸。吾相信陸先生決不是謄寫的。一定有道理的。不過因吾程度幼稚而不知其所以然罷了。望將這信轉致陸先生。請他詳詳細細的解釋一下。這是吾很希望的完了。敬祝著安。唐映書

陸淵雷附答　過承獎飾。愧不敢當。所以用烏梅丸之故有三。（一）按其胸腹。上暖而下涼。（二）口噤不食而久下利。（三）凡驚皆病涉神經系。厥陰病證亦皆有神經證候。故用之。所用是現成丸劑。上海藥鋪有售。名仲景烏梅丸。其餘藥味。記得是養血溫通之品。原方不能全憶矣。回陽壯水固宜。然其時腸胃機能太衰弱。用熟地恐不能運化。用大劑附子。恐陽回而陰不能副也。

中國醫學月刊　一卷五號

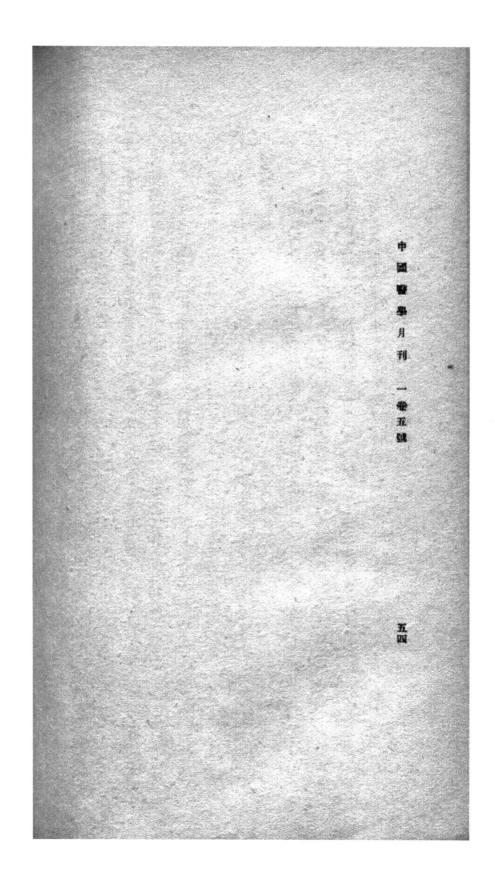

本刊歡迎投稿啓事

本刊宗旨。欲以科學原理證明中醫學。同人等研究所得。不敢自是。就正有道。海內外宏達加以糾正。無任榮寵。如有闡發中醫學理之稿件。尤所歡迎。

學術愈研究愈精確。讀者諸君於本刊著作。如有異議。不妨儘量質難。本刊無不儘量登載。惟攻訐私人之文字。無關學理者。請勿見惠。

來稿文字。本刊編輯部得以修改潤飾。以不改動原意爲主。若投稿人不願被修改時。請於稿上註明。惟登載與否。原稿恕不寄還。

本刊非營業性質。來稿登載後。除贈閱本刊外。不另送酬金。投稿人如欲取酬金者。請於稿上註明。登載後亦可酌量致酬。

投稿字迹。務請繕寫清楚。萬勿過於潦草。白話文言。不拘體例。

稿件登載後。如有剽襲雷同。發生糾葛。由投稿人直接交涉。本刊惟宣布投稿人住址。餘不負責。

投稿人務請將姓名住址詳示。以便通信。

稿件請寄上海南市王家馬頭懋業里陸淵雷轉。

爲解析疑難起見。特闢問答一欄。如有中醫學理上疑難問題。本刊揭載之後。徵請通人作答。惟患病徵方。恕不答復。蓋治病須當面診察。通函論診。事屬危險也。

本刊編輯部謹啓

此條之證。西醫名傳染性黃疸。Infectious Jundice 亦名外耳氏 Weil 病。病原爲黃疸出血鉤端螺旋體。其特殊症狀爲發熱全身性痛黃疸內臟有出血趨向或見鼻衄四肢或見水腫。卽此條所謂一身盡疼。發熱身色如熏黃也。患者多係執業於卑濕鑛地之工人。歐戰時軍人久居濠塹。亦患此病。流行時期。夏季最盛。故金匱謂之濕家。

凡黃疸皆因膽汁混入血循環所致。其黃必先見於眼結膜。病向愈則結膜之黃最後退。若身黃而眼不黃。卽非疸。舊說黃疸有陰黃陽黃之辨。發熱身黃。鮮明如橘子色者。爲濕熱。爲陽黃。宜梔子蘗皮湯之類。黃色暗滯如煙熏者。爲寒濕。爲陰黃。宜白朮附子湯之類。此就應用治療上。分辨藥證。爲中醫之特長。

濕家。其人但頭汗出。背强。欲得被覆向火。若下之早則噦。或胸滿。小便不利。（原注一云利）舌上如胎者。以丹田有熱。胸中有寒。渴欲得飲而不能飲。則口燥煩也。

此條言治濕不可下也。治外濕宜發汗。治內濕宜利小便。無下法。惟急性熱病。往往至陽明而愈。所謂陽明主土。萬物所歸。無所復傳也。若濕去而燥實。始可依陽明法下之。下之若早。即有變端。如此條所云矣。體溫之來源不足。故欲得被覆向火。而頸以下不得汗。陽者親上。虛陽上浮。故頭汗出。背強之理。與痙同。其人雖有濕。然陰陽兩虛。不堪誤下矣。噦即呃逆。因橫膈膜痙攣所致。西人言其原因。多由胃粘膜受刺激。今因誤下而噦。則知下劑刺激胃粘膜也。胸滿亦是誤下虛其胃氣所致。常見於消化不良之病。小便不利。是亡津液。

丹波元簡云。胸中有寒。丹田有熱。寒熱互誤。傷寒論黃連湯條云。胸中有熱。胃有中邪氣。邪氣即寒也。方中用乾薑桂枝。其義可見。諸瀉心湯烏梅丸之類。悉為上熱下冷設。巢源有冷熱不調之候。云陽并於上則上熱。陰并於下則下冷。而無上冷下熱之證。蓋火性炎上。水性就下。病冷熱不調。則熱必浮於上。寒必沈於下。是以無下熱上冷之候也。凡誤下之證。下焦之陽驟虛。氣必上逆。則上焦之陽反因下而成實。以火氣不下行。故爲上熱下冷之證。此條證亦然。舌上如胎而口燥者。上熱之徵。渴欲得飲而不能飲者。下冷之驗。與厥陰病心中疼熱。飢而不能食。雖有飲食之別。其理則一也。故知此證若非寒熱錯雜之劑。則難奏效。案丹波說是也。病苟未至於死。則人體對於病毒及有害外物。皆有抵抗救濟之力。不當下而誤下之。則下藥爲有害物。體工起救濟作用。竭全力上升。以抗藥力之下降。然下降之藥力在下焦。上升之救濟力偏於全身。此時下焦之上升下降力平衡。則不顯自覺證狀。惟成下冷之局。上焦之上升力偏勝。則感胸滿而成上熱之局。卽丹波所云上焦之陽反因下而成實也。體溫及細胞之生活力。古人謂之陽。謂之熱。謂之火。細胞之原漿及血漿淋巴等液體物。則謂之陰。謂之寒。謂之水。蓋以機能爲陽。以物質爲陰也。體溫低落。細胞生活力衰弱。惟原漿血漿等無恙者。謂之陰寒氣盛。其實陰寒之病。不過機能上比較的退減。並非物質上有所賸餘也。同是陽熱。體溫則謂之衞陽。細胞之生活力則謂之眞陽。然眞陽必藉衞陽之呴煖。方能成其功用。故大汗亡陽者。亡其衞陽而眞陽從之。病至體溫低落則全身細胞之生活力皆將衰弱。然維持生命之主要器官爲心肺腦。一切病死皆死於心肺腦之機能停息。故西人自古以心肺腦爲死亡之三脚架。心肺腦皆在身體上部。體溫低落則體工起反射救濟。悉全力以上溫心肺腦。所謂陰盛格陽上熱下寒之病。皆由於此。惟無論何種病變。體溫無須集中於下部。故無有上寒下熱者。黃連湯瀉心湯之證。固非陰盛格陽之比。然身體既有體溫上集之本能。病則體溫之分布失其常度。遂因上集之本能。而成上熱下冷之證。古人習見此種機轉。故有火性炎上水性就下之喩。

或曰。信如所言。陰盛格陽爲體溫上集之救濟。然用附桂以溫納陽氣。豈非故意與體工爲難。隳其救濟作用乎。曰是不然。體工之救濟。不由於意識而由於反射。故各種機能不相調協。往往反而危及生命。不然。自然療能將與調節機能無異。病理機轉亦將與生理機轉無異。無所用其醫治矣。皮膚汗腺。本司體放散溫。汗腺之排列於身體也。上部密而下部稀。體溫集中於上部。則上部之皮膚汗腺。盡量爲之放散既被放散。則他部之體溫愈益集中於上部。此二種機能不相調協。終至亡陽而死。治之以附桂者。附子所以生陽。肉桂所以攝陽於下部。肉桂之力與體溫上集之力平衡。則衞陽眞陽不致亡越於上矣。或又曰。病有陰寒氣盛而不見格陽者。則又何也。曰是因體工不能起救濟。其病尤重於格陽。不過格陽者可以立見陽脫。其死速。不格陽者陽雖微。不致遽脫。其死緩。論病勢則格陽者尤急。論病情則不格陽者尤重也

濕家下之。額上汗出。微喘。小便利（原注一云不利）**者死。若下利不止者亦死。**

此條亦戒誤下與上條同意。尤氏云。額汗出微喘。陽已離而上行。小便利。下利不止。陰復決而下走。陰陽離決故死。一作小便不利者死。謂陽上游而陰不下濟。亦通。金鑑引李瑋西云。濕家當利小便。以濕氣內瘀。小便原自不利。宜用藥利之。此下後裏虛。小便自利。液脫而死。不可一例概也。

風濕相搏。一身盡疼痛。法當汗出而解。值天陰雨不止。醫云。此可發汗。汗

之病不愈者。何也。蓋發其汗。汗大出者。但風氣去。濕氣在。是故不愈也。若治風濕者。發其汗。但微微似欲出汗者。風濕俱去也。

如首篇所釋。古人以神經系疾患爲肝病。在天爲風。在藏爲肝。肝旣指神經。則風病亦是神經病。故知風濕相搏。一身盡疼痛。乃神經痛也。西醫言神經痛之原因。多由於感冒及冷却。是卽外感六淫之風。其治神經痛。常用發汗劑。亦猶中藥之麻桂荆防。皆能發汗。而皆稱風藥。故曰發其汗。汗大出者。風氣去也。天陰雨不止。則空氣中水汽飽和。易成外濕。觀於潮濕地之居民。易染僂麻質斯。(卽風濕及歷節疼痛。)則知外濕易引起內濕。無論外濕內濕。濕在肌肉者。皆須以微似汗解之。微緩之汗。可以促組織之吸收。可以成皮膚之蒸發。則內濕外濕俱去。若驟汗大汗。組織不及吸收。皮膚亦難蒸發。則疼痛雖除。濕氣仍在。古人謂濕性濡滯。正因治濕須微似汗耳。

濕家病。身疼發熱。面黃而喘。頭痛鼻塞而煩。其脈大。自能飲食。腹中和無病。病在頭中寒濕。故鼻塞。內藥鼻中則愈。(原注脈經云病人喘而無濕家病以下至而喘十三字案十三字當作十一字)

此條卽西醫所謂流行性感冒。流行性感冒之證候。非常複雜。西醫以類相從。分爲四類。曰呼吸系統類。曰神經系統類。曰胃腸類。曰發熱類。四者或交互而發。或混合而見。此條身疼頭痛。是神經系統類。發熱而煩。脈大。是發熱類。喘與鼻塞。是呼吸系統類。自能飲食。腹中和無病。則不見胃腸類之證狀也。面黃由於虛弱。患流行性感冒者。往往病勢不重。卽致虛弱。鼻塞是鼻粘膜發炎。亦名鼻卡他。其人必苦多涕。涕卽炎性滲出物也。鼻粘膜發炎。而謂之頭中寒濕。可知古人以炎性滲出物爲濕。足以證吾前說。錢氏傷寒溯源集云。病淺不必深求。毋庸制劑。但當以辛香開發之藥。內之鼻中。以宣泄頭中之寒濕則愈。朱奉議及王氏準繩。俱用瓜蒂散。案此非傷寒論之瓜蒂散。但用瓜蒂一味。爲末。吹鼻中。

濕家身煩疼。可與麻黃加朮湯。發其汗爲宜。愼不可以火攻之。

痓濕暍篇所舉。皆是發熱之病。故皆冠以太陽病。篇中諸條。有不言發熱者。省文也。此條但舉身煩疼一證。若不發熱。但煩疼。何得遽用麻黃湯。金鑑引趙良之說。以爲雖不發熱而煩已生。故用麻黃湯。大誤。又雖發熱而病人自汗出者。禁麻黃。此是傷寒論大法。不可不知。朮能促組織之吸收。語在傷寒論今釋中。火攻乃漢末俗醫常用之法。故仲景屢以爲戒。今則治熱病鮮有用火者矣。

麻黃加朮湯方

麻黃三兩去節　桂枝二兩去皮　甘草二兩炙　杏仁七十箇去皮尖　白朮四兩

右五味。以水九升。先煑麻黃減二升。去上沫。內諸藥。煑取二升半。去滓。溫服八合。覆取微似汗。

麻黃湯方解在傷寒論今釋。彼用甘草一兩。朮分赤白。始於名醫別錄。仲景書本但稱朮。後人輒加白字。別錄之赤朮。卽今之蒼朮。此方意在使濕從汗解。則宜蒼朮。丹波元堅傷寒論述義引施氏續易簡方云。去濕以朮爲主。古方及本經止言朮。未嘗有蒼白之分。自陶隱居記朮有兩種。後人以白者難得。故貴而用之。殊不知白朮肉厚而味甘。甘入脾。能緩而養氣。凡養氣調中。則相宜耳。蒼朮肉薄而味辛烈。辛烈走氣而發外。凡於治風去濕。則相宜耳。

三因方麻黃白朮湯治寒濕。身體疼煩。無汗惡寒發熱者。即金匱本方。而詳具其證。尾台榕堂類聚方廣義云。麻黃加朮湯治麻黃湯證而小便不利者。隨證加附子。又云。婦人體弱者。姙娠中患水腫。與越脾加朮湯木防已湯等。往往墜胎。宜此方。或合葵子茯苓散亦良。又云。山行冒瘴霧。或入窟穴中。或於麴室混堂。諸濕氣熱氣鬱悶處。暈倒氣絕者。可連服大劑麻黃加朮湯。即蘇。案據尾台氏說。則此方可治炭酸中毒。

病者一身盡疼。發熱日晡所劇者。名風濕。此病傷於汗出當風。或久傷取冷所致也。可與麻黃杏仁薏苡甘草湯。

日晡所猶言傍晚。取冷猶言貪涼。此條與前條。俱有身疼之證。舊注謂風濕與濕家異者。濕家痛則重著不能轉側。風濕痛則輕掣不可屈伸。濕家發熱蚤暮不分微甚。風濕之熱日晡所必劇。以此爲辨。前人言病理多不足信。若其審證用藥則經驗所積。有足多者汗出當風久傷取冷。言其病因。麻杏薏甘湯治多數性繼發性關節炎 Multiple Secondary Arthritis 甚效則經文所謂一身盡疼。乃一身之關節盡疼也。此病常併發續發於淋病腭扁桃炎猩紅熱痢疾腦脊髓膜炎等傳染病。蓋宿因之濕。因新感之風而引起也。

麻黃杏仁薏苡甘草湯方

麻黃去節半兩湯泡　甘草一兩炙　薏苡仁半兩　杏仁十箇去皮尖炒

右剉麻豆大。每服四錢匕。水盞半。煑八分。去滓。溫服。有微汗。避風。

此方分量煑服法。當是後人改易。外臺腳氣門所載。却是金匱原方。彼引古今錄驗云。濕家始得病時。可與薏苡麻黃湯。麻黃四兩去節。甘草二兩炙。薏苡仁半升。杏仁二兩。右四味。㕮咀。以水五升。煑取二升。分再服。汗出卽愈。

薏苡仁。本經云主筋急拘攣。不可屈伸。久風濕痺。別錄云。除筋骨中邪氣不仁。利腸胃。消水腫。案麻黃加朮湯證不常見。其病是暴病。屬寒化。故治之以朮與桂。麻杏薏甘湯證是久病。屬熱化。故治之以薏苡仁。何以知之。麻黃湯本治急性病初傳之藥。故三因方舉惡寒之證。外感之通例。初傳屬寒。末傳化熱。以其惡寒。故知是初傳之暴病。以其寒化。故治之以桂枝。以其暴病。故治之以氣味俱厚之朮。朮性微溫。亦宜於寒化之病也。麻杏薏甘證。云久傷取冷。本經云薏苡仁主久風濕痺。故知是久病。日晡熱劇。係陽明證。故知是病久化熱。以其熱化。故不用桂枝。以其久病。故用氣味俱薄之薏苡。薏苡微寒。亦宜於熱化之病也。湯本右門衛云。考諸家本草。薏苡仁治甲錯膿汁膿血帶下。利尿。治疣贅發疹。而有鎮痛鎮痙消炎解凝諸作用。余常用葛根湯加薏苡仁。治項背筋痙攣。又加朮。治急慢關節痛。又用柴胡劑加薏苡仁桔梗。治腐敗性氣管枝炎及肺壞疽。又用大黃牡丹皮湯加薏苡仁。或去芒消。或去芒消大黃。治魚鱗癬盲腸炎淋疾。又於猪苓湯加薏苡仁。又加甘草大黃之等。治淋疾。又用桃核承氣湯大黃牡丹皮湯桂枝茯苓丸當歸芍藥散之類。加薏苡仁。治白帶下。又單用薏苡仁。或與諸方配伍。治疣贅。皆收卓效。惟有一事須注意者。薏苡仁性寒。

有利尿緩下作用。略如石膏劑。若組織枯燥。或下利。見虛寒證者。忌之。

風濕。脈浮身重。汗出惡風者。防己黃耆湯主之。

脈浮是風。身重是濕。汗出惡風。是表虛。然身不疼。則風已微。汗出惡風。則表虛爲急。故不取麻桂之發汗。反取黃耆之實表。表實而汗不出。則濕無去路。故取白朮之吸收。防己之下達。本經云。防己利大小便。別錄云。療水腫風腫。利九竅。明防己能引濕從小便出也。日本人亦以防己爲利尿劑。本經雖言利大小便。實以利小便爲主。否則與治濕但利小便之旨悖矣。

防己黃耆湯方

防己一兩　甘草半兩炒　白朮七錢半　黃耆一兩一分去蘆

右剉麻豆大。每抄五錢匕。生薑四片。大棗一枚。水盞半。煎八分。去滓溫服。良久再服。○喘者加麻黃半兩。○胃中不和者。加芍藥三分。○氣上衝者。加桂枝三分。○下有陳寒者。加細辛三分。○服後當如蟲行皮中。

從腰下如冰。後坐被上。又以一被繞腰以下。溫令微汗。差。

此方分量煑服法。亦經後人改竄。千金風痺門所載。當是金匱原方。千金云。漢防已四兩。甘草二兩。黃耆五兩。生薑白朮各三兩。大棗十二枚。右六味。㕮咀。以水六升。煑取三升。分三服。服了坐被中。欲解。如蟲行皮中。臥取汗。案方後加減法。太無理。不可從。

吉益東洞方極云。防已黃耆湯。治水病身重。汗出惡風。小便不利者。尾台氏云。防已黃耆湯。治風毒腫。附骨疽。穿踝疽。稠膿已歇。稀膿不止。或痛或不痛。身體瘦削。或見浮腫者。若惡寒或下利者。更加附子爲佳。淺田宗伯勿誤藥室方函口訣云。服後如蟲行。及腰以下如冰。皆濕氣下行之徵。

傷寒八九日。風濕相搏。身體疼煩。不能自轉側。不嘔不渴。脈浮虛而濇者。桂枝附子湯主之。若大便堅。小便自利者。去桂加白朮湯主之。

桂枝附子湯。卽傷寒太陽篇之桂枝去芍加附子湯。再加枝桂一兩。附子二枚。彼云。

太陽病下之後脈促胸滿者桂枝去芍藥湯主之若微惡寒者桂枝去芍藥加附子湯主之。蓋因中風汗出而用桂。因胸滿而去芍。因陽虛惡寒而用附。所謂陽虛者體溫低落。細胞之生活力衰弱也。此條之桂枝附子湯。方藥既同去芍加附湯。而桂附尤重。卽藥以測證則知體溫低落。汗出惡寒。必更甚於去芍加附湯證。經不言者。省文也。體溫低落。汗出而不得蒸發。於是既出者流離於皮膚。則惡寒益甚。未出者停蓄於汗腺。則鬱成外濕謂之風者以其得之發熱汗出之中風也身體疼煩是風。不能轉側是濕不嘔不渴是裏和胃中無病亦以明八九日之非少陽陽明證也。脈浮虛是表陽微濇是濕。重用桂枝者。治其自汗之風也。重用附子者。復其將絕之陽也。不用芍藥者無拘攣之證也。

去桂加朮。尤氏心典之說似是。尤氏云大便堅。小便自利。知其在表之陽雖弱。而在裏之氣猶治。則皮中之濕自可驅之於裏。使從水道而出。不必更發其表。以危久弱之陽矣。故於前方去桂枝之辛散。加白朮之苦燥。合附子之大力健行者。於以並走皮中而逐水氣。亦因勢利導之法也。案小便利者汗必少。桂枝之性。能暢肌腠之血運。不能開皮膚之汗腺。故汗出發熱之病。用桂枝則熱從汗解。今因小便利而汗少。且表陽已虛。若用桂枝則濕不得與汗俱出。徒傷其陽。不用桂枝則濕無去路。故加白朮以吸收之。使從自利之小便出。所謂因勢利導也。若然則去桂加朮證之異於桂枝附子證者。不但小便利。亦當汗出少矣。

桂枝附子湯方

桂枝四兩去皮　生薑三兩切　附子三枚炮去皮破八片　甘草二兩炙　大棗十二枚擘

右五味。以水六升。煑取二升。去滓。分溫三服。

三因朮附湯治冒雨濕著於肌膚與胃氣相并。或腠開汗出因浴得之。卽於本方加白朮茯苓

白朮附子湯方

白朮二兩　附子一枚半炮去皮　甘草一兩炙　生薑一兩半切　大棗六枚

右五味。以水三升。煑取一升。去滓。分溫三服。一服覺身痺。半日許再服。三服都盡。其人如冒狀。勿怪。即是朮附並走皮中。逐水氣未得除故耳。

金匱經文及傷寒論。俱名去桂加白朮湯此標題又稱白朮附子湯。千金翼名朮附子湯外臺名附子白朮湯實皆一方也傷寒論白朮四兩附子三枚生薑三兩甘草二兩大棗十二枚。千金翼外臺並同

吉益氏云去桂加朮湯治桂枝附子湯證。而大便難。小便自利。不上衝者。

三因生附白朮湯。治中風濕昏悶恍惚。脹滿身重手足緩縱。縶縶自汗。失音不語。便利不禁。即本方乾薑代生薑去大棗

風濕相搏骨節疼煩。掣痛不得屈伸。近之則痛劇。汗出短氣。小便不利。惡風不欲去衣。或身微腫者。甘草附子湯主之。

此條與前條朮附證相似。惟朮附證汗少而小便利。故不用桂枝。此條汗多而小便不利。故用桂枝。使濕從汗出。短氣則病在上。治水腫之法。在上在表則發其汗。在下

在裏則利其小便。濕與水腫同科。故治法亦同。或見身微腫。則竟成水腫矣。

甘草附子湯方

甘草二兩炙　附子二枚炮去皮　白朮二兩　桂枝四兩去皮

右四味。以水六升。煑取三升。去滓。溫服一升。日三服。初服得微汗則解。能食汗出復煩者。服五合。恐一升多者。服六七合爲妙。

千金脚氣門云。風濕相薄。骨節煩疼。四肢拘急。不可屈伸。近之則痛。自汗出而短氣。小便不利。惡風不欲去衣。或頭面手足時時浮腫。四物附子湯主之。卽本方。白朮用三兩。以桂心易桂枝。方後云。體腫者。加防己四兩。悸氣小便不利。加茯苓三兩。既有附子。今加生薑三兩。

外臺祕要此方凡三見。皆與千金同。風頭眩門引近效白朮附子湯。療風虛頭重眩苦極。不知食味。暖肌補中益精氣。又治風濕相搏云云。文與金匱同。注云。此本仲景傷寒論方。風濕門引深師四物附子湯。又引古今錄驗附子湯。文皆與金匱同。古今錄驗方後云。驃騎使吳諧。以建元元年八月二十六日始覺如風。至七日。卒起便頓倒。髀及手皆不隨。通引腰背疼痛。通身腫。心多滿。至九月四日。服此湯一劑。通身流汗。即從所患悉愈。本方不用生薑。既有附子。今加生薑三兩。

以上兩條互詳傷寒論今釋

太陽中暍。發熱惡寒。身重而疼痛。其脈弦細芤遲。小便已。洒洒然毛聳。手足逆冷。小有勞。身即熱。口前開。板齒燥。若發其汗。則其惡寒甚。加溫針。則發熱甚。數下之。則淋甚。

暍。說文云。傷暑也。玉篇云。中熱也。此云中暍。中字似贅。暍即六淫中之暑病。其病亦有表。發熱惡寒。與太陽傷寒相濫而不同。西醫書有日射病 Sunstroke 又名中熱性熱 Thermic Fever 又有中熱衰竭 Heat Exhaustion 皆即此證。

經言長夏善病洞泄寒中。又言傷於寒而傳爲熱。蓋冬日之病。多屬實熱。夏日之病。

疾。新陳代謝奮迅。全身機能亢盛。皆所以促體溫之生成。而阻其消散也。盛夏炎熇則調節機能之戒備懈。肌腠疏鬆。汗流不絕。血運弛緩。新陳代謝懈怠。全身機能衰弱。皆所以抑體溫之生成。而促其消散也。卒遇六淫刺激。則機能亢盛者。因而成實熱證。機能衰弱者。因而成虛寒證。是以冬日之病多實熱。夏日之病多虛寒。古人不知此理。見病情與氣候相反。求其故而不得。乃取譬於水火。謂冬日屬水。水性內景。故坎體內陽而外陰。井水溫。人多病熱。夏日屬火。火性外景。故離體外陽而內陰。井水冷。人多病寒。其說似是而非。蓋火燄分爲三層。中層最熱。內層色青暗者。熱反不高。謂火性外景。猶爲近是。若夫水。未有外寒內熱者。謂水性內景。非也。且物體之溫度。皆隨氣溫而昇降。井水深藏地中。受氣溫之影響小。故冬夏溫度不甚變易耳。測以溫度表。夏日之井水猶溫於冬日。人手觸之。似乎夏冷冬溫者。則感覺上錯誤。非其實際也。

暑病屬於虛寒。則與冬日之傷寒陽證不同。傷寒因體溫不得放散而發熱。因體溫與氣溫懸絕而惡寒。所謂陰勝則寒。陽勝則熱也。中暍乃因津液不足而發熱。因體溫不足而惡寒。所謂陽虛而寒。陰虛而熱也。津液不足。血中水分少。故脈弦細而芤。體溫不足。心搏動弛緩。故脈遲。陰陽俱虛。肌肉弛緩。神經失養。故身重而疼痛。小便之積於膀胱也。與腹部有同等溫度。小便一出。人身驟失多量體溫。於是皮膚急起閉縮。使體溫消散於小便者。得以保持於皮膚。故小便已而毛聳也。古人謂膀胱主一身之表。即從此等形能上看出。手足逆冷者。[illegible]不能達於四末也。小有勞身即熱者。勞動則體溫與奮而津液消耗。陽愈擾[illegible]上虛。故發熱也。病屬傷暑。因於暑者。煩則喘喝。故口開。口開故前板齒燥。傷[illegible]口開前板齒燥。金匱開前二字互倒。陰陽俱虛則當固陽益陰。若發其汗。即體溫消散愈多。故惡寒甚。傷寒論惡寒上無其字。是若加溫針。則火熱內擾。故發熱甚。若下之。則下焦愈虛。膀胱不能約束。故淋甚。數下之之數字當衍　之病。

傷寒選錄云。徐氏曰。此條無治法。東垣以清暑益氣湯主之。所謂發千古出血運勁

中國醫學月刊

CHINA MEDICAL JOURNAL
(Issued Monthly)

定價表

時期	冊數	書價連郵費 國內	書價連郵費 國外
每月	一冊	二角	二角四分
全年	十二冊	二元	二元四角

郵票代價十足通用惟以半分至四分爲限

廣告價目表

等級	地位	全面	半面
特等	封面底面之外面	五十元	三十元
優等	封面底面之內面正文之首篇之對面	三十五元	二十元
上等	色紙夾張之前後頁	十六元	十一元
普通	白紙夾張或正文後	八元	五元五角

廣告如用銅版或用彩印價目另議　繪圖刻圖工價另議　連登多期或訂登全年者價目從廉　欲知詳細情形請至上海福州路八三號「中國醫學月刊廣告處」接洽　遠地函詢卽行奉復

中華民國十八年[illegible]

中國醫學月刊第[illegible]長 夏炎熇

零售每冊大洋一角

撰述者 全國著名中醫

編輯者 中國醫學月刊社

所 中國醫學月刊社 上海四馬路西中和里八三號

寄售處

上海三馬路千頃堂

上海白克路人和里衛生報館

南洋分社主任趙澤漢

地址 Hone Ying Hongt 608, Dalhousie Stree Rangoon

中華郵政特准掛號
中華民國十八年七月出版

China Medical Journal

中國醫學月刊

中國醫學月社發行

第一卷 第六號

刷新後之第七期

本刊自發行以來深蒙各界人士讚許推爲中醫界特有之刊物本社同人不勝感激維辦事方面殊爲失當屢次愆期不能按期出版此種遺憾不特愛讀諸君爲之不快卽本社同人亦爲之焦急萬分故自第七起決定改組添聘賢能委丁濟華君爲本刊主幹委陸淵雷君姚兆培君毛近仁君朱惜民君爲本刊編輯主任委趙公尙君馬俗雲君爲本刊發行主任負職辦理積極工作編後按期出版決不再致脫期愛讀諸君對於脫期一事從此可以高枕無虞並設瓊瑤一欄將醫林珍聞一切有趣味之記載陸續報告藉助諸君餘興

外觀之刷新　封面用最精美之書面低印三種顏色圖取萬病回春之意色樣之新穎悅目得未曾有原方用瑞典紙精印紙張潔白墨色鮮明原文旁邊均附有小題目要閱何篇立刻可翻到

內容之刷新　中醫之眞有本領處全在治療然治療方法必須有極證實之理論證明之方足以悠久故本刊所取之材料有理必俱法有法必俱理無論長篇短幅或談生理或談病理或談治療文字務求淺鮮通暢方法務求眞確實在使讀者讀完一篇卽有一篇之意義深印於腦際至於一種無稽之理論東鈔西襲之陳言概不登載恐魚目混珠反亂讀者聽聞也

從前寄出之刊物係用卷裝現在一律改平裝書面書角從此可以無損

中國醫學月刊第一卷第六號目錄

傷寒太陽壞病論治

沈仰慈

壞病者言爲醫藥所壞其病。形脈證。不復如初。不可以太陽病之常法施治也。仲景曰「太陽病三日已發汗、若吐、若下。若溫針。仍不解者。此爲壞病。」此條中若字與或字義同。言已發汗或吐或下或溫針。而病仍不解。卽爲壞病。熟玩其義。是病不應汗而汗。病不應吐而吐。病不應下而下。病不應溫針而溫針。法不中病。非特本病不解。抑且變生他症。故曰觀其脈證。知犯何逆。隨證治之。曰犯何逆。是逆不止一端也。曰隨證治之。是證不止一種也。茲將諸逆及變證分別羅列其治法如次。聊便同志研究焉。

一、誤汗之逆　太陽病頭痛、發熱、身疼、腰痛、骨節煩疼、無汗而喘、脈浮緊者。宜以麻黃湯汗解。若脈不浮緊。而見遲與微者。不可發汗。蓋脈遲蚯微。爲裏氣不足。營血不充。設強發其汗。汗液大出。津耗液涸。而筋惕、肉瞤、振寒、悸慄諸證隨之起矣。此卽誤汗之逆也。救治之法有

桂枝加附子法。　如太陽病發汗。遂漏不止。其人惡風。小便難。四肢微急。難以屈伸者。桂枝加附子湯主之、是也。有

桂枝甘草湯法。　如發汗過多。其人叉手自冒心。心下悸。欲得按者。桂枝甘草湯主之、是也。有

眞武湯法。　如太陽病發汗。汗出不解。其人仍發熱。心下悸。頭眩。身瞤動。振振欲擗也者。眞武湯主之、是也。有

芍藥附子甘草湯法。　如發汗病不解。反惡寒者。虛故也。芍藥附子甘草湯主之、是也。有

苓桂甘棗法。如發汗後。其人臍下悸者。欲作奔豚。茯苓桂枝甘草大棗湯主之、是也。

二誤吐之逆　太陽病惡寒、發熱、病邪在表。當以汗解。而醫反吐之。傷其胃氣。於是變生自汗出、不惡寒、發熱、內煩、及腹中饑、口不能食、朝食暮吐諸羔。此非病邪應爾。以醫吐之所致。是曰小逆。和其胃可愈。和胃之法。仲景未出方。余謂黃連湯可斟酌用之。蓋是方中人參甘草大棗可以養胃氣而矯誤治。黃速乾薑一寒一熱。可以調陰陽而止嘔吐。桂枝辛溫解肌。仍可以託邪外達也。

三、誤下之逆　太陽病者、軀殼外層之病也。邪未內陷。宜從表解。若誤用下劑。則給胸痞硬下利心煩諸症作焉。故曰病發於陽而反下之。熱入因作結胸。病發於陰而反下之。因作痞。又曰太陽少陽併病、而反下之。成結胸。心下硬。下利不止。水漿不下。其人心煩。又曰傷寒中風、醫反下之。其人下利。日數十行。完穀不化。腹中雷鳴。心下痞硬而滿。乾嘔心煩。不得安。治結胸有大小陷胸諸法。治痞有五種瀉心法。治下脇熱利者有葛根芩連法。治下利虛寒者有救裏四逆法。治心煩熱、胸中塞、及身熱不去、心中結痛者。有梔子豉湯法。治心煩、腹滿、臥起不安者。有梔子厚朴、及梔子乾姜湯法。此外如脉促胸滿者。雖已誤下。而邪猶在表。法以桂枝去芍藥湯。若微惡寒者。由陽不足。則於去芍藥方中、加附子以助陽。至如胸滿、煩驚、小便不利、譫語、一身盡重、不可轉則。是邪因誤下而散漫一身。則有柴胡加龍骨牡蠣湯之法。其人渴而口燥烈、小便不利。乃熱邪與水蓄結而不行。則有五苓散之法。夫太陽誤下。變症多端。因脉辨症。又如脉緊者必咽痛。脉弦者必兩脇拘急。脉細數者頭痛未止。脉沉緊者必欲嘔。脉沉滑者協熱利。脉浮滑者必下血。經曰不宜下更下之。諸變不可勝數。此之謂也。

四、汗吐下重誤之逆　治病之法。貴乎中病。方法一誤。變症百出。豈堪再誤。仲景深慨夫當世醫術之荒陋也。故補偏救弊之法。太陽一篇中。居其大半。茲更條列如左。以表先聖之用心。

(1)太陽病重發汗而復下之。不大便五六日。舌上燥而渴。日晡所小有潮熱。從心下至少腹硬而痛。不可近者。大陷胸湯主之。夫汗爲液體。重發其汗。津液已耗。而復下之。則津液重傷矣。津液一傷。大便閉結。燥熱相搏。於是燥渴潮熱。心下至少腹硬滿而痛不可近矣。治以大陷胸湯。卽所以行水滌熱。而除其燥結也。

(2)傷寒大下後。復發汗。心下痞。惡寒者。表未解也。不可攻。先解表。乃可攻。解表宜桂枝湯。攻痞宜大黃黃連瀉心湯。此爲下後復汗補救之法。而着眼於惡寒一證。仲聖之法精矣哉。審矣哉。

(3)下之後。復發汗。晝日煩躁。不得眠。夜而安靜。不嘔不渴。無表證。脉沉微。身無大熱者。乾姜附子湯主之。此爲汗下傷陽之治法。旣汗且下。陽氣大傷。故脉沉微。治以乾姜附子。卽所以振陽虛也。

(4)發汗若下之。病仍不解。煩躁者。茯苓四逆湯主之。此汗下之法。不能盡其邪。反傷其正。邪正交爭。乃生煩躁。旣不可以麻桂之屬逐其邪。又不可以梔豉之類止其煩。故用乾姜生附之辛以散邪。參草茯苓之甘以養正。乃助正逐邪之策也。

(5)發汗吐下後。虛煩不得眠。若劇者。必反覆顚倒。心中懊憹。梔子豉湯主之。若少氣者。梔子甘草豉湯主之。若嘔者梔子生姜豉主之。此條方法尤備。發汗吐下後。正氣旣虛。邪氣亦衰。乃致虛煩懊憹。梔豉相合。能徹胸中熱邪。爲除煩止躁之良劑。少氣者合甘草之甘。可以益氣也。嘔吐者合生姜之辛。可以散逆也。

五、誤用火治之逆　傷寒論中曰火灸曰火薰曰熨背曰溫鍼曰燒鍼。皆古時以火治病法也。仲景見誤用是法傷人生命。故大聲疾乎曰。脉浮宜以汗解。用火灸之。邪無從出。因火而盛。病從腰以下。必重而痺。名火逆也。又曰微數之脉。愼不可灸。因火爲邪。則爲煩逆。追虛逐實。血散脉中。火氣雖微。內攻有力。焦骨傷筋。血難復也。又曰脉浮熱盛。反灸之。此爲實。實以虛治。因火而動。必咽燥吐血。又曰太陽病以火薰之。不得汗。其人必躁。到經不解。必圊血。名爲火邪。又曰太陽傷寒者。加溫鍼必驚也。又曰太陽病中風。以火刼發汗。邪風被火熱。血氣流溢。失其常度。兩陽相薰灼。其身發黃。陽盛則欲衄。陰虛則小便難。陰陽俱虛竭。則身體枯燥。但頭汗出。齊頸而還。腹滿微喘。口乾咽爛。或不大便。久則譫語。甚者至噦。手足躁擾。捻衣摸床。小便利者。可治。卽言小便不利者。無可挽救也。又曰太陽二日反躁。反熨其背而大汗出。火熱入胃。胃中水竭。躁煩。必發譫語。如此一再申說。以明火治之誤。其警世救人之心。至矣盡矣。至於救逆之法。則火逆下之因燒鍼煩躁者。有桂枝甘草龍骨牡蠣湯之法。以火迫刼亡陽。必驚狂起臥不安者。有桂枝去芍加蜀漆龍骨牡蠣救逆之法。燒鍼令汗。鍼處被寒、核起而赤、必發奔豚、氣從少腹上衝心者。灸其核上一壯。與桂枝加桂湯之法。若夫風溫之病。而誤用火攻。惟有促命期而已。雖仲景亦末如之何也矣。仲景論太陽壞病之術由生。及其補救治療之法。可謂詳且備矣。又有冷水潠灌一條。更可爲今日西醫之棒喝。今西醫淺陋者。一見熱證。便用冰水噀灌。卒之熱不得解。而變成壞病。余已數見之矣。安得揭仲景之言示之。使知國醫之精深乎。仲景之言曰。病在陽。應以汗解之。反以冷水潠之。若灌之。其熱被刼不得去。彌更益煩。肉上粟起。意欲飲水。反不渴者。服文蛤散。若不差者。與五苓散。夫文蛤散之治法。能否相當。不無研究餘地。而其論冷水灌潠之弊曰「其熱被刼不得去。彌更益煩肉上粟起」則一字一珠。於生理上體功反應之作用。固已昭然若揭。不待解釋矣。如此精義。寧不可貴耶。

痲

盧覺愚

編者按。痲之病名。世俗不甚通行。其病主發於小兒。上海一帶謂之痧子。甯波一帶謂之瘄子。譯本西醫書稱痲疹者是也。

痲痘多發於小兒。但自種痘法發明以來。痘症問題。已泰半解決。痲則無可預防者。故流行如故。西醫於痲之病原體。亦至今未發見。故其治法不外對症的。預防不過消極的。究未能根本消滅之。差幸是症原非險惡。治之得法。可以十全。且中醫謂痲為胎毒。感自先天。一度發洩。即不再病。西醫亦謂一度傳染。終身免疫。故謂染是疾者。等之種痘可也。然是症治不得法。亦能致命。且流行廣而傳染速。用藥稍差。則輕者重。重者死矣。茲以個人經驗。參合中西學說。略述之以供研究。

病原　中醫以痲痘同為先天胎毒。經一度發洩。毒氣即淨。以後不復感染。西醫以兩病同屬傳染病。病原同為微菌。凡染某菌。卽發某病。菌之種類不同。故病亦不同。然痲之病原菌。至今未發見。故不能確指爲何種菌。祇混稱之爲一種菌。就二說觀之。中醫云胎毒。是病出臟腑。西醫說微菌。是病由傳染。病出臟腑。是由內之外。病由傳染。是由外之內。然凡病之成立。皆不止單純一種原因。以云胎毒。則此病之流行。原有時間性。與氣候有密切關係。是必有所觸引而後發。以云傳染。則是病流行之時。病者自病。不病者仍自若。患者雖未與病人接觸。亦發同樣之病。不病者日與病人雜處。亦竟不傳限。則又何也。蓋病菌不能單獨逞其毒力。必人體內部有缺點。抵抗力微弱。然後得乘暇抵隙。藉呼吸器循環器表層之間接直接媒轉。介輾入於人體。潛滋暗長。以事繁殖。潛伏至若干時日。培養至若干程度。始引起人體生理之異常而著之病狀。凡物類對於菌之感受性。原各不同。有易染某菌者。有絕對不染某菌者。若是者。皆謂之內因。是故一病之成立。必備具外因內因之二種條件。是則西醫云內因。卽中醫之胎毒。中醫云因氣候而病發。卽西醫所謂傳染乎。

症狀　痲症初起。發熱咳嗽。多嚏多淚。面目浮腫。腮赤唇燥。多吐多瀉。多痰多渴。煩躁胸悶。咽痛。甚則神昏搐搦。三四日後。皮膚見紅點。大如蔴子。成顆。或聯絡成塊。斜日視之。隱隱皮膚之下。以手摸之。磊磊肌肉之間。點出盡。則熱退。諸症陸續消散。漸至痊愈。古人謂痲爲太陰陽明兩經病。以吐利爲腸胃病。咳爲肺病也。且此症無有不咳嗽不發熱者。有極微之咳嗽。極輕之發熱而出痲者。未有絲毫不咳嗽不發熱而出痲。若熱壯咳更甚。爲痲之最普通症候。壯熱亦陽明病也。西醫於此病之紀載。與中醫同。而說理異。蓋以是爲傳染病。病菌混於空氣中。吸入於肺。首受其害者爲肺。故必咳嗽。發熱雖爲諸般染傳病之共有症。其實是前驅症。非原發症。以發熱時本病固有之病狀尙未顯著。痲之專有症。爲皮膚上發見固有之紅點。初發熱時。紅點尙未發現。點之發現在發熱三日或四日之間。故以熱爲前驅症。既發熱。體內各器官之粘膜受毒菌作用。同時或先後發生炎症。爲鼻腔粘膜炎。則分泌多量之涕。噴嚏。甚則衂血。眼結膜炎。則淚液分泌多。目赤羞明。眼胞腫。氣管與喉頭粘膜炎。則喉痛咳嗽痰多。甚則失音。口腔咽頭粘膜炎。則唾液增多。舌胎厚。齦腫咽痛。腸胃粘膜炎。則腹痛嘔吐下利。至於毒力之作用。壯熱之影響。更易起種種腦症。爲頭痛煩躁驚搐神昏等。就以上中西學說觀之。原無大異。不過互有詳略爾。

診斷　痲以皮膚發現固有紅點爲其專有症。紅點未現以前所根據以診斷是病者。當然在其他各種症候。爲發熱咳嗽。面赤腮腫。多淚多涕。或嘔或利等。然此等症狀。雖痲所固有。實非痲所專有。傷寒天花亦多有此等症狀也。古人以耳後紅筋。耳朵鼻尖冷。指冷足冷。爲天花確據。事實上已不甚驗。至於痲。更少言及何種症狀可根據以下眞確之診斷者。西醫以皮膚與粘膜。對此菌毒抵抗力最簿弱。故最易發生自然反應而起實質變化。病菌先肆其毒於血液中。故體內各器官之粘膜。先受其毒。皮膚尙未發點。然口腔及眼瞼之粘膜。必已先見紅點。然則根據此粘膜點。卽可以診斷是病乎。是亦不然。蓋此粘膜點爲孄痧風疹猩紅熱天花發疹傷寒亦皆有之。非痲所專有。然則如何而後能下眞確之診斷。是亦非根據症狀不可。夫痲除皮膚固有之紅點外。他種症狀。雖他數種傳染病所共有。然輕重則遠不侔。如猩紅熱與天花。其表現之症狀。恆柔重於痲。孄痧風疹則症狀不如痲之甚。且猩紅熱天花發痧傷寒等更各有固有之症狀。若以尖銳之眼光。本平日之經驗。從種種症狀之先後緩急輕重上以鑑別之。疑似之間。當不難下眞確之診斷也。

順逆　痲以出爲順。不出爲逆。出時雖皮膚鮮紅。爲錦頭面雖聯塊結成。皆不足懼。蓋能盡出於外。即不留毒於中而生變也。其有屢登而出仍不多。脈平無他症者。則是毒本稀疏。亦不足慮。此症與天花同一機括。當將出未出之時。欲便其內消或不出。實爲不可能之事。故發而不出。或一出即沒。毒氣內攻。即爲大逆。不過天花須顧其起脹行漿灌膿收靨。痲則出盡之後。熱退症消。便無餘事。此其異耳。此症咳與熱有互相關係。熱甚則咳不暢。咳甚則熱愈壯。然咳甚熱壯。三四日間點即陸續透發。發盡則熱退咳減。是點之出與咳與熱。亦有關係。咳與熱非逆症也。然有所當知者。身熱無汗。四末冷。面部鼻旁現青色。是爲毒向裏攻。必苦胸悶嘔吐。此爲逆症之一。咳無論如何劇烈不爲逆。惟咳喘。喘而至於氣急鼻扇。是爲肺炎。即有生命之險。此爲逆症之二。是症微有泄瀉。不爲逆也。若泄瀉不止津液奔迫下溜。正虛氣陷。環唇現青色。則毒陷不出。必難透發。此爲逆症之三。點甫出已出之際。或感風寒。或觸穢氣。忽然症沒。亦屬逆候。至若平素體虛。不能支持。體力衰沉。心臟痲痺。變生俄頃。尤屬措手不及也。

治法　痲以出爲順。故初宜發散。點必乘熱而出。故禁過用苦寒。咳則病機向外。故禁用酸歛峻降。瀉甚氣機下陷。當用升提兼參利。非確有虛寒之狀。切禁兜濇溫補。大要言之。初宜涼散。繼宜清解。終宜調氣養血。先後緩急。毋失病機。能事畢矣。嘗見有發熱時。誤用辛溫致汗出熱熾。各症連帶增劇者。有當身熱無汗肢冷面青時。誤服溫補。致熱陷愈深。引起神經系病。如驚搐昏迷煩躁者。有咳時誤用酸斂峻降。致吼喘失音者。此治法之大忌也。西醫於此病。既未發見病原菌。故無根本與特效療法。祇有對症與待期療法。一面維持體力。一面任病毒進行。同時注意起居飲食之衛生。及預防各種併發症之繼起。如此治法。是消極的治法而已。然此病始終約以十二日爲期。中醫就病之形能以爲治。亦無非減輕病者之痛苦。究不能縮短其經過之時日。不過以中法治之。而當可以十愈其十。無併發症與預後不良之險。却勝西法一着。然西醫種種衛生調攝方法。其週密則遠勝中醫。吾儕所當採以爲法者也。

預後　痲症預後良否。基於病時治法之是否適合。與衛生調理之是否妥善而定。普通痲症之熱。至點出齊之後。必退。若治法與調理不適當。則點雖出盡。仍不退熱。或更發壯熱。如此在愈期必致延長。且多變幻。至如眼結膜炎。初時不過目赤羞明。多淚胞腫。因失於調治。其機轉不消退而增進。則成翳成膜。甚致瞼潰睛爛。腸胃粘膜炎。初日不過輕微之腹痛吐利。若不慎口腹。必引起腸胃病。如疳如痢。甚致營養障礙。影響全體。至痲後咳嗽不止。潮熱盜汗。齒齦腐爛。耳聾鼻漏等。西醫謂爲併發症。其實病時調治不得法使然。非必發之症也。

結論　西醫以痲爲傳染病之一。凡傳染病之病原皆爲菌。故謂痲之病原亦爲菌。痲之病菌至今未發見。則不能確指爲何種菌。凡菌皆可以培養。可以染色。可以撮影。可以試驗者也。獨痲之病菌未發見。則培養染色撮影試驗諸法皆無所施其巧。是其理論雖極精當。亦無徵而不信已。藉曰近世醫學程度。尚屬幼稚。故未能發見痲之病菌。他日醫學更進步時。必能發見無疑。然假使他日果能發見。而菌之能否成立。仍屬疑問。即諸傳染病之菌的問題。亦嘗疑問。何以然。夫傳染病固多有時間性者。如夏多消化器病。冬多呼吸器病。傷寒副傷寒流行性感冒發疹傷寒瘧病等。大略皆有一定流行時日。是菌之發生。與氣候之寒熱燥濕有密切關係。卽菌類隨氣候寒熱燥濕而生變化。是氣候爲主。非菌爲主也。霍亂所表現之症皆寒象。赤痢所表現之症皆熱象。西醫不講寒熱。中醫則最講寒熱。故霍亂則治以熱劑。赤痢則治以寒劑。成績優良。使霍亂赤痢之病原皆爲菌。則菌亦必具其特有之性。此特有之性。不能謂與氣候絕無關係。且菌必乘人體抵抗力薄弱時。始得存在而繁殖。否則無所施其毒。而菌之致病。或以毒素激刺。或因原體變化。附寄血液中。破壞贓器組織。引起生理之自然反應。而後能著之病狀。質言之。傳染病所標著之病狀。是人體生理的變態。非菌類直接的表現。人體生理的變態。其機轉或爲進行的。或爲退行的。或爲亢奮或爲衰減的。其表現之病狀。必有異徵。所謂異徵。卽寒熱虛實。中醫所根據以爲治者。卽在此寒熱虛實寒熱虛實既爲人體生理的變態而失其平均者。中醫根據此寒熱虛實以爲治。卽能使不平均者重歸於平均。生理之不平均者既歸於平均。雖有病菌。必自歸銷滅。否則雖殺盡病菌。而生理機轉未歸於平均。病亦何能得愈。（西醫以金鷄納霜治瘧。至血中不見菌。卽謂病愈。而因金鷄納而起之副作用。如頭暈耳鳴面青時汗胸悶不食等遺留症。則不復措意。猩紅熱痢肺結核用血清療法。奏效甚微。可知徒事殺菌之無濟于事。）故中醫不知有菌。不知治菌藥。亦不能殺菌。而治諸種傳染病之成績。固不在西醫下。甚且過之。如西醫治傷寒。必以三候爲期。七日爲一候。三候是二十一日也。若有併發症。更不止此數。以其於傷寒者特效藥。祇有任病毒之自然進行。以視中醫治傷寒。病在太陽。治之而當。病卽愈於在太陽之時。以後種種傳變。可以不作。卽病經傳變。仍有種種方法。足以救濟，故麻黃桂枝葛根柴胡白虎承氣理中四逆等法。病輕時可徙薪曲突。病重時可返危爲安。世有能平心靜氣下良心之裁判者。必不以斯言爲妄狂己。是故西醫知有菌而治法不全。中醫不知有菌而治病實饒有成績。是菌之能否成立。固眞有疑問在也。如是則痲之病菌雖將來或有發見之日。亦何補於治要哉。

發熱

丁濟華

無論內科外科。病勢稍固結者。卽不免發熱。發熱是病體上常有之證候。前賢着書立說。祇詳於病。不詳於證。如某病。見某種證候。用某種藥。類皆如是。至於何以發生此種證候之原理。皆置之不言。卽言之。亦不過摭拾片斷無系統之言。不足以啓學者之心。發熱一症。範圍之廣。幾於無病無之。傷寒有傷寒之發熱。傷風有傷風之發熱。中暑有中暑之發熱。中濕有中濕之發熱。虛症有虛症之發熱。外症有外症之發熱。熱雖是一。其致熱之來源。則大有不同。夫人體之溫度。發源於胃。而運用於心肺。飲食入胃。則化生津液。發生可燃體。空氣中之養氣。爲助燃體。養氣由鼻入肺」則助燃體與可燃體結合。燃燒而生熱。隨心運行全體。則發生溫度。溫度適當。則氣隨血生。血隨氣行。以營養各臟腑各組織。人身之溫度。又有調節機能。以調節之。熱則放散。寒則閉固。以保其原有溫度。若外感六淫。或內傷七情。致臟腑發生疾病。氣血流行失常。調節機能不能平調節溫度。則炙手之熱。從而發生矣。由此可知發熱之來源。各隨其原發病變而異。不佞以一得之愚。拉雜成篇。是否有當。尚祈讀者正之。

傷寒之發熱。氣候寒冷之時。人身之皮毛。盡行閉什。以保其體溫。不令外泄。若重感於寒。寒客於身。則毛竅愈閉塞。內體之熱。愈不得外達。全體末稍神經。不能得溫度營養。則戰慄畏冷。熱既不得外達。而胃中之熱。與心肺之熱。且愈增愈多。熱勢既增多。豈能袖手待寒邪內陷。遂奮勇外抗。以驅逐寒邪。全體之神經血管。同時亦與奮抗爭。寒熱相爭。於是蒸蒸熱發矣。此則傷寒之發熱也。傷寒之來源。由於感寒。其致病之處。則在皮毛。是以發熱之源亦起於皮毛。

傷風之發熱　傷風之病。較之傷寒爲輕。大致煩勞之後。感受風邪。煩勞之後。則氣血流行遲。後再受風邪。閉其毛竅。加增其內熱。則嗇嗇惡風。淅淅發熱矣。此則傷風之發熱。傷風之來源在於風邪。其致病之處在於肌腠。是以發熱之源亦始於肌腠。

中暑之發熱　氣候溫熱之時。人身之皮毛悉數開啓。以放散其內熱。若觸冒烈日。或在悶熱處工作。既受外界之熱。又增內體之熱。兩熱相激。氣血妄行。肺亂其呼吸。心亂其運血。以致卒然昏倒。或悶瞀發熱。此中暑之發熱也。傷寒傷風之發熱。是由感寒而熱。中暑之發熱。全是受熱之發熱。其致病之處。雖同在皮毛肌腠。然中暑則心肺機能擾亂。其發熱之來源多由於心肺也。

中濕之發熱　葉桂云。濕爲枯膩之邪。最難驟化。可見濕乃有形之質。暑月霉令之時。空氣潮濕。感於人身。與人體散出之熱互相凝結。內體蘊結之熱。既不能徐徐散出。而內體之津液脂肪。又停留不能運行。若感受風邪。或飢飽勞逸。

神疲志倦。而熱發矣。中濕之發熱。既不若中暑之快。又不若傷寒傷風之劇。此病之來源在於中濕。其致病之處。則在於脾胃膀胱。其發熱之源亦起於脾胃與膀胱。

虛症之發熱　全體機能賴以營養者。厥惟氣血。如思慮傷脾。憂思傷心。久咳傷肺。久泄傷腸。房勞傷腎。皆足以耗損氣血。氣血既耗。則體內僅存酸素與燐質。於是悉數自焚。乃現熱象。此虛症之發熱也。其發熱之來源。胥視虛於何臟何腑爲標準。

外症之發熱　癰疽疔毒之發生。大致飲食毒物。或彼毒虫刺嚙。以致氣血不和。鬱結成瘍。氣血不能流通。則痛。惟其痛。則周身之氣血均集中於痛處。欲抵抗病毒以減其痛。不知愈抵抗而愈痛。愈痛則周身之血運無數。而熱作矣。此外症之發熱也。其發熱之來源。亦胥視外發生於何處爲標準。

退熱之方法　西醫治熱症。大多用冷罨法。不知愈罨而熱愈不退。中醫之治熱病。大抵利用其自然抵抗能力。而使其熱退身涼。如傷寒之發熱。知其皮毛閉塞。則開其皮毛。傷風之發熱。和其肌腠不和。則和其肌腠。中暑之發熱。知其心肺熱甚。則直清其心肺。中濕之發熱。知其濕滯脾胃膀胱。則化其濕。虛症之發熱。知其陰虛發熱。則滋其陰降其熱。知其陽虛發熱。則溫其陽攝其熱。外症之發熱。察其可消則和榮消解。察其可破則和榮托毒外瘍。一經消散或破頭。則熱勢隨解矣。

病後調理諸則

同壽

凡病後將愈。表裏氣血耗於外。臟腑精神損於內。氣血虛弱。倦怠無力。是其常也。最宜安心靜養。調和脾胃為要。毋妄想。毋憂患。毋多言。毋惱怒。避風寒。節飲食。愼房勞。是為切要。若再犯之。即良醫亦難十全矣。愼之愼之。

病初愈。衣被宜適寒溫。太熱則生虛熱。心煩躁渴。太涼則風寒乘虛易襲。

傷寒時疫。身涼咋緩。宜進靑菜湯。疎通餘邪。如覺腹中寬爽。再進陳倉米湯。以開胃中穀氣。一二日後。方進糜粥。鍾許。日三四次。或五六次。為度。愼毋太過。或用陳豆豉。或淸爽之物。過口。或淸水煮淡白鯗。醋點極妙。再漸進鯽魚湯。調理百日方無勞復食復等症。

凡傷寒時疫。及一切大病之後。忌食猪犬羊肉腸血餅雞鵝等。鮫鯉魚蝦蟹葱蒜韭薤。諸果濕麪。煎炒炮炙諸糟物犯之多致內傷。病再復作難救。以上諸物凡病中服藥時亦須禁忌。犯之則無効

凡傷寒時疫發背癰黃疸之後尤大忌房事犯之不救。諸病初愈。亦宜謹戒

傷寒汗後及新愈大忌飲酒食韭犯之病必復作

中風後。忌服辛散香燥等藥。及猪羊鵝魚。麥蛋等。

水腫脹滿既平。宜淡食忌油鹽大戒房事

虛損勞嗽喘咳骨蒸。大忌房事并煎炒等物。又忌用大熱溫補等藥。宜用培陰滋水之劑徐養元爲善

瘧疾痊後。勿食羊肉恐發熱致重。更勿食諸魚。犯之復發

痢疾痊後。忌飽食并猪血香甜菓瓜生冷滑利三物。

目疾忌椒蒜犬肉禁冷水冷物犯之難好。尤戒房事。

黃疸痊後。忌酒麵魚鵝羊肉胡椒韭菜炙愽糟醋犯之不愈。

脚氣忌食甜瓠子鯽魚犯之永不愈

吐血咯血衄血。大戒房事忌火酒魚麵大蒜煎炒等物。

癩風。忌食鯉魚。犯之不愈。

病人遠行。不宜車載馬駝。疾已擾勞。多致不救。

有痼疾。忌食黃瓜麵筋鷄鵝驢雉等肉犯之必發

凡產後忌食生冷滯膩粘硬難化之物尤禁寒冷之藥雖在酷暑之中亦不宜妄施世多誤。用以致傷生特爲拈出

痘疹痊後。一切葷酒滯膩之物。皆須禁絕犯之舊疾復發多致危殆

專治癲犬毒經驗良方

福洲林燮元

癲犬之毒。甚於蛇蝎。但經一撲。雖未沾身。苟沾衣。亦皆有毒。被咬傷痕。且易收口。毒內攻也。打癲犬。不可用木棒。須用竹竿。竹有節。毒不能過節也。是方屢試屢驗。萬無一失。蓋此方妙在可試驗其有無受毒。但須俟咬後五日服藥。方見。若咬後即服藥。毒尚未入內。雖服藥亦不見也。惟藥係以毒攻毒。性近攻耗。病後須有滋補方。不礙。體百日內忌食蟹鯉鴨蚌韮菜。以及甘甜之味。並忌聞鑼鼓喧鬧之聲。

試驗方　木通三錢　車前三錢　淡竹三錢　滑石三錢　樟腦七分　山查一錢　班貓大七頭去翅足同秫米糗米炒至米黃去米存性用　服試驗方。倘有腹痛。大小便急而不通。知內無受毒。須預浸川連水以待服之。即解。

解毒方　木通三錢　車前三錢　淡竹三錢　班貓七頭製法同前　樟腦五分　山查一錢　白釉半粒　大黃二錢　朴硝一錢　麥芽一錢　眞麝香一分　滑石三錢

服試驗方。若無腹痛大小便急而不通。急服此方二劑。其毒自從大小便而解。

若未醫治。日久腹內毒虫業已成形。不服藥。將坐而待斃。服之。或尚有生機。須將後方煎好。俟病人煩擾舞動定後。相其毒虫在內。以口承血時服之。冀藥爲虫受。或可挽回於萬一焉。

馬前子一粒　人涎二分　蟛蜞菊一錢　馬鞭草一錢

編者案。狂犬病係一種傳染病。其病原當爲某種原生動物。尙未確定。然係極小之單細胞動物。肉眼所不能見。可斷言也。今謂「毒蟲業已成形」及「毒蟲在內以口承血」云云者。舊說之謬誤。然其藥方却有奇效。讀者勿以其理論不確而忽之。

脘痛特效藥

徐蔭北

胸脘痛俗稱心窩痛胃氣痛。幾於十中八六七患之。遷延不治。則成甚劇之胃病。因劇痛時每得嘔吐。則稍覺安適。然胃神經却因此而受影響。竟成習慣。病發劇痛時。有非嘔不可之現象。不佞自前年起。亦得是症。但每次發作時。並無寒熱。吐去食物。即痛漸定而愈。惟胃液受傷。消化力減退。須數日後始能恢復原狀。心甚憂慮。而苦無相當簡效藥品以療之。適敝邑中醫講習所同學季子鳴。九有胃靈丸之製。特向索試服一瓶（約四錢）自秋至今。未曾復發。異而詢之。據云係九香蟲爲主藥。大抵神經系病蟲類每有特效。惲鐵樵先生所著保赤新書中亦有此語。當極可徵信也。然則稱九香蟲爲治療脘痛之特效藥。誰曰不宜哉。

天津石葡萄治掌風奇效

沈品璋

吾人在卅五歲以後。或不滿卅五歲。指甲變厚白色。俗名石灰頭指甲。同時掌皮變粗厚。如鱗甲狀。遇節氣則癢。病因是內風。治法雖多。得效者實少。

予友中有二人患此者。針灸藥石均嘗試。迄無效。後得滬友言石葡萄之治法。云患此疾者。但將石葡萄終日玩弄不離手。須有恆心。約半年略效，一年效見。年半疾愈。予友乃購而試之。今已一年。果然石灰指甲已漸復原狀·而手掌粗厚皮。亦漸脫而變柔軟。是則石葡萄確可治掌風。然究因何故。敢請海內明達賜教。

陽證陰脈之救治法及其病理

盧覺非寄自越南

民生學校教員陳君維新。爲啓明影片公司駐棉之代表。工大字有龍飛鳳舞之姿。嘗患胃病經余治愈。書『汎愛衆而親仁』相贈懸之素壁。一室生光。月初。其同事林眞君走報陳君違和。狀甚沉重。卽往視之。日赤唇紅。不甚渴飲。發熱頭疼。汗出舌滑。而脈則沉微若絕。所謂陽證陰脈。已臨險地。況復頭疼思睡。更閉神明也哉。夫熱壯脈洪。理之常也。反之則爲失常。失常則不易治。何也。蹶氣亂耳。釋以新詮。亦有可以爲吾中醫之發明者。蓋血壓進退。爲迷走神經之所司。脈管大細。乃交感神經之作用。今迷走神經奮興。增進血壓。發爲高熱。其勢力竟能壓迫交感神經之收縮。而爲細微之脈。則熱度之高。不言而喻矣。然而外之收縮愈甚。則內之蓄聚愈多。神經中樞。爲所蒸迫。於是延髓發炎。成爲 meningitis。腦脊衣膜炎之症。觀其頭疼思睡。足爲熱已入腦之徵。此症與前人所謂風溫。理頗通匯。蓋少陰伏熱之爲病也。若捨脈從證。決爲外假熱而內眞寒之戴陽証。則服寒之藥。下咽殺人矣。余審辨既確。遂偕奉天立達醫院院長張壽甫君之寒解熱。意重加石膏與之。翌日侵晨。林君報曰。奇矣。先生之術其神乎。由是訂交焉。

十二月廿七日。林君請診伊叔名後烈先生。舌滑胎膩。頭熱汗出。手冷足溫。昏沉大睡。呼之則醒。旋即入夢。夜中曾惡寒熱二次。臥態則踡其兩足。切其脈細如游絲。重按則絕。目陷呻吟。而面獨紅潤。此亦陽証陰脈。奈之何哉。傷寒論曰。『少陰之為病。脈沉細。但欲寐也。』又曰。『少陰病。……惡寒身熱。……手足逆冷而利。不治。』據此以觀。則患者為少陰症。已無疑焉。顧惡寒足踡。已呈險狀。尚幸手雖逆冷而足猶微溫。及不下利。設非然者。當不可治矣。傷寒曰。『少陰病。……反發熱。麻黃附子細辛湯主之。』並未言及有汗之相宜不相宜。此症身熱微汗。適用與否。頗屬疑問。蓋麻黃一味。在太陽篇原為有汗之禁。投之中竅。固可挽回。設犯禁忌。將若之何。去之。又不成方。當時為學識所囿。頗思謝以不敏。躊躇欲言間。偶見林君頗露張皇之色。顧念友交。意良不忍。思之思之。再三再四。頓有覺悟。方用麻黃七分。附子三錢。細辛五分。茯苓四錢。台參三錢。法夏三錢。炙草一錢。

方中附子多用。於麻黃則權衡有度。輕重已殊。其小便紅赤者。尤為足少陰腎水被抑。鬱血之徵。故用茯苓滲之。而即以法夏燥其中土之寒濕。使之化熱。庶解陰凝。方中各藥。類皆辛竣之品。故用參草緩之和之。亦即所以養其正焉。至下午七時。心懸不下。驅車視之。則已起坐床沿。談笑自若矣。林君雀躍向前。又嘆曰。奇矣。先生之術其神乎。覺非答曰。吉人天相。賢叔侄之德福耳。拙何與焉。十七，十二，廿八燈下

吐瀉病用冷罨法之謬誤

馬岱雲

江天碼頭徐某。年事已五十有奇任職於某修輪船公司克勤克健數十年如一日。每清晨卽出外工作。至暮方還。其午間一頓飯食。有時而早。有時而晚。且飢飽不一。彼自以爲身強力健。多不介意。七月中氣候不齊。寒冷異常清早出門衣服又少著。遂致冒寒作嘔午間飯食卽不思晚間卽腹痛而瀉一日夜吐瀉數十次家人大恐。以爲發痧急用括痧等法。不効。遂請左近醫院廿西醫診治某西醫卽以打診洞寒熱表詳細診察。診察數次謂其家人曰此病甚奇怪。余不能治。須請余友人某西醫來。病家無奈。只能從命請其友人來診治診察斯須曰此腸炎也乃以冰袋一只置其腹部並以藥末一包令其吞服。不須臾而腹痛果減。但上吐下瀉依然爲故。且神志愈見倦怠病家惶惶然莫知所措。乃延余爲之診法按其脈沉而細察其舌白而膩。余曰此積寒症也。病家乃告余經過情形余日是矣高年陽氣本虧清早出外少着衣服寒氣內伏。脾胃陽傷升降失常則嘔吐。又食冷食。腸亦受寒腸壁受寒不能收攝津液則泄瀉上下皆寒。當治其中。乃以附子理中湯加半夏吳更。一劑而吐瀉減。再劑而吐瀉止。令已在調理矣夫冷罨一法只能治有餘之熱症。豈可治傷寒之寒症。寒症而用冷罨是重傷其陽也。如徐某者再過多日不將索彼於枯魚肆中乎。余治此症並不以爲異。而受過新教育之西醫。竟不揣其本妄加治施。殊爲可笑。

臌脹

沈仰慈

卡德路張家宅仵戸陳某年約五十歲。丙寅冬、忽病膨脹。臥床不能起。其婦販菜爲生。力難延醫。將聽其待斃矣。丁卯正月間。余遇同鄉吳友才。其居適與陳比鄰。談及陳病。余曰膨脹病不治者多。然非盡屬不治也。要視病症何如耳。吳曰、曷憐其貧苦一視之。果屬不治。病彼死亦瞑目矣。余曰、可。乃偕往見陳。仰臥氣短促。自胸脘及腹膨脹隆起。按之堅實。面目四肢。並不浮腫。驗其舌苔濁厚膠結。切其脈沉伏短濇。余見現象如此。度屬實症。乃問之曰。大便已多日不解乎。曰然。小便殊短少乎。曰然。已多日不飢。亦不思食乎。曰然。余曰、病起之先。度必有悲憤拂逆之事。復兼積滯不化。乃致病耳。吳在旁曰。先生言是矣。去冬伊爲子娶婦。耗費甚多。半由借貸得之。詎子婦成家後。忽然反目。子又在外游蕩忘返。不受勸教。伊遂抑鬱寡歡。又素食厚味。嘗飽啖紅燒羊肉。自後遂不復嗜食。常謂胸腹脹悶。病殆由是起矣。其婦攙言曰。阿吳言是。余曰然則病非不治之症。服藥數劑。當可愈耳。乃先與平胃散重加山查、枳實、青皮、麥芽等消導。一劑後舌苔鬆浮。胃納似舒。余思此種藜藿之體。向未被藥。藥必易效。可急攻矣。乃投以通府行滯之峻藥一劑。而腹中響動。再劑而大解宿穢。小溲亦暢。胸腹俱舒。其病若失。余又往視。則陳方曝日庭中。起而迎迓。余勸其更方調養。陳以無力買藥辭謝。然自此飲風漸復。亦竟念矣。

肝胃氣痛

沈仰慈

麥根路同河里余居停丰婦陳王氏。年約四十餘。夙有肝胃氣痛。已數年不發矣。一夕、而疾作。痛楚之狀。不可言喻。先是鬱鬱不樂者數日。及疾大發。輾轉床褥間。呼號至慘。聲震鄰舍。聞者酸心。痛極復嘔吐。嘔吐之後稍停。痛又如前狀。時已夜半。無從延醫。余聞其慘號聲。終不能寢。思如此苦楚。一身精神有幾。痛至天明。不將殆乎。因披衣起往視之。見其夫若子女、旁皇無措。婦面色慘白。苦楚萬狀。余曰、盍服藥乎。余能處方。抵首肯。其夫亦言謝。乃切其脉。兩手沉伏。問痛處則指其左脇連及胸脘。嘔吐之物。清冷不臭穢。余曰此肝胃氣血爲寒所凝滯而爲痛。溫通可愈。乃書方與之。囑煎兩服。首服如稍可。間一時許。更服之。其夫急市藥歸並之。一服果痛止。二服盡。立能安睡。翌日九時。見婦在客堂中談笑如恆矣。藥辦對症。其靈驗有如是。而此戊辰三月初旬事也。方錄如后

白歸身　四錢　炒赤芍　三錢　生香附　三錢　姜半夏　二錢　正川芎　一錢半　元胡索　二錢酒炒

台烏藥　二錢　廣皮紅　一錢半　嫩桂枝　八分　春砂仁　八分　陳　酒　一杯

讀了醫學月刊發生的感想

鮑東藩

酷暑天氣。解館歸來。好眼福得見了醫學月刊。己是出到第五號了。月刊的宗旨。在研究精確的學理。不以詰難辨

正爲嫌這一件。恰好和我們的心理訂了一個合同。我的愚見以爲要拿科學的原理來證明中醫的說。不是容易的事。因爲我們中醫有五千年的歷史。歷代諸家。連續發明的學術。已是不少。西人的科學。才現在了幾百年。他們的學說。不完備的很多。要從兩方面對勘。那出個集中點來。當然是不容易的事。如今月刊立了正大的宗旨。大家公同研究起來。那正應着俗語說的「天下無難事只怕有心人」的一句話了。

學理要怎樣的研究才能夠到底眞確

現在的學理。是世界公同的。不是可以種界國界分立的。甲說是。乙也跟看說是。甲說非。乙也跟着說非。這不能算一定眞確。甲說是。乙說非。甲說非。乙說是。這又不能定誰是眞確。況且有一味執古的。有一味翻新的。有借科學來附會舊學說的。五花八門。究竟誰是誰非。不有多數的通人下一個判定。把個指南針。或是定北針。擺得端正。怎能定準方向呢。往年在中醫雜誌上。看見一篇三焦辨。還是執著難經有名無形的謬說。我的愚見。以爲弄錯了。就撰了一篇三焦論。到是要矯正他的誤處。不意那位先生大爲猜忌。又出了一篇。偏不認錯。那種論調。直顯出一手掩盡天下目的態度。我隨即又撰了一篇續三焦論。正色的駁詰。這種爭端。眞是好笑。只是個人的錯誤。到也罷了。如因一句話誤了天下後世。那怎麼容得不加駁斥呢。

後來我又撰了一部生理匯考。不問中西。盡情的指駁。中間橫七豎八的湊成包絡三焦一篇。如今這書。久已在醫藥新聞報上刊登完了。又重行翻印出一部醫藥精華了。吳克潛先生對於這書。雖加許可。只是我心中仍是懷疑。不能自信。怕有許多不眞確處。無奈西人和古人雖經指駁却不開口與我反對。我的誤處是不能自己覺察的。我很希望有人來指駁。並不忌諱。倘得醫界的通才。把生理匯考的錯誤盡情的辦正。就在月刊上發表。免得以我個人之誤。誤了人人。那是我二十分感激二十分歡迎的。

現在月刊的宗旨。既合了我的心意。那末。我要算是月刊上諸位同志們的一個同志。那一定是許可的了。我對月刊上諸君的著作有了誤點。當然要把見得到的。推誠布公不顧忌諱的說出來。才是正道。如其不然。只任我說得天花亂墜。却沒人說我一句長短。那不是仍舊模模糊糊的不得個眞確麼。如是大家不顧忌諱。認定他是對於學理的討論。不是對於個人的指斥。就大家不生別的意見。認眞的積極進行起來。世界上的眞理。還怕他不肯出現嗎。

中西醫學要怎樣的溝通

將來的世界。不知在幾千年後。終究要歸於大同。我們醫界還極端的要分中西的界域。那是可以不必的了。現在學中醫的是中國人。學西醫的也是中國人。中西醫兩相水火。簡直等於受人愚弄同室操戈。一般。那眞是不必。我的愚見。以爲中西醫的路徑兩岐。本來水是水。火是火。不可強同。但在弄成個水火未濟。却是不好。如是弄成個水火既濟。那就是兩俱有益。如今中西醫既都是中國人。一定是要兩俱有益才好。但是要達這個目的。一定是要把營業競爭的心理暫且擱起。把學術奮鬥的志願業力提倡起來。學西醫的。不要站在中醫的門牆之外。全不見中醫宅院的內容。只管說他裏面如何敗落。却是不可。學中醫的。不曾進過西醫的宅院。只管說長說短。也是不行。就是大家跨進了宅院。只憑一時的參觀。頃刻的調查。就着實的批評起來。還不能算的確。除非住得日久。弄得透熟。真正窺探到秘密的所在。大家都得了真相。那時中西醫學就成了水火旣濟之功。還怕什麼中西醫學不能夠溝通呢。

孫中山先生、是兼通古今中外的大人物。他曾說過。我們急須應用的。是外國的科學。至今怎麼哲學、政治學。他們外國人還要問我們中國來尋究呢。中山先生實是見得透。所以定下的三民主義。五權憲法。只是揀取中國數千年積下來舊材料。造成了現代的新國家。並沒有需用東西洋的產物。據中山先生的說話。和中山先生的成績。照樣的推開來。也可做我們中醫學界的一個標準了。

中山先生又曾說過。我們中國人研究科學。不要從後面追上去。要從旁面橫插上去。這個意思。就好比入學校的插班一樣。因是從一年級來起。終是落在後面。插班就可和高級生並駕齊趨的向前。不至落於人後、照這樣說。又可做我們中醫研究科學的標準了。有了這個好標準。要想溝通中西的醫學。也就可以不甚爲難的了。

在他們學西醫的中國人。肯不肯低下頭來向中醫宅院裏久住。且不必問他。他我們學中醫的中國人。一定是要向西醫宅院裏面精細的搜求一番。把你那麼破綻的東西。和寶貴的東西。統統都要取得來。才是正當的道理。西醫講的病理學。還笑我們中醫只有病因學。沒有病理學。在我的愚見。西醫的程度。還沒有配得上談病因學呢。名目是高談病理。實在是等於痴人說夢。這算是他的一個大破綻。解剖手術和分析化學。恰是他們寶貴的東西。在中醫學上。縱然不見得有許多的實用。恰是不可不備辦的。專門學西醫的人。對於解剖呀化學呀製藥呀。百人中不見有一個能精到的。問他學的什麼。也不過得了些皮毛。曉得用西藥罷了。加他一個奴隸的徽號。到還算名副其實呢。

醫界青年要擔負文學的保障

二十年前。我也是很歡迎新學的一分子。因爲遜清末年的文學。墮落已到極點。譬如一所大屋。向這邊傾倒。不得不向那邊拉他正來。差不多正了。殖可以歇手。那知新學派。只顧很命的拉。如今什麼國音呀國語呀。全行把審美的文學。蹧蹋了。一所大屋。反向那邊倒去。要重建築。只怕工匠還少有呢。我從前研究一種官話解說的算學。那官話是普通的國語。看那解說學理的所在。簡直弄得昏頭昏腦。不得了解。現在的國語。更是胡鬧。土語鄉談。各地不同。須得繙譯。才知那土話是說的什麼。好好的一個書同文的國家。那到這步田地。還講什文學呢。無奈新潮流的趨向。萬難阻當。須待潮頭自退。才好把冲壞的隄岸。重新整理。醫界的青年。爲何要擔負文學的保障呢。因爲中醫學的中心點。全靠著內經傷寒金匱這幾部書。這書的文字。很是重要。若是順著新潮流的趨向。將來這種文字。不但不能作。還怕不能讀呢。所以我很希望有志的青年。分出一點精神。在文學上。做個中流底柱。將來撰述的文字。如係帶著宣傳的性。要希望社會普知。自然是白話較好。如是眞正著作。講述學理。還是文言爲當。

讀了醫學月刊發生的疑竇

我們中國的學者。有一件毛病。就是紙上空談。不講實驗。不知要講科學。全要步步站在實地。不是可以蹈空的。我們中國不是全然沒有科學的知識。這中間的弊端。却由學者和不學者全然隔閡。學者只是靠著一本書。不學者却是全靠實行他的經驗。倒反比上所談的精確些。就是徒去看產婆學總不比做產婆的見識周到。徒看醫書上的內景說。反不及屠戶說起來頭頭是道。學者自以爲書上說的很是。那肯向產婆屠戶談問實。在那產婆屠戶雖是見得到。却沒有本領拿一枝筆去編出講義來。所以我們中國的學術。論說家和實行家全然隔閡。我曾問農業專門的學生。問他如何殺去害蟲。他只會講幾句洋話。說用什麼藥水。不知偌大的田地。要用多少藥水。才可殺盡許多的害蟲。可歎空談的學說。那能實行。我以爲中國的老農。只可惜不通文。若能把他的經驗講出講義來。要比專門的教員精確得多。現在我們講醫學的學理。結果也要歸到實驗上。才不是紙上談兵。我如今對於月刊上發生的疑竇。也因爲要求一個實驗的結果罷了。

對於膳食改良問題的疑竇

毛仁仁先生撰的膳食改良的論說。他的結論。是禁止雞蛋出口。禁止擦白食米。我看了。覺到和實行家經驗不很確對。我呢却不是實行家。不過素日對於實行家的瑣碎事件。到處存心考察。得了些見解。且寫出來供大家研究。

第一　主要食品是米和麥。米的大概。分糯稻秈稻兩種。糯有粘性。不是常食品。不要細說。麥的大概。分小麥裸麥大麥三種。稻和三種麥。就顆粒的大小比較。是稻最大。次則小麥。次則裸麥。次則大麥。要談內中貯藏的養分。却和顆粒的大小成了一個反比例。就是大麥的顆粒最小。含的養分最足。然而大麥却不做人的食品。只好將去養猪。因爲他的顆粒太小。皮殼很厚。耗折也很多。經濟算不來。只好拿他去養牲。不做人的食品。稻價便宜的時候。和大麥的價差不多。農家也有將稻磨碎養猪的。那個效力。却大大的不及大麥。所以說稻的養分不及大麥。小麥裸麥皆不及大麥。也是養猪的人家試驗過的。裸麥曝得極乾。入臼加水少許。舂去薄皮。隨即晒乾。磨成兩半截。作糗煮飯。小麥磨麵作餅。勞力的人吃。要比米耐飢得多。這就是小麥裸麥的養分比米充足的證據。

再說小麥和裸麥的比較。小麥有黏性。裸麥沒有黏性。小麥的麩皮帶着不盡的麵。養猪有效力。若是將小麥磨碎。和水擣令稠黏。再入水缸。隔篩洗下澱粉和麩皮。餘下的麵筋。黏性很富。再用羅篩取出麩皮。這就全然沒有養分。雞鴨都不喜吃。若是用了養猪。更不及裸麥舂下的薄皮。前面說的裸麥作糗。手續稍煩。簡單的作法。臨磨時將裸麥水中一淘。隨時上磨。可也磨去薄皮。若不淘。那皮就難磨去。用這種乾糗作飯。既不適口。而且很礙消化。所云美國提倡用整麥選食。却不可信。我看農家只有用整小麥煮熟喂小豬。人們却不堪食。所說麥皮作早餐的話。只怕是更難準信呢。世間各種動物。對於食料。都有天然的知覺。大約是他胃中所需的材料。他就喜吃。若食料沒有養分。吃下去不能營養身體。

或是有礙消化。那就一定不喜吃。就我個人的食性談。以為用陳米煮飯作粥。最不堪食。陳稻新做的米。却是不妨。最好是一半新。一半陳。作成飯。比純米飯要有味得多。就普通的人談。大概胃力弱。不須用力做活的人。宜食米。胃力強。很勞力的人。宜食麥。

再從植物學的考察。和實行家的經驗。勘出米和麥的要素。要算發芽生根的一部分。最有價值。其餘的大部分貯藏的養分。雖多。不過是供幼芽幼根發敢的胚乳。好比初生的小孩口中沒有生齒。不能吃飯。粥只靠母乳養命一般。那稻麥發芽的時候。幼根不能吸收土中的養料。只好靠胚乳養命。只看稻麥發芽生根之後。那稻麥的原形就全行癟了。只餘外面的粗殼粗皮。餘下的皮殼。可見是毫無養分。所以不至吸收盡了。人們却說麥皮米糠可以充食。而且珍貴。豈不是人的知識倒反不如植物曉得誰該棄誰該取嗎。

再說實行家的經驗。做米的人家。把整齊擦白的米賣上市。篩下的碎米。留著自己吃。那稻芽全在碎米中。把來磨粉發酵作餅。就顯糖化作用。有天然的甜味。整米反不如他。小磨殿麵。如於臼中先行擦去麥芽。那種麵作饅。色很白淨。却比不去麥芽的味淡。若是不去芽的麥。把頭麩再磨取麵。那麵中含的麥芽很多。用來發酵作餅。也顯糖化作用。裸麥磨粿。篩下碎屑。如用他作餅。也顯糖化作用。照以上所說和種種經驗。可以定一個結論。米麥的珍貴所在。全在稻芽麥芽。那粃糠和麥麩。却不是珍貴的東西。我看農家。把米的粃糠。只用去養雞鴨。如用去養猪。效力很薄。這種經驗。不學者都很明白。學者却不知道。

據米麥從化學上分析的成分如下表

	水分	蛋白質	脂肪	含水炭素	纖維	灰分
白米	二〇・一三	六・八三	〇・二九	七一・九五	〇・四三	〇・三七
大麥	一四・三〇	一〇・〇〇	二・五〇	六三・九〇	七・一〇	二・二〇
裸麥	一四・四〇	一三・〇〇	一・五〇	六六・〇〇	三・〇〇	一・七〇
小麥粉	一五・〇〇	一一・七〇	一・〇〇	七一・〇〇	〇・八〇	〇・六〇

看上面化學分析的比較。可知我們的胃、只靠天然的知識。天然的化學。要和人工的化學比較起來。差不多可是一般的精確。現在的新學派。既發明粗糠麥麩的這種珍貴品。要認眞的實行起來。却是不難。因爲有種新新學派發明許多的搜括方法。將來不用粗糠麥麩充飢一定是不能生活。只是到那時節。呀人們只好比雞鴨罷了。

第二　佐餐食品。在動物性的食品。要數肉類和雞蛋。植物性的食品。要數黃豆。細爲考察。一般富於營養素的物質。吃下去是否有益。全要看作法如何。普通供食的猪肉。只是前後的四隻蹄。煨得腐爛。確是味淸而腴。很有補益。如是紅燒。就變做味厚而膩。不及淸煨。其餘腰腹部的肉。大概脂肪過多。既然不可淸煨。紅燒更是肥膩。若是常食多食。只有令人發胖的效力。沒有十分的補益。雞蛋原是一件好東西。只是作法許多不合。煮食既得消化。至於煎呀炒呀蒸呀。又用許多的脂油。雞蛋本易消化。一有脂油保護着他。胃液就失了消化的力量。反覺沒有補益。黃豆的養分很足。只是用乾豆磨碎蒸取的油。不過有炒菜的用途。若是用水把豆泡開。磨取豆漿。濾去豆渣。作成豆腐。用途很廣。一般素食的人。和缺乏肉食的人。都要靠他做日常食品。補益的效力很大。只看持齋茹素的人。終身不知肉味。每天只是用豆腐來下飯。一般也過到七老八十歲。還是不死。這是靠着豆腐補益的確據。只是豆腐的吃法。最好是沸水中煮熟。澆些麻油醬油。用他下飯下粥。再好也沒有。若是用油煎炒。就要失去補養的效力。我想禁止雞蛋出口的問題。定是做不到。豆腐既是普通的食品。價又很廉。補益的效力大概不讓雞蛋和牛乳。佔着先步。這是我的空談。須得化學家著實的化驗一番。才有一個定論呢。

對於金匱今釋的疑竇

腠者。是三焦通會元真之處。為血氣所注。理者。是皮膚藏府之文理也。看這兩句的口吻。定是附注。不是金匱的本文。我的見解。以為腠是西醫說的皮下脂肪組織。理就是網狀組織的網狀文理。這一層脂肪組織。外面連着真皮。內裏連着肌肉。卻是營衛交界的所在。透出皮膚的汗線。和發生毫毛的毛囊。都從這一部分起點。內裏和三焦的大部脂肪組織相連。三焦是行水的要具。水旁出就是汗。下出就是溺。經上說的衛出下焦。可知這皮下脂肪組織。全然和下焦通貫的。所以汗和汗的多少。大有關係。就是汗多的時候溺就少。汗少的時候溺就多。三焦又是發生體溫的根原。所以說腠是三焦通會元眞之處。就是元眞之氣從這皮下脂肪組織透出衛分。衛好比是在外巡防的隊伍。營好比是在內鎮守的軍兵。他們交界的地點。和病理很有關係。因爲衛兵疎忽了。風寒就從毛竅進裏。攻打營分。營兵失警。那元眞之氣就趕速出發抵抗。這時候寒熱交作。却把這皮下脂肪組織做一個戰場。戰勝了。就是一陣汗。把風寒都趕出去。若是不勝。風寒入寇。更向裏進了。那時衛分倒反覺賊寇離了本地。不惡寒了。說時熱度却是更高。就因爲自然的體溫。和他大戰爲緣故。這是我的心意。把科學拿來附會學理。是否的確。須得醫界通明加一個判斷。祝味菊先生說的三焦是淋巴管。不是油網。恐怕是弄錯了。淋巴管是淋巴幹的分支。淋巴幹就是王淸任先生在死孩的屍場上發明的。叫做衛總管。不是得的西說。確和西醫解剖學上說的暗合內經。只叫做衛。不叫做三焦。可知把淋巴管認做三焦就錯了。唐容川先生說三焦是油網。並不是他的創說。却是從譯的西書上悟出來的。那書的名。是在退思廬醫書上見過的。現已忘了。現在西醫的解剖生理學。倒反不談油網。不知是什麼道理。婦女醫學雜誌答三焦問一條。却是主的唐說。是不是再請醫界多數的通明。決定了這三焦究竟是什麼東西。省得去聚訟罷。

與新聞報快活林嚴獨鶴君

陸淵雷

貴報快活林所刊之談話。二月九日十日之插畫。三月十日於衛生會議廢置舊醫一案。皆有持平表示。令人敬服。言論界之左袒西醫久矣。去歲貴報出中醫特刊。鄙人譯載日本人議論一則。原文有兩句庇議西醫。皆經主筆删改。獨快活林猶有持平之論。可謂不畏强禦者矣。廢置舊醫案。在衛生委員。固不免排擠異己。然中醫之爭辯。因不識中醫學眞際之故。亦復不得要領。中醫學之起源。先有藥效。後有說理。藥效出於實驗。說理出於理想。實驗確不可拔。理想涉於玄誕。本草經傷寒金匱千金外臺諸書。皆藥效書。素問靈樞難經。皆說理書。說理書可廢。藥效書不可廢。夫豈不可廢而已。且當用科學方法。整理而發揮之。則中醫界之所有事也。今西醫之攻擊者。攻擊說理書。醫中之爭辯者。亦欲自直其說理書。譬之攻守。在西醫乘瑕抵隙。不能不佩余雲岫之兵法。在中醫則自侮自伐。不知彼不知己。勢必百戰百敗。近日中醫所持。理由約有兩端。曰中醫藥已歷四千餘年。曰西藥進口年可一萬六千萬。然使中醫眞不能治病。雖四萬年亦所當廢。使西藥果能活人。雖億萬金亦所當實。何則醫藥所以濟疾苦。救扎夭。人命至重。不可與存古商戰併爲一談。以存古商戰爲理由。無乃甚不充足。前日代表團開會。某君宣讀其所擬電稿。鄙人以爲衛生委員。皆西醫界人物。非公衆衛生學專家。於積極的衛生行政上。無所貢獻。惟成立廢置舊醫一案。是爲假公濟私。遂其營業競爭之意志。可以洞鑒。按廢置舊醫案。中醫得藥界商界之助。衛生部已允暫不執行。此非學理上之勝利。乃羣衆運動之結果耳。可以倖免於一時。不可以競進於永久。鄙意中醫如不能用科學方法。革新其學說。則舊醫之廢置。不過時間上問題。終不能免。然自經此次風浪。上海中醫界已成立規模更大之會。時勢造成之英雄。紛紛被推爲執行委員監察委員常務委員。凡數十百人。按期開會。通過議案。一一照行。必能謀中醫永久發揚之道。一洗舊醫之惡謚也。

中國醫學月刊　與新聞報快活林嚴獨鶴君　三四

陸淵雷君所著之金匱今釋因陸君有事賦沙稿來遲後不及編入准第七期補登祈讀者諒之　編者按

中國人發明▣全世界名藥

甘露晶

止痛　治咳

打倒毒質　消滅流弊　數十分鐘　馬上見功

優待各界讀者諸君實驗解除痛苦運動

▲第一次◎◎◎▲不取分文▲送一百萬份

一百萬衆之好消息◎◎◎

解除痛苦爲民衆所切身需要。亦即革命之目的。但痛苦有二種。精神痛苦其一也。肉體痛苦其二也。今者黨國底定。厲行建設。吾民衆之精神痛苦。逐漸解除。獨肉體痛苦急切難除。按疼痛之來。驟而難忍。苦楚甚者。蠻額待艷。市上非無止痛之藥。奈不能超乎嗎啡海洛因鴉片等類毒質之外。頓服固能奏效於一時。常服即成癮豪毒。流弊孔多。危毒堪慮雖以世界醫藥極昌明之任何國家。亦未發見完善之另一代用品。昆明玉慧觀居士。哲理深邃。藥學精湛。本其多年研究之心得。最近始發明聖藥一稱。名甘露晶功能治咳，止，痛鎮痙，安腦。性質和平。效驗卓越。毫不用嗎啡海洛因鴉片等類之毒質。故常服絕不成癮。且無一切副作用之流弊。誠我國在醫藥界上初關之一也。大新紀錄發明未久。已引起世界各國之絕大注意。經各國大學醫院醫士實驗之結果。公認爲世界第一完善聖藥。對於老幼體質無不相宜。專治新久嗽咳，船暈、腦眩。不眠，而尤有一驚人之奇效。即於數十分鐘內。立即解除牙痛，腹痛，背痛，肝胃氣痛，神經痛，風濕骨痛、月經痛，以及一切創傷疼痛諸症，凡施開刀手術及拔牙之前後、服用甘露晶。能使患者毫無痛苦精神愉快。萬試萬驗，洵神藥也。茲爲解除同胞肉體一切痛苦。並實驗甘露晶神效起見。第一次先送一百萬份。凡我同胞。務期廣爲宣傳・使不閱報者。亦得享愉快幸福。

通信函索。不取分文

面索因不及招待。一概不應。來信寄上海四川路一百十二號美商三德洋行甘露晶實驗部。定即寄奉，每人限一份。

函購寄費暫免

◀奉送詳細說明書函索即寄▶

◀各埠三德分行各藥房均售▶

每盒大洋六角

上海四川路一一二　美商三德洋行製藥廠　電話一七三〇一號

中國醫學月刊

CHINA MEDICAL JOURNAL

(Issued Monthly)

定價表

時期	冊數	書價連郵費 國內	書價連郵費 國外
每月	一冊	二角	二角四分
全年	十二冊	二元	二元四角

郵票代價十足通用惟以半分至四分為限

中華民國十八年七月十日再版

中國醫學月刊第一期

零售每冊大洋二角

撰述者　全國著名中醫

編輯者　中國醫學月刊社

發行所　上海四馬路西中和里83號　中國醫學月刊社

寄售處

上海三馬路　千頃堂

上海白克路人和里　衞生報館

南洋分社主任　趙澤漢

地址 Hene Ying Hongt 608, Dalhou Sie Stree Rangoon

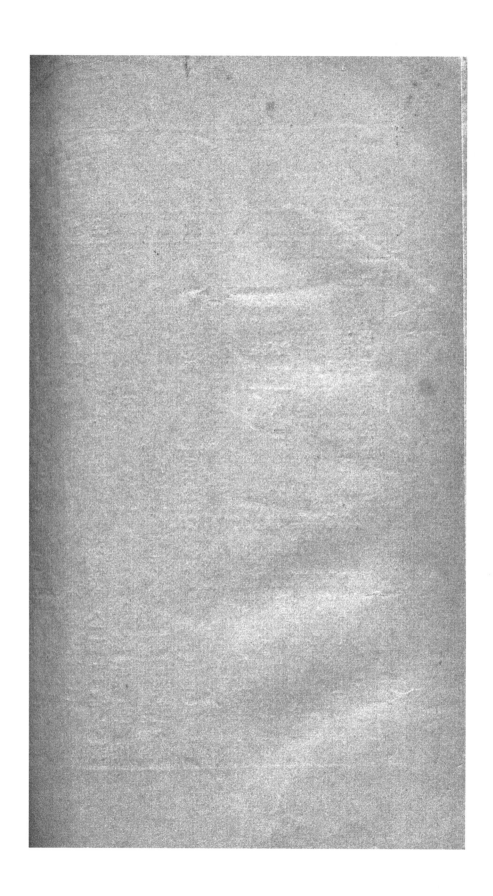

中華郵政特准掛號
十八年十月十日出版
中國醫學月刊
第一卷第七號
中國醫學月刊發行

上海葉樹德發明之

百補膏滋汁

可以補氣益血！

此汁爲本堂首先獨一發明之純正補品行銷十餘年聲譽早馳功效卓著男女老幼皆宜盛名之下仿冒影射易啓購服諸君務請認明紅色三星商標庶免受欺大瓶一元每打十元小瓶六角每打六元朔望九折發售飲片丸散參燕選擇配製靡不精細其他重要補品如人參再造丸參桂鹿茸丸虎鹿龜驢諸陳膠等修製精良定價低廉用副惠顧雅意陽歷一號十五號照例朔望鋪設四馬路石路口

中國醫學月刊　第一卷第七號

目錄

目錄

中國醫學入日本源流考

林仲昆

日本在明治以前。文化醫學。悉倣法於我國。考其醫史。當彼推古天皇十六年九月。卽西歷紀元六十八年。有惠日、倭漢福因、諸學子入唐居十五年之久。精習醫學而歸。因唐諸制度整備。感歎稱頌不已。故後來復繼續派遣留唐學生不少。彼等不獨傳唐醫學於日本。實爲日本海外留學生之嚆矢。當時隋亡唐興。爲漢民族文化復興時代。燦然一時之醫界大著。述有病源候論。（隋巢元方所著）千金方等。以此洋洋巨著爲中心。而唐之醫法方書。爲之勃興。故日人仰慕唐代之文華。遂極力移殖其醫法矣。然於唐醫未輸入之前。則有秦使徐福。欲求長生仙藥。東渡扶桑。帶有百工技藝。因其中亦有醫師在。故於此時醫學文獻。卽由其輸入不少矣。又如唐醫傳入以前。在日本所行醫術。皆取法韓醫。而韓國醫法。其淵源亦發自中國。自不待言。更因與韓國交通頻繁。故中國書籍因之而東流。亦屬不少。如此。使日本醫界。早受中國醫學之培栽。當不能不認其必然也。故正式傳習。卽於是時始。而從來神祇時代迷信之魔術的醫法。遂爲唐醫壓倒。迨惠日、福因、歸朝七十年。發布大寶令之醫疾令。則可謂全仿唐制而頒之者。據醫疾令之制度觀之。當時醫生所習書籍。爲甲乙經、脈經、本草、素問、小品方等。皆我國醫書。以其全仿唐之醫法者也。至平安朝。卽西歷九百八十年。丹波康賴氏撰述醫心方三十卷。是專依據病源候論而立說者。其所引用書籍。如惰唐病源候論、千金方、太素經、小品方、經心方、醫門方、華陀方、本草經等。百十家名著。逐一招害。提要鉤玄。使學者收舉一反三之效。是以爲世所重。其中引用諸書。有中國既佚而不存者。藉該書以存之。誠醫林祕寶也。至丹波之曾孫雅忠者。據唐代醫籍而著醫略抄一書。至是唐醫方之隆盛。愈臻極點。且字多天皇之寬平年間。藤原佐世比奉勒編修醫籍。斯時統計所存者。有百六十餘部。一千三百九十卷之多。此皆留學唐代之學生所貢獻者也。是則當時唐醫學之盛。可見一斑矣。

由是觀之。日本醫學。取法乎唐代無疑。迨平城天皇時。研習者漸懈。慮醫法頻於衰滅。乃命出雲廣貞氏選結大同類集方。於是醫法復顯於世。所惜者。此書已亡。內容如何。無從稽考。今日所得而知者。僅傳記錄而已。

改造中醫之商權

續第五期　陸淵雷

細菌原蟲非絕對的病源

第三期裏第三箇具體條件是「細菌原蟲非絕對的病原」。如今要說明這箇理由須先把病原細菌學的大略略說一下。病原細菌學在西醫要算是普通常識。人人知道。無須不佞饒舌。但是這册中國醫學月刊的讀者。十分之六是歡喜研究中醫的學者。不是醫界裏人。十分之二三是中醫。西醫只有十分之一二。爲便利大多數讀者起見。不得不略說一下。在這裏有一事須附帶聲明。不佞並不曾進過西醫學校。並不曾受過病原細菌學的功課。什麼培養。著色。鏡檢。血清反應等玩意兒。也並不曾親自動手試驗過。不佞所有的細菌知識。無非從幾册書本子裏稗販來的。又因爲不懂得德文。只略識些英文日文。也苦不甚高明。所看細菌學的書籍。只是幾種譯本。所以不佞所有的病原菌知識。自然是一知半解。極膚淺的了。如今老著臉說起細菌學來。自然免不了紕漏百出。只得仰煩精通細菌學的讀者諸君。不憚指正。

改造中醫之商榷

凡是傳染病。必有一種病毒從病人身上傳到健康人身上。把健康人引起一同樣的疾病。古時人心知有這種病毒。却不能指實他究竟是怎樣一件東西。於是紛紛揣測。或以爲由於空氣中之瘴氣。或以爲由於與病人接觸。直至十九世紀中葉顯微鏡的構造進步之後。人們可以看到肉眼所看不見的東西。就逐漸發現之許多極微小的有機體。爲各種傳染病之病原。迄於今日。這種病原體已經確實認定的有七十餘種皆是單細胞的有機體。大多數屬於植物界。叫做細菌也有屬於動物界的。叫做原蟲。通常說的「病原細菌」就包括原蟲在內。

從傳染病病人身上。取出血液痰唾糞便等物。挑取一小滴塗布於玻璃片上。就可以裝上顯微鏡。窺察他的形態。但是大多數的病原體。形體極小。顯微鏡上往往透明雪亮。看不淸楚。那就要用種種相當的藥品。先把玻片上的病原體著了顏色。纔可以鏡檢。若要傳多量的病原體做試驗。須把含有病原體的血液痰唾等物。用適宜的滋養物喂養他。好叫病原起發育繁殖。這箇方法。叫做培養。培養用的滋養物。叫做培養基。可以用液體。也可以用固體。血液痰唾糞便中。間往往有多種細菌原蟲混在一起。若要取純粹的某一種病原體時。須用固形培養基。使各種細菌原蟲繁殖成各箇集落。各集落顯出各種不同的顏色。一塊兒黃。一塊兒黑。再從一集落中間挑出些少。另行培養起來。就可以得多量的純粹某種細菌。把菌體或菌體分泌出來的毒液。注射到種物身上。那種物就會顯出病狀來。與傳染病的病人一樣。况且一種菌有一種病狀。各各不同。這就是細菌引起疾病的鐵證。

最著名的細菌學大家。一身兼有開創與集大成的。便是德國人殼克氏。Robert Koch 他老人家定下三箇原則。證明細菌原蟲是傳染病的病原。(1)傳染病的全經過中。病人身中必有病原體存在。(2)病原體可以培養而得其純粹者。(3)將病原體注入動物體內。該動物必須發同一之病證。

傳染病全愈之後。常於若干年內不再感染同樣之病。例如天花猩紅熱傷寒等。病過一次之後。往往終身不再感染。白喉全愈後。十年之內不再感染。這因爲

害傳染病時。身體中生出一種抗毒力。抵抗那種病菌。結果抗毒力戰勝了病菌。病因此全愈。以後雖有同樣的病菌侵襲身體中。發生抗毒力却格外容易。就不致於發生病狀了。好比一家人家。受着強盜打刼。如其不至於家破人亡。以後對於防盜方法。當然是特別講究。門戶謹嚴。槍械齊備。倘有不識相的強盜。再去搶他時。那就對不起。只好一箇箇束手就縛了。這種容易發生抗毒力。或是體內存有抗毒力的性質。叫做免疫性。

病家之患患病多。

醫家之患患道少。

醫刊之患患稿荒。

金匱虛勞之研究

程門雪述　田先平錄

未解虛勞之先。有一語須當先白者。則倘以金匱所言虛大法。以治一切近時所謂吐血咳嗽癆病。十九必敗。善乎徐靈胎之論葉氏也。葉氏以小建中治勞損。十八而九。徐氏正之謂古人所謂勞病。非今近除虛有火之勞病也。桂枝下咽。陽盛則斃。吐血者服生姜。必致音啞。以熱濟熱。臟府必焚。實爲不利之論。不僅葉氏爲此。即黃氏陳氏所謂復古派者尤盛倡之。鄙滋陰清養之方爲不足道。非用桂附。即用參芪。置一切於不顧。不特傳之於口。抑且筆之於書。以爲法古人師仲景。實則肺腎陰虧。君相火炎之癆。遍地皆是。隨時可見。若用桂附。必犯熱消陰液之危機。即用參芪。亦冒壯火助氣之大戒。偏於滋陰者。謂勞病盡屬陽虛。重用苦寒。賤其生生之氣。因爲不合病機。偏於温補者。又謂勞病必是陽虛。太進温熱。却其化源之精液。更屬偏僻之見。要知人身氣化。不外陰陽。病氣循環。本無偏盛。必守陽常不足。陰常有餘。抑陰扶陽之說者。謂之愚。即謂陰常不足。陽常有餘。補陰配陽之說。亦爲拘。自當活潑潑地。不着定見。隨症轉移。方爲能手。欲治勞病。必先將此二派聚訟紛之議論看破。然後能言其治。要知此二派之言無不是亦無一是也。此理既明。乃言金匱虛勞之理。金匱虛勞大勢趨重陽虛。但非不知陰虛勞症者。惟不注重耳。其大旨仍從內經發源。內經有勞者温之一語。後人遂謂治勞用温熱之品。非特仲景法而亦內經法。以爲取法乎上。其實內經温字不作温熱覺。乃温養其藏氣耳。故曰形不足者温之以氣。精不足者補之以味。温又與蘊通。經又謂損其脾者。調其飲食。損其骨者。益其精。即謂勞傷。勞傷藏氣而致損者。當藏蘊其精氣。使其不妄消耗。積虧而盈也。其義深奧。若但用温熱之劑。便算宗經取法。直成其爲笨伯耳。金匱即從內經勞者温之一語發揮。謂虛勞之症。有陰虛者。有陽虛者。不能混同施治。勞者温之一法。只能施用於陽虛之勞。而不能以之治陰虛勞瘵。又恐後人不明辨症。倘有悞治。爲害非淺。故特將陽虛之勞。重要見症。標出數者。以爲規則。見此種症。便可照陽虛温養之法施治。即不見此種症。此方便不可服。此法便不可用。此點一明。前人用温用涼之辨。不攻自破矣。其標出之見症。亦有主次二種。主症爲必見者。次症爲附見者。不論所附見者。是否陽虛。附症亦必照法施治。主次二法。因不必虛勞一症。陽法一法爲然。卽陰虛者以外之症候。亦無不然。實學者之所最宜注意點。今但言虛勞陽虛之主病耳。金匱本文（勞之爲病。其脈浮大。手足煩。春夏劇秋冬差。陰寒精自出。瘦削不能行。）（男子脈浮弱而濇。爲無子。精氣清冷。）（男子脈虛沉。强喜寒熱。短氣裏急。小便不利。面色白。時目瞑。兼衄。少腹滿。此爲勞使之然。）（男子面色薄。主渴及亡血。卒喘悸。脈浮者。裏虛也。）虛勞裏急。悸衄。腹中痛。夢失精。四肢痠痛。手足煩熱。咽乾口燥。小建中湯主之。一夫失精家。少腹强急。陰頭寒。目眩。髮落。脈熱虛芤遲。清穀失精。亡血。脈得弦芤動微緊。男子失精。女子夢交。桂枝龍骨牡蠣湯主之。上數條。均言陽虛虛勞之證治也。金匱虛勞不詳致病之因。然爲屬因勞而虛。致虛之由無非亡血失精。故以二者相提幷論。亡血失精。均有陽虛陰虛二種。若上所言者。卽陽虛之亡血失精也。其主要之見證在下不在下。如陰寒精自出。精氣清冷。陰頭寒。少腹弦急。腹中痛。清穀。面色薄。面色白。脈浮大而熱。虛。均爲亡血失精。陽虛之的症。血去則血中之溫氣消亡。精極則腎中眞陽亦衰矣。陽精喪失。精不生氣。氣不溫血。血不藏神。則成勞症。而諸症之中。尤以陰寒、精冷、腹痛、清穀、面䏚、脈虛、爲主症。有一於此。便是陽虛。何況同見幷出。則其餘不問而知矣。陰寒二字。則陰頭寒之互詞。修園解陰寒爲虛寒。則是病不是證矣。是爲陽虛重症。豈能勿略。陰寒精冷。爲腎陽不足之主象。陽虛土濕。則便溏清穀。土濕木陷。則腹中強急作痛。陽不麗於頭。卽面䏚。氣不充於脈。則脈虛。凡精冷者。必不能生育。故無子。主症既得。則其餘可迎刃而解。目無全中矣。其渴者。腎精不能化氣。氣不上爲津液也。其悸者。腎精虛而衝氣動也。其喘者。陽虛衝氣上升也。小便不利者。膀胱之氣不化。命門之火不足也。髮落者。髮爲血餘。亡血血不足。無以潤其餘也。手足逆寒者。脾陽不能溫其四末。血中溫氣少也。四肢痠痛。瘦削不能行者。脾腎精血不足。不能榮養筋骨也。盜汗者。乃陽虛陰盛。陽不入陰。及從汗洩也。凡此時候。均與主症相近。故尚易辨。（未完）

中國醫學月刊 一卷七號 一一

肺病治脾之研究

舟濟

自細胞病理學發明以來。各國良工大師。凡研究病理者。除研究病源微生物外。莫不悉心研究細胞病理學。所謂細胞病理者。就各部器官各種細胞之生活現象及其發生之變端而研其究竟也。自西醫流入中國。我國有志之士。見陰陽五行混淆。莫不欲急起直追革新中醫。使中醫成科學化。甚有以爲中醫不足學於是。盡棄我固有醫術而學西醫。良堪浩嘆。不知荒山之中。自有寶藏。流沙之灘自有眞金。細胞病理與病源微生物。所不能解決。而我中醫以玄妙之說。能解決者。比比皆是。何以見之。如肺病治脾。非明證耶。肺病治脾。中醫謂之培土生金。此法專施於第三期肺病之一方也。然肺病有外來之病。有本體之病。如外感風寒暑濕之邪。肺氣不宣。呼吸失常。咳嗽氣急。鼻塞音啞。種種現象。此乃外來之病。外來之病。對於身體。無多妨礙。然經久不愈。亦能波及於本體。是以諺有傷風不醒便成癆瘵是也。本體病有胞絡胞管肺胞之分。咳嗽臂痛。痰內帶血。病在肺絡。咳嗽頻頻。氣急不舒。病在肺管。咳嗽不止。喘息不能臥。病在肺胞。肺病一部分受病。或肺絡或肺管。謂之肺虛。若二部分同是受病。如肺絡與肺管或肺管與肺胞。謂之肺損。若三部同病。卽謂之肺癆。西醫對於肺癆。祇有預防。而無治療。中醫對於肺病一期。有一期之治療。惜無專門研究之書籍。雖有各種良方。每散見於各家。金匱肺癆肺痿咳嗽上氣痰飲等篇。劉河間之肺虛有火喻家言之秋燥救肺。理虛玄鑑之虛癆論。唐容川之吐血論。對於肺病之治療。闡發無遺。是以中醫一見肺病。即爲之治愈。不致釀成癆病。西醫不能治其初。聽其自然。每釀每成癆也。

夫肺之能力。在乎呼吸。呼吸之原動力。在於肺絡肺管肺胞。營養肺絡肺管肺胞之原素。在於脾胃。扶助肺絡肺管肺胞之動力。在於橫膈膜。若肺絡有病。咳嗽脅痛。痰內帶紅。索其原由。是否由於痰熱。或由於受傷。由於痰熱。則施以瀉白散。由於受傷。則施以金匱側柏葉湯。若肺管有病。咳嗽頻頻。氣急不舒。索其原因。是否由於風寒外束。抑熱傷元氣。風寒外束。則宜麻黄湯。熱傷元氣。則宜復脈湯。若肺胞有病。咳嗽頻頻。喘息不能安臥。審其原由。是否由於痰飲上逆。抑或肺胞萎枯。鼓舞無力。氣管加力工作。由於痰飲上逆。宜苓桂味甘湯。由於肺胞萎枯。宜甘草乾姜湯。此皆第一期之肺病與治療也。第一期之肺病。最爲吃緊。一有差誤。即能釀成肺癆。大凡陽旺之體。肺壞爲多。在陰虛之體。肺萎爲多。若二部同病。宜先治其所急咯血甚於咳嗽。則宜先治其咯血。喘息甚於咯血。則先治其喘息。因第二期之肺病。肺之生氣已衰。其大半治法務須從其病。尚無傷其正。迨至第三時期。肺之生氣已絕。徒進治肺之劑。是猶杯水車薪。何濟於事然其所以仍能呼吸者。因模膈膜之功也。其所以仍能生存者。因脾胃資生之功也。此時只有健脾胃。以增其化源。化源充盈。或有一線生機。然健脾胃之法非進以補中益氣也。非進以枳朮丸也。須視其體魄若何。在陽旺之體。培土須兼保金。山藥扁豆之屬。加入沙參貝母之品。在陰虛之體但培土可矣。土旺自能生金四君子湯加山藥扁豆之屬。培士生金之法。不知發源於何時。金匱有隔一隔二之治法。內經有相生相乘之說。或許發源於此後之醫者互相効用。皆能有効。亦不究其根源及夫新潮澎湃一切玄妙之說。概屬併棄不知玄妙之中。亦有眞理研究中醫者可不細心研幾而審察也。

婦人轉胞之研究

樊須欽

金匱以婦人病飲如常。煩熱不得臥。而反倚息。不得溺者。謂爲胞系了戾。名曰轉胞。余嘗遍閱各家註釋。莫不穿鑿肓解。如陳修園解爲胞宮之系了戾。胞爲之轉。胞轉則不得溺也。唐容川則謂膀胱之系了戾。故不得小便。其系卽下焦膜油。竊思胞宮非蓄尿之器。其系非輸尿之道。何而致于小便不通耶。況煩熱倚息等症。煩出于心。喘出于肺。亦均非胞宮之病。何能致胞宮轉而諸恙並作耶。唐氏膀胱之說。尙屬確切。但所謂三焦膜油者。非繩非索。安能旋轉了戾乎。況經云三焦者。決瀆之官。水道出焉。則三焦之功。能輸肺之津液。入于膀胱。又能散膀胱之津液。分佈全身。所謂通調水道。下輸膀胱。水精四布。五經並行是也。假令膜油了戾。必至全身機息。豈止不得溺哉。是則唐氏之說。猶未盡然。其餘諸家。更不足言。以致轉胞眞確之病理。迄今尙鮮闡明。良可嘆也。余意轉胞者。屬于膀胱之尿液停留。排泄無能。不得下通。轉而上逆。非陳氏所謂胞宮轉也。胞系了戾者。爲輸尿管受子宮之壓迫。折而繚戾。失其輸尿之功能。亦非唐氏所謂膜油了戾也。經不云乎膀胱者。州都之官。津液藏焉。氣化則能出矣。是則小便不利。屬膀胱之病。彰彰明矣。惟此症之膀胱爲病。與傷寒論用五苓散之症不同。彼由于寒邪稽留于太陽之腑。此由于子宮壓迫于輸尿之管也。況輸尿管上連于腎。腎在子宮之後。膀胱居子宮之前。輸尿管與子宮同處腎與膀胱之間。故子宮能壓輸尿管而爲病也。或疑轉胞胞系之胞字。係指胞宮而言。殊不知金匱以胞宮名曰子臟。以膀胱名之曰胞。蓋即經云膀胱之胞薄以懦。史記倉公傳正義曰。脬通作胞。脬即膀胱也。然則轉胞爲膀胱之病。胞系了戾爲輸尿管繚戾。豈不昭然揭哉。奈何昧然不察。望文生義。誤以轉胞爲胞宮之轉乎。又何以不詳生理。好倡異說。以胞系爲下焦膜油乎。蓋人身排泄小溲之機。係由腎臟吸收血中廢物酸素尿素等。經過輸尿管。送入于膀胱。乃排泄體外而爲小便。若輸尿管有所阻礙。轉折了戾。不能一管直下。輸送尿液。故不得溺也。論中所謂煩熱不得臥者。以酸素廢物。不能下出。反混入於血液之中。經迴血管迴入心臟心爲神明之府。失其清甯。故煩熱不得臥也。所謂倚息者。以心中濁血。上行于肺。肺臟一呼一吸。不能排其炭氣。反爲酸質尿素等。壅塞氣機。氣不肅降。故爲之倚息也。夫病理之發生。必由生理之變常。轉胞而致煩熱之病倚息。本可從生理合于病理也。假如唐氏三焦了戾之說。則倚息煩熱之病。何能相合乎。惟仲景能明其病理。故能詳其病狀。其曰倚息而兼煩熱。可以知非水飲射胞之倚息也。其曰不得臥而反倚息。可以知非胃不和則臥不安也。況二者飲食均減。當無飲食如常之候。既非水飲。又非痰滯。即可斷定其爲轉胞矣。仲景以此症列于婦人篇中。以腎氣丸利其小便。其意蓋孕後之婦人。胞宮較大。易壓其膀胱之系耳。而孕婦患者尤多。以胞胎重大。易壓輸尿管也。然其胞宮之所以下壓。實由于陽氣之衰微。既不能舉其子宮。又不能送其小便。故致胞系繚戾。不得小便。其用腎氣丸以治此病者。以能溫運陽氣。陽氣足則氣化宣通。胞系自順。而溺自下矣。若謂胞宮了戾。則利其小便。何濟于事。膜原繚戾。則溫其陽氣。亦有何益。余故曰轉胞爲膀胱之病。而胞系了戾。爲輸尿管之病也。

治溼論略

朱惜民

治濕的方法。大概分爲三部。是什麼三部呢。就是上中下三焦。濕病既然有上中下三焦的分別。那治法當然也有上中下三焦的治法。而且各須分門別類。不可混雜。現在鄙人應本刊主筆之邀。祇可于忙裏偸閑。中略如來談一下子。

上焦的濕。那是很容易辨的。譬如這個人有些頭痛腰痠背脊疼痛。『金匱所謂風濕相摶一身盡疼法當汗出而解。』就是這個病症了。但祇可與微汗不可與大汗。如發其汗而汗大出者。風氣雖然都去了。但濕仍留滯不去。所以這大汗與微汗是很有關係的。所謂錯以毫厘。謬以千里。故金匱又云。『但微一汗出者風濕俱去也。』

中焦的濕。是較上焦稍爲難治。中焦主土。本來是多濕的。而更病於濕。那是覺着有些討厭。治法就是用些溫燥藥去滲他的濕。然而總也不外乎以『烈日以曝之之理』若然以中焦病。而用上焦治去治他。那豈不是滑稽極了。不但說不見好象。就是或許有壞象發現。那也是意中的事哩。

講到下焦的濕病。那也是便當的。簡單的說。就是開支流以流之。小便一通。當然濕有出路。是天然的現象。他自然而然的會好了。不過雖則下焦濕。是可以開支流的。然而通府一層。是在禁例。那是讀者不可不留意的。

上中下三焦的濕病。已經是談了一個大略。其餘因濕成病的症候。倘且很多。也不及與讀者細談。總之濕之爲病。是瀰漫無收。如水銀瀉地。無微不入。所以要講講也非一朝一夕可以談得完的。現在且讓鄙人擱擱筆。等有空的時候。再來同諸位談談。那是我也很願意的。

婦女白濁與生育之關係（上）

朱惜民

白濁這二個字。在五方雜處的上海。我們已經是司空聽慣的了。十個人之中。問起來。差不多祗少有四個人患過這個病症。所以照這樣看起來。其傳染害人的能力實甚于毒蛇猛虎。在德國的法律上。有男子患白濁傳染于其妻。有須罰馬克一千。併處徒刑一年。並因男子患濁以致失歡者。法律有准與離婚之可能。而瑞士丹麥挪威等。亦有相似的處罰。照這樣看來。可知各國知白濁之爲害。實可使此人之終身無片刻之歡樂。並且可以害及子女。甚之于無生育的可能。男子淋濁既然這樣的可怕。推而至于女子。那女子的白濁。我國極少有人研究。並且中國舊家庭之女子。每有患是症而祕不肯宣。以致禍及至身者。比比皆然。現姑詳書於後。以餉讀者。想讀者亦樂聞歟。

白濁是花柳病之一種。又名白淋。如有人患了白濁。尿道粘膜定多炎腫。小便時。即澀澀作痛。所以治這個病。本來是不甚容易。而於婦女人患此症者。更覺困難。因爲婦女生植器之構造。很是複雜。牠的粘膜突起與陷下。造成很多的皺襞。婦女一患白濁。病菌便潛伏於此皺襞之中。這是爲藥力所不能及的地方。所以在我們爲醫的看起來。是一件極危險的症候。並且是極有研究的價值。

婦女一患白濁。是十分危險的事。神經與內體上都有一種痛苦受着。有的因患白濁而月水錯亂的。有的因患白濁而生瘡瘍的。有的甚致于因患白濁而沒

婦女白濁與生育之關係

有生育之可能的。這可算是人生第一不快的事情。而且婦女患有白濁。妊娠後固無異象。待至分娩時。小兒經過產門。產門內有白濁菌。傳於兒之身上。或眼目中。以致成爲失明者。或不染入眼中以致成爲胎毒者。殆害子孫。以此爲極。這樣不是一件最可怕的事麼。

白濁之爲病。其傳染力甚大。可說無論處女。寡婦。以及一切不接近男子的婦人。都有可以發生白濁的可能。（有男子的當然更不必說了）如衣服不潔。或者物體接觸。這兩種是爲傳染白濁于這種人的普通媒介。其中如處女之患白濁。則又有其他理由。因爲處女的陰門。陰道。皮膜很薄。所以傳染則較成人者之堅厚陰門陰道容易多多。白濁菌能夠於一日內在溫濕物及浴布中保其生命。所以幼女患白濁多由浴布浴水衣服之不潔而來。不可斷定其有外遇。或不規則行爲。此爲人父兄者。不可不知也。

婦女患白濁後。於身體毫無感覺痛苦。而白濁菌則往往於人無意中努力進行其傳播工作。所以婦女此症預防很困難。其後則蔓延不絕。爲白濁毒菌之大本營。往往有不潔淨的妓女。這種遊蜂浪蝶。貪一度之歡。以致種禍一生者。亦司空見慣。

婦女于白濁初時起。已嫁之成年婦人。則其尿道與子宮頸先受傳染。處女則尿道及陰道先受病。而白濁一經傳染。於女媾後十二小時內。即可發見初次病狀。不過這是急性症。緩性症則於二日內方始發現。如子宮頸發生病象。往往有隔五日至八日者。

白濁菌最易傳染之區域。爲尿道。故無論處女婦人。均先病尿道。何以知其必先病尿道呢。因爲尿道位置關係實居第一。處女由物體之觸接。亦先病尿道。婦人則于交媾時。男子陰莖上白濁性濃液先傳發于尿道。尿道之圓柱表皮更適于白濁菌之生植。

白濁菌傳染尿道外。更能傳染尿道前端。于診治急性尿道濁的時候。往往可以看出有小紅點於尿道前口。如將尿道扯開。于尿道前端。（西醫謂四安洒白腺卽此）有濃汁流出。此濃汁中卽有無數之白濁菌。

婦人之陰道膜。陰門大小陰唇。本來是少白濁菌傳染的可能。惟老婦孕婦處女或有傳染。然亦很少見而子宮頸傳染綦易。子宮口則可免傳染。然於有特殊事情時。或有傳入子宮者。從此毒菌卽內竄矣。而婦人有先病陰道者。多由此人處女膜極小。屢次性交而陰莖不能深入。故陰道先受其病。

白濁菌自入子宮後。子宮膜等皆爲其過波驛站。此時之子宮膜似乎不適宜於白濁菌之生植。此菌一入子宮。便很容易的侵入喇叭管。此管爲白濁菌最好的生植地。從此白濁菌能由喇叭管而入於腹內而成諸藏之炎症。

（待續）

女子經閉成勞原因

淑雅

經閉的一個症候。在平常人看起來。當然是很危險。以爲成勞的初步的確。如若經閉。當然是很覺着可怕。不過治之適當。也有可以挽回的。鄙人的題目。是成勞原因。所以讓鄙人先來講講這個原因。女子經閉成勞的大概。是有幾種分別。有的是偏房失寵之妾。或者是寡居之婦。及愆期未嫁之女。或者是菴院之尼。有情人難成眷屬之可憐虫。照現在在臨診時候遇到的大概。以第一第二第三第五種爲最多。其爲病之由乃由

女子經閉成勞原因

積想在心。思慮過度。所以多致勞損。夫人之生以氣血爲本。人之病亦未有不先傷其氣血者。所以女子以情懷不舒。抑鬱不暢。而致憔悴可憐。月水先閉。其爲憂愁而兼思慮。思慮傷心。而血逆竭。神色因以瘦減。而且心藏一病。則脾無能養。脾既然納穀不馨。因以不嗜食。脾氣一虛。肺金當然是要現虧象。故女子閉經之後。就有咳嗽的現象。腎水絕則肝木不榮。因以有四肢乾痿。肝然既燥。所以多怒。而鬢髮焦。節骨痿等現象亦隨之而見。如若傳遍五臟。則無可救藥。此乃七情之變。無以法治者。而且有些甚致於于成瘵癧的。也很多見。不過這病爲時很長。在不以爲意的人。起初當然不很加意。以爲是女子經閉。是尋常的事。不足爲奇。却不知道久而久之。自然有很因的現象發現。不過到那現象發見的時候去治。已經是感覺着十分討厭。九死一生的了。滌

而停經也有幾種。有的女子的身體。每到夏天。經就定止不來。有的到冬天經也就停止。這並不是成勞的現象。這就是我們所謂歇夏歇冬的症候。一遇到這種症候。也不必服藥。因爲他在這時期。定然是不來。就是不服藥。也不致有什麼壞象。服了藥。也不見什麼好象的。不過這種症候是通地道以後從來是這樣的。如若年年不歇夏。或不歇冬。湊巧今年夏天。或冬天。不來。這是不可以當他歇夏歇冬治。或許有別種的關係。還有的是石瘕。是因行經時寒氣由陰戶而入。客于胞門。與經血凝聚。腹大如孕的。這也是經閉之一。不過不在本題之內。不須多談。其餘爲濕經。室女初行月水。誤用冷水沐浴。以致經閉。或因開甑爲熱氣所薰。以致閉經。或七七後地道經閉者。均與成勞兩字相差懸殊。所以閉經一病。不可完全當他是勞病。當審症用藥。以及有背心

熱頭暈腰痠同以上諸外現象。然而相似的病症也是有的。總須認明這病的究竟。平常以女子經閉成勞。須用三稜莪朮以及紅花霹靂散之類。以通其經。以鄙人之見。以爲這種慓悍之劑。大助陽火。陰血得之則志行。無益於病。而更傷其血。此所謂標本緩急之難施也。且五穀入于胃。其糟粕宗氣津液。分爲三隧。宗氣積于胸。出于喉。以貫心肺而行呼吸。榮氣祕其津液。而注於肺。化而爲血。以榮四肢並養全身。若與慓悍之劑。脾胃則更現虛象。飲食也就漸漸的減少。以致不起。照這症候看來。豈不更加弄壞。所以治經閉成勞的方子。最好是補血活血稍佐治肝。如柏子丸澤蘭湯之類。那是最好的治法。其他還有季經。年經。(季經一季一轉年經一年轉）這是天然爲此。切不可當牠是勞損。如若當牠是勞損治。那豈不笑話。這也是我們爲醫者不可不知的。

空氣與疾病之關係

馬伯孫

金匱上說。人類因風氣而生長。風氣雖能生萬物。亦能害萬物。如水能載舟。亦能覆舟。這一段話眞一點不差。天空中的風氣成分、春夏秋冬是不時變化的。人類生存在空氣中。善賴自身的調節機能。妥爲調節。方能保持健康。如果空氣成分發生變化。而自身的調節機能調節不靈。那就免不了發生疾病。疾病是什麼東西。就是人類身上的物質與勢力起異常變化。換一句話說。就是人身生活機能。不能生活發生變態。

那麼空氣中的成分起變化。爲什麼不合生活機能而要生疾病呢。因爲生活機能要生活。須要有空氣中養氣的幫助。好像汽鍋中要燒煤。方能生出力量來的一樣。平時空氣中的養氣。是百分之二一。是確合生

空氣與疾病之關係

活機能的須要。所以生活機能。能生出他的力來而生活。吸收養氣的機能是肺臟。肺中有了養氣。就能把心臟的右心房右心室中底靜脈血。由肺動脈注入肺中。到肺細胞周圍之毛細管時。養氣就能把暗紅靜脈血。變成鮮紅的動脈血。靜脈血變成了動脈血後。由肺靜脈注入心中的左心房。而下流到左心室。由大動脈注射出去到全身動脈中。而至毛細血管後成靜脈血。再由大靜脈注回右心房。這樣的全身循環。使得各臟腑生出所有的機能來。並且還有營養全身的皮膚肌肉的功能。如果氣候忽變。空氣乾燥。灰塵飛揚。而空氣中的氣體沃蟲（OZon）少。不能殺菌消毒。以致各種病的細菌皆飛揚在空中。往往隨人類的呼吸入內。以致發生疾病。又或空氣乾燥。天久不雨。養氣稀少。不滿百分之二一的時候。人必頓覺不快。在這時候血液中充滿。炭氣動脈血皆變爲靜脈血。遭氣絕而死。並且灰塵是·食鹽·煤灰澱粉等有機物質所成。所以灰塵吸入氣管時。有一部分被纖毛之顫動。仍驅到體外。但還有一部分。往往貫穿肺細胞之上皮。或通過淋巴管。到肺淋巴管。而成肺病。所以老人肺中常見肺細胞染成了黑色的。但是氣候乾燥。養氣稀少。肺呼吸不便。而且皮毛又不能助肺呼吸。所以呼吸更覺困難。有時欲成氣喘的病症。因養氣少。肺臟不能把靜脈血變成動脈血。以致鮮紅的動脈血液少。而各部的神經失去血液營養。而成骨節疼痛。拘攣。貧血等種種疾患。多是因氣候變遷而造成的。若灰在氣候燥乾悶極的時候。忽然下雨了。雨一下。人的精神上頓覺爽快。因爲地面上也的灰塵着雨水後。就不飛揚在空中。並且炭氣被雨一冲。即清潔。而且養氣也增加。肺呼吸也便當。血行流利。而腦

空氣與疾病之關係

神經各部也有營養而活潑。不但如此。同時空氣中沃蟲也增加。能把一種特別的臭氣放出。破壞細菌。而在空中起一種消毒作用。或在紅日高照的晴天。而且空氣成分不變化的時候。日光也能起同沃蟲一樣的殺菌消毒作用。有這樣的氣候。人身也不易生疾病。反而覺得暢快。這多是因爲氣候所致。所以我以爲氣候適宜不變。能使人神清氣爽。氣候若生變異。即能使人易患疾病。因此說氣候與疾病。是有密切的關係。此說不知道對否。倘請高明指教。

這篇東西是上海國醫學院第一年級學生作的樸實說理不尚空論幼年得此殊屬不可多得編者案

肝氣痛

肝氣痛　沈仰慈

麥根路同河里余居停主婦陳王氏。年約四十餘。夙有肝氣痛病。已數年不發矣。一夕忽疾作。痛楚之狀。不可言喻。先是鬱鬱不樂者數日。及疾大發。輾轉床褥。間呼號至慘。聲震鄰舍。聞者酸心。痛極復嘔吐。嘔吐之後。稍停又痛如前狀。時已夜半。余聞其慘號聲。終不能寐。思如此苦楚。一身精神有幾。痛至天明。不將殆乎。因披衣起往視之。見其夫若子女旁皇無措。婦面色慘白。苦楚萬狀。余曰盍服藥乎。余能書方。婦首肯。其夫亦言謝。乃切其脈。兩手沉伏。問痛處。則指其左脅及胸脘。察嘔吐之物。清冷不臭穢。余曰此肝部氣血為寒所凝滯而為痛。溫通可愈。乃書方與之。囑煎兩服。首服如稍可。則間一時許更服之。其夫急市藥歸煎之。一服果痛止。二服盡。竟能安睡。翌晨九時。見婦在客堂中談笑如恆矣。藥劑對症。其靈驗有如是者。此戊辰三月初旬事也。方錄如後。

粉歸身　四錢　正川芎　錢半　生香附　三錢　姜半夏　二錢　炒赤芍　五錢　元胡索　二錢

台烏藥　二錢　廣皮紅　錢半　川桂枝　五分　春砂仁　八分　陳　酒　一盅

脫肛兼血淋　沈仰慈

劉河女子周氏。寓滬親戚家。夜間因事下樓。匆促間失足。自梯滑下。傷尾閭。連及前陰。初祇作痛。遷延月餘。遂時似欲大便。肛墜寸許。疼痛不能坐立。前陰熱痛。小溲不暢。求治於某西醫。謂痔兼急性淋病。乃為藥洗滌陰道。注射藥水針。旬餘無效。小溲愈窒。痛且帶血。醫又謂變成血淋矣。偶余遇之。求余為治。余詳詢得其情。曰治病必先求病原。不察致病之所由。而成法是施。庸有效乎。此病起於墜跌過劇。傷及下焦。脫肛者腸氣陷落也。溲窒者膀胱瘀滯也。陷者當舉之。瘀者當消之。乃爲處甲乙二方。甲方主舉陷。乙方主消瘀。相間早晚煎服。越二日再診。則肛已縮進三之二。小便窒病如故。囑仍服原方如前法。至第四日。據稱肛已縮進。小溲已通。有些黑血條。如粗線長寸許。隨溲而出。溲後痛楚。肛仍欲脫。余曰效矣。後與活血消瘀止痛之方。間入升提固氣。診治旬餘。肛固。瘀血盡。溲亦通暢。乃與調養方。攜方歸瀏河。

胃病

沈仰慈

南通張退公之文孫慰慈君。患胃病。食入則脹。飲入則停。自云飲停胃中。振動之。汩汩有聲。大便祕澀。輒旬餘不通。灌甘油導之。病將兩載。形體瘦削。氣色枯黃。貿進黃米飯。不足半甌。聞滬上西醫能按摩治胃病。乃於丁卯十月間侍母來滬。寓大生滬事務所。有德人名候東藥生者。適賃居大生四樓。專以按摩治病。乃邀余爲伴。就診焉。德醫爲之按摩三日。無影響。而頗覺痛苦。遂不復往。擬更覓醫。余曰治病必先知病之來源。君年未二十。而胃病如此。度必先有所傷。曰然。乃詳述三年前誤用茶膠。致洞泄無度。及止。後因啖瓜果生冷。遂致飲停食滯。久而彌甚。余曰然則君之病。是脾陰損於前。胃陽傷於後。恐非按摩所能愈。若湯劑得宜。當可奏效。其母聞余言。卽命處方。乃爲先振胃陽。痞滿漸通。繼養脾陰。食慾漸增。始終以香砂六君歸芎異功等劑。出入爲方。每方加別直參一二錢。初恐虛不受補。及服後甚適。乃信任不疑。調治月餘。其病竟瘥。進食啜啜作聲。津津有味。其母善曰。久不聞兒此聲矣。自是津液

胃病

漸復。大便自行。是年冬。向余索常服膏滋方而歸。翌年夏初。余因其母病電召赴通。見其神旺肌豐。與前判若兩人。

補錄方案一則

胃爲多氣多血之腑。血衰則胃枯。氣滯則胃呆。溯君脾胃之元。一傷於刦劑。連致完穀不化之泄瀉。元陽剝削。是爲遠因。再傷於生冷。致元陽抑遏。是爲近因。飲停不消。氣滯不運。病屬胃呆陽虛的徵。三進溫通之後。飲消氣舒。頗合機宜。脈象帶弦。自是肝旺。鄙見肝強而後胃弱。自以治肝爲本。胃弱而後肝強。則以扶胃爲主。是否有當。願以質正高明。

別直參錢半另蒸　雲茯苓二錢　炒陳皮八分　秦歸身一錢　生於朮二錢　炙甘草五分

廣木香八分　炒白芍一錢　炙黃芪二錢　仙半夏錢半　春砂仁五分

又補錄膏滋方如左

別直參二兩　生於朮二兩　炙黃芪二兩　雲茯苓二兩　秦當歸一兩　杭白芍一兩

柏子仁一兩　黑桑椹一兩　仙半夏五錢　製川朴一錢　建神麯一兩　炒陳皮四錢

淡乾姜錢半　嫩桂枝一錢　春砂仁二錢　炒枳壳四錢　大棗肉十枚　煉熟蜂密二兩

先十九味。濃煎取汁。以煉密收膏。每日早晚開水沖服一匙。計。

右方大旨以和胃醒脾。大建中氣爲主。少參陰柔之品者。以君病本胃陽衰弱。致食阻飲停者許久。今運化之力。

雖已恢復。而陽氣未充。仍有停滯之虞。故宜使陽和敷布。氣機流暢。則飲行食化。津液四布。以資灌溉。自不至痞滿停滯。且元氣一充。津液一旺。平日大便亦可免燥結焉。

此方補而不滯。溫而不燥。據張君面稱連服五料。頗有益云。

肝陽頭痛

江都張樹勛

療病容易。能診斷確難。同一疾病。而能辨別寒熱虛實。寒熱虛實苟能辨清。則療病裕如也。否則未有不僨事者。若彭童其一也。頭角抽痛。或連帶耳前。或牽動耳後。時輕時劇。叫呼不安。經醫診治。有作時邪治者。有作氣虛治者。有作痰濕。清陽不升治者。延至兩月。未見輕減。反而增劇。病家以為不治。委命於天。該童鄰人。知余善注射。乃邀余診。遜注射藥液用馨。先服中藥。以觀動靜。俟後再行注射。病者神疲。合目。面黃肌消。臥床伏枕。胸痞納少。泛泛作嘔。嘔吐痰沫。大便燥結。小溲混赤。脈象細數。舌苔白膩。口苦欲飲。飲亦不多。脈症兩參。確是肝陽頭痛。挾痰溼上升。病由於陰液不足。不能潛陽。肝陽升騰。夫肝陽頭痛。婦人最多。不難治療。養陰潛陽。則頭痛自痊。無如病久。胃氣不振。一時難以速效。擬養陰潛陽。和胃化痰法。生石決。牡蠣。白芍。穭豆衣。菊花。潼夕利。半夏。生白朮。陳皮。茯神。山梔。丹皮。勾藤。荷葉邊。連服四劑。頭痛大減。嘔吐止。納穀香。大便通。小溲清。病家以為痊愈。即停藥水。不數日頭痛又發。招余復診。改施安息香酸嗎啡乙注射液。每日一針。連針五六次。頭痛十減其八。於是易服中藥。以善其後。照前方去山梔。丹皮。加芝蔴。囑服十劑。飲食行動如常。一波初平。一波又起。忽然。右足外側一線之火上蒸抵頭。頭眩目花。兩耳閉寒不聞。片刻卽退。投育陰降火。健脾和胃。砂仁拌熟地。白芍。菊花。淮牛膝。生白朮。半夏。山萸肉。牡蠣。黃柏。潼夕利等品。兩服而諸恙悉退。但覺右手足不時麻木。甚則不能立。勢必傾仆。須臾卽安。病者父母詢余。究屬何病。余肝。腎曰兩虧。虛火作祟。脾胃失其運納之權。溼痰中阻。以致營衛不諧。血脈不能流通。故麻木。經云。衞虛則麻。營虛則木。此之謂也。若再不愈。勢必變爲類中風。圖治不易。爲今之計。仿金匱黃芪五物湯。加當歸。益氣和營。另外早服黃芪大棗。晚服蛋棗湯。循序調理。未嘗不能收效於萬一。閱兩月餘。病竟霍然。病者家屬來寓道謝。並贈以禮物。余以爲臨症之一得。遂援筆記之。質之海內同志。有以教正。則幸甚焉。

徵求

請問瘰癧之救星中乾餅藥究竟是何藥

羅燚元

外瘍險惡諸症。除疔毒發背而外。其最難醫治者。尤莫如瘰癧一科。蓋疔毒雖險。能治者。猶數見不鮮。收效亦速。惟癧症古今無良法。中西無善治。而患斯症者。又恆見一般平民。每見治不得法。輒釀成痨瘵。遷延以死。良深浩歎。鄙於是不惜重貲。廣購諸書。朝夕研究。以爲患斯疾者請命。奈諸書方治。非失之慓悍。卽失之庸劣。大都陳陳相因。無所短長。雖王洪緒有所發明。而所用小金丹。醒消丸等。又皆多犀黃珍貴之品。平民更無力購買。亦非善法。鄙常欲求一價最廉而收效最速者之方。以盡救濟平民之心願。某於去冬。得見三三醫社刊行治癧全書一冊。係廣東嘉應梁希曾著。上虞兪鑑泉錄藏。其中治法。分內服外點。內服之方。大要和氣調血爲主。更視何臟之虛。辨其陰陽。各專立方。略加痰疾消毒之品以爲佐。從不雜一味霸藥。雖未試驗其方。已知爲是症救星。必非虛語。至外點之方。貝平易近人。平民之家。亦易購取。鄙求之數年而不得。今則一朝得之。正爲患斯疾者慶幸。不意開始研究。乃於第一方點瘰藥。第二味。有名「乾餅藥」（下註又名硯砂潔白如雪者佳）者。即發現難題。不知是何藥品。遍考本草綱目及拾遺。並無是種藥名。及詢諸中西藥店。亦盲然莫識。同時函詢滬上。山西。天津。諸報社。亦無結果。鄙正疑慮間訴莫由。乃見大書特書。發明瘰癧之救星於康健報二〇六頁。其藥名亦如之。鄙人今乃喜有問津處矣。想梁君既發單行本於前。今又公開登刊康健報於後。梁君既以救人爲心。必不故作要譽而又隱其名。想是異地而名殊者矣。今此物既爲點藥之主要。若此藥不明。全方皆棄。是非登刊人救濟之初心。此方既登於報。必有知其名者。或爲礦物。或爲植物。或是中藥。或是西藥。或見本草何部。何地特產。請我海內同志。或登刊之人。一一詳釋。仍登各報。使患斯疾者。如慶再生。庶不負梁虞二君濟世之婆心。而諸君亦造福無涯矣。不勝盼禱。

徵求

又按鄙近細查綱目石鹼條下。有石鹼同石灰合用。潰爛疽。消痰核瘰癧之作用。但亦無而藥餅之名。近見作鹼者。用洋鹼原料。略加硝鏹而和水煮之。使結成晶。其色甚白。名曰水鹼。用滌衣物垢濁。並能發酸作饅首。與硯砂色白相似。功用亦同。未知可是石鹼否。前接康健報函。謂是乳沒。但與色白者不合。且與原方化合用之。亦毫無效。恐非此物。其外更有溪黃。淌竹。腰黃。黃花墨菜。白花墨菜。亦不識爲何草藥。如有知其公名者。尚請附識。

編案者瘰癧一症。西醫每用割法。亦能獲効。然體處者割之每每割後即生。上海近得一種藥草。以之治瘰癧。殊爲神効。草形如野艾。生於田野間。春月甚多。採後陰乾。每用一錢。以帶殼鷄蛋一枚同煮食。小兒服五錢即可痊愈。大人則服一兩。未有不愈者。姑錄之以待同志研究。

簡易得效方

朱明初

■腦膜炎■

腦膜炎症候通例以一回戰慄或數次惡寒而始起。踵之以發熱。頭痛眩暈。嘔吐脊椎痠痛項背諸筋疼痛。筋肉短縮及強直尤以項部強直。為本病之特徵在急性症。第一日末。或第二日。項部即強直。此本病所以又有頸硬及頸痓之別稱也。又顏面發疱疹者頗多發痙攣麻痹搐搦譫語顛倒昏眠者亦多。治腦膜炎古方俱無效據余經驗之所及以紫金錠為最佳但一起就要服遲則無效餘如竹瀝姜汁蒼朮藁本防風等亦可試用處方如左

紫金錠三錢日服一錢至錢半少服無效十歲內小兒減半五歲小兒再減半開水送下（按紫金錠一名玉樞丹亦名萬病解毒丹須向信用素著之大藥舖購之

淡竹瀝一茶碗生姜汁二湯匙右頓服小兒減半服右方越宿不愈服左方

蒼朮五錢　藁本四錢　防風三錢　秦艽二錢　生甘艸錢半　水二碗　煎一碗。

再用水一碗。煎半碗。一日三次分服。連服數劑。有緩解頭痛發熱及項背諸筋強直疼痛等卓效。如大便閉結者。加地勳艸（卽瀉葉）三錢。便通卽止服。

外治法芥菜子三兩微炒。塗於布片。貼少服十分鐘至十五分鐘以上。諸法極神效。幸勿輕視。轉印施送。功德無量

■乳岩■

乳岩一症。最爲難治。中年婦女患者最多。大致幽思鬱結。肝火挾痰瘀凝結而成。初起未破潰者。以土貝母五錢煎服。數日可消。一經破潰。卽難能矣

■狐臭■

慍羝。腋氣也。俗云狐臭。又曰助腥臭。一作體氣。用大田螺一個。巴豆肉一粒。胆礬一豆許。麝香少許。先將螺以小養三日。吐去泥土。揭起靨入藥於內。用線拴住。放瓷碗內。次日化成水。凡用須五更時。將藥水以手自擦其兩腋下。不住手抹藥，直待腹中欲瀉。却住手。要揀深遠無人處空地內。出大便。黑糞極臭。是其驗也。以原土蓋之。勿令人知。如下盡。再抹之。又去大便。次用枯礬一兩。蛤粉五錢。樟腦一錢。研細擦之。以去病根。

醫諺　先生自名醫中聖。湯頭藥性記勿清。轎子八人。撞閻王後面推。麻黃配熟地。性命當兒戲。賺得害人錢抽抽雅片煙。

一問虛熱與實熱究竟如何分別

錢申伯問

問

答曰有表症面身熱者。外感表熱也。無表症而身熱者。內傷裏熱也。設如溫病。有頭痛惡風。身熱自汗。脈動數。或濁或咳之證。濕溫有頭疼惡寒。身重疼痛。舌白不喝。脈濡面淡黃。胸間不饑。午後身熱。狀若陰虛。伏暑頭痛面赤。煩渴脈數不寒但熱。熱起下午至夜半。虛熱係內傷。如胸悶惡心引飲便實者實熱也。胸爽少飲。自汗短氣者虛熱也。又

答

脈浮大無力爲虛熱。沈實有力爲實熱。即以有熱分別。內傷及勞役不節。病手心熱。手背不熱。外傷風寒。則手背熱手心不熱是也。

二問腹痛病在何經如何分別（下略）

腹痛在中焦爲胃。在脾脘下屬脾。當臍脘。腎在下焦。少腹屬肝及大小腸膀胱。可按爲虛。拒按爲實。暴痛脈多沈伏細濇。實症似虛。在胃脘下。大復痛食積居多。邪熱次之。繞臍痛屬痰濕積熱。臍下痛有屬寒。屬痰。屬瘀。屬水濕之分。蟲痛舌有白點。肚大青筋。或有塊梗。饑即咬嚙痛。必吐水。腸癰痛者。腿足難伸。身皮甲錯。繞腰生瘡。皮熱小溲如淋。

問答

疝氣小腹急。下引睾丸。乾霍亂腹後痛。欲吐不吐。欲瀉不瀉。煩躁悶亂是也。當臍橫量向右二寸。再直下二寸。七、痛煩熱。爲盲腸炎。尸氣腹痛似肝氣。腹痛脹滿。喘急氣息上衝。胸脅或塊壘湧起。攣引腰脊。寒痛者。緜緜而痛。欲熱手按。脈沈遲是痛。熱痛者時痛時止。手按不減。脈洪數者是也。瘀痛者小腹痛。呆板不移。溲利便黑是也。

又按肝之部位在右腹少腹。屬厥陰。係根據古籍。

周小農答

瓊瑤欄

惜民編

人工制造瘋犬之軼聞

羅家驥

光緒三十二年之春季。武進孝西鄉夏市鎮。忽然發現瘋犬。到處傷人。該鄉人受瘋犬毒者。不可勝教。然又無良法以治之。一經受毒。只能待斃。於是各村庄健男子組織除瘋犬會。極力驅除。不知愈除愈多。鄉人大驚。羣以爲有鬼神指使。事未幾日。忽有醫者自鎮江來。自云能治中瘋犬毒。鎮人之受害者。急欲求愈。皆登門求治。該醫診畢。不分男女老幼。一律銅錢六百枚。其治法用金針一枝。將病者之理髮披開。以針刺之。被瘋狗咬一口者。刺一針。咬兩口者。刺兩針。刺後。以藥粉一包。令其吞服。其治法雖平易無奇。然一經治後。莫不痊愈。於是鄉人又紛紛傳說。以爲天醫下降。迨至瘋犬全無。該醫欲往他去。鄉人猶羣祀挽留不止。至明年春季初。該鄉又逐漸發現。一至午夜各村村犬均狂吠不已。鄉人知有異。乃於午夜出而察之。忽見有兩人手特竹籃。行行復止。羣犬則追隨於後。鄉人執而詢其所以然。二人則遲遲不能答。見其竹籃中纍纍者。皆是饅首。食饅首之犬。均顛頭播腦。如中酒然。鄉人知非善類。乃送諸官。官審問之下。該二人乃云被某醫指使。饅首則毒狗之物。狗一受毒。則發瘋嚙人。人被嚙後。非某醫注不能治。官廳及拘某醫一併行刑於鎮江。

編者按此段記實聞諸武進鄉老確有其事事雖等於謀財害命然其法。實可取。狗食何物即能發瘋中。瘋犬毒。何以能治愈此中大有研究之價值惜其法不傳爲可惜耳。

幻想中之未來世界

栩　蝶

現在的世界。已經是很文明的了。什麼科學。雷氣學。真是有巧奪天功之妙。不過照鄙人想起來。科學既然一天昌明似一天。將來的世界。畢竟要變成個什麼樣子。以鄙人腦筋中之一種幻想。待數十百年後。或許也有以下無種事情發現。所以鄙人根據以前新聞紙上已經發表過的奇聞。再忝用我自已的幻想。而成這篇文學。不過閱者要祇可當他小說看。不可當他新聞看才好哩。

生活一之般　在民國大概二百幾十年的事候。世界已經昌明的不得了了。平民的生活。每天總須七塊錢的開支。就是再苦的小工。也須三四塊錢可以敷衍一天。如若再要討個妻子。那開支更不言可知了。然而生活程度怎麼有這樣高法呢。因爲這時候人口漸漸的增多。大地上已經有人滿之患了。於是房屋地皮也跟着貴到不可言喻。做小工的起先還可以免強住住小房間。到後來簡直沒有住小房間的可能了。因爲房金一天似一天的貴起來。中等人家便祇可由上等住房而降至小房間了。所以有些小工。天暖的時候。住住祇好在馬路邊上住宿。做他臨時的住宿。正在這樣鬧得天昏地黑的時候。某國發明家。忽然發明了一種天空房屋。這麼一來。各國互向置辦。因此人滿之患。也就此解決。自從這位發明家發明了這種天空住房之後。平民都受著了一種恩惠。不過不很便當。願來他是用像汽球這種東西造成的。下面用了幾支繩牽住。使他不爲吹往他處。要上去的事候。非由繩梯上上去不可。而且弊多利少。有時遇着了大風大雨。眞是苦不可言。而且一遇火警。這一帶的空中房屋。便是無可救藥。然而一到夏天夜裏。到是涼風習習。比人造的冷汽室還要超過十倍裏

瑣瑤

民食之一班　在生活程度這樣高的事候。平民的食料。已經是困難得不得了了。差不多每人每天祇有一磅麵包可以落肚。然而這樣有一磅麵包可以落肚中。還要算是平民之最強者。如若沒有精力沒有手腕去與社會奮鬥的弱者。『眞是有時勢而今一飯難』的感想。於是時勢造英雄。居然有個人能夠製造一種麵包。他的製造法很奇怪。他是在木頭上出來的。無論什麽人。一到沒有麵包落肚的事候。拿臺子橙子。經他的機器一造。立時變成一個麵包。而且同麥做的無異。讀者以爲這是近於神話。而作者可以斷定將來必定有這種事情發現。不過現在還不是個時代罷了。那是代經這個發明家這樣一發明。民食的困難問題。也頓時解決了。

地球之變遷　這時候地球上已經是同如今大不相同了。扶桑三島。以及歐洲。已經有漸漸地沉沒之勢。（某國預言家曾發表此言論）這時日球同地球已經可通往來的了。日球裏的人。我們已是司空見慣。不足爲奇。而且他們也有許多人在歐洲各國開設商店的。就是有許多地球上的人。也有到日球裏去營業的。日本和歐洲既然漸漸地有沉沒之勢。於是一般地球上的人。隨紛紛的向海上去尋生活。合衆畢竟是一件很好的事。他他們便集了幾千隻船。聚在一塊。互相拿鉄鍊鍊牢了。無論什麽大的浪頭打來。他們也好像住在地球上一樣。一些都不

覺着可怕。有這一來。陸地上人數也減少了不少。

名醫丁甘仁死後之奇聞

田先平

孟河丁公甘仁。其醫學與道德。久已蜚聲社會。盡人皆知。有口皆碑。無庸編者之喋喋矣。茲得其死後奇聞一則。事屬離奇。急錄刊以餉閱者。

今夏六月間。孟河有張家子。得癆瘵疾。遍請醫診治。百藥罔效。顧此殘軀。行同黃花。定爲地下人無疑。旋該人忽得一夢。謂取丁公墓之青草。煎湯服之。即愈。如法行之。未數日已瘥。此說傳出。滿城風雨。病者求禱。接踵而往。不數日間。墓上之草。竟如牛山濯濯。且墓上所植松柏等。其枝葉亦爲病家折取殆盡。而病者輒愈。墓前香火。遠望之。頗有蒸露蔚之觀。實屬奇事。哲嗣　仲英先生。雖呈報官廳。請警禁止。而禁者雖厲。往者如故。甚至墓上黃土。墓前泉水。皆爲藥料之資。至今往求者。仍進終不絕於道云。

編者自案。斯篇乃從事實寫述。非虛搆也。惟墓上之草木療人。值此科學昌明時代。殊爲不合。想病者或以丁公爲一代名醫。信仰之心。出於至誠。心理之治療。如是歟。

中國醫學月刊
CHINA MEDICAL JOURNAL
(Issued Monthly)

定價表

時期	冊數	書價連郵費 國內	書價連郵費 國外
每月	一冊	二角	二角四分
全年	十二冊	二元	二元四角

郵票代價十足通用惟以半分至四分爲限

廣告價目表

等級	地位	全面	半面
特等	封面底面之外面	五十元	三十元
優等	封面底面之內面正文首篇之對面	三十五元	二十元
上等	色紙夾張之前後頁	十六元	十一元
普通	白紙夾張或正文後	八元	五元五角

廣告如用銅版或用彩印價目另議　繪圖刻圖工價另議　登多期或訂登全年者價目從廉　欲知詳細情形請至上海福州路八三號『中國醫學月刊廣告處』接洽　遠地函詢即行奉復

中華民國十八年十月十日出版
中國醫學月刊第五期
零售每冊大洋二角
撰述者　全國著名中醫
編輯者　中國醫學月刊社
發行所　上海四馬路西中和里八三號　中國醫學月刊社

◀寄售處▶

上海三馬路千頃堂
棋盤街啓新書局
河南路會文堂

爲父母者，誰不喜兒童勤攻書籍，學問日進，冀他日出人頭地，光耀門楣，如欲償此願望，首當熟審兒童資質而培植之，則進步自速，如面黃肌瘦稟賦單弱，腦筋遲鈍，秉性庸愚，爲父母者，宜設法以改造之，其法如何，惟有常服人造自來血，補充血液，强健腦筋，面黃者轉爲紅潤，腦鈍者立致靈敏，智慧大開，過目成誦，他日飛黃騰達，光耀門庭，可預卜也，世之爲父母者，欲使兒女爲志士爲偉人者，盍注意焉，人造自來血，大瓶二元，小瓶一元二角

上海五洲大藥房發行 [illegible]

中華郵政特准掛號
十八年十一月十日出版
中國醫學月刊
蒙壽芝題
第一卷第八號
中國醫學月刊發行

上海葉樹德發明之

百補膏滋汁

可以補氣益血！

此汁爲本堂首先獨一發明之純正補品行銷十餘年聲譽早馳功效卓著男女老幼皆宜盛名之下仿冒影射易啓購服諸君務請認明紅色三星商標庶免受欺大瓶一元每打十元小瓶六角每打六元朔望九折發售飲片丸散參燕選擇配製靡不精細其他重要補品如人參再造丸參桂鹿茸丸虎鹿龜驢諸陳膠等修製精良定價低廉用副惠顧雅意陽歷一號十五號照例朔望鋪設四馬路石路口

中國醫學月刊 第一卷 第八號

目錄

目錄

改良中藥之意見

俞培元

我國醫藥。肇自神農。積古相傳。代有發明。獨於用藥之法。從未有絲毫之進步。此其故。一則由於國民平素之習慣。崇尚守舊。不貴更張。一則由於提倡無人。研究乏術。而科學之不進步。尤爲最大原因。遂致陳陳相因。習而不改。甚致數千年前簡陋之舊法。至今猶有存者。以視東西各國發明之多。進步之速。製法之精。相去奚啻霄壤。或攷古方書。於方後輒曰右幾味㕮咀。按方書藥之粗齊爲㕮咀。本草綱目註李杲曰。㕮咀古制也。古無刀。以口咬細。令如麻豆。煎之。寇宗奭曰。㕮咀有含味之意。如人以口嚙咀。古方言㕮咀。此意也。蘇恭曰。㕮咀商量斟酌之也。綜上觀之。古之於藥㕮咀而已。所謂㕮咀。以口嚙之。使寸寸斷碎而已。其治之簡陋。可以想見。此固因時代關係。不足爲異。所可異者。五千年來。所進步者。不過以刀代口而已。以刀代口之外。簡直無所謂發明。無所謂進步。安得不令人爽然若失哉。環顧世界各國。對於用藥。

倘有採用原料而不加製煉者乎。倘有集合多數未經製煉之原料融於一爐。煎汁而飲之者乎。故我意中國之藥物。宜效法各國。將原料提煉。使成液汁或粉質。其最大之理由有二。

（一）藥力精專。凡一種藥物。對於某種疾病。必有其主要之有效成份。但此種有效成份不過佔該藥全部之十份之幾或百份之幾。其餘皆爲無用之雜種成份。此雜種成份反佔大多數。今需要此纖微有效之主要成份。而有大部份無用成份雜於其間。則藥力不專。藥力不專則效力不宏。而況此多量之無用成份間有有毒者。有妨害於本病之一部份者。有引起某種病之可能性者。若將此無用成份提煉而去之。使成專治某病之某種成份。則效力宏而成功顯。一經規定。則醫生之用藥。亦有所標準。可以免去過甚之參差不等之弊矣。

（二）取用便利。中醫用藥。如遇病人呼吸垂危之際。往往有藥不及病之憾。不若西醫之有急救法。可以臨事不懼。若將各種原料。製成藥水藥粉。則取用裕。如不致措手不及。且病家煎藥。不諳煎法。往往失其效用。若以藥水藥粉代之。則無此弊矣。以上兩種理由。不過舉其重要者而言。其他連類發生之利益尙多。醫藥界如能急起直追。先之以學術之準備。繼之以共同之研究。效法各國。將我國原料。逐一製煉。使成純粹精良之藥品。則我國之醫藥。未始不能凌駕東西各國而上之。外人素稱中國爲原料國。此原指中國工業之幼稚而言。今欲變原料國爲製造國。舍努力改良。其道何由。

中國醫學月刊　一卷八號　四

金匱虛勞之研究（續）

田先平錄程門雪述

設見目瞑兼衂咽乾口燥手足煩熱種種熱象則不能使人無疑難以用藥溫養之劑必不敢投若用寒涼始必相安久則增劇不可治矣此時當先取主症如腹痛精冷陰寒便瀉脈虛面晄皆一於斯卽可斷爲陽虛虛癆便宜取用溫養之品其衂者乃陽虛血不歸經非陰虛熱逼血以上行也目瞑乃清陽不升非陰虛肝陽也手足煩熱乃虛陽浮溢於外非陰虛內熱也口乾咽燥乃陽虛津液不升非陰虛津液不足也雖見熱象乃爲假熱仍從溫養爲主以診病之法主症附症均見陽虛者易於用藥若症見寒熱夾雜便當分其主附辨其眞假主症旣定則附症自明眞形旣得則假象易曉治症施治自無差忒矣以言方治亦分輕重二法輕則建中重則腎氣建中用桂枝益血中之溫氣芍藥和陰而斂虛熱姜棗溫中甘飴培土症見腹中弦急作痛手足煩熱咽乾口燥者宜之建中能和中疎木養陽和陰也若兼夢遺失血

衄血。可合桂枝龍骨牡蠣法。以潛虛陽而濇脫。若兼裏急不足者。可用黃芪建中法。以建中虛而益氣。若腰痛小腹拘急。小便不利。陰頭寒。精氣清冷。爲腎陽不足。陰精不溫。宜八味腎氣丸。方用六味以益腎陰。桂附以溫腎陽。乃陰陽並補之方。單用回陽。陽無陰無以化。單用益陰。陰無陽無以生也。陽虛甚者。丸中陰柔之品宜去之。恐制其回陽之力也。天雄散主之。（天雄 白朮 桂枝）天雄散益火生土。煖精溫血。純爲陽虛方治之極。則非症見眞確。不可妄用也。此金匱陽虛虛癆辨症治法大概也。後人若東垣輩。重遵此旨。發明勞倦傷中。氣虛身熱。而用補中益氣法。脾陽不健。火乘土位。火鬱發熱。而用升陽散火法。均從陽虛一面極端發揮。一本內經勞者溫之。甘溫能除大熱。形不足者。溫之以氣之旨。惟祇能用於勞倦將致虛損之時。而不能用於虛勞既成之後耳。更有進者。古人所闡發陽虛虛勞之治。均趨重形不足者溫之以氣一層。遍覽成方。均爲溫氣之品。惟仲景當歸生姜羊肉湯中用羊肉之厚味補精。爲獨一之治。實則照先天生化而言。精生氣。氣歸精。塡精一法。亦爲虛勞所不可少。塡精之治宜於未故。內經以精不足補之以味。與形不足者溫之以氣。相并而言。本無偏忒。惟以虛勞治法言之。則塡精較溫氣爲尤要。塡精之品。以龜鹿爲最佳。鹿性純陽。尤爲陽虛之堅劑。歷代名醫善用異類。有淸塡補精血者。首推韓氏飛霞。其所着醫通中採用方藥。均爲血肉之品。惜後人以其繁累費資。廢而不用。爲可惜耳。今略言之。其所用爲塡補者。若鹿峻（音催）丸則鹿精也。斑龍宴則鹿血也。內鹿龍丸外鹿髓丸。則鹿之骨髓也。異類有情丸。則鹿俞鹿茸龜板虎骨也。此丸用之者衆。以其便易。餘則進代醫家。知者且少。遑論用法。今人所用。僅鹿角鹿茸兩種耳。妙藥棄毀。良勝惋惜。且韓氏不但以血肉原味補虛羸。痛能以之治痼疾。其所發明之霞天膏。倒倉法。去積垢而不傷正氣。尤爲可法可從。故吾謂韓氏爲善用補味之第一人。餘若景岳之全鹿丸。亦頗噲於人口。實則一邱之貉耳。

（未完）

陰陽解

姚兆培

陰陽二字之起原。在中國文化上。古最先最古之地位。伏羲氏畫八卦。卽立陰陽二性之基。迨後文王周公孔子著易經。更闡明陰陽二性之義。至周秦時代。而此說盛行。所謂陰陽者。其包括殊廣。闊難以一定之界限範圍之。其意義殊複雜。難以一定之定義解釋之。蓋陰陽者。乃相對之二性也。用以彷彿一切事理或性質或形狀。凡事理性質形狀之相近者。咸歸之。如以熱爲陽。而火爲陽南方爲陽夏爲陽晝爲陽等是也。故凡言陰陽者。或據其全部份而言其性或執其一部份而指點一物一理。或其理不可知。而以陰陽等字代之。是猶代數中之以ZY代未知數也。或其理甚繁。而以陰陽等字代之。是取其文字之便利也。

醫學上之各種學理。每假借他種學術之理論以闡明之。如有微生物學。而有病原菌學。有物理化學。而有生理學病理學是也。吾國周秦之際。陰陽之說盛行。醫家遂亦去用之以解釋醫理。內經周秦時書。故陰陽之文獨多。後世醫者。咸宗內經。沿襲用之。陰陽二字。遂成爲醫學中不可少之術語。而不習醫不知其大概者。無從解釋矣。

凡初習醫者。每苦陰陽二字之籠統而難解。凡久習醫者。每讚陰陽二字之深奧而玄妙。凡具斯知識者。每識陰陽二字爲陳腐而無當。此數說者。皆然也。陰陽之原起在太古時代。且難以科學之定例解釋之。安得不識爲陳腐而爲當乎。凡不可知之理。繁複之文字。俱可以陰陽代之。安得不讚爲深奧而玄妙乎。範圍既

陰陽解

無一定定義。更不明瞭。安得不苦其籠統而難解乎。陰陽二字。既籠統而廣闊。難以狹窄之定義解釋之。既深奧而玄妙。無生花之筆以宣達之。既陳腐而無當。難以科學方法全體講明之。無已。且擇內經中之可解者。條分縷別。略加整理。逐條註釋之。諸君得此。亦可以稍明陰陽之大概。其不可解者。知之為知之。不知為不知。惲師所謂內經可取者半。聽之可也。

（一）金匱眞言論曰『夫言人之陰陽。則外為陽。內為陰。言人身之陰陽。則背為陽。腹為陰。言人身藏府中陰陽。則藏者為陰。府者為陽』

此節所言。乃以人體之各部分。用陰陽二字為代名詞。而實指其所代之部位也。所謂內外者。外指人身之軀殼而言。內指體腔內之各臟器而言也。外為陽。卽軀殼為陽。內為陰。卽臟器為陰。所謂腹背者。乃以軀殼前後剖分為二。以背半為陽。以腹半為陰也。所謂藏府者。以藏器劃成二部。以藏為陰。以府為陽也。

又曰『肝心脾肺腎。五藏皆為陰。胆胃大腸小腸膀胱三焦。六府皆為陽』

此乃更申明上節之藏者為陰。府者為陽也。

又曰『背為陽。陽中之陽。心也。背為陽。陽中之陰。肺也。腹為陰。陰中之陰。腎也。腹為陰。陰中之陽。肝也。腹為陰。陰中之至陰。脾也。』

陰陽解

此節不過從上節『臟者爲陰』一語。而更細別其陰陽也。無甚深義。

調經論曰『邪之生也。或生於陰。或生於陽。其生於陽生者。得之風雨寒暑。其生於陰者。得之飲食居處。陰陽喜怒。』

此節所言之陰陽。即指內外而言也。風雨寒熱六淫之邪。感之者表先病。病在軀殼。故曰生於陽也。飲食七情之邪。得之者裏先病。病在藏府。故曰生於陰也。

以上數條。可別爲一類。其意義不過以陰陽二字代表身體之某一部分而已。別無深義。又有腰以上爲陽。腰以下爲陰。亦同此類。更推而廣之。脈以寸部爲陽而尺部爲陰者。以寸主人身之上部而尺主人身之下部也。以浮爲陽而沈爲陰者。以浮主表而沈主裏也。若是者皆可作一例看。

(二)陰陽應象大論曰『陰陽者。天地之道也。萬物之綱紀。變化之父母。生殺之本始。神明之府也。』

陰陽二字。如此節所言。似極渺茫。而不可思議。實則亦甚平淡。不難明瞭也。蓋所謂陰者每含著一『質』字之意義。所謂陽者每含一『力』字之意義。易以陽爲乾。曰『乾爲天』。又曰『天行健。君子以自強不息。』曰行曰健曰自強曰不息。其中無不寓一『力』字之意。以陰爲坤。曰『坤爲地』。又曰『地勢坤。君子以厚德載物。』曰地曰厚德曰載物。其中無不寓一『質』字之意。所謂宇宙者。並不神奇也。宇宙中有質。聚而爲日月星辰。宇宙有力。以推行此日月星辰。環繞不息而已。日月星辰可見而

陰陽解

不可接。可以接觸者。莫大於地。故以地爲陰。力者虛空而不可見。誰不可見。但日月星辰之移動。可得而見也。此移動卽力之表現也。日月星辰俱在天。故以天爲陽。知此則本節首句『陰陽者天地之道也』一語可以自明矣。質與力。宇宙則然。萬物亦莫不然也。吾人欲知時間。必須備錶。此錶卽陰質也。然不開其鋼條。則機輪不轉。機輪之所以能轉。因鋼條中有一種力。此錶有陰陽也。更進一層。譬之草木。根幹枝葉。陰也。生長收藏。陽也。更切一層。譬之人體。五藏六府四肢百骸。陰也。言語動作。陽也。故無論何物。皆不能越陰陽二字之範圍。而陰陽可爲萬物之綱紀也。老子曰萬物負陰而抱陽。亦卽此義。無論何物。未有具不一種力而能變化者也。無論化學變化。物理變化。其變化必有一種力含在其中。亦卽質與力合。然後有變化發生。故陰陽二字又爲變化之根原。其有變化者謂之生。無變化者謂之死。草木而不能生長收藏。謂之死。草人而不能言語行動。謂之死。人陰陽合則生。陰陽離則死。故本節言陰陽爲生殺之本始。而生氣通天論又曰『陰陽離決。精氣乃絕』也。此節在陰陽應象大論中陰陽者。指人體之陰陽也。象者指天象也。陰陽與天地之陰陽相應合也。今既明天地萬物陰陽之大概。下節更本此義。專論人體之陰陽。

又曰『陽化氣。陰成形。』

此節所言。乃本上文而切言人身之陽陰也。人與天地萬物。雖形各不同。而理有可通。大戴禮記文王

陰陽解

官人篇曰。『生民有陰陽。』盧辯注曰。『言人含陰陽之氣。』西醫在十五世紀時。巴拉藏爾以人體爲小宇宙。研究大宇宙之種種現象。而應用於小宇宙。(卽人體之變化)其意亦與此相彷彿也。宇宙旣不外質與力二條件。人體亦不外質與力二條件。陽化氣者。言人身之氣。俱陽所化生。陰成形者。言人之形體。乃陰所造成也。此陰子有二解。以大範圍解之。則陰爲物質。言人體乃物質所造成。以小範圍解之。則指飲食品而言。本論又曰『陰爲味。味歸形。』味作飲食品解。言人體乃飲食品所造成也。陽化氣。氣者。指人身之各種機能而言。如咳嗽日肺氣不宣。肺氣不宣者。肺部呼吸機能不宣暢而爲咳嗽也。又如食滯日胃氣不和。胃氣不和者。胃部消化機能不健全。不能消化食物而成積滯也。故氣乃指機能言。但各種機能。必有一主宰。如鐘錶之機輪旋轉。必有一原動力。人體各種機能之主宰何在乎。西醫謂在腦。(此說雖是。但尙不能完全澈底。腦不能自動。必有更上級者。爲之腦主宰。或歸之於以太)。

中國醫學月刊　一卷八號

霍亂論治

丁濟華

考諸疾病史。病之最凶猛而最危急者。除疫癘外。無過於霍亂。蓋霍亂之爲病。卒然而來。徒然而發。診治稍爲遲緩。往往至於不救。是以日本人名霍亂謂之虎疫。甚有見也。霍亂之主症。共有二種。一種是嘔吐而瀉者。一種是不吐不瀉者。其他如腹痛煩躁。脈細肢冷。指螺癟足筋踡。種種現象。皆是兼見之症。而非主症。蓋此等症象。大抵見於霍亂之後。斷無見於霍亂之前。是以不得稱之爲主症。治病之。法當治其本。舍本求末。非其治也。時醫不察。一見霍亂。即隨口附和。謂之發痧。病霍亂而腹痛甚者謂之絞腸痧。脚筋踡者。謂之吊脚痧。脈冷脈細者。謂之癟螺痧。巧立名目。妄設治法。往往僨事。此亦不可不戒者也。須知霍亂之起病。大抵在夏秋之間。感受暑濕之氣。多食生冷油膩。腸胃氣機不和。清濁不分。胃本主降納。反停留渣滓。不下達而上逆。腸本主吸收精微。排泄濁穢。反不能排泄。不能吸收。腸胃流通之府。不能流過。則起反射作用。而病作矣。寒勝於熱者。則嘔吐而瀉。熱勝於寒者則不吐不瀉。吐瀉過甚。傷其陽。則陽不外達。而肢冷脈細。吐瀉過甚。傷其陰。則陰不四佈。而螺癟足踡。熱閉於中。則欲吐不得吐。欲瀉不得瀉。悶滿躁煩。頭痛腹痛。熱勢上騰。則躁熱神昏。譫語狂妄。此寒熱霍亂一定之理也。然霍亂之爲病。雖是熱症。中必挾濕。雖是寒症中必停熱。此種變化。全在臨症時權衡矣。旨哉葛稚川之言曰。凡所以得霍亂者。多起於飲食。多食生冷雜物肥膩酒膾。或當風履濕。溫涼不調。清濁相干。陳無擇霍亂編云。霍亂者。心腹俱痛。吐利並作。甚則轉筋入腹。蓋陰陽反戾。清濁相干。陽氣暴升。陰氣頓墜。陰陽否隔。上下奔迫。張景岳論霍亂云。夏秋之交。新涼得氣。或疾風暴雨。或乍寒乍熱。此皆陰陽相駁。善養生者。於此時宜愼。歷觀古人所云。不曰陰陽反戾。卽曰清濁相干。霍亂病原。由於腸胃不和。不言而喻矣。西醫謂霍亂之起。病由於一種霍亂菌。然亦不能作爲確論。德醫古甫爾氏以畢生精力。研究霍亂病原。並以自己培養之霍亂菌。服一大杯。以作自身試驗。結果僅下微痢。並無若何壞象。故治霍亂者。第要切定腸胃爲霍亂之病原。治腸胃卽是治霍亂之論斷。由於寒勝熱者。則施以溫通之劑。由於熱勝寒者。則施以辛開苦降之劑。臨機活變。不著定見。隨症轉移。方爲能手。仲景霍亂論。祇有寒症之霍亂。劉河間原病式。祇有熱症之霍亂。此皆古人獨到之處。後之學者。將二家之言。切須研究。不可執一家之言。卽互排擠。知乎此。則霍亂之病。得其治矣。

霍亂之治法。得分爲五種。一種是調和法。一種是吐法。一種是辛開苦降法。一種是理中回陽法。一種溫通陽氣法。吐瀉交作。不甚利害。宜調和法。但嘔吐而不瀉。悶滿異常。宜吐法。欲嘔不能嘔。欲瀉不能瀉。腹痛躁熱。欲死。宜辛開苦降法。但瀉清穀而不甚嘔。宜理中法。吐瀉交作。脈細肢冷。宜溫陽氣通法。

調和法藿香正氣散

紫蘇梗三錢　藿香三錢　大腹皮三錢　茯苓三錢　半夏錢半　陳廣皮錢半

厚朴一錢　桔梗一錢　甘草一錢

嘔甚去甘草桔梗瀉甚加蒼朮痛甚加吳萸

吐法燒鹽湯

食鹽四錢沖湯溫服以鵝羽掃喉探吐吐後服藿香正氣散

辛開苦降法萸連解毒湯

吳　萸一錢　黃　連錢半　黃　芩二錢　梔　子三錢　黃　柏二錢

服後仍嘔添陳廣皮半夏瀉甚去山梔黃柏

理中回陽法理中湯

炒白朮三錢　炮　姜三錢　萸黨參三錢　甘　草一錢

兼嘔加陳廣皮半夏各錢半兼痛加吳萸附子各一錢溫

溫通陽氣法白通湯

附　子三錢　乾　姜三錢　葱　白二根　童　便一小杯　猪胆汁一錢

脈起肢溫去葱白童便胆汁加人參大棗吳萸等

以上五法是治霍亂之大經大法而不可變易者。然霍亂之死症猶未明也。霍亂之死症共有二種。一種是寒脫。一種熱閉。寒脫須白通四逆湯。熱閉須萸連湯。此二方能切實研究。則得其治矣。

聞聲斷病之大概

俞培元

古人以宮商角徵羽五音。與呼笑歌哭呻五聲。配合五臟。謂某臟病。當發某聲音。推而至於聞某聲音。卽可斷爲某臟病。其實不然。蓋發聲之器官凡七。曰喉、嚨、會厭、口唇、舌、懸雍、頏顙、横骨。各人器官之生理。容有不同。環境之感觸。亦隨處而異。安可强不同者以爲同。而强分五臟。以求配合乎。醫學上所賴以診斷病情者。不過測其情志。判其內傷外感。與乎虛實寒熱之不同。上下淺深之各異耳。例如陽候多語。熱也。陰候無言。寒也。壯厲者。實也。輕微者。虛也。言而微。終日乃復言者。奪氣也。善惡不避親疎者。痛經之亂也。此辨虛實寒熱之大概。而兼及中氣之虛脫。又如金匱云。語聲寂寂然。喜驚呼者。骨節間病。語聲喑喑然不徹者。心膈間病。語者啾啾然細而長者。頭中病。此辨上下淺深之不同也。又如出言壯厲。先輕後重者。外感也。出言懶怯。先重後輕者。內傷也。兼風者。言遲。兼暑者。煩則喘喝。靜則多言。溫邪重濁。聲必低平壅塞不宣。如甕中出。此皆外感六淫也。至於內傷之病。陽虛則氣滯而血凝。如胸悶脘滿。消化不良。面色㿠白。脈弱無力。如此者。言語必輕微。虛陰則津虧而液涸。如五心煩熱。顴紅骨蒸。咳嗽吐血。口乾舌燥。甚則音啞。至於失音一證。有因外寒鬱遏於肺者。有因喉中生瘡者。有因虛勞內傷者。有因肺結核蔓延於腸中。及喉頭者。又若讝語一證。有因胃中有積者。有因正氣虛弱者。有因熱入血室而血結者。有因熱入於腦者。至於鄭聲。則完全屬於氣血之虛弱。不若讝語之屬實者多也。聞診大要。不過如此。喻氏謂新病者聲不變。小病者聲亦不變。惟久病苛病。其聲乃變。迨聲變。則病機已顯露而莫可逃。可以聞而知之矣。故聞診爲四診之一。於臨床實驗上。有莫大之臂助。若能神而明之。誠有見垣一方之妙。至於鑿分五聲。配合五臟。非但失之迂遠。且亦近於荒誕。不能切於實用。徒使後之學者。望洋興歎而已。

男子熱入心包與婦人熱入血室之分別

鴻祥

夫泉流急必潰岸堤。闢閘决必害田野。人病於熱。鴟張莫遏。必致内陷於心包。走竄於血室。此一定之理也。然熱之入心包。與熱入血室。其治療法挽危法各各不同。不能不分晰而研幾。不佞不才。辭恐不達。尙祈有道正之。則幸甚焉。夫男子熱入心包。婦人熱入血室。同一熱也。何以男子熱入心包。而婦人能熱入血室。竊男子亦有血室。婦人亦有心包。又何以男子能熱入心包。而不能熱入血室。婦人能熱入血室而不能熱入心包。此皆極可研究之處。考男子之心包。與婦人之血室。以實際論之。心與胞、宜分立、心爲心、胞爲胞、心居膻中。胞居少腹之中。胞卽血海。血室卽血海。兩者相同也。內經名胞中。卽衝脈。所謂血海是也。爲榮血停留之所。經血集聚之處。又云男子藏精。女子藏血。故又爲精室。亦名氣海。乃呼吸之根。爲先天腎氣。後天胃血交會之所。凡十二經之氣血。此皆受之。榮養週身。所以爲五臟六腑經脈之海也。在臍下少腹之內。膀胱直腸之間。以婦人論。則爲血室。總之男子之熱入心包。即熱入血海。衝脈經云。衝脈起於少腹之內。胞中。挾臍左右上行。並足陽明之脈。至胸中而散。又云。胞脈繫於心。血海有熱。則熱由衝脈手厥陰經上繫於心。心爲君主之官。神明出焉。又主血。受熱薰蒸。影響不寧。則血液耗傷。心又與大腦通。大腦主智覺。心熱則大腦亦熱。故神明內亂。智識昏糊。閉塞絡脈。而爲讝語等症。實際其熱仍在血海。惟影響及心。故謂熱入心包。同婦人之熱入血室。同一例也。至治療之法。如男子熱入心包。見神識糢糊。昏瞀不清。甚則讝語亂倫。摸牀循衣。則治法宜清榮息熱。若津傷液涸。須加滋陰品。扶正存陰（如羚羊、犀角、生地、元參、麥冬、石斛、花粉、銀花、連翹、石決、勾籐、至寶、紫雪、清心丹丸等藥） 婦人熱入血室。症見與熱入心包相差。則斟酌前方。以之減加。如適經行。症現似結胸。胃脇下滿。如瘧狀。寒熱發作有時等。則宜小柴胡湯爲之出入。此熱入心包與熱入血室之治法也。

兒科須知

審察病情須憑虎口脈紋

鄭鴻祥

嬰兒未滿週歲。其身體如種出土如物之芽。且無知識。卽有疾病。亦不能言語訴人。故治此症。調治稍差則失之毫厘。而謬之千里。治兒科之法。於望問聞切四者最宜重以細審。然嬰兒既言語不能知識不明。卽有慈父母侍之於側。亦不能詳知其病情。是以於問與聞二法。較大人尤爲難曉。祗能以望切爲標準。今姑以望切二字論之。夫嬰兒週歲前。雖有形及氣息啼聲。而經絡氣管尙未完成充足。雖爲人形。然不啻一肉體軀殼耳。至週歲後。氣血經絡日漸其充。始能一指以定三關。三關者寸關尺也。爲脈之大聚會處。於手太陰動脈肺經。嬰兒部位甚小。不能以三指診之。必欲至五歲。始能三指診之。三關爲五臟六腑之所終始。榮衞週行交會停止之要區。肺又朝百脈。爲諸臟腑之華蓋。五臟六腑之氣。皆上薰於肺。嬰兒週歲後。氣血充盈漸滿。臟腑之氣。薰蒸於肺。三關亦隨之俱動。是以能診知各臟病情。以意義論。週歲後始可一指以定三關。卽週歲前須憑虎口脈紋形色之反面文字。週歲前乃氣血猶未盈溢。十二經動脈跳動尙薄弱無力。臟腑之氣。亦少蒸化力。肺朝百脈。爲華蓋。臟腑氣既不薰肺。肺脈不振動而應指。脈自不能一指以定三關。而有標準。故嬰兒週歲前。不能診脈以斷病情。必須望察虎口脈紋形色。始能詳悉病槪。虎口者。於大指次指之間。察其脈紋形色。卽豪然知病之情。及風氣命三關。男先觀左手。次指內側。女先看右手次指內側之三節。於三關。再察紅黃紫青黑白。知各爲病之症。見何輕何重。爲寒爲熱。爲虛爲實。爲驚風。爲中惡。爲傷脾。爲疳症。爲平安。爲難治。於風關則爲何病。於氣關則爲何病。於命關則爲何病。種種脈紋部位。參之於病。自照然若輝。而能挽云治小兒之難。如啞科者之反掌矣。察視之法。凡嬰兒無疾病者。三關初節次節末節之間。紋色必紅黃相兼。隱隱不現。有疾病者。則紋色變幻。與平昔不同。或呈紫色。或呈黃色。紅色。黑色。青色。白色。不一而定。紫色屬內熱。黃屬傷脾。紅屬傷寒。黑屬中惡。青主驚風。白主疳症。紋在風關。爲病輕易治。在氣關。則病重漸危。過命關。則殆而難治矣。至以紋形之變化。斷病者之危安。又當相大小曲灣觀之。色見紫者。爲傷食及內熱。色青者。爲人驚或獸驚。色赤者。主水火或飛禽驚。色黃者。爲雷驚。色黑者。屬陰病。如指上紋形一點紅色者。名曰流珠。主內熱。圓長者。名長珠。主飲食傷。上尖長下微大。名去蛇形。主傷食吐瀉。上大下尖長者。名來蛇形。主濕熱成疳。形灣向中指。主感冒寒邪。向大指。主內熱痰盛。紋斜向中指。主傷風。向大指。主感寒。直若懸針。微短。謂之針形。直射如鎗。微長。謂之鎗形。皆主痰熱。其紋透關。的射甲指端。爲脾氣大敗。病危難起。又有紘如乙字者。主驚風抽搐。二曲如鉤。主傷生冷。三曲如虫。主傷硬物。紋如水字。主欬嗽。聯絡如環主疳病。紋如虫曲灣。主積滯。紋如魚首。主驚熱。紋如亂虫。主蛔虫纏擾。凡此種種。習幼科者。必須詳研。庶臨症得以參合審視。而不悟焉。

黃疸病概論

田先平

今有人焉兩目色黃週身栗色斯何病歟。如斯其濕着者也非黃疸其誰與歸黃疸之爲病關係人生至巨烏可存而不論。

吾人未研究黃疸之先當先討論黃疸致病之源大概黃疸之起類可分爲五種。而五疸之成無不源於脾胃蓋黃疸者黃病也則其皮膚發黃此何以故曰黃者溢氣也雖其因各有不同而其爲溢氣之滯則一也飲食入胃脾虛不能爲胃運消水穀水穀之停於胃者久久則瘀而爲熱其氣下流蓄於膀胱從膀胱府理中溢出理者皮膚之文理也由臟腑而外溢於皮膚是故一身盡黃然其成也實緣脾胃故穀疸爲諸疸之主病。吾今先言穀疸。

穀疸　仲景云趺陽脈緊而數爲疸緊爲寒象數乃熱象此即仲景借緊數二脈以形容脾寒胃熱之狀也蓋脾寒胃熱乃穀疸之主病胃熱則消穀善飢脾寒則穀氣

不行食入而作脹滿且脾寒則生濕下應則腎寒腎陽不化關門不利小便於是不能息息下通不通則寒濕互聚加之胃熱不解熱無盡時熱流膀胱寒濕挾熱交蒸則遍身盡發黃色於是穀疸成矣穀疸病源既明茲再討論診治穀疸之治法既屬起於脾寒胃熱更當分其寒熱輕重若食入易飽飽則頭暈目眩小便不利腹作滿者此屬穀氣不行濕熱內阻欲作穀疸之象設其脈見遲雖見腹滿切不可下若下之而腹滿也仍如故以遲為脾寒之脈脾寒重於胃熱故不宜下其意非溫脾寒不可仲景之治黃疸病用茵陳五苓散（茵陳 桂枝 澤瀉 茯苓 豬苓 白朮）即是脾寒重於胃熱小便不通者之治也仲景云「黃病小便色不變欲自利腹滿而喘不可除熱熱除必噦噦者小半夏湯主之（半夏 茯苓 生薑）即是脾寒重者誤治所致小半夏湯非致疸之主方蓋救其治誤而成之方也後人揣測其意以其黃色黯晦脾寒濕重名之曰陰黃主以茵陳朮附（茵陳 白朮 附子）茵陳理中（茵陳 人參 炮姜 甘草）二方以治之頗能發前人之未發補金匱之不

及。是乃疸屬脾寒濕重者。所當亟別也。仲景云「黃家所得。從乎濕熱。濕蘊熱蒸鬱而發黃。黃色外露。故一身盡黃。面目尤甚。若其人脈不遲而數。實身熱壯甚壯熱爲熱在裏當下之」此乃胃熱重於脾寒。而發爲陽黃是也。金匱茵陳蒿湯（茵陳 大黃 梔子）是治穀疸寒熱不食。食則頭眩。心胸不安。久久發黃者。用茵陳梔之以徹熱。大黃以瀉實。則胃熱重於脾寒之疸之治也。胃熱重者。固當以瀉熱爲主。又當別其表裏。茵陳蒿湯。純爲清理之劑。於本症寒熱似照應。然照其文意觀之。久久發黃。發黃之時。寒熱或已化盡。故純用清裏。設寒熱未清者。便當觀其輕重而定治法。古書千金方內。麻黃醋酒湯。麻黃醋酒治表之方也。小柴胡湯（柴胡 人參 生姜 半夏 甘草 大棗）本爲疎木利中之治。如以治黃疸腹滿而嘔有表症者。亦可借用。若腹滿小便不利而赤。自汗出。無表症者。此爲表和裏實。當以大黃硝石湯主之。（大黃 硝石 黃柏 梔枝）方用黃柏梔子。苦寒以化濕熱。大黃硝石涼下以蕩積垢。則爲胃熱重者黃疸之要方。此胃熱重者之治也。若表虛有汗者。又當變發汗。而爲益氣解肌。和衞化濕。裏虛無結者。又當變攻下而爲利水通陽。淡滲濕熱。仲景所謂諸病黃家但利其小便。假令脈浮當以汗解之。卽桂枝加黃耆湯是也。以脾寒胃熱爲綱以寒熱多少爲目以之施治自無遺憾矣。

婦女白濁與生育之關係（下）

朱惜民

白濁侵入生植器其變化如何。須加解釋。陰門大小陰唇。及陰道之患白濁于康強之成年婦人極爲稀少。惟老嫗與姙者患此較易。蓋姙者陰部有強有力的血液與分泌液。此分泌液能侵蝕外皮而成濕疹性現象。白濁於此中最易繁植。婦女地道止後。生植器日現衰萎。抵抗力減少。則傳染自較他種爲易。白濁菌無自動之可能。祇能於月經與產褥時。乘機上竄。蓋子宮腔因局部或全部創傷表皮極適於白濁菌之生植。於此時白濁菌最易上行其他或婦女初染白濁經特別劇烈之交媾亦能助白濁之上升。婦女如患鼠蹊結核時。當顧及下肢陰部。如無濕疹膿瘡則已患白濁無疑如患急性尿道炎病者。小便時濇濇灼疼。並不見其他劇烈症象。故患者皆置之度外。以致變成慢性後是不很容易着手治療。

子宮頸患白濁後。其現象爲膿液流出。不過在急性症現象裏面。膿液比較稍少。而且子宮頸分泌本來很多見的事。於白濁以外。尚有其他原因。能使子宮有過量之分泌。所以要判斷此種膿液。全賴顯微鏡而分析之。

婦女患生植器白濁後。亦能兼患肛門白濁。統計此者約百分之二十。有此現象。因爲陰門與肛門相距過近。在陰門內流出的白濁膿液時。或波及肛門。故傳染極便。肛門患白濁後。其現象爲柔水涔涔。肛門紅腫。下墜疼痛。不過也沒有其他很利害的現症。

白濁經醫者治愈後。往往隔年再發。甚至隔五六年者。亦有重發之可能。所以醫者祇能知患者之起源。而不能斷定患者之愈日。故患白濁慢性症者。往往忽愈忽發。使醫者無從捉摸。然白濁治愈雖不易。而死於白濁者則不很多覯。

婦女白濁與生育之關係

患白濁之婦人。生育上較爲困難。亦不很容易受姙。如既姙之後。務須處處小心。白濁更宜請醫者悉心治療。如有患上竄白濁之婦女。或經劇烈交媾之後。而受姙著(指患濁者言)白濁菌亦往往上竄。因之小孩產後。有卽行氣絕者。有患瘡毒者。甚致於失明者。亦數見不鮮。足見婦女白濁。於生育上有極大之關係。未患者。務須預防其一切物體之接觸。如其夫既患白濁。必令其分牀。以免危及子女。一方則請醫者調治。如婦女已患白濁。亦須從速治療。蓋初起時則爲急性。怠於醫治則成慢性。以致服藥不能速效。禍及一生者。此患者亦不可不知也。

臨床實驗錄

氣血兩虧症

章璧如

七月旬。余因家中有事。從上海回楓涇。適有鄰家郁婦患病甚重。來邀余症。余問來使曰。該婦所患何病。答曰纏綿床褥已有半載。但觀形容悴憔。骨瘦支離。未悉何病。余因近鄰。乃往診之。觀其苔光淡。舌底糜點。上腭乾燥。時時自汗。顴紅。余曰此陰陽俱虛之症也。陰虛則津液無以上承。故苔光淡。上腭乾燥。虛陽上逆。故舌底糜點。陽虛則衛陽不能衛外而爲固。故時時自汗。陰虛則虛陽上越。故時時顴紅。兼之咽中梗塞。胃經減少。胸悶泛嘔。胃濁不降。反泛上逆。口多涎沫。津液不守。據其家人云。先曾腹痛。少腹痞塊。經事數月不至。統觀此症。陰陽有脫離之象。治之之法。姑擬溫補氣陰。引火歸原。兼以和胃降濁之品。病雖不治。冀挽回於萬一。

別直參一錢　熟附片四分　生甘草五分　炮茯神三錢　姜半夏二錢

烙牡蠣四錢　大白芍四錢　花龍骨錢半　北秫米三錢　浮小麥四錢

另用　川雅連一分　肉桂心一分　二味研末飯米爲丸臨臥時服

服藥後諸恙均減後又來邀余診余已溢滬矣

胃熱移心

丁濟華

江陰張某。來申辦貨。酬酢過於勞碌。忽患染霍亂。上吐下瀉。縲癟脈伏。觀其情形。殊爲危險。彼友朋等礙於友誼。均爲之焦慮萬分。於時送入王培元醫院注射鹽水。經注射鹽水後。病情漸轉危爲安。脈紋亦起。指縲亦滿。胃口亦開。惟身熱不通。相皆以爲無危矣。不知住院未滿七日。忽症又變遷。壯熱讝語。兩目上視。揚手擲足。牙關緊閉。脈數無倫。培元醫院。乃召其親友曰病已入膏肓。無能爲力。速辦後事。卽爲之注射強心針一針。移往親戚朱某家。朱某者卽鄰近業錢莊者也。與余稔。乃謂衆曰。西醫無能挽回。中醫或許能補救亦未可知。衆皆曰然。朱某急備車邀余。余問朱某曰。現在如何情形。朱某乃將前因後果。如是如是。一切明告。余更問曰。年幾何矣。曰三十許。余私度年齡尚在壯年。或許有救。相抵至家。診其脈。洪數無倫。牙關緊閉。强撬其牙。始見其舌。乾賦而黃。神識昏糊。兩目上視。骨節反張。揚手擲足。余謂其親友曰。此霍亂之後。氣陰兩虧。毒熱未楚。鬱於胃中。胃絡通於心。胃熱移心之症也。尚可救能飲冷否。曰能。余曰快以西瓜露灌之。多多益善。乃爲之處方

人參一錢　生姜四錢　知母三錢　甘草一錢　灌之天明。諸恙已平靜矣。

調理一星期餘。卽者起床。此夏月中之事也。接錄之。就正有道。

得効驗方

◎流火◎

張維廉

流火一症。最爲纏綿。設治不得其法。往往釀成癱瘓。爲醫者。不可不深爲綢繆也。此

病之發生。大抵爲濕熱積毒。鬱於足部。氣血流行窒塞。鬱久生熱。於是焮紅腫痕。作痒作痛。步履艱難。甚則寒熱起伏。普通之法。內服清解藥。外搽芙蓉葉。沒法雖至善。然終難免遷延時日。今有一方用　石灰一斤。水缸一只。將石灰置於缸內。滿貯清水。隔一宿。將石灰缸浮面一層結晶取出。用桐油三錢調敷。惟取結晶時。切不可將缸底石灰混出。以防中石灰毒。此藥一經敷後。須將患足高抬。最好安睡。切不可下墜。三刻鐘後。卽可痛止退腫。其效之神。眞有不可思議者。余已試驗多人。均有效驗。故特投之本刊。以惠同病。

◎疔毒內服方◎　陳佳民

疔毒這一個病。最容易內陷。假使見煩躁嘔吐。四肢麻木。種種現象。急與　甘草節二錢　蓁荳粉四錢　硃　砂五分　研成細末。分三次服。開水調下。卽能避免危險。此方不但能夠解疔毒內陷。卽各種毒症內陷。服了這方。亦能避免的。

◎胃氣痛◎

焦東

敝人自廣州回上海以後勿得一胃氣痛病。病時。甚至四肢厥冷。有時三日一發。五日一發。或七日一發。個中苦痛眞難巳名狀所延中西醫家。有謂胃膜炎者。有謂肝氣犯胃者服各種藥品。終鮮効驗一日自望平街歸。見一鈴醫。手持一藥。云是九龍姜能止各種心胃痛氣痛。余好奇心動。卽購而服之。其服法用高粱酒一小杯。九龍姜四分。溫溫含服。余自服九龍姜後。胃氣痛。卽逐漸減輕。今已痊癒矣。余非醫界中人。不知九龍姜是何藥。何其有効驗如此。特投諸貴刊。望貴刊載出。廣爲宣傳。俾患胃氣痛者。得其治法。則功德無量矣。

編者按九龍姜。卽是高良姜。確能止痛理氣。各大藥店。均有出售。該鈴醫所以名九龍姜者。以自炫其藥物之奇也。

脚丫濕癢一驗方

兆培

脚丫淫痒患者。先於足指間生出水泡。奇癢難忍。竭力擦之則泡穿。流出黃水。或更潰爛。四時不斷。而以夏秋二季。爲患更烈。患此數年。歷試數十方。而以此方爲最佳。

枯　礬五錢　煅石膏三錢　輕　粉三錢　黃　丹三錢

右藥共爲細末。和勻。先用溫水洗淨兩足。然後擦之。

此藥粉初擦時。微覺疼痛。繼則吸出黃水甚多。再過若干時。皮膚卽乾燥不癢。予用此數次。今已斷根矣。

瓊瑤欄

朱惜民編

名醫徐鹿苹傳

曹家達

徐鹿苹者。吳江人。治傷寒學。貌甚寢。與之言。蹇濇不了了。皮相者。皆笑之。家貧不足餬口。東游上海。卽由同鄉錢自嚴薦至神州醫校。月三十金。有成言矣。湯逸民在上海中醫專校。羅而致之。俾援傷寒學。從所能也。性兀傲。遇事不能低首下心。不兩月。輒罷去。既而洞庭席氏。設惠旅醫院。聘爲中醫部主任。既主。益思盡瘁以自顯。每遇重症。至中夜不寐。有患腸癰者。腹痛不可忍。更數醫矣。甫抵院。憊甚。默默不語。鹿苹診其脈。曰可治也。膿尚未成。當下之。於是用經方大黃牡丹湯合敗醫散投之。服藥後病益劇。既下。仍不止。鹿苹因倍其藥。自爲作大齊湯。每劑用大黃兩餘。敗醬草五六錢。凡五日而毒下盡。予適至院。鹿苹喜。曰此可以告我友朋矣。因出方牋相示。予固心韙之。以爲仲景方劑。可以折服羣盲矣。未幾。又爲羣醫所嫉。潛於席。以爲湯藥太重。失之險。且非醫家常法。席不察。又罷去。既而大麻金子久。聘爲傷寒學教授。以誨其門弟子。金弟子凡八十有六人。鹿苹語硬澁。而加疾。聽者不能悉。則代之以筆。每證必究其所從來。及其誤治變遷。羣弟子皆難服。余診餘。必詣鹿苹所。與之論疑難症。鹿苹亦心安之。余嘗訪鹿苹。余嘗訪子久。蓋翩翩美少年也。年餘子久以女勞癉死。鹿窮無所歸。會徐姓病傷寒少陰證。夜不能寢。時不利。更數醫矣。自知必死。求能愈是疾者。或以鹿苹告徐。喜延鹿苹診。診畢。鹿苹曰。病雖危不死。此少陰負趺陽。法在當下。乃用重劑大承氣湯。一夕而瘥。徐大悅。廣爲延譽。會有戴姓婦將死。聞之。延至家。令診治。鹿苹診其脈。觀其色。曰。是非死證。色浮而不滯。脈虛而有根。無死法。於是鹿苹居樓下。病婦居樓上。夜中三四往還。問其狀而酌劑藥物二十餘日若無病者。然戴喜甚。館鹿苹於家。教其女。並爲榜門求診。有病食溫者。汗出而熱不退。時忍風。投以表藥不應。鹿苹曰。此非太陽證。散之太過。陽氣浮於外。當用苦降。乃於原方加細川連三分。一夕而熱退汗止。其他詳鹿苹筆記中。嗣是寓戴氏者二年。或議其方劑太重。聞者稍稍畏忌之。求診者蓋無幾矣。鹿苹亦倦而思歸。以丙寅三月卒於家。其鄉人徐訪儒云。

曹家達曰。醫雖小道。行不行亦有命焉。其授教於中醫專校也。以傷寒蓄血證。喜忘字不可解。改忘爲妄字。解之曰。忘爲無心。喜爲有意。以有意作無心。此爲理之所必無。故知必妄之誤。且妄爲狂之漸。以篇中節次論。合下節皆傷寒蓄血症。由忘而狂。正猶堅冰之至。始於履霜。若於忘言妄動之候。下以桃枝承氣湯。當可免發狂之變。學生大譁。以爲謬改經文。獨秦生伯未心許之。既罷去。與秦生相約於夢花樓。立談移時。至於流涕。彼無異故。良有感於舉世茫茫。知音之不可得也。而鹿苹竟爵爵死矣。悲乎哉。

瓊瑤

談僞藥

李健頤

瓊　瑤

人之有病。特恃乎醫。醫之治病。專藉乎藥。藥之關係於病。不亦大哉。苟藥之不眞。服之匪徒病者不愈。且變症蜂起。茫無措手。卽病家亦起猜疑。問神求卜。百計營謀。迨技窮術盡。惟坐視以待斃而已。如或不死。則病者之臟腑。受此僞藥之殘害。自不待言矣。今日藥肆中僞藥甚多。余讀本草數十家。閱歷十餘年。略知僞藥數十種。特錄其大要者十數種。以告誡醫家。幷爲近世病家提醒。石蓮子。係蓬子之老而堅者。落水入泥中。經年不壞。其功能固濇下焦滑脫。蓮子甘多鹹少。石蓮則鹹多甘少。近日藥肆中所備之石蓮。係野樹之子。黑亮。其肉無心。其味極苦。性帶滑瀉。赤小豆。卽五穀中之小荳。皮肉俱赤。我潭（福建璋潭）所用赤小荳。體長稍扁。比扁豆較小。色赤而黯。便是眞者。近日廣浙各處藥肆中。用半紅半黑之野荳。色可愛而性大乖。斷不堪用。

又有一等藥販者。良心最壞。惟利是求。不顧人之生死。用蛤杵碎磨員式。假作眞珠。松香蒸煑濾淨。假作琥珀。禹糧石同硃砂。磨成細粉。以水飄淨。傾於薄瓦上。晒乾。爲土牛黃。枯明礬。同濤黃。以水漂濾。倒於磚上。曝乾作三仙丹。其他如野獸骨。假羚羊角。兜牛角假犀角。移種土洋參。作西洋參。軟苗防風。作潞黨參。川貝母功能淸肺火。止嗽。色白微黃。貝尖如孩口。近日福建所用。皆係陝西貝母。功用雖與川貝母相同。但性較薄。廣木香。功能行氣止痛。色帶老黃。其肉油潤。其氣香。近日平潭多用四川枯樹皮。性與木香相反。又無行氣止痛之功。魚目混珠。藥石害人。舉世夢然。可勝慨哉。又如四君子湯。人參旣是假。茯苓係安苓。白朮係種朮。

只餘甘草一味。又不能重用。將挾何術以取效乎。錄此十餘味。已足揭藥肆之奸計。然僞藥之多。不可盡述。有心救世者。當自考之。

歡迎投稿

本刊宗旨。欲以科學原理證明中醫學。同人等研究所得。不敢自是。就正有道。海內外宏達。加以糾正。無任榮幸。如有闡明中醫學理之稿件。尤所歡迎。學術愈研究愈精確。讀者諸君。於本刊著作。如有異議。不妨儘量質難。本刊無不儘量登載。惟攻訐私人之文字。無關學理者。請勿見惠。

來稿文字。本刊編輯部得以修改潤飾。以不改動原意爲主。若投稿人不願被修改時。請於稿上註明。惟登載與否。原稿恕不寄還。

本刊非營業性質。來稿登載後。除贈閱本刊外。不另送酬。投稿人如欲取酬金書籍者。請於稿上註明。登載後亦可酌量致酬。

投稿字迹。務請繕寫清楚。萬勿過於潦草。白話文言。不拘體例。

稿件發載後。如有剽襲雷同。生糾葛。由投稿人直接交涉。本刊惟宣布投稿人住址。餘不負責。

投稿人務請將姓名住址詳示。以便通信。

爲解析疑難起見。特闢問答一欄。如有中醫學理上疑難問題。本刊揭載之後。徵請通人作答。惟患病徵方。恕不答復。蓋治病須當面診察。通函論診。事屬危險也。

稿件請寄上海四馬路八三號

本刊編輯部丁濟華田先平謹啓

中國醫學月刊

CHINA MEDICAL JOURNAL

(Issued Monthly)

定價表

時期	册數	書價連郵費 國內	書價連郵費 國外
每月	一册	二角	二角四分
全年	十二册	二元	二元四角

郵票代價十足通用惟以半分至四分爲限

廣告價目表

等級	地位	全面	半面
特等	封面底面之外面	五十元	三十元
優等	封面底面之內面正文之首篇之對面	三十五元	二十元
上等	色紙夾張之前後頁	十六元	十一元
普通	白紙夾張或正文後	八元	五元五角

廣告如用銅版或用彩印價目另議　繪圖刻圖工價另議　登多期或訂登全年者價目從廉　欲知詳細情形請至上海福州路八三號『中國醫學月刊廣告處』接洽　遠地函詢卽行奉復

中華民國十八年十一月十日出版

中國醫學月刊第八期

零售每册大洋二角

撰述者　全國著名中醫

編輯者　中國醫學月刊社　上海四馬路西中和里八三號

發行所　中國醫學月刊社　上海哈同路民厚北里四三號

印刷者　惟誠印書館　三馬路

◀寄售處▶

上海千頃堂　棋盤街

啓新書局　河南路

會文堂

冠生園食品公司
著名國貨 民衆歡迎 裝璜美化 定價低廉
陳皮梅
果汁牛肉
葷素罐頭
應時名點
廣式月餅
罐頭水果
精美糖果
粗細餅乾
各地特產
數干百種
總店 上海南京路
支店 棋盤街
老店 九畝地
分店 天津法租界馬家口 漢口中山路永廣里 杭州薪橋大街
各埠大食品店均有代售

中國人發明◘全世界名藥

甘露晶

止痛 治咳

（打倒）（毒賣）——（消滅）（流弊）——（數十）（分鐘）——（馬上）（見功）

優待各界讀者諸君實驗解除痛苦運動

▲第一次◎◎◎不取分文 ▲一百萬衆之好消息 ▲送一百萬份◎◎◎

解除痛苦為民衆所切身需要。亦即革命之目的。但痛苦有二種。精神痛苦其一也。肉體痛苦其二也。今者黨國底定•厲行建設。吾民衆之精神痛苦。逐漸解除。獨**肉體痛苦**急切難除。按疼痛之來。驟而難忍。苦楚甚者。蹙額待斃。市上非無止痛之藥。奈不能超乎嗎啡海洛因鴉片等類毒質之外。頓服固能奏效於一時。常服即成癮毒。流弊孔多。**危毒堪慮**雖以世界醫藥極昌明之任何國家。亦未發見完善之另一代用品。昆明玉慧觀居士。哲理深邃。藥學精湛。本其多年研究之心得。最近始發明聖藥一種•**名甘露晶**功能治咳，止，痛鎮壓。安腦。性質和平。效驗卓越。毫不用嗎啡海洛因鴉片等類之毒質。故常服絕不成癖•且無一切副作用之流弊。誠我國在醫藥界上初闢之一也。**大新紀錄**發明未久。己引起世界各國之絕大注意。經各國大學醫院醫士實驗之結果。公認為世界第一完善聖藥。對於老幼體質。無不相宜。專治新久嗽咳，船暈，腦眩。不眠，而尤有一驚人之奇效。即於**數十分鐘**內。立即解除牙痛，腹痛，背痛，肝胃氣痛，神精痛，風濕骨痛，月經痛，以及一切創傷疼痛諸症，凡施開刀手術及拔牙之前後，服用甘露晶。能使患者**毫無痛苦**精神愉快。萬試萬驗。洵神藥也。茲為解除同胞肉體一切痛苦。並實驗甘露晶神效起見。第一次先送一百萬份。凡我同胞。務期廣為宣傳。使不閱報者。亦得享愉快幸福。通信函索•**不取分文**面索因不及招待。一概不應。來信寄上海四川路一百十二號美商三德洋行甘露晶實驗部。定即寄奉，每人限一份。

每盒大洋六角

◀奉送詳細說明書即索函寄▶

◀各埠三德分行各藥房均售▶

函購寄費暫免

上海四川路一一二 **美商三德洋行製藥廠** 電話一〇一七三號

入學
國民學校
氣血强兮
精神足
腦筋强健兮
智慧室

中華郵政特准掛號
十八年十二月十日出版
中國醫學月刊
蔡壽芝題
第一卷第九號
中國醫學月刊發行

上海葉樹德發明之

百補膏滋汁

確能補氣益血！

此汁爲本堂首先獨一發明之純正補品行銷十餘年聲譽早馳功效卓著男女老幼皆宜盛名之下仿冒影射易啓購服諸君務請認明紅色三星商標庶免受欺大瓶一元每打十元小瓶六角每打六元朔望九折發售飲片丸散參燕選擇配製靡不精細其他重要補品如人參再造丸參桂鹿茸丸虎鹿龜驢諸陳膠等修製精良定價低廉用副惠顧雅意陽歷一號十五號照例朔望鋪設　鄭家木橋石路

上海中法藥房概況

本藥房剏始迄今．已四十年完全商人資本．設總發行所於上海漢口路．分發行所徧全國．民國四年．盤歸中華製藥公司．民國五年．盤歸羅威公司．規模更宏．出品更富．歷來自運各國原料藥材．以應處方之配製．發售法國名廠化裝香品．藉供社會之需求．延聘醫藥專家．集思廣益．陸續研究發明各項藥品及化粧品．不在少數．自建製藥廠於大西路．優選國產藥材．應用科學方法．聘有留學回國之藥師．監工製造．精益求精．卓著功效之出品．現有艾羅補腦汁．艾羅療肺露．孩兒面．人丹等．莫不貨眞價實．倘蒙惠顧．曷勝歡迎之至．

冠生園食品公司
著名國貨 民衆歡迎 裝璜美化 定價低廉
陳皮梅 果汁牛肉 葷素罐頭 應時名點 廣式月餅 罐頭水果 精美糖果 粗細餅乾 各地特產 數千百種
總店 上海南京路
支店 棋盤街
支店 九畝地
分店 天津法租界馬家口 漢口中山路永廣里口 杭州薦橋大街
各埠大食品店均有代售

中國醫學月刊

第一卷　第九號

目錄

目錄

得效驗方

評論醫學的功罪

毛近仁

誰也說醫學是有功於人類的。非但有功個人。並且有功社會。先就個人方面說罷。有了病的人。就要受種種的痛苦。在這痛苦以外。還有許多附帶的損失。譬如病人是一個學生。就要荒廢學業。躭誤了畢業的年限。病人是一個農民。或是工人商人。就要減少收入。一家人的生活。都要受其影響。說到社會方面呢。病了一人。最少要減二人的工作。要少二人的生產。社會上爲着病人所受的損失。全盤總算起來。爲數極大。這些所減少的工作生產。都是暗中由健康人替他代償的。替他負擔的。是直接雖屬個人受病。間接卽係社會受病。自從有了醫學的發明。醫學的設施。對於人類的疾病。就盡量研究征服的方法。就竭力想出防止的方法。雖說是疾病不見得就會被征服。被防止。永遠不再發現。但是由重減輕。轉危爲安。醫學上確有這種特別的功能。這不是醫學的功嗎。

就另一方面說。醫學實太對不起我們的種族。對於人類。實有莫大的罪惡。要知道人類的疾病。是含有一種淘汰的作用。多數疾病。都是認得人。曉得擇人而發。並不至不認得人。玉石俱焚。譬如身體孱弱的人。對於某種疾病最易犯。犯了這種病。就格外危險。那末這種人就要受這種的疾病淘汰了。還有窮奢極慾的人。或是心勞日拙的人。對於各種疾病也格外易犯。犯了也格外厲害。那末這種人更要受這種種疾病的淘汰了。這樣看來。疾病是專殺孱弱的人。專殺窮奢極慾。心勞日拙等類的人。假使任聽疾病行使他們的威權。將這種人逐漸減少。不准他們遺傳種子。那末經過長時間的淘汰。自數千年以至現在。遞嬗變遷。所剩留的種族。都是優良分子。自然不至有現在一場糊塗的社會了。乃醫學偏要與病作對。知道疾病有淘汰人類改造種族的功用。竟拚命設法使這種功用日縮小其範圍。於是乎民族的健康。就江河日下。這不是醫學的罪嗎。

把以上評論總括起來說。所謂醫學的功。就是能解除個人痛苦。減少社會損失。所謂醫學的罪。就是能妨礙淘汰功用阻止種族進化。不過。功是在目前的。罪是在將來的。目前的功顯而易見。將來的罪隱而難見。且將醫病認爲有功。一方面應將疾病視爲人類的仇敵。若將疾病視爲有罪。一方面應將疾病認爲種族的好友。那末。疾病是人類的仇敵嗎。這句話誰也願意聽的。疾病是種族的好友嗎。這句話雖也不願意聽的。但是理論雖屬如此。事實却甚相反。因爲從前風俗淳厚。人是忠厚的多。現在風俗澆漓。人是滑稽的多。忠厚社會的醫學。祇能治病而不能種病。滑稽社會的醫學既能治病。而又能種病。能治病不能種病的。即是現在醫學界要運動政府廢除的所謂舊醫。能治病又能種病的。即是現在醫學界要運動政府提倡的所謂新醫。人情都是喜新厭舊。不新就是腐敗落伍。阻遏科學化。現在以科學爲基礎的新醫學家。他們懂到這個道理。曉得社會的心理。於是想出種病的方法。造出各種新藥方。做成各種新藥品。將人類疾病的種類數目增加起來。以擴充他們營業的商場。以贖他們反天演的罪過。結果醫學界仍是有功沒有罪。同志們如不相信。請問。全國各報紙上面所登的賣藥廣告。何以有這樣多。

奇怪。賣藥廣告。目的在推銷。在營利。何以會種病呢。這個疑問當然要發生。我們當然要解答。中國人有兩種極普通的心理。一種是怕生病。一種是生病喜吃藥。祇要哄他說是吃了某藥。自然不會生病。或是哄他吃了某藥。萬病皆能治愈。他就未有不信。未有不花錢去買。至於藥之或分如何。性質如何。都可不管。此新醫之所以大製而特製其藥品。藥房之所以大賣而特賣其藥品也。最近有人調查上海一埠。各藥房屯集各種藥品名目。萬病皆治的現成藥品。數在三百種以上。這種藥品配合的成分。都含有鴉片嗎啡類的毒劑。因爲不如此不能見效於一時。即不能行銷圖利。而所以能見效於一時。就是能夠成爲慢性中毒。姑無論有病無病的身體。吃了這種藥。就不知不覺種了未來的病根。將來各種疾病發作之後病人自然至恭必敬。仍來請教醫生這豈不是同道中又多出一筆生意嗎。種了病根結了病果增多病人。造成病國。原來哲學家確信疾病有淘汰人類的功用。不料新醫學家所發明的新藥品。亦有這種功用。那末醫學。新舊醫學究竟孰功孰罪。還是功多罪多。請問。

編者案。近仁先生對於各種誤國誤民的新藥。已有具體調查。欲詳實發表。不免有攻人之惡之名。近仁先生於心不願。諸君如欲明瞭此項新藥品的內容。能具一函來。作鄭重要求。敝社即可請近仁先生切實發表。此啓。

中國醫學月刊　一卷九號　六

科學整理

寒性發熱之分析

嵊縣郭悠卿

發熱在中醫病理學上。其原因固有多種。然本文標題發熱二字上。何以冠以寒性二字。蓋以此項發熱。其病原因於感寒。其見症兼見惡寒。其治法反用溫散藥與熱浴（此專對無汗之寒性發熱病而言）可以愈也。此時尚無眞確之名稱。故暫且謂之寒性發熱。

寒性發熱四字。係包括中醫書上所謂傷寒中風之發熱而言。夫空氣蕩動謂之風。然空氣有冷暖。故風亦分寒熱。此處之風字。當寒風之寒字解。並非眞眞別有風也。然傷寒論·太陽病有汗而用桂枝湯。仲景名之爲傷風（中風）病。不佞嘗思之。其分別傷寒傷風。以汗之有無爲標準。其無汗者。乃係寒性發熱。視其人汗腺(Sweat glands)與膚孔(Pores)閉否之假定名詞。並非眞眞風寒爲病之異點。如此也。茲引諸先賢之說於左。以證不佞之言不謬。柯韻伯來蘇集桂枝湯症註中。曾有『見此病。即用此湯。不必問其爲傷寒中風也』數語。是柯氏已知用麻黃湯與桂枝湯之分別。是在汗之有無。並不在寒與風。換言之。即眞眞風寒之分別並不如此也。按柯氏所云。謂見寒性發熱之太陽有汗症。即用桂枝湯。見寒性發熱之太陽無汗症。即用麻黃湯。陸九芝（世補齋）所謂不以病名病。（傷寒病傷風病……）而以症名病。（桂枝湯症麻黃湯症……）是也。此數語實爲讀全部傷寒論之祕訣。亦即凡讀中醫書之要法。中醫改進者陸淵雷先生曾謂『中醫所能者是治病。所不確合者是說理。說理之書可廢。治病之書不可廢』極是極是。云云。蓋中醫之治療法。乃數千年經驗之結晶。雖其成効超過西醫萬萬。然究非先根據學理。而後產生治法。乃先有治効。然後從理想之推測。而產生學理。（麻黃湯與桂枝湯症之分別。中風傷寒之名當然亦在其中。）故其治効雖著。而說理多謬。治法可從。而學理不可盡信也。此因中國歷來各種學術。皆含渾攏統。帶有哲學色彩之故。中醫處此環境之下。既無確切之學理可從。又無各種科學之供獻與參考。故其說理自然而然哲學化矣。日醫丹波元簡。於傷寒論輯義中太陽傷寒條下。則有更明白之解釋云。『風寒二症。譬如人之呵與欠。呵主風屬陽。欠主寒屬陰。陽主泄。陰主閉。故人之感邪。其表虛泄而汗出者。名為中風。其表實閉而無汗者。名為傷寒。其實受邪之風寒。不知果係何如。只就其表虛表實。無汗有汗。而立其名目。以為處療此方耳。故不曰此傷寒也。此中風也。而下「名為」二字。其意可想知也。』中醫界如此之人才。並不生於中醫學有數千年歷史之祖國中國。而反生於十九世紀異域殊方之日本。噫。是可異也。

欲知寒性發熱（中醫書謂之陽鬱發熱）之理。須先明生理上末梢神經所主之汗腺與膚孔之啓閉。於體溫之關係。何謂體溫。體溫乃係人體上一定之高熱度。此高熱度為人體中各種機能最適宜之熱度。故謂之體溫。考平人體中熱度。常約攝氏三十七度左右。（卽華氏九八度〇四）不論冬夏。均係如此。無甚變動。然外界空氣之溫度。高低不等。凡一切無生活機能之器物。皆隨空氣溫度之高低。而改易其寒熱。惟人之體溫。得以常然不移者。端賴末梢神經所主之汗腺與膚孔之啓閉。為調濟平人生理。汗腺與膚孔之啓閉。

視體熱之高低。與外界氣壓之微甚爲轉變。如在冬日。外界之空氣冷。體內熱度低。則末梢神經所感覺之氣壓力大。於是汗腺與膚孔緊閉。蓋所以防汗泄而體溫隨之外散也。若在夏天。外界之空氣熱。體內之熱度高。則末梢神經所感覺之氣壓力微。於是汗腺與膚孔。即行弛張·而使之多泄汗。多泄汗之作用。所以減低體熱之過高也。至於春秋二季。外界空氣溫適。末梢神經故不甚感覺。故汗腺與膚孔。亦不起過分分析與啓閉也。以上所言。乃汗腺與膚孔之啓閉與體溫。在生理之關係。若云病理。汗腺與膚孔。若受外界之刺激。其作用適與生理相反。其病祇知抵抗外界之氣壓。而不知調濟身內之體溫。此感冒寒性所以能發熱也。何以言之。凡人當煩勞劇動。體溫增高之時。末梢神經爲保持其適當之體溫。計有放散熱度之必要。當此皮膚疎弛之際。適有嚴寒乘機而襲。則末梢神經。受深重氣壓力之刺激。汗腺與膚孔。乃嚴行閉住。然體工爲求濟與抵抗。計皮膚層小血管擴張放大。使多量之熱度。悉向外集。以禦深重之氣壓內迫。故一面因外寒之內壓而惡寒。一面因體溫之增高而發熱。體溫增高。末梢神經本可令汗腺與膚孔開張。而放散其熱度。今因寒邪在於皮膚之故·汗腺與膚孔。祇知緊閉。是以雖欲放散。不可得也。然寒性發熱。亦有發熱而汗出者。（傷寒論所謂中風） 則又何故。既已汗出。體溫何以依然增高。是必爲閱者所應疑之點。此因其人平素之體溫多高。膚孔與汗腺常疏。而所感之寒不甚。外界之氣壓極微。末梢神經無甚感覺。是以體工雖起救濟抵抗之作用。皮膚層小血管擴張放大。使多量之體溫。悉向外集。而汗腺與膚孔。仍得行其

中国近现代中医药期刊续编·第三辑

散熱之作用而不閉。故汗因熱蒸而漐漐然出也。然汗雖泄。而其散熱之量。不及來熱之多。故汗雖出。而熱度仍增也。

寒性發熱之理。既如上述。則此項發熱。以汗之有無而分爲傷寒中風。實覺不妥。雖於治療無關。而於學理難通。以不佞之意。不如名寒性發熱之無汗者爲急寒性發熱。(傷寒)有汗者爲緩寒性發熱。(中風)比較確當。下倣此名。

寒性發熱之主要證候　不論急性緩性。必須同時具有『脉浮惡風寒』兩種證候。方可斷定其病源爲因於感寒。苟脉浮而不惡風寒。便不得謂之寒性發熱。但惡風寒而脉不浮反沉。則非純粹之寒性發熱。乃雜有他種原因也。

惡風寒表示病原之所自。脉浮乃寒性發熱在體工起抵抗救濟作用時之當然見象。以脉浮爲皮膚層小血管充血。大脉管亦因之外鼓。故脉浮亦病在表之主要診斷也。(此卽傷寒論所謂太陽病。太陽二字。本爲代表上項證候。假定之學術名詞。並無深意。卽謂之陽太病甲種病。或…………亦無不可。惲鐵樵先生解爲「最外」。比較妥些。)(未完)

中國醫學月刊　一卷九號　一〇

金匱虛勞之研究

程門雪述
田先平錄

時賢繆宜亭氏。亦善用塡補。惟雜取海參魚翅燕窩淡菜海腥之味。已離正道。與同河車胎兒臍帶者同一弊病。無怪後人之指摘。惟若因嗌廢食。遂幷一切塡精正法。亦棄之如遺。則未免太過。究竟虛勞之治。先用草木藥石溫氣。繼用血肉有情塡精。固一定不移之妙法。若取一棄一。是偏而不全。非完璧也。吾言至此。已覺辭費。更當折言陰虛虛勞之症治。金匱本文「虛勞虛煩不得眠。酸棗仁湯主之」。卽陰虛虛勞之證治也。陰虛者陽勝。陽勝則生熱。故用知母甘草以淸熱滋陰。其主棗仁者。以證在虛煩不得眠。陰液不足。心不藏神。肝不藏魂。神魂不藏。則虛煩不寐。故以棗仁歛液藏魂爲君。酸棗合甘草。甘歛化陰。治其陰虧。棗仁合知母。酸苦泄熱。治其虛煩。尤妙在茯苓川芎二味。以陰虛者必火盛。火煆津液則成痰。痰阻於中。胆氣不舒。亦煩而不寐。茯苓除痰而不燥。川芎能舒胆氣。爲世上之妙品。燥痰一化。胆木自舒。陰液既充。燥熱自解。所爲欲化其痰。必清其火。欲清其火。必滋其陰是也。卽此一法。便爲陰虛勞熱者。度盡金針矣。金匱言勞偏主陽虛。雖所言陰虛者只此一段。却亦法理俱備。至若後人陰虛勞瘵之治。則連篇累牘。不能窮盡。但亦以陰虛火盛四字爲提綱。五藏藏陰不足。五志過極。皆從火化。火盛陰液愈傷。陰傷則火愈盛。循環不已。不死不休。五藏之中。以肺腎兩臟爲尤要。以上損起於肺。下損起於腎也。從上損起者。先咳嗽而後痰紅。由下損起者。先遺精而後動血。若痰紅之後。咳嗽更甚。動血之後。遺精依然。精血內傷。上下告竭。必致殞命。又凡上損下損之症。均以及中爲極過。中則不可治。故勞症先便溏納減。便難圖就。此時舍培土一法無由。惟培土亦分等。以脾胃同屬中土。而有陰陽之不同。脾陰善燥。胃陽喜潤。東恒一身注重脾胃。但只顧得脾土一邊。治脾之藥。不能治胃。倘屬胃陰不足之症。而用溫燥培土。是速其死耳。後賢若繆葉諸氏。發明陰虛勞瘵之症。其及中也。每傷陽土胃陰。告竭舌光如鏡。

便溏減食。萬不能以溫燥扶脾之法治之。則必致動血傷陰。咳嗽痰紅。必然增劇。另出清養胃陰一法。取石斛扁豆山藥蓮子麥冬苡米之類。養胃陰培中土。而無溫燥之弊。法全理足。實可補前人之不及。孰謂後人必不及前人哉。其餘治療方法。晚近各等書中言之綦詳。尤當博考。更有大虛致實。虛症實治之法。本方「五勞虛極羸瘦腹滿。不能飲食。飲傷房室傷肌傷勞傷。經絡榮衛氣傷。內有乾血。肌膚甲錯。兩目黯黑。緩中補虛。大黃䗪虫丸主之」則俗言乾血勞之症治也。今人單以用之婦人。一若男子無乾血勞。此一誤也。又以乾血勞爲勞症之特立者。一若初起卽爲乾血勞。此二誤也。實則乾血勞之症。男子每每見之。不獨婦人。且各種勞病。皆能轉成乾血。不必初起定然。原文所言五勞七傷。虛極羸瘦。是統言一切勞傷之症也。一切虛勞羸極之時。但見乾血之象。便當先用通潤之劑。如大黃䗪虫丸者。潤以濡其乾。通以去其瘀。然後方可用補虛之品。否則乾血不去。新血不生。藉寇兵而資敵糧。殊非良計。原文「緩中補虛」四字。乃緩用補虛之誤。意謂虛勞而見乾血者。當先去其實。實去方可補虛。故曰緩用補虛。非謂不可補。將當待時而補耳。後人以緩中補虛原字作解。勉强牽合。終屬囫圇吞棗。若謂去邪則所以扶正。攻實卽所以補虛。已屬通套之敷辭。或更謂大黃䗪虫丸。卽是緩中補血之品。如修園淺注所云。眞爲偏僻之邪說矣。何以知其內有乾血。則肌膚甲錯。兩目黯黑。二症爲的據。甲錯如鱗甲。黯黑見於目圈。便知內有乾血。卽可用䗪虫法。其症每多少腹脹痛而硬。上有青緊盤紋。指甲多灰白色。留心細察。可辨甚多。惟不若肌膚甲錯、兩目黯黑之必見。故仲景以此爲主。此等辨症處。最宜熟記。以便臨症施治。此仍大虛致實。先治其實之法。乾血旣行。可用麥門冬湯。炙甘草湯。補而潤之。則緩用補虛之治矣。又有血痺一症。附於虛勞門中。其見症如風痺之象。肢體不仁。其痺之來。因於痺勞汗出而受微風。尊榮之人。骨弱於內。氣虛於外。在因汗出受風。氣虛血痺。則成此症。脈自微濇。微爲氣虛濇爲血弱也。寸口。關上小緊。重受微風之象也。古用鍼法。和氣血。袪微風。則痺自愈。今鍼法不傳。改行湯藥。則黃芪桂枝五物湯。爲最佳。桂枝和榮。袪風。黃蓍益衛固表。用之合法。數劑可愈。此症卽痺類中之一種。氣血不足者。雖另立血痺之名。實則無大差別也。(完)

本社啓事

陸淵雷先生學術經驗久已蜚聲社會無庸敝社贅述惟因事務繁冗以致鴻論巨說不克按期登載殊爲抱歉現已商得其所着之金匱注釋一册准於下期接續發表以附讀者諸君之雅意此啓

陰陽解

姚兆培

內經在二千年前。雖知必有其理。必有其事。但不能直指其所在。不得已。乃以陽字代之。以陽爲人身各機能之發源地。故曰陽化氣。左傳昭公七年曰。『陽曰魂』注曰。『陽神氣也』魂與神氣。其意義較陽字爲顯着矣。上古天眞論曰。故能形與神俱。而盡終其天年。此『神』字。亦陽字意也。內經此條。以陰陽兩大綱。應用於人身。變而爲形氣兩大綱。解剖學組織學者。以形字包括之。生理學者。以氣字包括之。

又曰。『陽爲氣。陰爲味。』

又曰。『味厚者爲陰。薄爲陰之陽。氣厚者爲陽。薄爲陽之陰。味厚則泄。薄則通。氣薄則發泄。厚則發熱。』

味者。蛋白脂肪碳水化物等營養素也。因其能營養人體。故謂之陰。氣者。含有香料之物品也。含有香料之物品。每能刺激神經。增加臟腑運動。故謂之陽。營養料過於濃厚。超出消化量之上。而不能消化。故味厚則泄。在消化量之下。而適合於消化。故薄則通。芳香品能刺激。使各機能興奮。故薄則發泄。興奮過烈。故厚則發熱。此節論食品藥品之性質。與上文形氣之言相近。故幷及之。

(三)陰陽應象大論又曰。陰勝則陽病。陽勝則陰病。陽勝則熱。陰勝則寒。

凡一切動植物之生長。俱因於熱。試視熱帶之動植物。每較寒帶爲繁盛活潑。夏季視冬季亦然。卽人

陰陽解

身體而論。凡病熱者。其機能無不亢進。是人體機能之強弱。視爲轉移也。吾人九十七度體溫之發生。由於筋肉及腺等之酸化燃燒。及化學分解等作用而來。是體溫之有餘不足。又視造溫機之強弱爲轉移也。故機能之強弱。與熱量之多寡。其關係極密切。如桴如鼓。每成爲正比例。若造溫機能亢盛。熱量增加。供應全體九十七度而有餘。放溫機能。不及放散。則身熱矣。故曰陽勝則熱。若體溫不足。不能支持全體之九十七度。則身寒矣。故曰陰勝則寒。此卽乃以寒熱分陰陽也。寒熱爲八綱之一。下文有專論。茲不多贅。以熱爲陽。而南方爲陽。夏爲陽。晝爲陽。以寒爲陰。而此方爲陰。冬爲陰。夜爲陰。可一理通也。陰陽二字之包括殊廣。茲取醫家最通用者。擇要臚列如左。有本文所未論及者。各隨慧心領悟可也。

『陽』天、上、外、表、背、府、熱、夏、南、晝、明、水、動、氣、氣、氣、衞、男

『陰』地、下、內、裏、腹、藏、寒、冬、北、夜、暗、火、靜、血、形、味、營、女

日本和田啓十郎。對於陰陽二字之評論曰。『陰陽二字。在醫籍用之最廣。腰以上爲陽。腰以下爲陰。表爲陽。裏爲陰。男爲陽。女爲陰。概言之。卽積極消極之義也。同爲風邪症。有發陰性症狀者。有發陽性症狀者。其症狀不同。治法亦異。

例如風邪之爲陰性症狀者。悉爲消極的症候。脈沉伏惡寒發熱。頭痛在中心。不在外表。皮膚汚穢蒼

陰陽解

白。氣鬱懶動。好蟄居一室。宜以陽性熱性興奮性陽浮性等劑振動之。若發陰性症狀。則反是。悉爲積極的。脈浮大。不惡寒而思熱。煩渴好飲。面色潮紅。肌膚滑潤。頭痛在外表。精神清爽。好出遊。愛眺望風景。觀人畜活動。宜以陰性冷性鎮靜性沉降性等劑降壓之。是故一病。必具陰陽二面。對於陽性患者。誤用熱劑溫罨法火灸等。對於陰性患者。誤用冷劑冰囊冷水浴等。則病勢與治法不相應。名曰逆治。逆治則生變症。或非命而死。

無論何事何物。必有偏正。正者常也。偏者變也。疾病者。正規生活之異常。正規生活爲常。則異常爲變也。視常形。察常脈。三年而後可以臨病者。先知其正。而後能如其偏也。正偏不出二端。過與不及也。故陰陽者。乃表示其相對之二方向也。故往往相對而言。如八綱中。以陰陽包括寒熱表裏虛實是也。更進一層。凡事物之可以相對待者。莫不可以陰陽代表之。和田氏此論。簡切中肯。凡語陰陽。固不必涉及玄虛。俱作如是觀可也。(完)

中國醫學月刊　一卷九號　一八

婦女天癸病及經水病

沈仰慈

婦女有天癸病。有經水病。而世輒以天癸與經水混爲一談。不知區別。謂天癸卽是經水。未免有誤。爰草是篇。

天癸病　經曰「任脈爲病。女子帶下。」帶下卽天癸病也。沈堯封曰天癸是女精由任脈而來。王士雄曰天癸者指腎水本體而言。所謂精血之源頭也。余謂近世發明之內分泌大概近之。經云女子二七而天癸至。殆言女子內分泌旺盛之時期此時「任脈通。太衝脈盛。月事以時下。故有子。」若腎水不足。天癸不至。卽不能有子。任脈有病。天癸下洩。卽變爲帶下。蓋任脈縱於身前之中央。其與腎相通者。由帶脈爲之聯絡。帶脈起季脇。似束帶狀。腎系於腰背。故與帶脈相貫。又因帶脈而與任通。故女子帶下。及腎水不足。皆天癸病也。

經水病　經曰「太衝脈盛。月事以時下。」是女子經水導源於太衝。不得與天癸混稱也明矣。近世解剖家言月水源於子宮。乃黏膜之充血歷三十日時間。黏膜不能容。乃被壓而破裂。經水溢出、其盈溢時間。適與月之日數相當。故曰月事。解剖之說論其跡象。似矣。余以爲尙未盡月水之來源。經謂太衝脈盛則太衝亦是月水經行之路。猶之長江大河之幹線。而非靑海間之泉源所在也。經云「二陽之病發心脾。有不得隱曲。女子不月」此雖言不月之因。而經水根源之所在。卽可於斯言中得之。二陽者陽明胃也。胃爲水穀之海。乃後天化生精微之所也。月水爲後天化生之物質。其源卽在於陽明。而太衝之脈。麗於陽明。陽明之精微旺盛流溢。於是太衝脈盛。下行於胞宮。積爲月水。猶之靑海開泉源。下行於江河。而朝宗於海也。惟陽明胃之化生精微。又賴心強脾健。有以鼓動而溶化之。若心力之鼓動不强。脾力之溶化不健。則精微不足。太衝何由盛哉。故女子有不得隱曲。則抑鬱過甚。必損心脾。心脾損則二陽病發。飲食不化。而病「不月」矣。其輕者爲經水不調。重者爲經水不通。雖有實虛寒熱之分別。而發於心脾者要占大多數。此言調經者不可不知之要義也。

治疔指南

濟華

緒論 什麼叫作疔。疔是那一種病。疔之證象是怎樣。這三點能夠明瞭了。治疔之大經大法。可以不言而喻。如果照瘍醫大全所載的八十六種疔。什麼蛇頭疔。鎖口疔。龍泉疔。承漿疔。開花疔。螞蝗疔。各色各樣的疔。一種一種要推究他的原委。明瞭他的治法。這不是很困難的。不但是後學者不能進他的門徑。即老於外科的。亦要爲之蒙糊不明。不才對於疔毒這一個病。見得很多。似乎有些經驗、襯這個空暇。特地鈔寫出來。與諸君商榷。商榷是否有當。還希望讀者諸君給我一個指導。

疔之定名 人體軀殼內之病。眼所不能見。手所不能按。必定要從他證象、上推究他的病原。人體軀殼外之病。眼所得能見。手可得而按。其病原容易明瞭。中國的外科醫學。將外症分成四大類。什麼四類呢。即所謂癰、疽、瘡、瘍。癰、疽、瘡、瘍、這四個字。是代表一切的外科總名字。大凡外症患得高大紅腫。屬於陽的。統名之癰。外症患得四圍殭硬。不紅不腫。屬於陰的。統名之疽。外症發無定處。症無不凶猛異常。統名之瘡。外症漫散無常。滋水淋漓。統名之瘍。那麼疔毒這一個病。還什麼叫作疔。而不統屬於癰疽瘡瘍之內呢。這個裏面有個分別。因爲疔毒的發病情形。與癰、疽、瘡、瘍。絕對不同。他的發病地點。大抵在唇、口、鼻、眉、手指。足指間。西醫所謂毛細血管動靜脉交會的所在。其證情呢。堅硬有脚。如果漫散腫痮。沒有堅脚。則

治疔指南

又不能叫作疔了。說到這裏。一並將八十六種疔的名。寫在後面。俾得讀者在臨證上亦可多一種參考。

以象形而名的疔　肉疔　石疔　松子疔　爛疔　鬼疔　茱萸疔　麻子疔　芝麻疔　鹽膚疔　浮漚疔　瓜藤疔　楊梅疔　魚尾疔　豬疔　狗疔　羊疔　牛疔　驢馬疔　牛皮疔　蜈蚣疔　雌疔　雄疔　荳腐疔　火疔　水洗疔　刀鐮疔　肉龜疔　蛇頭疔　蛇腹疔　蛇眼疔　蛇節疔　蛇背疔　鰍肚疔　托盤疔　葡萄疔　冷疔　對疔　羊毛疔　羊毛疔瘤　開花疔　螞蝗疔　水蛇頭疔　脫骨疔　斷指疔　血疔　護腸疔　火珠疔　水疔　魚眼疔　魚臍疔

以會意而名的疔　捲簾疔　忘汲疔　燕窩疔　注命疔　透腸疔　蠼龍疔　象虎疔　釘腦疔

以顏色而名的疔　赤面疔　黑疔　火焰疔　紫靨疔　黃皷疔　白刃疔　紅絲疔

以數目而名的疔　十指疔　三十六疔　七星趕月疔

以經穴而名的疔　迎香疔　印堂疔　合谷疔　承漿疔　人中疔

以部位而名的疔　手丫疔　頰疔　鼻疔　鬍疔　虎鬚疔　反唇疔　腮疔　牙疔　內疔　心經疔　手背疔　偏正對口疔

疔之原理與證象　疔毒這一個症。是單獨的。不統屬於癰疽瘡瘍的。既如上述了。現在再把疔之原理與證象來說。一統疔是外科中的一種急性症。一經患染。很容易潰爛腐壞。他爲什麼這樣容易潰壞呢。

因爲疔毒的發病地點。是在毛細管。毛細管受了血瘀的障礙。栓塞不通。或外皮膚受傷。穢物留於表皮。毛細管壅塞。動脈血與靜脈血失了他的運行。於是鬱積。發炎。腫硬。見了種種壞象則成疔了。治疔彙要裏說。疔之起原。是受四時不正之氣。或恣食煎炙厚味。或誤食中瘟禽畜。及湯罐中霉爛米糝。血液不清。毒瘀凝結。則成疔。這幾句話。是很確切的。一言以蔽之。疔毒的病原。總不離毒瘀凝結這四個字。那麼疔之證象是怎樣。疔之初起。似粉刺。似疥瘡。或發小泡。或起瘩疙。初起作痒。或麻木。後則漸痛。亦有初起卽痛的。由痒而痛的。其症較移之初起卽痛的爲重。其兼見的症象。或發寒熱或煩躁嘔吐。心腹痞悶。兼見的症象。是不能作爲標準的。必觀其主症是怎樣。是否合所言的症情。如有一種詳合了。卽可斷定他是疔了。

治疔的方法 治疔的方法有三種。一種是刺法。一種是提毒法。一種是消散法。刺法的意義。就是要袪除血瘀的障礙。提毒的意義。就是要借助藥的効用將這毒瘀提出來。消散的意義。就是要使其無形消散不致於成疔。現在先把刺法來談吧。凡疔毒初起似粉刺一點。腫紅痒痛。或有紅絲。不論他患在手部頭部足部。急以小尖刀輕輕將患處刺開。擠盡惡血。追惡血擠盡。新血見了。再蓋上消疔膏。內服消毒湯。有一種疔初起卽疼痛異常。不可按摸。寒熱頻頻。不思納食。這一種疔。切不可刺。如果用刺法。不但不能除袪病痛。反要增加他的病痛。這種疔。只好用拔疔膏。提他的毒。等毒提淨盡了。再給他收功。疔痛初起。假使來勢不凶猛。必過有些痒痛。這個可以用消散

治疔指南

法。消散的方法。內服菊花地丁。飲外搽玉露散。還有走黃疔。最爲利害。初起腫硬痒痛。範圍甚大。頂似破未破。急以立馬回疔丹。如短針大刺在裏面。外蓋拔疔膏。內服回疔湯。就不致於走黃。各種特効藥詳下。

治疔之特要藥

拔疔膏。 松香二十兩　乳香三兩去油。　沒藥三兩　銅綠五兩研細　百艸霜五兩研細　黃蠟十兩　白蠟二兩　麻油六兩

以上許多藥。先將麻油入鍋熬滾。次下松香。候稍滾。再下黃白蠟。候再滾片時。再下銅綠沒藥。白艸霜收成膏。不能太老。亦不能太嫩。以膏搓成如桂元大。臨用以一丸。捻於油紙上。貼患處。頃刻可以止痛。疔歷破爛者亦效。

拔毒膏又名大紅膏。 萆麻子肉五兩　嫩松香十兩四錢　杏仁霜二兩　銀硃二兩　廣丹二兩　輕粉一兩　茶油一兩

以上許多藥。先將萆麻子肉在大石臼內。用大木棒搥爛。搗得極爛了。再加入松香粉。搗搗得極爛了。再加入杏仁霜銀硃。廣丹輕粉。茶油各藥。搗透成膏。不可太老。隔水蒸軟。攤於油紙上。以之拔毒提膿。功勝手術十倍。

立馬回疔丹　硃砂二錢　雄黃二錢　蟾酥一錢　磠砂一錢　白丁香一錢　輕粉一錢　麝香五分　蜈蚣一條　乳香六分　白信五分

以上諸藥。共研細末。糊丸如藥線粗。凡一切凶猛之疔。防其走黃。用此丹插入疔孔中。以太乙膏蓋之。拔去膿血。疔根就不致走黃了。

玉露散　美蓉葉一斤　晒乾研細末。用菊花露調敷。一切疔毒未成。可以消散於無形。

消疔化毒湯。通治一切疔毒。紫花地丁三錢 甘菊花三錢 金銀花三錢 蒲公英五錢 夏枯艸三錢 連翹錢半 鬱金二錢 甘艸四錢 如潰爛加當歸三錢

菊花地丁飲。鮮菊花連葉根同搗汁一鍾紫花地丁連梗葉搗汁一酒鍾二味渾和同服。此方消疔解毒初起未成者飲此自能消散

回疔湯凡疔毒走黃。甚至神識糢糊。速用芭蕉根打汁壹碗。再用 土蜂窩一個 蛇退一條 煅灰存性。研細末每一錢。空心用芭蕉汁同服自能救急於萬一。

完了。以上幾個方法皆是敝人歷來所試驗而有效用的。照古醫書說起來治疔要十二經脉。敝人歷經試驗。均無效果。這亦是不可執一而論的。

腦脊髓膜炎之症狀病理及治驗

沈仰慈

西醫所謂腦脊髓膜炎。卽國醫所謂痙病。張仲景之傷寒金匱中固已言之。惟近世流行之痙病。勢尤劇烈。成爲時疫矣。今推究時疫痙病與仲景所論之痙。形證相似。原因不同。仲景云「太陽病發汗太多則致痙」「風病下之則成痙」「瘡家不可發汗。汗之則痙」是痙之所由成。不外誤汗誤下。以傷陰液。陰液傷而筋失所養。乃成痙也。近世流行之痙病。非必起於庸醫之誤汗誤下。大概爲積熱暴發之患。蓋近世人煙稠密。嗜慾繁多。煙煤油火之氣。煎炒薰炙之味。今甚於古。其蘊熱之毒。積之愈多。則發之亦愈烈焉。西醫分之爲急性慢性兩種。其實積熱之毒。有輕重而已。重則數小時卽死。是爲急性。輕者治不得法。延至數日亦死。則爲慢性。西醫謂此病無治法。良由特效之藥。彼尙未發明。而於吾國方藥。未曾一研究耳。

一、症狀及病理

初起惡寒。發熱。頭劇痛。項脊強。不能前俯。兩腿屈而不伸。四肢麻木。甚則嘔吐交作。繼卽神志不清。妄語不休。或如發狂。欲登高棄衣。脈象勁大。瞳神散放。此皆熱極徵象也。其病多發於春季。蓋春令爲發泄之候。一遇天時不正。寒暖失調。人體抵抗力弱。則積熱與外邪相感而暴發。其初惡寒發熱。一如感冒。蓋肌膚一被外界風寒刺激。體工卽起救濟作用。內部體溫。向外奔集。則爲發熱。旣發熱矣。體溫高於外界空氣之溫度。自覺惡寒。惡寒與發熱。相因而作。卽爲病起之徵。斯時若無積熱伏邪。隨以俱發。則平常感冒而已。因勢疏散。便可獲安。惟其積熱毒邪。乘機而起。於是涵養生氣之少火。患變爲充斥三焦之壯火。火勢炎上。銷髓爍津。腦脊髓感覺神經及運動神經。驟遇重大之薰灼。故頭劇痛。而項脊強也。（頭劇痛。項脊強。爲痙病之特徵。）津液消鑠。神經筋脈失其涵養而攣急。則脊強而不能俯。腿屈而不能伸矣。四肢血液。奔集於病邪重心所在之處。（頭項脊髓）以事救濟。於是四肢麻木。裏熱熾盛。胃神經亦起重大變動。於是嘔吐交作。及病勢更進。卽神志不清。語言錯亂。此時體工救濟之作用。愈形急迫。血液輳聚。熱勢愈熾。其力升騰。抑不可遏。故或如發狂。欲登高棄衣。血管緊張。增其抵抗之力。故脈象勁大。臟腑精華。將有耗竭之虞。故瞳神散放。此時宜用沃焦救焚之策。大劑救治。若識不足。胆不大。輕劑敷衍。藥力不及。因循延日。未有不僨事者也。

一、治驗方藥　仲景治痙之方。有葛根湯。以治無汗之痙。有括蔞桂枝湯。以治有汗之痙。有大承氣湯。以治實熱挾積之痙。今執古方以治病。有宜有不宜。是當審擇者也。就余經驗。則仲景方中之葛根。良爲治痙特效之藥。西鄉黃氏子。年十三歲。春季病作。已眼閉牙緊。唇焦齒乾。頭項強急。背脊反張。臥不着席。兩脚攣屈。手指撮空。神昏氣促。西醫所謂腦脊髓膜炎諸證。殆已悉具。余卽投以大劑甘涼生津清血降火。用葛根爲引。煎汁兩大盌。分作四服。間二時灌一服。一劑灌盡。病卽轉機。仍守原方如前法。囑一日夜灌盡一劑。及三劑灌完。啓口呼母。而項不強急。背亦漸舒。兩脚能伸。忽飢餓索食不已。焦黑舌苔。變爲黃厚。知

腦脊髓膜炎之症狀病理又治驗

其熱邪轉入胃府。且有積滯乃於涼潤劑中。去葛根。加大黃元明粉。瀉去宿穢黑矢甚多。終與養陰方而痊。此病確係火熱鑠津。故涼潤爲主。涼以清火。潤以滋液。然非大劑頻灌。則力下足。一用葛根爲引者。葛根能提汲津液。灌注腦脊髓。以救濟神經。設徒用涼潤。而不加葛根。則藥力不能達於頭項脊髓。以成其灌溉救濟之功也。本經云。「葛根能起陰氣。」昔賢云「葛根能刦胃津。」曰起陰氣。曰刦胃津。正見其有提汲津液上升灌溉之效用也。入於燥劑。或單用無配。固有刦伐胃津之弊。若入於大隊生津劑中。適足爲諸藥嚮導矣。故治痙用葛根。殊有特效。一得之愚。敢貢諸同道。

臨床實驗錄

臨症筆記

曩承摯友田君先平。惠我彼與濟華先生所經辨之我中國醫學月刊。並索蕪件。鄙人診務冗煩。難得暇晷。將月刊瀏覽一過。讀至第六號沈君肝胃氣痛。張君肝陽頭痛二則。因之憶及前年予所治愈之肝胃氣痛。肝陽頭痛。爰筆錄之。以塞責焉。

肝胃氣痛

戴橘圃

張姓婦。年五旬。予之親戚。揚中人也。素患肝胃氣痛。歷有年所。時常舉發。醫治多人。總難痊愈。前年舉發尤劇。予適至揚中。診疾過其門。遂邀診焉。脉來弦數。胸脘悶痛。痛則嘔吐。不能飲食。頭眩肢麻。舌絳苔黃。予曰。此肝氣乘胃。胃氣不降所致。治宜兩和肝胃。肝胃一和。痛嘔自止。遂以旋覆花。代赭石。川鬱金。製半夏。川楝子。烏梅。炒大白芍。吳萸炒川黃連。橘紅。木香。竹茹。爲方。一劑知。二劑已。後又相逢。詢問防禦之法。予曰。效不更方。嗣後若發。卽以此方煎服可也。後又遇之。據云。此方甚妙。勢將欲發。煎服一帖。卽不發矣。然服雖不發終非長策。可有丸藥常服否。予曰十八味資生丸。久久服之。卽可不發。遂依法服之。至今問之。服丸之後。未曾發也。

頭痛

戴橘圃

顧姓者。營戶也。前年患頭痛症。醫治多人。針藥偏施。迄無效果。延予診治。眉頭蹙蹙。行坐不安。以手捧頭。但云頭痛。予遂診其脉。脉弦且數。視其舌。舌絳而黃。問其頭。頭痛起核。痛無休息。入夜尤劇。甚則嘔吐。兩手發麻。雙目時暗。予曰此肝陽夾痰火爲患也。肝陽上升。則頭痛。痰火上擾。則結核。手麻者。肝血不和也。目暗者。肝陰不足也。嘔吐者。肝氣乘胃。胃氣上逆也。痛久不瘥。卽成雷頭風症。遂用半夏。天麻。丹皮。石决。夏枯草。白蒺藜。苦丁茶。滁菊花。甘草。貝母。白芍。荷葉。爲方。一劑而痛稀。再劑而痛定。三劑而痛止矣。後因奔走辛勞。復又舉發。亦予以前方加減而瘳。

奇虫治驗

戴橘圃

陳姓兒。年方九歲。七月間。陡得腹痛。痛甚則吐。吐出清水黑虫十幾個。其虫如推車虫而小。翅足完全。活動能飛。第二日又吐五六個。均係黑色。如小扁豆大。第三日來予診治。並攜帶一虫。與予觀之。予當時診務冗忙。觀後。卽將此虫仍與其母。忘却將此蟲留下。帶至上海醫院研究。診其脉。動靜不常。觀其唇。紅白不定。視其舌。無甚苔垢。惟腹中硬脹而痛。痛甚則吐。吐出虫水。則硬脹俱消。疼痛亦定。定後別無所苦。但飲食不思。精神疲倦而已。予遂以調肝定痛。和胃止吐。殺虫化積。以消腹脹爲法。用霍木香。川鬱金。蘇梗。橘紅。川黃連。川楝子。白雷丸。使君子。烏梅。赤芍。法半夏。檳榔。川椒。竹茹。荷絡。出入爲劑。數服而痊。

喉癰治驗

戴橘圃

吳姓者。吾鄉人也。貿易高資。患喉癰症。始則寒熱。喉左腫痛。延醫診治。不但未退。復加牙關緊閉。遂至鎮江。與西醫治。醫亦未云何症。但云性命難保。深恐死亡異地。連夜回家。翌日清晨。延予診治。牙關難開。左邊面目亦腫。遂以捺舌硬將牙舌捺開視之。予曰。此喉癰也。膿已成矣。速宜針潰。即將刀點之。穢膿一出。其患立鬆。再以清咽通便之藥服之。數日而痊。

臌脹

大公

臌脹一症。多屬不治。其病原不外脾虛濕阻。氣滯所致。如已用過各種治療無效者。可用老絲瓜絡一條。切碎。巴豆七粒。敲碎。同絲瓜絡炒。待絲瓜絡色老黃。去巴豆。留絲瓜絡。另用陳粳糯米各半升。淘淨濾乾。與前絲瓜絡乘熱同炒至米色黃。去絲瓜絡。將米磨粉。早晚用開水冲調四羹匙。淡食。一料盡。可再製一料。甚效。

答羅燮元君問乾藥餅

宋大仁

硯砂——硯——梘之誤。治癧全書亦作梘砂。此字爲字書所不載。廣東商場中常見之。粵俗稱肥皂曰番鹼。又省寫作番梘。故梘卽鹼也。砂乃指其結晶爲砂狀而言。鹼之稀薄溶液——鹼水——置麵食品中。起一種化學作用。食之不致防碍消化。乾藥餅之名。想亦由此而來。粵海道一帶。無以此稱者。或嘉應（梅縣）土人製餅時用之故名之歟。考石鹼之成分。爲油酸。軟脂酸及硬脂酸與鹼（Alkali）之混合物而成製石鹼之鹼。乃氫氣化鈉（N aoh）又名（Caustic Soda）（氫氣化鉀）Koh 也（氫氣化鈉製軟石鹼氫氣化鉀製硬石鹼） 此皆係白色溶解於水之固體。乃一極有腐蝕性之物質。對於許多動植物之組織有破壞作用。瘰癧用之。亦此意矣。某報編輯指爲乳沒。不知何所見而云然。上海之醫報。多屬營業性質。作爲個人之生意廣告所登稿子。皆是舊醫書或各種雜誌東抄西襲而來。治癧全書。爲前代陳籍。卽其一例。嘗見醫報中。拾古人遺唾。詡爲公開祕方。豈眞死人亦能投稿保存國粹耶。讀者誤會以爲梁會希君自動公開登刊。馳書質問。負解答萬病難題之健康顧問。勢在必答。若謂指鹿爲馬。毫無功效。則君祈問諸水濱。非編者之責任矣。鄙人今所答者。亦猶是而已。謂勿盡信。恐毫厘千里。貽誤蒼生也。瘰癧內服藥。予曾以元參。貝母。牡蠣。桃仁。昆布。海藻。二味含碘成分頗富。古方鷓鴣丸用之。（本刊前數期亦曾論及）及小金丹。或大黃䗪蟲丸。治之甚。效其病理及治法。另篇詳之。腰黃乃雄黃之別稱。黃花墨菜。白花墨菜。即鱧腸草也。俗名墨煙草。又名墨頭草。順此附告。

得効驗方

凍瘃（瘃音燭俗名凍瘡）

郭悠卿

日來天氣漸冷。患凍瘃者必多。考其病原。爲局部受寒冷之刺激過重。氣血內退。體功之反射抵抗作用。不勝寒冷之壓迫所致。方用炒白芥子一份。$\frac{1}{3}$乾紅辣茄二份。$\frac{2}{3}$不拘多少。用水煎成濃汁。去渣更用火收成如膠飴狀。玻瓶封貯。每日以開水稍溫洗滌患處數次。使氣血常得流通。時時塗以此膠。外用潔厚棉絮裹紮。以免與外界冷氣相接觸爲要。

癬

郭若定

癬有紅癬白癬兩種。白癬多患於頭面髮際。紅癬多患於生殖器旁及腿股之夾縫間。他處間或有之。白癬之病原爲風燥。紅癬之病原爲濕熱。皆由於該部不潔。微生蟲得以寄生所致。治法每日以開水稍溫洗滌該處。常保清潔。更以食鹽時時搽擦患處。不論屬紅屬白。數日即愈。（按食鹽一物。具有祛風潤燥清熱提濕殺蟲五種功能。故其療效有如此。）

黃疸病概論

田先平

酒疸　夫病理有因有果。因者病之枝葉。果者病之根本也。黃疸病如因於食滯不化者。則曰穀疸。因於女癆而成者。則曰女癆疸。因於酒而成者。則曰酒疸。因爲標而果爲本。黃疸之病。其原因雖有數種。究其本則一疸而已矣。穀疸之病理與治法。既如上述。茲再討論酒疸之病理與治法。夫水飲入胃。由胃中微絲管導液四佈。於是五經並行營養一身。酒之本體是水。而其功用是火。火性四散。水液停遊胃府。受酒性之刺激。運行失常。有用之液體。反不能四佈。無用之酒濕且愈積愈多。久而久之濕聚於脾。熱積於胃。則成酒疸。酒疸之釀成。與穀疸大致相同。其所以異者。一則由於食滯不化。一則由於酒濕停凝也。酒疸之見症。大多偏於熱。如心中懊憹。不能食。時時欲吐。並不能食甘。食甘則噦等。古法治酒疸。有吐下二法。金匱云。脉浮數欲吐者。吐之愈。吐法金匱雖未出方。近方如鬱金藜蘆燒鹹等均可代用。其用意無非欲將無用之酒毒。宣之於外。不致內停耳。金匱又云。脉沉弦。心中熱痛者可下之。梔子大黃湯。梔子大黃湯。卽枳實梔子豆豉加大黃也。梔豉泄化鬱熱。枳黃通利酒滯。若去枳黃。則爲梔子豉湯。傷寒治心中懊憹。並能作吐。今酒疸心中懊憹而熱泛泛欲吐。因其越之。當舍梔子豉湯莫屬矣。終之治疸之方。當以茵陳蒿湯。宣化濕熱爲主。吐下二法。必過一時之權變法耳。後人以葛花解醒湯以治酒疸。便無何意可取。

女勞疸　疸因於女勞而成。由於色慾過度可無異言。然亦有疑焉。色慾過度。祇因成勞。何能成疸。個中原委。若不加以明確指示。則其模糊無窮期矣。夫腎爲作强之官。藏一身之精氣。腎氣素泄之人。腎藏必不堅固。濕熱乘腎虛而下流胞室。熱結瘀凝。鬱久成疸。其症狀腹脹如水。大便黑時溏。膀胱急。小便自利。夫腹脹。非水乃血結也。膀胱雖急。有類蓄水。而小便自利。膀胱中實無瘀。瘀在胞室。胞室卽血海。又名玉房。男子以藏精。女子以繫胞。瘀凝胞室。下逼膀胱。故覺急耳。從大便黑知其有瘀。從膀胱急。小便利。知其瘀在胞室。不在膀胱。然其病因亦由於脾濕胃熱。乘腎之零而釀成。是以後人稱女癆疸。謂由於腎熱脾寒亦至言也。其治法。以硝石礬石散爲主方。礬石功能去瘀滌垢。硝石軟堅破結。此二味去胞室之瘀濁。最爲適當。此病極重。本非尋常去瘀之品所能治也。金匱尚有猪膏髮煎一方。亦治女癆。猪膏潤燥。髮灰去瘀。服之亦甚爲有效。

黃黑疸　疸症初起。無論穀疸。酒疸。女癆疸。大抵只黃不黑。久而久之。則由黃變黑。仲景金匱論疸症有五。其實必過三種而已。黃與黑。不得單獨稱症也。大抵熱甚者。黃色鮮明。濕甚者黃色黯黑。病淺則黃。病深則黑。病屬於陽則黃。病屬於陰則黑。穀疸。酒疸。女癆疸。均有如此變遷。時人稱黃疸謂之陽黃。黑疸謂之陰黃分別溫涼治法殊爲確當。故凡研究疸症者。須明瞭仲景所云五疸係指其名非指其實。黃疸之治療與病理可統於穀疸。黑疸之病理與治療可統與女癆疸只要陰陽辨別明白。

自然得其治矣。

松陰喉科祕傳

陳亮衡家藏祕本

序言

田先平識

慨自晚近以來。關於喉科書籍。汗牛充棟。無慮數十種。然能理論精確。方具神效者。實屬僅見。茲淞江陳亮衡君以松陰喉科合抄一册見惠。請爲登載。以惠讀者。據云斯書距今將垂百年。係乃祖得之於摯友手中。姓氏亦屬湮沒云。竊按斯書理論頗屬精確。方劑亦具卓效。設姓氏不傳。殊可惋惜。設有知者。惠告則又感激無涯矣。

咽喉論

咽者嚥也。所以嚥物。喉者候也。所以候氣。嚥則接三脘以通胃。喉有九節通五臟以係肺。雖曰並行。各有司主以別其戶也。蓋咽喉之症。皆由口積熱甚多。痰涎壅塞。致清氣不能上升。濁氣不能下降。而各症于是生焉。其生於喉之兩旁也。近外作腫。形如飛蛾。謂之乳蛾。止一邊有者。爲單蛾。兩邊有者。爲雙蛾。在右者肺病。在左者胃病。右因氣而得也。左因熱毒而得也。又有痰盛者名喉痺。咽喉腫脹。水穀不入。痰涎壅塞。危如風燭。更有熱

松陰喉科祕傳

結於喉中。腫繞於喉外。且痒且麻。又腫又大。名曰纏喉風。其症多腫。其形略同。故亦有暴發暴死者。名曰走死喉風。他及喉閉、喉癰、喉癬、喉菌、木舌、腫舌、諸症。其名不同。火則一也。夫少陰君火。心主之脈氣也。少陽相火。三焦之脈氣也。此經之脈並繞於喉。故經云一陰一陽發爲喉痺者此也。倘氣熱內甚。結爲喉腫。腫脹不仁。咽喉閉塞。死期近矣。又有乾喉痛。喉嚨作腫。水穀難入。入則反從鼻出。皆君火之所致也。然咽喉之症。未有不從肺胃二經而發。蓋肺主氣。陰陽流行爲生。生則不息。神機動作之處。物我莫不由之。若欲不節。勞苦奔馳。或暴怒不舒。蘊結生痰。致陰不升。陽不降。水無制而火不熄。金被火爍。則咽喉乾燥。火熱壅盛。腫脹生焉。方寸之地。頃刻症發。最爲危險。而其由總由於少陰之火。蓋手少陰君火。其熱緩。則熱結而爲腫痛。手少陽相火。其熱速。則熱結而爲腫脹。腫脹不仁而爲痺。痺甚不通。則痰壅以死。火者痰之本。痰者火之標。故言火痰在其中。言咽喉、牙舌亦包其內。抑火者、虛實之辨。實者易治。虛者難治。實者因煎炒炙煿毒積久遠。遂發喉痺。三日胸膈不利。脈弦而數。煩燥口渴。二便閉結。風痰上壅。治宜先去風痰。後解熱毒。若因飲忍忿怒。色慾太過。火炎上攻。則咽喉乾燥。二便如常。治應補虛降火。大率用藥不宜純涼。取效目前。恐上火未降。中寒又起。以致藥毒乘虛入腹。胸前高腫。上喘下泄。手足指甲青紫。七日以後。如不進飲食。則口如魚口而死。且治喉症。最忌發汗。針亦如汗。若傷於蒂中腫者。尤不宜針。更至於內閣傷損。咽喉失音。則無法可治矣。

中国近现代中医药期刊续编·第三辑

松陰喉科祕傳

患症輕重辨

凡看喉內有紅絲。或紅光。紅腫紫色。或有塊者。皆可治。如紅腫脹。舌如臥蠶。耳聾耳痛、頭疼、手臂肩膊俱痛可喜。若心痛、面白無光澤。頭疼如垂石。不知痛痒者。不治。但除緩症纏喉風。餘皆可速愈。喉癰初起。便可散之。倘日久必致膿潰。亦看人之元氣強弱。虛者數日出。壯者五六日出。故須早醫。不致出膿。若先寒熱而後見形。雖輕必重。先形而後寒熱。雖重必輕。總之、凶症無有不發寒熱而起。若治之緩緩而愈。後可無患。若一醫卽好。恐不能妥當。寒熱幾日見形。醫亦要幾日好。如一發寒熱。夜間卽起者凶。要知喉症日輕夜重。吩咐病家不必驚慌。此看病之要訣也。

觀看喉症。先要詳問病由。細看形色。辨別所患喉何症。再診六脈。定其虛實。然後斟酌用藥。務必細心。不可忽忙致病。尤不可輕用刀針。凡治喉症。三日前藥能吹消散。若致五日後。膿潰穿卽爲難治。且喉花蒂中也。性命所關。舌下紫筋爲舌繫。下通於腎。傷之卽斃。學者不可不知。經云喉痺屬痰。喉風屬火。皆由鬱而兼熱毒致生。乳蛾等症。去風消痰。解熱開鬱降氣。其病自痊。若喉症初起。一寒戰卽生者。發後身涼。口不碎。又無重舌。二便俱利。不可認作熱症治。此因陰氣虛寒而發。其痰卽身內精液所化。不可吊盡。若虛而去之。則精液竭而人斃矣。宜先用吹藥。次用水漱。使咽喉通。卽服煎藥。先用消散和解。繼用溫補調養。設三四服再發寒戰。或心疼、骨疼。胸腋疼屬難治。發熱牙關緊急。咽喉結塞。舌喉俱腫。口碎而臭。或有重舌。或舌上有黃屑。下午再發寒熱。二便閉塞者。卽爲熱症。用石膏敗毒散主之。此爲易好之症。如漸起三四日而後寒熱者。雖凶不爲害。若其症未減。而牙關反不緊。如無痰者不治。舌腫滿口。色如胡桃。如茄子。又如砂紙者。亦不治。舌以筋按之。其色雪白。起筋卽紫。此身內之血已死。若口臭猶可生。口渴氣急。痰如桃膠者死。頸項腫脹。或紅而發紫。靑而發白及少神者。幷不語者死。略語者還可生。面少神氣。口中極臭。喜低處坐者死。吹藥後乾如橘囊包者。口舌爛無血者死。

松陰喉科祕傳

舌下紫筋白而腫者。面色放光色白者。喉內無痰者。咽喉通而唇卷頭汗出而口中黑者。不治。面上黑頭上汗。鼻中塞者。不治。氣促四肢厥冷自利者。不治。虛陽上攻。上下不相降。水火不相濟。腰冷不知疼痒。口中痰唇黑者。或口中紅腫吐血有痰涎息淸者。或手足冷。不收自收。頸低不能自舉。眼暗頭昏者。不治。傷寒後患連蛾者。喉閉者。喉強頸硬。目上視者。不治。小兒口疳。臭爛而色黑者。患處不知痛者。舌無涎者。皆不治之症也。又或婦人產前。咽喉疼。脈淨面赤。目上視。頭汗自利者。氣喘心胸脹滿。吐痰不出。手足厥冷者。心中怔忡。胸前紅甚者。舌卷面赤。目上視者。血氣攻心。面紅欲絕者。潮熱往來。胸腹脹滿者。又時發譫語。痰聲如雷。或喰食者。亦不治之症也。亮衡按此乃熱血攻心產後亦有之冷開水及冷茶能解之然其症似非熱症切勿忘飲致生他病若別明的是熱血攻心而無法可治方可用此法治之甚爲應效遂飲盞愈然不可多飲最多不得過一恰

用吹藥法

凡看喉中紅腫。或腫如細瘤者。先以青藥吹五六管。次用黃藥吹三四管。放出熱痰。隨即絞淨。覺喉中寬泰。病勢稍減。卽用醋與温湯沖勻。使病人含漱。須要靠實肩背。仰面漱咯。吐出再咯。不可間斷。少頃再用吹藥。亦不宜斷醋湯。如此可速愈。如遇輕症。單用絞去痰法。再用醋湯漱咯。用青藥吹之自愈。如遇纏喉風。頸項大如斗。色白無光。喉中疼極。用青藥吹四五管。次以鵝翎攪之。蘸桐油再攪。痰不能出。用元明粉湯咯之。咯時靠實肩背。仰頭時時咯。刻刻咯。如此痰終不出。則不可治矣。倘命不絕。傳唆於肩背。及兩耳痛。此卽喜之兆也。過二七三七。可許無虞。凡單蛾、雙蛾、聯珠蛾、喉閉、喉癰、喉風。以青藥爲主。黃藥爲臣。凡遇牙皷木舌。多用黃藥。如走馬疳。牙漏。穿牙疔。單用紫藥。以生肌長肉。總之。吹藥之功。固然神效。而絞痰之法。必須沉心耐煩。萬不可浮躁輕忽也。

嚦痺喉風此症因風痰犯於咽膈之間。牙關急閉。口不能言。急用蟾酥磨水。輕滴鼻中。如能開口。隨以桐油滴入喉中。用鵝翎攪之。去其風痰。以甘草湯解桐油之氣。將青藥吹之。再服煎劑。如面色紫。舌青。唇黑。鼻流清液。指爪甲俱青。不治之症也。或用已未二藥滴鼻。卽開牙關。仍以巳申藥吹之。使痰出盡。內服荊芥敗散。

黃纏喉風此症因熱毒而生。又因眞水易虧。相火易動。或酒毒上攻。內熱外寒。火乘於肺。故生腫毒。初起用吹藥。內服三黃甘吉湯加銀花牛蒡子五日者。針破出膿。服千金內托散卽愈。

寒喉風急症可治。此症因痰痺聚毒。喉涎稠甚。亦發寒熱。關上可治。關下難治。

鎖喉風形如纏喉。而痛較纏喉稍輕。喉中有紫色纏擾。氣不能通。故名之。速用黃藥合青藥吹之。其勢略退。方可用化痰祛風之劑。如耳聾頭疼。微發寒熱者輕。若心痛胸脇俱疼。寒熱大作。卽不治之症。此症用熱水一杯。洗其手足。針四海穴。有血者則不妨。黃白水者立死。（四海穴在足內踝下一分陷中一分在內踝下約四分前後有筋上有踝骨下有軟骨其穴在中（四海穴卽照海））又看喉中疙瘩多少。如無乃纏喉也。治法先針破疙瘩。青藥吹之。去風痰。後服抑火化毒湯。不愈。服千金急救散。如喘不息。死在旦夕。疙瘩僅有一二可治。多則不治。

弄舌喉風。此症啞不能言。吐舌常將手弄。治宜速針少商穴。吹黃藥。內服甘桔疎風湯。細調治可愈。（少商穴在大指之端）又法急刺兩手大指少商穴。無血不治。次吹己申藥。去痰。內服疎風甘桔湯可愈。

弄舌喉風。此心血少而火動。肺氣虛而水不升。牙關緊強。面赤白。舌踡上。或破或不破。遲醫必死。宜疏風抑火。吹青藥自愈。

搖舌喉風（舌下生舌謂之搖舌）肥人感熱。性燥者。多生此症。連喉腫疼。爲喉癰。不痛者非。大抵搖舌兼喉癰者。多熱則凶。不刺。用青黃藥吹之可也。

脚根喉風先寒熱四五日。脚根忽紅腫。次日脚根不腫。而喉忽腫脹。是須服化毒消痰之劑。吹青藥。（多入輕元粱）黄藥吹之。其腫可消。若毒傳於心。忽心疼者不治。（故須先服獲心等劑）又吹子丑藥。或申字藥。內服荆芥敗毒湯。再用紅棉丸以降火忌熱物患怒此症一年或發一二次。其病一日行一穴。至七日行七穴。雖然不妨多發亦直可慮也。

內纏喉風其症發兩日。卽胸膈氣緊出氣短促。忽咽喉兩邊刺痛。或兩旁有紅筋兩條攢攻喉舌之上。或但紅紫腫痛。或生小黄泡痰涎壅塞。手足寒戰。如驚風狀。此冬月之陰濕火邪相干也。急用己字藥吹解驅痰。幷刺紅筋紫腫黄泡出血。血紅可治。如血黑、膿硬、喉乾難治。內服蘇子降氣湯。幷吹子字藥。一月內戒酒。一說其根在鼻內看鼻中有紫泡。用銀挖扒破卽愈。

外纏喉風其症外面如蛇纏頸。且麻且痒。身發潮熱。頭目大痛。內症其中紫糖色。用開關驅痰藥吹之。內服喉痺飲加牛黄。

嗆食喉風此症熱毒在心絡。咽喉燥而無痰。若嗆食者不可治。用丑字藥吹之。繼用子字藥吹。內服川桔散。開鬱理氣。如包絡心肺間刺痛者。用淸火利膈湯下之。若不急治。則變爲飛絲瘵毒。能傷人命。

爛喉風此症濕熱鬱於脾胃甲木久鬱。上致咽喉。濕從木化。故腫而且爛。其脉洪實。似可服涼藥之品。不知一服寒涼。火鬱更甚。其變不測。前見一人。咽喉腫而且爛。右脈洪實。用連犀等寒藥。四服後。鼻血大出。二日而亡。後有患者。惟用甘吉湯加升麻、葛根、荊芥、大力、蟬蛻、殭蠶、薄荷、土貝等藥。五六劑後。淸再用元參、山梔、花粉、連翹、甘草、無不應手而愈。吹藥用子丑加鬱金末。

喉痺陰陽相結謂之喉痺。肝與心包爲陰。膽與三焦爲陽。四經皆屬相火。共絡於咽喉。一經有結。卽喉痺。非四經必共結也。

酒毒喉痺狀若雞子。腫而鮮紅光明。外症發熱惡寒。頭痛項強。風毒喉痺。外赤腫。內腫微紅帶白。形似蒸餅。外症身僅惡寒無熱。腮頷腫痛。牙關強閉。此風痰所搏結塞於喉間也。若紅腫微紫。其形如拳。其人面赤而目上視。外症壯熱惡寒。候若傷寒。此久積熱毒。因而感風。爲風熱喉痺。亦有聲音不淸。總治用申己二藥吹。不退用辰字藥吹。內服喉痺飲奏效。

急喉痺。其聲如鼾。有若喉內痰嚮者。此肺熱之候。速宜參膏救之。用姜汁竹瀝放膏服。如無參膏。獨參湯救之。早服十全七八。遲不救。

緩喉痺形如秋海棠葉背之紅絲。纏繞喉間。如咯不出。嚥不下。飲食可入。寒熱往來。兩寸脈弦而數。小便赤色。咳嗽微喘。宜靑藥少而紫藥多。終日吹之不倦。再服地黃丸救之。此不醫亦不甚急。恐後聲啞。卽不治。此多發於不足之人。起一月。治一月愈。起一年。治一年愈。故須速治。大忌腥葷、酒、胡椒、大蒜之類。及一切炙煿之物。并絕慾爲妙。不守戒者不保。此症總因虛火上炎。肺經火旺無制。致喉間生紅絲。與海棠葉背之紅絲一般。久必飲食阻礙。雖不傷身。亦難速愈。如用藥遲延。又不守忌。必致症漸加重。加之久則失音。無法可救。蓋肺壞也。

楊梅喉癬。此症因曾患梅毒。誤服升藥。毒熱結於喉。升藥之毒。不僅本身有得於妻妾。發爲喉癬者。如喉癬片白穢氣者。或鼻管有瘡者。卽本身無梅毒。須問其父母及外祖父母曾患梅毒。服升藥者。治吹子丑酉三字藥。內服祕傳甘吉解毒湯。雖喉間腐去。飲食難治。不過十五服可愈。

白螞蟻瘡。此係濕熱而生。咽喉內生瘡。連鼻俱爛。其脈遲而濇。此症方書所不載。若徒作咽喉治。殺人多矣。宜問其父母與夫曾患梅毒者。卽此症。宜以後方治之。白霜梅一 煅燒存性

枯　礬一錢二分　山　甲五分 炒黃　共研末。吹喉中。若喉中結塊。此危症也。飲食不進。宜百靈丸治之。

百草霜 蜜丸黃豆大新汲水化服凶者不過二三丸　若喉中腥臭。此肺胃熱毒。須用黃芩射干煎服。若非楊梅遺毒。祇因濕熱而生。宜以蒼朮爲君。吹服之藥皆然。

乳蛾。頭尖白色。形似飛蛾。或左或右。單生一邊者爲單蛾。左右俱生者。爲雙蛾。又有舌旁連生三四枚者。名連珠蛾。此症朝發夕重。不能遲俟次日者也。凡遇乳蛾。以竹刀點破。洩其火毒。急用己金藥吹之出痰。繼吹子丑

藥。遲則不救。內服喉痺飲。如厥重不省人事。氣欲絕者。急以胡茱萸研爛。醋調足底心塗
乳蛾兼木舌有乳蛾兼木舌者。以三稜針刺破舌下金津玉液兩穴。左金津右玉液俱在舌下兩旁紫筋上　及刺少商、大
陵兩穴出血。少商見前大陵在掌後骨下橫紋中兩筋間陷處（亮按經絡圖無大陵恐尖陵之誤）　吹已金藥消痰。服荊防敗毒散。更用申字藥
消腫。如不退。服紅棉丸。無有不愈。
急救乳蛾辨實虛論。凡人咽喉。忽腫作疼。生雙蛾者。飲食難下。但此症實火易治。虛火難治。虛則腎火藏於命
門。浮遊於咽喉之間。其症亦如實火。惟夜重而日輕。清晨反覺稍輕。若實火則清晨反重。夜間反輕。實火口燥
舌乾而開裂。虛火口不渴。舌滑面不裂也。明此則虛實無差。此種虛症。非特不可用寒涼。并不可用發散。蓋虛
火可補。然補腎水。水能制火。雖少可瘥。而火勢太盛。未易制服。又宜於水中補火。引火歸原。則火勢頓除。有見
効於頃刻矣。方引火湯。　熟地一兩　元參一兩　白芥子三錢　萸肉四錢　五味子鹽水炒二錢　官桂二錢　茯苓五錢
煎服一劑而疼止腫消。二劑全愈。倘喉腫閉塞。藥不能下。用黑附子一个　補骨脂五錢　搗爛醋調如
膏。攤布上。大如茶鍾。貼足心。以火烘之。時許喉開。即可服藥矣。
喉閉此症外感寒邪。內傷熱物。或大寒後便洗浴濯足。將寒氣逼入。鬱熱在心。其症喉間生血泡。如櫻桃腫塞。
頭眩語澀。痰涎厥冷。外吹午鐵藥。吐出痰涎。再吹子丑藥。內服荊防敗毒散。若大便閉。加用亥字藥。

氣壅喉閉此症因毒塞喉間。痰涎稠熱。宜分三關。毒在下關難治。上中二關。以己金藥吹數次。再上卯冰。後服參苓順氣湯散毒。勢甚者。先服亥生七丸清茶下。後再服煎劑。

傷寒喉閉傷寒遺毒至八九日後。忽然喉閉不通。此熱毒入於心脾。急吹己金。服四七湯二三劑。次用卯冰內服獨毒流氣散。

鎖喉瘡此心經毒氣。小腸邪風也。發於聽會之間。注于懸膺之側。形如瘰癧。閉塞不通。飲食難進。漸腫破化膿。早治可生。外吹卯冰。內服當歸連翹散。牛黃清心丸之類。再以蜒蝣不拘多少合冰麝抹於毒上。

咽瘡多因虛火遊行無制。客於咽喉。宜用人參。黃柏（蜜炙）荊芥調治之。經云。肝者。將軍之官。取決于膽。而咽之使。故咽喉屬肝膽。虛火宜補金。（以能制木生水）稍加降火之品。自然漸平。

咽燥疼。水涸火炎。金受賊尅。難治之症也。忌辛熱之劑。宜用養金湯治之。 生地 杏仁 知母 沙參 麥冬 桑皮（◉炙） 煎服。

咽疼不能納氣與食。爲氣閉塞。凡病喉痺。必兼咽疼。然咽嗌疼。不必兼喉痺。此係陰火上沖。吹子藥散之。內服喉痺飲。倍荊芥元參。

咽疼陰氣大虧。陽氣飛越。痰結在上。遂成咽痛。脉必浮。重取必濇。去死不遠。宜服補陰丸。再用人參濃煎冲入童便送下。一日三四服。庶可奏效。非喉痺諸方可治。此症癆咳日久者有之。

祕傳補陰丸方

龜板 二兩　山藥 一兩　血餘 二兩　人中白 二兩　茯苓 二兩　蜜爲丸。

鼻線懸珠症。丹溪云。咽症諸藥不効者。此非咽痛。乃鼻中生一條紅線如髮。懸一黑泡。如櫻桃。垂掛至咽門止。飲食不入。須用杜牛膝（直而無條者）洗淨。入好醋三五點。同研細。就鼻滴二三點。令絲斷珠破立安

松陰喉科合抄

喉癰。在上名上關喉癰。在下名下關喉癰。在結喉中間名騎關癰。其下關吹藥不能到。宜用蜜調藥。徐徐嚥下。用青藥重吹入內。將鵝毛攪去痰。服化毒清熱之劑。起三四日易治。五六日有淸膿。卽難治矣。此症或因七情而發。或因辛辣炙煿火酒毒結喉間。如李而黃。重者必發寒熱頭疼。若不速治。恐毒內攻喉骨。若口內出膿。雖不傷命。卽成冷瘻。終身痼疾。外吹己金藥。或卯冰藥。後服參苓順氣散。

喉癲。此病生鳩尾之中。初起梅核在喉膈之間。吐不出。嚥不下。至三日漸上喉節間。故名癲。其症急。須刺破。先吹甲紅消腫。次服四七湯。順氣。淸痰降火。再用卯冰解毒。

喉刺。多因先患癆注症。既久。虛火上升。營血已竭。其喉上腭有點。蜜蜜如虫蛟斑。此係危篤將殂。愼勿治之。以取謗怨。

喉菌。因憂鬱血熱所生。婦人患者多。其狀如浮萍。畧高。洪高而厚。色紫。生喉旁。難速愈。輕則半月。重則月餘。須

治者得宜。患者忌日。

喉瘤此症肺經受熱病。或聲高傷氣。或食物傷熱。生在喉旁。犯熱物忌怒卽疼。不犯不疼。須斂神宴息。外以己金藥日夜吹之。內服益氣疏風湯。自然脫落。切勿用刀刺破。難治

麝香散　麝香二錢　冰片五分　黃連一錢　可吹之。

喉腫此毒起於脾經。因食煎炒油膩。及縱酒房癆。以致毒氣不行。結聚喉根。不速治。毒潰閉塞卽死。先以己申驅痰。內服八正順氣湯。再以子丑二藥收功。

中國醫學月刊

CHINA MEDICAL JOURNAL

(Issued Monthly)

定價表

時期	冊數	書價連郵費 國內	書價連郵費 國外
每月	一冊	二角	二角四分
全年	十二冊	二元	二元四角

郵票代價十足通用惟以半分至四分爲限

廣告價目表

等級	地位	全面	半面
特等	封面底面之外面	五十元	三十元
優等	封面底面之內面正文之首篇之對面	三十五元	二十元
上等	色紙夾張之前後頁	十六元	十一元
普通	白紙夾張或正文後	八元	五元五角

廣告如用銅版或用彩印價目另議　繪圖刻圖工價另議　登多期或訂登全年者價目從廉　欲知詳細情形請至上海福州路八三號『中國醫學月刊廣告處』接洽　遠地函詢即行奉復

中華民國十八年十二月十日出版

中國醫學月刊第九期

零售每冊大洋一角

撰述者　全國著名中醫

編輯者　中國醫學月刊社

發行所　中國醫學月刊社　上海四馬路西中和里八三號

印刷者　惟誠印書館　上海哈同路民厚北里四三號

寄售處

上海千頃堂　三馬路

啓新書局　棋盤街

會文堂　河南路

爲父母者，誰不喜兒童勤攻書籍，學問日進，冀他日出人頭地，光耀門楣，如欲償此願望，首當熟審兒童資質而培植之，則進步自速，如面黃肌瘦禀賦單弱，腦筋遲鈍，秉性庸愚，爲父母者，宜設法以改造之，其法如何，惟有常服人造自來血，補充血液，强健腦筋，而黃者轉爲紅潤，腦鈍者立致靈敏，智慧大開，過目成誦，他日飛黃騰達，光耀門庭，可預卜也，世之爲父母者，欲使兒女爲志士爲偉人者，盍注意焉，人造自來血，大瓶二元，小瓶一元二角

上海五洲大藥房發行 各大藥房均售

中國醫學月刊

第一卷　第十號

十九年二月十日出版

中華郵政特准掛號

中國醫學月刊社發行

上海中法藥房概況

本藥房剏始迄今．已四十年完全華人資本．設總發行所於上海漢口路．分發行所遍全國．民國四年．盤歸中華製藥公司．民國五年．盤歸羅威公司．規模更宏．出品更富．歷來自運各國原料藥材．以應處方之配製．發售法國名廠化裝香品．藉供社會之需求．延聘醫藥專家．集思廣益．陸續研究發明各項藥品及化粧品．不在少數．自建製藥廠於大西路．優選國產藥材．應用科學方法．聘有留學回國之藥師．監工製造．精益求精．卓著功效之出品．現有艾羅補腦汁．艾羅療肺藥．孩兒面．人丹等．莫不貨眞價實．倘蒙惠顧．曷勝歡迎之至．

總發行所上海三馬路
大新街口中法大藥房

冠生園食品公司
著名國貨 民衆歡迎 裝璜美化 定價低廉
陳皮梅 果汁牛肉 葷素罐頭 應時名點 廣式月餅 罐頭水果 精美糖果 粗細餅乾 各地特產 數千百種
總店 上海南京路 支店 棋盤街 老店九畝地
分店 天津法租界馬家口 漢口中山路永壽里口 杭州薦橋大街
各埠大食品店均有代售

中國醫學月刊

第一卷 第十號

目錄

家用良方

齒痛方……陳君玉

治瘧三驗方……王可久

暴吐血方……存仁

松陰喉科合抄秘傳

陳亮衡藏

中国近现代中医药期刊续编·第三辑

寒性發熱之分析

郭悠卿

急寒性發熱與緩寒性發熱之分別　急寒性無汗『緩寒性有汗』

寒性發熱兼病陽虛之主要證候　『發熱惡風寒脈反沉遲』（傷寒論名爲太陽少陰同病或謂之兩感（其餘陽虛裏寒證候可以隨見不能拘執）惡風寒脈沉遲。而不發熱則爲純粹陽虛裏寒之證候。若更見發熱。則爲兼病感冒。寒性以感冒寒性。體工起救濟抵抗作用。必反射而發熱也。

此處之陽虛二字。是發溫機能能力減少。體溫不足。全身細胞機能及各部器官之作用（有全體局部之分）萎頹之謂（發溫機能即體中之可燃原質與充養血化合而發生熱度之作用充養血Qxygenatd blood（即紅血質通過呼吸器肺後吸有多量之養氣者）然體溫不足何以表反發熱此因體熱集於外抵抗救濟。故仍能反射發熱。而內之熱度不足。以全身細胞機能及各部器官之作用。皆呈萎頹之象。而心房之跳動。與血液之循環。亦因剌激力減少而緩慢。大脈管非惟不能外鼓。且以營內濟作用之故。而反下沉。此陽虛之所以脈沉遲也。

寒性發熱兼病陽亢之主要證條　『發熱惡風寒脈浮有力（兼脈隨見難拘惟不足之脈除外）內熱煩（病人自知）舌苔黃或白而燥』（陽亢亦有全身各部之分其證候各有不同不能概括此不過

寒性發熱之分析

舉其例耳）

陽虛之理。上巳言之。陽亢則適與陽虛成反比例。卽發溫機能亢進。熱度增高。神經興奮過度是也。故內熱內煩。爲陽亢應有之證候。尤於表感寒而內陽亢之病。內熱內煩。更爲必見。以體熱不得外泄也。然內熱內煩之證候。他種原因。亦能致之。但執一偏。非爲十全。故同時必見苔黃或白而燥。方爲準確。若又參以脉及他項證候。則更精密。（苔黃或白而燥爲由熱之確候其合於科學之理今尚未明容後另論）

寒性發熱兼病陰虛之主要證候　『發熱、惡風寒、脉細數、舌質紅絳。』（陰虛亦有各部與全身之分上二項證候無論全身各部或乏津或貧血總爲必見）

陰虛係津液不足與貧血之學術語。脉是血管之一。無庸贅述。脉管細與常人。自是津液不足。血汁減少之表現。脉數是脉搏加多。（普通人每分鐘約六十八至七十五至一呼吸間約四五至）爲心房之跳動與血液之循環。受內熱之刺激而加快所致。舌紅亦係陰虛之熱焚之內確候也。

夫津少血虧。則體內之原質如酸素燐硫輕養之類。不能充分涵浸。因之合而自燃。則爲虛熱內焚。故陰虛則熱自焚。熱焚則陰更傷。陰虛熱熾。熱熾陰傷。循環不已。勢必兩盡始止。

寒性發熱兼病停水蓄飲之主要證候　『發熱、惡風寒、脉浮（兼脈難拘）嘔、欬、稀痰、苔膩』（其餘水

飲證候可以隨見不能定見

外寒客表因體工起救濟抵抗作用引動素有之停水宿飲。水飲離處原位。則蕩動而迫激肺胃。嘔欬稀痰。爲必然之症。苔膩亦係飲濁上薰所致也。

寒性發熱分析至此。大綱已羅舉無遺。其餘細目。則因病變萬端。言不勝言。匯而通之。是在閱者。茲附治療引證若干節。以爲隅反。亦參考研究之一助也。

急寒性發熱　太陽病『發熱惡風寒脈浮』、無汗者。麻黃湯主之。　其餘兼症。如頭痛、身疼、腰痛骨節疼痛、氣喘之類。可以同見。不必定見。

緩寒性發熱　太陽病『發熱惡風寒脈浮』有汗、者。桂枝湯主之。　其餘兼症。如頭痛鼻鳴乾嘔之類。可以同見。不必定見。

急寒性發熱內陽虛　太陽病『發熱惡風寒無汗』、脉沉、者。麻黃附子甘草湯或麻黃附子細辛湯　附原文少陰病始得之。反發熱脈沉者。麻黃附了細辛湯主之。少陰病得之二三日。麻黃附子甘草湯微發汗。以二三日無裏證。故微發汗也。

緩寒性發熱內陽虛　太陽病『發熱惡風寒有汗』、脈沉、者。桂枝加附子湯主之。甚者桂枝與四逆湯合劑。更甚者四逆湯大劑。

附原文　病、發熱頭痛脈反沉。若不差。身體疼痛。當救其裏。宜四逆湯。傷寒。醫下之。續得下利清穀不止。身疼痛者。急當救裏。後身疼痛。圊便自調者。急當救表。救裏宜四逆湯。救表宜桂枝湯。

急寒性發熱內陽亢　太陽病『發熱、惡風、寒、（非背微惡寒）』。大汗出。大煩、渴、脈浮、洪、實大、者桂枝白虎湯。或加洋參。

寒性發熱內陰虛　太陽病『發熱、惡風、寒、』舌質、紅絳、脈細、數、此症頗為難治。治法於滋液藥中。加微散之品。如豆卷豆豉荊蘇薄荷防風之屬。甚則加桂枝麻黃。無汗者。外用熱浴法較妥。有汗者散藥中加芍藥。

寒性發熱內水飲　太陽病『發熱惡風寒無汗、』。嘔、欬、其餘或症如渴利噎喘小便不利少腹滿等。不同見。不必定見。小青龍湯加減主之。

上述治法。係屬舉例。非謂寒性發熱複雜之治法。已盡於此。然苟能味而繹之。則亦思過半矣。

一〇，二〇，初稿，於上海中醫專門學校

中国近现代中医药期刊续编·第三辑

外感溫熱傳化之步驟并主治之標準

古剡郭若定

溫熱冠以外感二字者。所以別於伏氣溫熱也。伏氣溫熱之理可參（下期溫熱心得語一文）謂此種溫熱。其病原由於感受六氣中之火熱二氣所致。須知雖云感受要亦以其人體功之反射作用程度如何爲轉移。且其病竈之傳化。有一定之步驟。茲列表以明之。

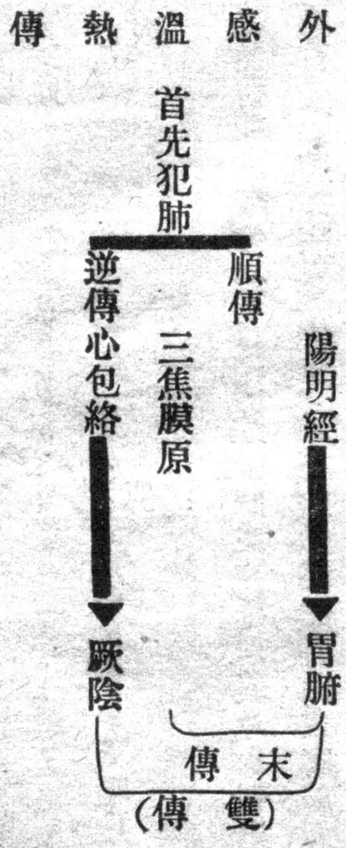

外感溫熱傳化之步驟并主治之標準

外感溫熱初期之證候。必發熱而欬嗽。肺主皮毛。（義見本刊第五期）欬爲肺病。故云首先犯肺。（病在衞）在肺不解。熱邪熾盛。由皮膚層入於肌肉。則下一假定名詞。謂之陽明經病。（在氣）熱入腸胃。謂之陽明腑病。（中焦溫病）熱夾痰濕。阻於橫膈膜間。則謂之三焦膜原病。以上爲順傳。順傳二字。本屬難通。以舊說云肺與大腸相表裏。臟病則實臟。腑病則傳腑。故謂之順。（病甚於初安得謂順）若在肺之邪不解。熱熾灼血。陰液受刦。心臟之跳動。與血液之循環率加增。大腦因血熱之刺激。神經錯亂。而失其素有之知覺。謂之心包病。（病在營甚則在血）心包病不解。熱邪更甚。血液更傷。全身筋脈。因營養不足。而起仲縮動作。謂之厥陰肝風動病。（病在血此爲溫病之最末期）以上爲逆傳。逆傳與順傳爲對待名詞。並無意義。謂病由衛入營。從淺入深。故爲逆也。至於末傳云者。乃溫病末期。陽明腑症失下。兼見心包厥陰病之昏痙症是也。夫胃腑居中。土也。萬物所歸。無所復傳者。言其燥屎內結也。此因燥熱傷陰。故仍可兼見心包厥陰之病。所謂雙傳症是也。

外感溫熱傳化之步驟并主治之標準

外感溫熱。發熱。欬嗽。舌苔薄白。病在肺衛也。微惡寒者。兼感寒也。微辛微溫。豆豉荊芥蘇葉防風等主之。甚者用桂枝。不惡寒者。辛涼輕宣。薄荷牛蒡桑葉菊花蟬衣等主之　口乾微渴者。辛涼合微甘之品。如銀花連翹竹葉蘆根之類。渴甚者加花粉。欬嗽者。槪加前胡桔梗杏仁象貝。

外感溫熱。壯熱。汗出。煩渴。舌苔乾白。病在氣。舌苔乾白舌質鮮紅。病將由氣入營。皆陽明經病也。（肺有燥熱）燥熱在氣。辛涼甘寒。大清氣熱。銀花連翹石

外感溫熱傳化之步驟并主治之標準

膏知母蘆根竹葉等　由氣入營。辛涼甘寒。透熱轉氣。洋參白虎湯。地黃白虎湯。虛甚者。合生脉散用。

外感溫熱、「舌苔黃膩。痰熱濕濁交阻。」三焦膜原病也。重用苦寒辛泄。黃芩黃連山梔蔞仁陳皮竹茹枳實半夏等。大忌甘膩。

外感溫熱。「潮熱譫語。舌苔糙燥老黃。」腸胃內實。燥屎固結。陽明腑病也。法宜急下存陰。三承氣湯選用。或加麻杏蔞仁。

外感溫熱。「陽明腑症具。而其舌苔膩者。」內挾痰濁。病從三焦膜原傳來。下之宜緩。重用苦寒辛泄可也。

外感溫熱。「神昏譫語。舌質光絳無苔。」熱熾灼血。心包病也。甘寒芳香合劑。犀角牛黃生地玄參麥冬丹皮花粉竹黃金汁連翹心竹葉心等。或加黃連。

外感溫熱。「舌質光絳無苔。神昏譫語。手足抽掣。」厥陰風動也。甘寒清熱。

方中加入熄風之品。如羚羊角石决鉤藤牡蠣之屬。

外感溫熱。『無潮熱腹滿拒按等陽明腑症但神昏譫語。苔黃而膩。』痰濁蒙閉心包。病由三焦膜原傳來。法當重用芳香開泄鬱金菖蒲竹瀝遠志等合至寶丹用。若兼質絳者。爲難治。治法同上。惟須時時顧其傷陰耳。

外感溫熱。『潮熱。譫語。舌質紅絳。糙燥老黃』胃腑與心包同病。雙傳重症也。增液承氣加犀角牛黃。或用牛黃丸。若兼手足抽掣者。陽明腑與厥陰肝同病。上藥加羚羊石决。或用紫雪丹。苟能十全一二。已屬上工一等矣。

營養概論

宋大仁

凡屬生物。處此生存競爭之中。弱者淘汰。强者生存。乃天演公例。人類亦爲生物之一。除人與人間互有生存競爭外。其他生物亦然。夫人類與他生物之生存競爭上。最可恐怖之敵。卽引導各種疾病之微生菌也。微生菌爲吾人目力所不能及。日常叢集人體之周圍。乘弱點而侵入。譬如由某種原因。傷及筋肉之纖維。皮膜既破。曝露於空氣。於是人體周圍之有害細菌。遂紛集於傷口。視爲良好之食餌。在傷處繁殖。其結果傷口必致化膿。此際傷口若無自然抵抗力。腐及內部。終將危害身體。惟實際組成筋肉之纖維。要備有自然之抵抗力。故有驅逐微菌之效焉。人類身體之周圍。非僅有膿狀之害菌也。更有肺結核。及其他結核。之病害菌。併實扶的里菌。鼠疫菌。霍亂菌。赤痢菌。就中肺結核所生之病菌。依研究之結果。到處存在。而吾人不必受其害者。卽因身體對於此等病菌。有一種抵抗力也。至於抵抗力之强弱。雖有種種之原因。而最主要者。實在營養之如何。茲有兩人焉。偶服同一之霍亂菌。一人罹病。一人則否。卽由於胃能健全與否。所生之影響也。惟胃之健全與否。實憑食物與營養而定。則對於病害菌抵抗力之强弱。與營養大有關係。無疑義矣。

食物之消化

食物入體。當先行消化。否則不能資以營養。消化食物之第一器官。卽吾人之口。食物入口。先用齒牙細細嚼而碎之。拌以唾液。然後咽下。凡食物入胃腸後。果能吸收以資身體之營養與否。實與此細嚼之度極有關係。如齒牙不完全。嚼之不碎。卽難期十分消化。故齒牙於食物之消化。爲極緊要之物。當時加以保護。使之健全。勿令毀傷。又口腔上下。均有唾液腺之輸送管由此分泌口液。遇口中有食物時。隨嚼隨混以口液。便成糜粥狀。方易於嚥下。且其唾液。含有一種物質。

混故食物中。足以助其消化。舌爲司味之器官。亦爲發音之補助吾人無不知之。然其實於有撥調食物。補助齒之咀嚼。及輸送食物於食道之作用也。

口內嚼碎之食物。入於咽喉。復經所謂食道之長管。然後入於胃內。此胃與食道之間。有一關門。謂之賁門。自強韌之筋肉成之。平常無食物進行時。則嚴密緊閉。故既入胃中之食物。不易再還食道。惟兒童賁門之筋肉。未臻十分發達。故輒易嘔吐。成人非有特別作用。則不易嘔吐。賁門以下一胃。爲一種特異形狀之囊。其內面具有胃液之分泌腺。與吸取胃中物質之裝置一物一入胃中。胃卽旋起一種伸縮運動。將食物彼此環回轉送。使與胃液充分混合。歷數小時後。則經之下口。輸入腸內。此胃之下口。仍與賁門相似。其周圍具有強韌之筋肉。平胃常亦嚴密緊閉。故食物在胃。不易漏入腸內也。

腸有大小腸之別。其與胃接者。乃小腸也。小腸又可別爲四種。連於胃之下口者。爲十二指脂腸。此十二指腸。實符其名。儼然十二手指抗列之狀。盤曲連續。短而不長。其次則爲空腸。及迴腸。最後則爲盲腸。盲腸短作短囊形。食物最易滯積於此。故亦易於引起疾病。小腸之上部。（卽十二指腸之周圍。）尙有肝藏。自其管腺輸入胆汁。又有脺藏。亦自管腺分泌脺液。此二種汁液。均可以助食物之消化。又腸之內面。亦分泌一種腸液。以助消化。而其連於小腸者。謂之大腸。此大腸又可分爲結腸。與直腸之二部。直腸之末端。卽爲肛門。大腸之容積。較小腸爲大。其長則僅三尺許。且內面亦有分泌黏液之腺管。然其實並無小腸之作用。反有吸收液體之裝置存焉。吾人所吃之食物。實含有種種物質。其中雖在消化器內。卽被吸收者。然其大部分。均必受各部一定之變化。使各部易於吸收。然後從而吸收焉。故其變化。極爲複雜。而其作用之機微。亦可謂巧妙無倫也。

消化不良

通常消化器。如果健康。其食物。又極適宜。則進口之食物。卽受上述之種種消化。而被吸收。但言之不難。行之非易。按之實際。每有在消化時。呈不良現象。此消化之不良。皆由兩種原因而起。一爲消化器之萎弱。（或因消化器以外之疾病。消化器受其影響。遂致萎弱者。亦屬不少。一爲食物之不良。人有齲齒。或其他口腔疾病。食物因以不能精細咀嚼。而唾液。胃液。消化液。等遂不能浸入食物之內部。於是食物不能完全消化。而所有變動。僅及食物之表面而止。此種食物。直行通過消化器內。成爲糞便。名爲食物。實毫不能收其益效。故大便之生凝積者。乃其消化不良之徵象也。胃有疾病時。所分泌之胃液。遂以減少。因而不能消化食物。而於蛋白質之消化。則尤爲受害。又有所謂胃擴張病者。所有消化上必需之膽汁。及胃液。卽完全停止分泌。或略藏行減少。因食物中之脂肪及澱粉。尤爲有凝於消化。又此內藏臟。縱或無病。倘小腸上部。偶有不調。卽兩種消化液之輸送管。從而閉塞。致消化液不能流至腸內。則其結果。亦與不分泌時無異。又腸內生有疾病時。其消化液之分泌。亦因而不足。而食物遂起異狀之分解。食物既不消化。且其蠕動强。致食物迅速通過。腸內雖有可吸收之養分。亦不能略一吸收。於是所儘納者。俱化爲糞便。而被排出於體外矣。

消化不良。不但因消化器官之疾病而起。凡患發熱病時。消化之分泌。亦因而減少。於是消化亦因以不良。又如患貧血症者。血液生有變化時。亦以同一原因。妨礙食物之消化。要之。凡身體中有一部分不適時。消化食物。卽從而不良。又運動不足時。亦爲消化不良之原因。其他爲條虫蛔虫等寄生虫。發生於腸內時。腸乃受其刺激。而生痢疾。而食物之消化。及吸收。亦爲之妨礙矣。

其因食物不適宜。而起消化不良者。爲數尤多。凡食物粗大而質又堅硬時。

消化液不能充分侵入。因而不但不能消化。且此食物之粗大塊片後。刺激胃腸之黏膜。致胃腸成病。遂爲消化之障礙。又所納食物之量。如過於衆多時。則滯積而起異狀分解。於是其所生有害物質。亦引起腸胃疾病。又食物如略呈腐敗性時。胃腸受其生產物之刺激。亦起胃腸疾病。又有因食物中細菌發育。引起疾病。以爲消化不良之原因者。要之。食物入體時。於其之種種方面。不可不愼也。

營養物之溫價

人體之生活須有物質代謝。而維持物質代謝。使其繼續不絕。必須有營養之供給。營養物之選擇。以其所生之溫量爲準。可以Kaloimetur計算之。曰溫價。ormetr1 脂肪內能生溫價9.3 Kalorie「加肉里」。含水炭素。及蛋白質 1gr. 俱能生41Kalorie, 蛋白質燃燒時。有燃燒不完全之尿素等排泄於尿中。脂肪含水炭素。俱可以完全燃燒。

人體營養。最適合之食量。須就其所消耗者計算。而補償之。方不致有過不及之處。按大人安靖時。二十四時間。排泄量。自肺藏排出者。有炭酸900gr輸入量。自肺藏輸入者。有養氣750gr. 營養物雖有蛋白質110gr. 脂肪60gr. 含水炭素400gr. 鹽類30gr. 水24gr 共計爲3800gr. 如是爲合理食量。

各種食物之溫價。既如所上計算。每1gr. 脂肪。可生9.1Ka 含水炭素。及1ga. 蛋白質。可生Krl 則

大人平常所須之溫價如下

脂　肪	60×93=558Kalorie
蛋質白	110×4.1=451Kalori
含水炭素	400×4.1=26alori
共計…………………………	

胃病

毛近仁

胃病之種類不一。其症候既互異。經過又不相同。故不能概括論之。惟胃病所特有者。卽甲病時往往併發乙病或丙病。屢發時往往續生丁病。是以胃病之中。有初起時雖似無足重輕。而久置不醫。多漸至於不治。蓋胃爲攝取食物之重要機關。所受刺戟頗多。如冷熱甜酸苦辣等項刺戟。均足使未病者發生疾病。已病者變化病態也。

胃病

胃病時最宜注意者爲飲食。而胃之諸原因中。以暴飲暴食爲主要。凡刺戟性最少之液體。如水及牛乳等。飲之過多。亦能發生胃腸之障害。而有積滯下痢之患。況其他刺戟性稍强之食物乎。至於酒類。本具强烈之刺戟性。其有害於胃。不問可知。茲將胃病之種類分論於下。

急性胃病

此時胃之最內層。卽醫學所謂內膜。腫脹而呈紫紅色。消化液之分泌驟減。而平時不多之粘液。則反增多。且胃之運動力亦減退。食物因之久滯於胃中。而腐敗發酵。或釀成酸類。或釀成氣體症。甚爲複雜。如胸悶口渴噯氣嘔吐惡心頭痛發熱。胃部緊張。壓迫飽滿。或覺酸痛。而以手按之則尤甚。舌上覆有厚苔。口中無味而苦。見食物而不能發生食慾等是也。此病多由飲食不節。及食腐敗物而起。或劇藥或吞服菌類等有毒品。亦能爲其原因。病症之緩猛不定。有時其勢甚猛。非速請醫生療治不可。有時其勢稍緩。病人如能注意飲食。及服適當之藥品。亦可漸愈。

療法

節制飲食爲最要。惟因腐敗物。劇藥毒物等而起者。須以嘔吐瀉下等法而驅除之節制飲食法則。最初一日或二日間。務以靜餓爲宜。倘口喝過甚。可飲少許之淡茶。或微溫之白開水。若脘甚痛。可用熱水袋等貼置其上而溫暖之。其後食慾稍振時。則改初一二間有用流動食物。如肉菜牛乳米粥等最爲相宜。繼則改爲稍固形者。如平時所食稍厚之米粥等。直養後。並不苦痛。且無飽滿胸悶惡心等感覺時。始可照常湯飲食。然有刺戟性之飲食物。仍以暫時禁止爲宜。除注意飲食外。又須用一定之藥品。如平胃散保和丸健脾丸等。以求速愈。蓋諸藥品能中和胃內酸液。軟他血液。防止發酵。增進食慾。鎮定嘔吐。除郤痛苦也。

胃病

慢性胃病

此病或由急性胃痛之遷延不宜而生。又或由起居飲食物不適當。如食無定時。食不細嚼。運動不足。飲酒或吸煙過度。喜食刺戟性飲食物等。均可發生此病。而肺結核。肺癆。肝病。腎病。貧血心臟病。糖尿病等之病人。雖無上述之動機。亦易患生此病。斯時胃織粘膜腫脹。而紫赤分泌粘液甚多。胃液則少於平時。胃之運動亦減退。粘膜外之組織。或肥厚或轉薄。而呈種種之變態。其所發現之症候。則爲食慾不振。胃部飽悶。全身倦怠。嘔吐惡心。舌上有苔。口苦無味。唾液增多。噯氣頻發等感覺。倘遷延稍久。則全身營養亦受其障害。勢必皮膚蒼白。或肌肉羸瘦。顏色憔悴。精神萎頓。且有時胃擴張。胃癌等病乘此而起。

療法

第一宜節制飲食。食時要有一定。一切閑食俱宜禁止。而所食之物。須細嚼緩咽。復應擇其易於消化者。症候劇烈時。則用米湯蛋花湯牛乳肉湯等充饑。及稍緩時。始可食平常之飲食物。然魚貝蝦蟹。及酒類鹽辛等物。仍以不食爲宜。茶水亦當少飲。一切生冷食品。均在禁忌之例。其次卽注意運動。凡劇急之運動。固不宜於病人。但適當之運動。如散步入浴等。能促進消化器之作用。實宜行之有恆而無間斷。天氣晴明之日。倘能閑步郊外。呼吸新鮮空氣。尤有益於病人。至用方劑步驟。以保和丸健脾丸方爲主。平胃散卽不相宜。

胃酸過多症

胃　病

胃液中之鹽酸。超過一定分量時。則成胃酸過多症。此病常於胃潰瘍時見之。亦有發現於急性或慢性之胃痛經過中者。然神經質之男女。或喜用刺戟性之食物。如濃茶及過熱之物。雖無他種胃疾。亦能單獨發生此病。其症候爲飽悶吐酸噯氣等。而最爲特異者。則胃痛必發生於胃空虛時。故常在食後二時間或三時間。惟食慾及全身營養等。倘不至因此而變化。

療　法

多食有鹼性食物。如鹼麵皮蛋等。以中和其胃酸。其有大便祕結者。則多食蔬菜。及無酸味之水菓等。以通暢大便卽可漸愈。

胃潰瘍及胃癌

各種胃病中。以此二病爲最危險。最難治。所謂胃潰瘍者。卽於胃壁之一部有組織缺損。而缺損之形或圓或橢圓。輕者僅粘膜缺損。重者則達胃壁。胃壁有三層。最內者曰粘膜。次曰筋肋肉。最外者曰漿膜。而胃壁上或因之有小孔焉。缺損之面。常因血管之破裂而出血。若受食物之刺戟。則發生異常之苦痛。其出血過甚。或胃壁穿孔者。則有生命之憂。故平日不可不注意胃之衞生。以豫防之。而豫防之法。仍不外節制飲食。嚴避刺戟性食物。或冷熱過度之食物。及酒類等而已。所謂胃癌。卽於胃壁之一部。發生惡性之腫物。其發育甚速。大者可於腹壁上以手觸覺之。此病與遺傳似有關係。

胃潰瘍常與胃酸過多症並發。故其症候亦爲吐酸噯氣飽悶等。然其最特異者。則爲胃痛。及出血時頗輕。有時復興。嘔吐惡心相連並發後。則愈久愈烈。幾成痛不能耐。而此胃痛常在食後。自食物入於胃中始。直至食物盡數出胃。至腸以後方止。與單純之胃酸過多症不同。蓋胃酸過多症之胃痛。常在血空虛之際。而此則在胃飽滿之時也。出血。尤爲危險之症候。量少時。僅由口中吐出。量多時。則除吐血外。血液復混入大便中。惟其血因受胃液之作用。呈黑暗色。故與肺病時所喀之血鮮紅色有異。倘出血過多。則於生命有危險。故見有血吐出時。雖其量甚少。亦宜絕對靜臥。以防大出血。

胃病

胃癌初起時。其症候與慢性胃痛相似。惟所異者。則此症候雖治以種種方法。決不因之少衰。而反日起險惡。進行不已。身體漸次瘦削。精神亦逐日萎靡。其結果非陷於死亡不止。且最難忍者。尤在胃痛。無一定之時間。此病以年老者爲多。其所吐之血。亦含有如墨汁之血液也。

療法

五汁安中飲本治反胃噎膈。今師其法。移治此病。甚有效驗。惟薑汁須減去。另加硼砂末少許。因薑味辛辣有刺戟性。均不利於胃癌胃潰瘍也。硼砂微有收斂之性。能去腐生新。退減消毒也。至配服方法。用白開水二兩三錢。硼砂一分。化成硼砂水。再配以薤汁一錢。藕汁二錢。梨汁二錢。牛乳五錢。加冰糖二錢。此爲一服。分作二次服之。每日極少服四次。

臨床實驗錄

暑濕胎壓膀胱

戴橘甫

錢婦年近四旬。懷麟三月。抱暑濕之病。緣其病理由於今夏。其夫患溼溫之症。從滬回家就診於余。投宣化之劑。無甚動靜。夫溼溫之病。纏綿之症也。非一二劑所能獲效。病者欲速效。遂易他醫。遷延月餘而死。該婦日夜侍候飲食湯藥。必躬自料。暑溼之病。蓋由此而伏。發熱有汗不解。胸悶納少。舌苔黃膩。脈象濡細。加以胎火上升。肺失呼吸之機能。乾咳無痰。某醫見其咳嗽。以爲傷風。投疎風之藥。病勢增劇。轉爲神昏。延余診治。擬清暑化濕芳香開竅。始獲漸效。後以安胎爲主。次第就痊。親串家因婦新殤君子。抑鬱不樂。邀婦暢聚。以解鬱悶。乘車而往。忽覺小腹之氣下墜。不時欲解大小便。登桶不得。日夜數十次。痛苦非常。余適節假歸里。仍延某醫。投普通通便之藥。愈投愈甚。及余來洲。診其脈象。觀其舌苔。無他病。大小便不通。由於病後正氣不足。加以舟車所顛。脾肺之氣不固。胞胎下壓膀胱。失其排泄之職。欲溲不得。慮氣下墜。欲便不能。余仿補中益氣湯。一劑知。二劑已。

濕滯作呃

戴橘甫

王某不感之年。喊呃已三四日。不能安眠。邀余往診。呃聲達於戶外。連連不息。診其脈象沉滑。觀其舌苔白膩。問其飲食。已三四日未進。大便已七八日未解。按其腹作痛。脈症合參。斷其溼滯中阻。肺胃之氣不能下達。反而上逆。故連連作呃。非通大便不可。大便通則溼滯去。肺胃之氣暢行無阻。不治呃而呃自止。前醫所用通便之藥。惜其苦寒分量太輕。故服之無效。余擬辛通之方。薤白頭。全爪蔞。旋覆花。桔梗。半夏。陳反。茯苓。炒枳實。帶皮檳榔。沉香等味。一劑大便通。呃遂霍然。

中搭手

章左年近半百。抱伯道之悲、膝下乏歡。代一螟蛉子。以爲生後主持門戶。老夫老婦。經商度日。早出晚歸。夏日天熱。不免受暑。暑毒凝結太陽經。爲病氣血循環失常。肌肉焮紅腫痛。破潰流膿。如蓮蓬狀。大似七寸盤。竟左不知病理。妄以苦寒絲瓜汁搽之。熱毒內逼。瘡口紫暗平塌。無膿。痲木不痛。四肢厥冷。脈象沉遲。舌苔白膩。若增神昏嘔吐。毒氣攻心。恐鞭長莫及。勉擬溫通氣血。消托兼施。照陽和湯加味。生黃耆八錢。生白朮二錢。潞黨參二錢。肉桂心五分。炮姜炭六分。桔梗一錢。生甘草八分。炙姜蠶三錢、陳皮一錢五分。象貝母三錢。紫丹參二錢。香白芷五分。外摻九黃丹。黑虎丹。桂射散。貼陽和膏。四圍敷冲和金箍散。用棉花裹上。能得四肢轉溫。瘡起作痛。方可圖治。翌日諸恙依然。原方加肉桂心二分。鹿角膠三錢再進一劑。以觀動靜。老婦以爲無效。備辦後事。邀親族中人。將子托孤。言時聲淚俱下。聞之能不令人酸鼻。天假其年。命當不絕。服藥至夜半。手足轉溫。瘡口知痛。色鮮膿多。前方去白芷加琥珀臘礬丸一錢吞服。腐去新生。改摻海浮桃花二散。調理經月。始獲痊愈。

紅絲疔

長夏之際。下熱下溼。人居空氣之中。苟不善自衞生。未有不感觸時氣也。或爲內症。或爲外症。王右農家婦也。工作於南畝西疇。日不稍息。以致感受時邪。肌肉爲病。血凝毒滯。手大指腫痛。紅絲疔如線。直達腋間。結核作痛。連及胸乳。乾嘔懊憹。夜不安寐。形寒內熱。不思飲食。脉象數。舌尖紅。經某專家已開兩刀。不知紅絲疔也。若一誤再誤。紅絲攻心。未有不僨事矣。余先以刀刺斷紅絲。腋間瘡口均貼太乙膏。釜墨膏摻珠峯散。酥料摻服。清解內毒。佐以安神。甘菊花八錢。硃茯神三錢。山梔二錢。雅連四分。艸河車三錢。燈心五尺。菉豆一兩。乾嘔止。懊憹除。紅絲消。腋核散。惟瘡口腫痛較前尤甚。得膿亦多。余曰。此佳兆也。毒氣有外達之象。雖痛無妨。擬清熱敗毒。外摻九一九寶二丹。半月而痊。動作如常矣。

啟事

本刊此次脫期　實因舊印刷所惟誠印書館　營業虧本　宣告停辦　本刊招尋相當印局　所以遷延至今　務祈讀者原諒　現已歸上海北四川路中西印書局承印　以後按期出版　決不延誤

中國醫學月刊社啟

中國醫學月刊 三二

心動悸之研究與實驗

俞培元

同事林君之銓患肺病。經鄙人治愈後。在陰歷八月初。介紹其老友徐君雲光來敝處門診。徐君服務於南市關橋亞細亞火油分公司。是一個壯健的青年。到敝寓來時。神色很好。絕無病容。據其自述。『平素身體很健。在正月的某一天。早上起來。覺得胸口跳動不止。頗爲不適。初亦不大注意。後來漸漸劇烈起來。於是請醫生診治。那知半年之久。還是沒有醫好。有的說是肝氣上逆。用的是平肝藥。有的說是心跳。用的是安神鎮靜藥。吃了半年藥。非但肝不得平。心亦不得靜。跳動還是跳動。而且較前更加厲害些。有時還覺得這跳動竟會向上移動。一直可以跳動到喉嚨口。從喉嚨口又回到胸口。吃下去的東西。無論茶飯。到此地。即停住。偶然「咯都」一聲。這停積的東西就往下跑了。現在胃口不好。有時還微微脹痛。跳動得厲害時。自已竟覺得嘭嘭嘭的在裏面響着。很是難過。心不免慌張起來。辦事就覺得毫無心緒了。請先生細細地診察。這究竟是什麼病。危險不危險。會好不會好呢。』

我於是乎鄭重地診察。見其精神頗佳。面色亦好。按其脘部。有堅硬性。富於彈力。腹部不硬。大小便如常。時有噯氣。作敗卵臭。舌苔膩而常黃。脈浮沉皆有力。略見洪大。我就對他說。這病叫做「心動悸」。照實際講病名。雖叫「心動悸」。實非心病。乃是胃病。因爲心的部位。在左乳下。心房是常常搏動不息的。心房的跳動。是噴血迴血的作用。不是病態。是常態。內經上說「左乳下。其動應衣。宗氣泄也。」就是說的心房搏動。現在跳動在鳩尾骨下。胃脘五中。此處正當胃的部位。所以此處跳動。是屬於胃。不屬於心」

胃爲什麼要跳動呢。那就是胃氣不和的緣。故胃氣不和的原因很多。飢飽失時、過食生冷、酸辣味過度的刺激、劇勞用力、酒醉、憂愁、暴怨、等等。都可以造成胃病。起初是胃氣不和。到後來漸漸的胃弱了。那麼噯氣咧、吞酸咧、食積不化咧、脹咧、痛咧。都爲相因而至。現在的藥藥跳動。一定也是這個緣故」。

我言至此。我因之想到仲景炙甘草湯治心動悸。心中溫溫液液者。動是跳動。悸字有心中虛空或虛餒的意思。溫溫液液。雖然從古沒有確實的解釋。照字而看來。恐怕就是似餓非餓。口內潮涎的景象。也有「胃中空虛。客氣動膈。心中懊憹」。的神氣。這種情形。我以爲都屬於胃。不屬於心。你看炙甘草湯裏面。人叄。麥冬、甘草、大棗、等。都是補益中宮之品。地黃、阿膠。尤其是味厚補形。而生薑、桂枝。更足以興奮胃氣。這樣看來。豈非都是胃家藥嗎。那麼古人何以不說「胃動悸」。偏要說「心動悸」呢。這却有一層道理。因爲古人未明臟腑內景。以爲肺爲華蓋。心在肺下。位居正中。所以說心爲君主。因之誤認胃脘爲心部。所以有「心下痞」。「心下堅」。「心下硬滿」。「心下至少腹硬滿而痛不可近」。『心下悸。欲得按』。等種種說法。然而試看他治『心下病』是各種方劑。無論攻與補。卻都是胃藥。從此便可知古人所說的『心下。』就是『胃脘』。『心動悸』。就是『胃動悸了。』

日本吉益東洞攷徵人參的效用。說是治心下痞堅、痞鞕支結也。旁治不食、嘔吐、喜唾、心痛、腹痛、煩悸也。以上種種。皆屬胃病。人參又是胃藥。這豈非又是一個證據嗎。』

我既認定是胃病。不是心病。方案上就不肯再寫『心動悸』。就寫（胃氣不和胃脘中築築跳動。……………』了。照理這病當用補藥。但當時因其舌苔黃膩。胃脘脹痛拒按。且有噯氣作敗卵臭。知道裏面尙有積滯。就仿保和湯法。給他開了一張和胃消滯的方子。先來開通一下。然後再議補益。吃了三劑。胸口就覺得爽快。胃口也開了。吃的東西也不停住了。可是跳動還是跳動。不過次數略少。因爲舌苔黃膩沒有退。噯氣仍有敗卵臭。所以不敢就用補。仍用原方再行消導。隔了兩天。徐君又來說先生的方子很有效驗。心跳雖然沒有停止。可是肚子裏常常覺得餓。常常想吃。也不脹滿。鬆爽得很。眞是受用非凡。除了心跳。別無所苦。精神也好得多。請你專門治我的心跳。能此時察其舌色。黃膩退淨。已是正路。脈息略覺浮大。胃脘彈力頗強·』

我說胃脘痞堅動悸。是因胃的虛弱。本當就用補劑。因爲尙兼積滯。所以先用消導。這消導之法。本是不常用的。本是權宜的。現在覺得常常餓。常常想吃。是消導的效驗。同時也可以說是消導的不合宜。這就是胃中空虛的徵象。現在不能再叫他餓。要用補藥。叫他不餓了。於是就仿了歸脾湯的意思。不了木香。用黨參、地黃、山藥、甘草、白朮、扁衣、歸身、茯神、龍眼、等類塡補之品。另外又加了天王補心丹。連服三劑。效驗大著。跳動的次數。減去大半。藥既中肯。當然再守原意。仍用原方加減。一連服了十餘劑的補藥。竟完全痊愈。半載沉疴。一朝治愈。徐君固然感謝萬分。鄙人也自幸其未曾僨事。所以讀書貴乎變通。假使固執不變。那麽心跳治心。試問如何治法。而况並不是心跳。用鎮心藥可治愈麽。若用平肝藥。更是去題萬里了。

鄙人做了這篇文字。發表鄙人的心得。古人取說的『心動悸』、『心下痞』、『心下堅』、『心下硬滿』……………等等。簡直就是『胃動悸』、『胃中痞』、『胃中堅』、『胃中硬滿』。雖然有了一次的實驗。却還不敢十分自信。還望高明的同志共同研究。務使徵實『心下』就是『胃脘』。在臨床治療上。就可以切實得多了。

這裏尚有須必連帶說明的一件事。就是上面所說的心病。即是胃病。是屬於一部份的。不是全部份的。是指沒有心臟病的證狀者而說的。此外尚有因心房瓣膜閉鎖不全。以致噴出之血。有時逆流入心。於是心覺振蕩。有脈歇止。（脈管中栓塞病。脈亦歇止。但心不振蕩。）這『心振蕩』也就叫做『心動悸』。仲景所謂『脈結代心動悸。』就是說的這個。古人所重的是證。對於命名。却往往不能界畫分明。所以此處的『心動悸。』與前面所說的『心動悸。』病不同而名則同。這也是中醫書中常有之事。例如傷寒中風的中風。與卒然暈仆不省人事的中風。截然不同。而其命名則一。又如痧疹的痧。叫做痧中暑中惡俗名也叫做痧。手足冷。叫做厥。下厥上厥。也叫做厥。此外類似這樣的地方很多。這也是自古相傳。一時也沒有方法去更正他。

那末這兩個『心動悸。』究竟如何辨別呢。那就要考察他的來源。與所見的脈象了。現在將這兩種病比較起來。下一個定義。『有心臟病的徵象。如頭暈、眼花、多愁、善怒、面色不華、身體怯弱、脈有歇止。(脈結代、)循環系病象很著明的。是『心臟病。』假使心臟病象不著。而消化系病象很顯明。如不能食、不知飢、大便艱、或泄瀉、胃脘痞鞕、或腹痛、消化不良、脈不歇止的。是『胃脘病。』這樣就可以分別清楚。不致模糊影響了。

家用良方

齒痛方

陳君玉

齲牙作痛。用各種方法不効。用食鹽一分。樟腦一分。冰片一分。合研細末。點於痛處。立能止痛。並可永不復發。

治瘧三驗方

王可久

外感濕熱之邪。蘊於膜原。脾不健運。化濕生痰。肝胆失和。氣機不暢。以致寒熱往來。口苦咽乾。或一日一發。或二日三日一發。不論其陰瘧陽瘧。一日二日。人無老幼。病無久近。用此三方不須加減依次服之無不應手而愈。

第一方　柴方八分　廣皮一錢　白茯苓一錢　陳半夏一錢　蒼朮八分　檳榔六分　炙甘艸三分　威靈仙一錢　紫厚朴八分　青皮六分　姜三片　如頭痛加白芷一錢　此方平胃消痰。理氣除濕。有疏導開先之功。受病輕者二劑卽愈。勿再藥可也。若三劑後。病勢雖減。而不全愈必用第二方

第二方　柴胡八分　白茯苓八分　廣陳皮八分　土炒白朮一錢　黃芩八分　鱉甲二錢　當歸一錢　威靈仙一錢　炙甘艸三分　知母二錢　何首烏三錢　姜三片　空心熱服。少則三劑。多則五劑。自愈。此方妙在補瀉之用。虛實得宜。雖平平無奇。且有神効。即極弱之人。纏極重之病。十愈全愈。瘧疾愈後。須服第三方。調補眞元。

家用良方

第三方　人參一錢　黃耆一錢二分　廣皮八分　炙甘艸三分　土炒白朮一錢　升麻四分　柴胡八分　當歸一錢二分　或加何首烏二錢炒知母一錢或加靑蒿子八分麥芽一錢照方用藥。半飢服。用三五劑元氣充實。永不復發矣。

暴吐血方

存仁

吐血有肺胃之分。久病大抵在肺。暴吐大抵屬胃。吐血而色鮮者新血。吐血而色瘀者舊血。若吐血色鮮。盈盞成盆。用雞蛋一枚打開。和參三七末一錢。藕汁一小杯。陳酒一小杯。隔湯燉熱服之。二三服即愈。

松陰喉科合抄秘傳（續）

陳亮衡藏

螞蝗風。疼而微白。又名螞蝗疔。在上腭。形如韭葉。外發寒熱。先用申字藥。後用子字丑字二藥。後服喉痺飲可愈。

上腭懸癰。此毒生上腭。形如紫李。垂下抵舌。不能言語。伸縮頭不能低仰面而立。鼻中時出紅涕。若不速治。毒入腦中卽死。急用銅匙挑開其口。若形先如小瘤。紅腫未破。大脹時。用黃藥吹之。已破用青藥紫藥吹之。如上言者。治用針刺破癰頭。用鹽湯攪淨。候血出盡。用卯冰藥吹患處。閉口候藥化。連吹三五次。服荆防敗毒散。再用亥生藥。冷茶送下三丸。

上腭生瘡。上腭生瘡。因脾有積熱。以上腭屬脾形如黃粟。口中腥臭。手足怕冷。用蚌水布蘸攪淨。先服清脾降火湯。再吹卯冰。宜戒酒色。

重腭。舌上生瘡若楊梅。外無寒熱。先以甘吉湯。多加山梔。後用黃連解毒湯。再吹卯冰。不宜用刀。刀傷難治。然可以立効吹散吹之。

舌瘡。舌上生瘡如黃粟。外症怯寒口脹。先用苦茶攪淨。後搽子月。次服鼠黏解毒湯。加山梔、黃連。如口臭。吹卯冰。加入中白、白硫、青銅合而吹之。

舌疔瘡。此症因心經血少而生。初起形如枸杞。先將麻藥吹。鈎刀割去烙之。內服千金解毒湯。如開花黑色不治。是亦思慮損心血。心氣先絕。危在旦夕。若生此症爲女子。名爲春病。相思過勞。立死不救。

穿腮毒。初起腮面紅腫。牙根腫痛。堅硬如石。急用降火化毒之劑。外用黃散敷之。漸輕小者可治。如堅硬疼甚、或不知疼。皆不救。

舌根癰。生於舌左右。或喉下。腫脹未破。黃青藥吹之。已破。青紫合吹之。內服黃連解毒湯。消散。倘七八日後有膿不出者。用穿山甲、皂角、桔梗、銀花等一二帖。其膿自出。後再用紫藥。或合金碧各半吹之。煎用連犀飲。

蓮花舌。生在舌根下舌之旁。形如雞舌。（若蓮花瓣）或二三枚。四五枚。此症世人偶生。生者十難一活。先用黃藥吹。其舌稍縮。用黃連解毒湯五六劑。再用蜜陀僧調。頻頻服之。以舌縮盡爲度。此乃火氣所傷。或酒後當風。以致風痰相搏而成。急服清涼解毒湯。加減再吹戊已藥。如腫不退。用小刀刺兩旁。（小舌中央不可刺）

木舌。舌硬如木。不能轉動。略疼微麻。只用黃藥吹之。如舌可轉動。青藥吹之。若滿口破裂。紫舌脹也。青藥加珍珠末吹之。又以點紫黑處。用申子二藥吹之。煎方須用山梔。

重舌。舌上無而舌下生小舌。言語艱難。甚則舌本短縮。小舌甚長。寒熱大作。單用申藥吹之。內服黃連解毒湯。切不可針。恐肉堅硬。不收藥味。又先吹申紅。纔摻戌雪。流走熱痰。內用甘吉加燈心姜煎服。

痧症口疳。此症與走馬牙疳同。用雄黃二錢　黃牛糞尖壹個（煅存性）　明矾五分　冰片五（一分）　白硼砂三錢　皮硝一錢　銅青五分　雖舌爛去小半。吹上一夜卽愈。

崩痧口風。惡症可治。自舌下牙根腫赤。口內作疊如湯熱。牙根漸爛。亦能脫齒爲患。

咬牙風。此症從牙始至喉間。危在頃刻。外吹子辰二藥。內服犀角地黃合升麻葛根湯。後以清胃散甘露飲收功。

連珠風。此症因酒色過度。并鬱結而成。起自兩坳深處。延開白色。腫爛連綿。故名連珠。宜以子丑二藥。或用寅字藥吹。服喉痺飲。

連珠疳。舌上生水泡。初一枚。漸至七八枚。用寅藥吹。

口瘡口糜。口舌狀無皮。曰瘡。破爛曰糜。先用紅棉蘸水輕攪。痛者可治。無血者不治。絞過隨將寅藥吹。服藥宜仔細分別。此症雖是膈脹之熱。實統於脾。切不可概用寒涼。損傷生氣。醫者按脈。須審有力無力。如有力作渴。發熱。重則加七味逍遙散。輕則補中益氣湯。加元參、竹葉、花粉、五苓導赤合用。加西瓜皮亦可。冬月西瓜皮燒灰噙化。飲食少。大便閉。爲中氣內虛。理中湯。晡熱內熱。則血虛。八物加丹皮、五苓、麥冬。小便頻數腎虛。加減八味丸。熱倏來去。或從脚起。無根火也。或十全大補湯。急用附子燒灰津唾調敷湧泉穴（脚底心）爲要。（切脈論症均虛實明辨所以用方藥自中肯）

舌雲。有人舌下腫起如舌。立刻欲死。一道人云。此名舌雲。宜急用皂矾瓦上烙。研細末。陳酒調敷立愈。

骨槽風。生於牙盡處。軋車穴上。初起先發寒熱。以後腮面腫痛。堅硬如石。急服降火化毒之劑。外用冰黃散敷之。內合黃藥青藥吹之。如色白痛甚。或堅硬不痛。是死症也。又用蔗漿一盂日飲。令牙關出紫血少減。或次日再飲蔗漿一盂少減。即煑米仁糯米粥食之。次日再飲蔗漿、米仁粥可愈。

骨槽風緩症。初起寒熱大作。牙關腫痛。日久牙根浮腫出血紫黑。久則腐爛。有經年不愈者。最難醫治。單用紫藥加冰片珍珠末吹之。終月可愈。內服滋陰降火之劑。二三劑可愈。

又此症初起。牙根痛癢不已。次即浮腫。或發紫黑出血。久則腐爛而臭。腎虛之症。治難速愈。用戌雪內加牛黃珍珠兒茶吹之。

牙漏風。即牙漕風。久而不愈。齒縫出白膿者是也。甚則齒落。極難調治。上左門牙落者不治。吹戌雪散。服滋陰降火之劑。此係胃火腎虛之症。

牙癰。壹名牙蜞風牙根腫毒成瘡。初起有壹小塊。生在牙根肉上。或上或下。或內或外。其狀高硬。或有膿。用寅字藥或卯字藥吹之。

牙齩。生於盡齩中。牙不能開。此症初起勢凶。至夜尤甚。然治之易愈。不致害生。乃太陽病發熱也。七日後乃定。用黃藥多加冰片吹之。自愈。又先用金碧合吹。牙根用黃熟香削釘。漸漸擠進。牙門漸開。便吹藥。

外牙齩。初起齒牙盡處腫脹痛甚。忽腮面痛腫。須用黃藥吹之。外敷冰黃散。內服降火消毒之劑。若大便不通。大黃下之。切不可緩。亦不可單用敷藥。恐毒不能拔出。

穿牙毒已破爲穿牙疔。起時先寒熱。以後牙根如豆。漸脹成紫塊。齩內皆黑者。是用銀針挑破。去其紫血。泄其毒氣。用紫藥和青藥吹之。如病人畏針。只用青藥吹之。若黑青色者不治。又法用青金合吹。內用涼血解毒之劑。破者用寅字藥加牛黃吹之。

牙宣。此症屬血分實火。齒縫時出血。在上屬肝。在下屬胃。因陽明經實火上升。宜服扶土清火之劑。外用珍珠散。若胃虛火動。腐爛牙根。甚則脫齒。淤血常不時流出。宜用紫藥吹之。內服大劑六味湯。更有吐痰至斗者。急宜調治。緩則難生。又先用蚌水布攪淨。後用子字藥。繼用未酉二字藥。後用淸胃散。壹人時當五月。偶出田間。忽自胸及肩背發紅點如赤小豆。齒間出血。醫用白虎湯涼膈。出血更甚。七日後血止。齒豁變。

每合眼。在尾閭上一痛。上引顱門。卽不知人事。一茶後始醒。日夜幾十次。至不敢合眼。六脈浮洪重。按皆空。此陰分大虧。宜大劑滋陰。以六味丸料四分之一。重加牛膝。一服脈斂。二服止疼。八服全愈。

走馬牙疳。此症多生於小兒痘後痧後。瘡起加重人牙根上紅腫腐爛。臭不可聞。以後遊走滿口。至喉中難治。一日一寸。二日二寸。走到關下。毒氣入腹者危。其症百難一生。宜用紫藥多加牛黃吹之。稍有愈意。加珍珠末吹之。猶或可愈。內服清火化毒之劑。以紅棉攪去腐肉。或如乾風菱殼色。或淡血水出者。或不痛或痒甚。或腮穿牙落。（上門牙左首一牙爲牙中之主切不可落若一落則衆皆落）或面無光澤者。必死症也。用巴豆一粒。研爛入辰砂少許。搗和丸如桐子大。剃開頂門。貼於上。如四邊起大泡。去藥用溫水洗淨。勿令成瘡。又將米疳水洗去腐肉。上藥用子藥丑藥。兼卯字藥亦可。

紫舌脹。舌腫脹臭爛。色如紫糖。飲食難入。用紫藥吹五六日。然後加入珍珠。大約半月可愈。初時不可用珍珠者。恐斂其毒氣也。內服黃連解毒湯。忌食酒姜蒜。兼忌洗浴。

口緊（又名月缺瘡） 此症在唇上一邊爛起。至顴上不治。係外傷風內傷濕。風濕生虫。痰涎凝結而發。以馬莧頻洗吹午鉄少許。去風痰。再頻吹卯冰解毒。內服防風通聖散。此症如毒氣攻心。胸滿上氣頻促。下部洞泄不止。必死。名虫蝕瘡。又名雁來風。煎藥用 生地黃二錢 元參一錢五分 黃芩一錢 三七一錢 荆芥

一錢　柴胡一錢　甘草八分煎服。又熏藥方用馬齒莧汁和醋。用熟鷄蛋去殼浸。熏（亮按熏恐卽洗擦之意也此誤耳）

繭唇症。唇腫白皮。如繭蛋皺裂。或唇下腫如黑棗。皆由七情火動傷血。或心火傳脾。要審本症。補脾氣。生脾血。則燥自潤。火自除。腫自消。宜補中益氣湯。加山梔。丹皮。芍藥。最妙歸脾加味逍遙。審用。若誤用清涼消毒之劑。多變反爲敗症。方用　厚黃柏整塊　五倍子二錢　蜜陀僧甘草各少許。水調塗黃柏上。炙乾再塗再炙。藥盡爲度。將黃柏切片。臨臥時貼上。天明卽愈。

唇瀋。緊唇濕爛。乍瘥乍發。經年不痊。過夜則上唇汁出成瘡。以水潤去之。夜夜皆然。用葵根燒灰。和猪脂塗。若下唇腫生瘡。名驢觜風。以井樹花水擦石膏芒硝可愈。

唇裂。冬月乾燥。以致唇裂。橄欖核燒灰存性塗之。

牙搖。胃火盛。附齒上生肉如豆大。內外上下無定處。此係虛症。莫作實治。先用金丹。吹吹寅藥。用降火消毒藥加石膏。

牙菌。生牙根上。其狀如菌。或如木耳。色紫黑。此係火甚血熱。氣滯好飲火酒吃煙而生。若心鬱火滯。則生舌上。紅紫色。用寅戌二藥吹之。又方醋漱口。茄母蒂燒灰。鹽拌時搽。

頸癰。初起大寒熱。頸項或左或右。紅腫痛不可忍。或硬如石。別處可用敷藥。惟頸切忌。宜用降火化毒遲則火毒入內。致飲食不進。氣不能通矣。宜黃藥吹之。遲則內外成功。難以收拾。倘內外已潰。外用生肌散摻。內紫藥吹。內外收功。餘毒未盡。服清火化毒之劑。若有膿須點破。膏藥覆之。

中國醫學月刊

CHINA MEDICAL JOURNAL

(Issued Monthly)

定價表

時期	冊數	書價連郵費 國內	書價連郵費 國外
每月	一冊	二角	二角四分
全年	十二冊	二元	二元四角

郵票代價十足通用惟以半分至四分爲限

廣告價目表

等級	地位	全面	半面
特等	封面底面之外面	五十元	三十元
優等	封面底面之內面正文首篇之對面	三十五元	二十元
上等	色紙夾張之前後頁	十六元	十一元
普通	白紙夾張或正文後	八元	五元五角

廣告如用銅版或用彩印價目另議　繪圖刻圖工價另議　登多期或訂登全年者價目從廉　欲知詳細情形請至上海福州路八三號「中國醫學月刊廣告處」接洽　遠地函詢即行奉復

中華民國十九年一月二十日出版

中國醫學月刊第十期

零售每冊大洋二角

撰述者　全國著名中醫

編輯者　中國醫學月刊社

發行所　中國醫學月刊社　上海四馬路西中和里八三號

印刷者　中西印書局　上海北四川路五五號

寄售處

千頃堂書店　上海三馬路

啓新書局　上海棋盤街

會文堂書局　上海河南路

中國醫學月刊

第一卷 第十一號

十九年三月二十日出版

中華郵政特准掛號

中國醫學月刊社發行

上海中法藥房概況

本藥房剏始迄今・已四十年完全華人資本・設總發行所於上海漢口路・分發行所遍全國・民國四年・盤歸中華製藥公司・民國五年・盤歸羅威公司・規模更宏・出品更富・歷來自運各國原料藥材・以應處方之配製・發售法國名廠化裝香品・藉供社會之需求・延聘醫藥專家・集思廣益・陸續研究發明各項藥品及化粧品・不在少數・自建製藥廠於大西路・優選國產藥材・應用科學方法・聘有留學回國之藥師・監工製造・精益求精・卓著功效之出品・現有艾羅補腦汁・艾羅療肺藥・孩兒面・人丹等・莫不貨眞價實・倘蒙惠顧・曷勝歡迎之至・

總發行所上海三馬路

大新街口中法大藥房

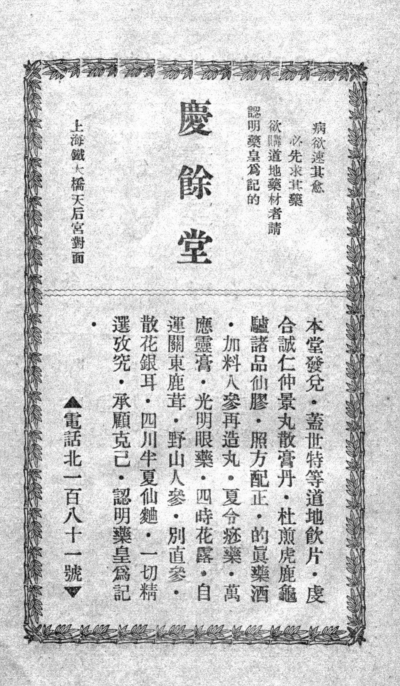

中國醫學月刊

第一卷第十一號

目錄

目錄

雜病大法各家偏主評論

田先平

考歷代醫學。自內難仲聖而外。唐宋以來。其論雜病大法。各擅一長。以相發明。非有偏也。蓋所專也。請得而詳言之。若劉守眞專則主火。以爲人身之內。有君火。有相火。而水祗有其一。一水不能勝二火。火氣太過則火壯。火壯則食氣。火熾則爍津。風因之而生。痰由是而成。於是諸症蠭起矣。原氣、津、風、痰、之來。皆由於火。如內經所謂諸熱瞀瘛。諸禁鼓慄。諸逆衝上。諸脹腹大。諸躁狂越。諸病胕腫。諸疼痠驚。諸轉反戾。諸水渾濁。諸嘔吐酸。諸暴注泄。皆屬火氣上沖下迫縱橫而竄爲病。此守眞主火之由來也。若徐洄溪則專主痰。蓋腎爲先天之本。脾爲後天之主。津液賴以化生而儲藏者也。脾腎失職。天一之水。水穀之精。不能運化爲津液。反停留成痰濁。或滯於胸腹。或流於絡道。津液不布。氣機阻塞。隨其所在而爲病。此靈胎之所以主痰也。王清任所以主瘀血者。以血主營衞週身。氣賴以攝。五臟、六腑、百脈、關節、悉資以濡。血如瘀結。氣亦隨之而滯。五臟六腑失其養。百脈關節無以濡。陰陽偏。痰火生。而諸病成矣。至若易思蘭之主鬱氣。則以肝爲風木之臟。性喜條達。七情不暢。情志內鬱。鬱怒傷肝。肝鬱化火。火極生風。氣阻及血。津留或痰。俱以鬱字貫之。所謂諸病皆因於氣。諸氣不離乎鬱是也。復有朱震亨薛立齋趙養葵之流。則偏主陰虛。蓋本內經年四十而陰自半一言立論。以爲陽常有餘。陰常不足。蓋貴陰賤陽者也。張介賓黃坤載陳念祖則反乎是。而主陽虛。其立論也。亦本內經陽常不足。陰常有餘兩語。極端發揮。而從事溫補者也。以上諸說。無不是。無一是。蓋偏者也。蓋一長者也。然吾有識焉。謂病有內傷外感之分。六淫七情之殊。陰極陽偏。火亢寒勝。血瘀氣鬱。津結痰留。皆能致之。焉可執一得之偏。以推例變化無窮之病乎。雖然。其偏也。非作者之過。李中梓所謂後人之偏。正所以補前人之不及。蓋以偏補偏。非故爲偏也。後之學者。不知此意。不加深考博參。師心自用。淺陋甘居。每執後賢一偏之書。以臨百病。削足適履。果誰之過乎。故吾謂無不是無一是者也。然則如之何則可。曰深參博考。融會貫通。胸有成竹。目無全牛。其庶幾乎。

桂枝去桂加茯苓白朮湯症析疑

郭若定

論曰。服桂枝湯或下之。仍頭　强痛。翕翕發熱。無汗。心下滿。微痛。小便不利者。桂枝去桂。加茯苓白朮湯主之。註者款之。蓋胸滿無汗。忌芍之歛。表證不解。仍當主桂。論有明訓。去桂當是去芍之誤。云云。是說也。似是實非。蓋病有表裏之殊。治有內外之別。夫同一表證。有邪客於表者。有內病應表者。表病雖同。治法則異。仲景所謂胸滿無汗。忌芍之歛。表症不解。仍當主桂。言其常耳。未及變也。本湯之病。果是表症不解。何以服桂不愈。是必有因在矣。以吾觀之。本湯內外之症。悉由水蘊氣阻所致。而無汗小便不利。爲本症之大眼目。以無汗則氣無外達之機。小便不利則水無下泄之路。內外交阻。水既無出。氣何由達。其不愈也。不亦宜乎。病非表邪。故去桂枝。症由水阻。故加苓朮。本方用芍。亦與眞武症之用芍同意也。唐容川曰。五苓散是太陽之氣不外達。故用桂枝以宜太陽之氣。氣外達。則水自下行。而小便利矣。本方是太陽之水不下行。故去桂枝。重加苓朮以利太陽之水。水下行則氣自外達。而頭痛發熱等症。自然解散。無汗者必微汗而愈。然則五苓散重在桂枝以發汗。發汗即所以利水也。此方重在苓朮以利水。利水即所以發汗也。實知水能化氣。氣能行水之故。所以左宜右有。要言不煩。先得我心者矣。

讀毛仁仁先生「論中國膳食事改良之必要」

李倫敦

讀毛仁仁先生「論中國膳食有改良之必要」

據毛君原文云。（要主張改良膳食理由。極其正當。「把我國人壽命較英美等國人短。並抗病能力較弱。以及性情俱較懦弱無恆。」〓「膳食不良所發現的證象。」）鄙人讀之。頗有疑議。竊我國人壽命。高下不一。而夭折最多。即以敝地萬縣而論。輒見多少青年男女。深感外邪。或傷飲食。初病本不藥或可自愈。（列藜藿人病無服藥有延至七八月或三五月愈者不少）殊被一般不如「醫匠」只徒糊口。決不看書之醫生診治。竟由輕而重。由重而死者。比比皆是。予嘗親見。非妄謬也。如此若云夭折較多或可。若云壽命較多。殊不謂然。試舉敝戚王氏。現已九十四歲。尤是敝地北鄉。最出名之李老。現已二百十六歲。其人像貌魁梧。莊嚴沈默。白鬚齊胸。指甲曲折長二三寸。去夏予避暑北鄉。便徑訪訊時。尚能健啖。僅不能舉步。出示翦斷指甲。已盈匣矣。萬縣各照像館。均存其像。非憑臆說。此下七八十歲老人。歷歷可數。豈英美國人壽皆百歲乎。至於抗病能力。英美國人。尚不及我國人遠甚。觀其敝地冷僻巷道。穢渣堆積。死鼠亂拋。每逢夏日。綠蠅菌集。惡臭難當。而行人往來如故。未嘗人人傳染鼠疫也。又蒼蠅一物。無處不有。無家不多。廚房尤甚。食物鮮有不被其吮吸。而家家未嘗得霍亂症。故予謂彼國人清潔調養則過之。抗病能力則不及也。若性格懦弱無恆。更不可泛泛而論。不聞吾國赫赫名士。巍巍壯夫。豈少也哉。未聞彼國人無怠惰懦弱者。由是觀之。我國人性情非盡懦弱。壽命如有長短。抗病能力。彼國人亦未必若我國人也。至於夭折者問題亦非「膳食不良所發現的證象」。長壽者。亦未必行毛君已改良之膳食政策。得能長壽。終之懦弱人、剛毅人。人生之面賦。各得不同。林林總總。形形色色。不一而足、決不可以膳食良否為定論也。鄙意以為清潔飲食。常事運動。可防病患於未起。禁止庸醫治病、庶免醫之誤人。如此辦到。或可以保其壽終。若云性格、體格、壽命、死亡、等俱歸咎於膳食之良與否。吾不信也。置之宏博君子。以為然乎。

第觀重改良膳食之給果、洋洋一篇文字、重重點在「肉食」云「多食肉食、足以强健身心」「肉食加多。足以强健國民的體力和腦力」每於「肉食」上加一多字。似覺「肉食」是有益無損之營養品。然是說於實際殊大背戾也。吾曾見鄉裏貧賤之夫。偶到富貴家為傭。驟得豐裕肉食。未嘗不盡量啖飽。一二日間。卽為肉食所傷。重則生病。以後便惡油葷、此肉不可多食之明證。非獨此也。凡物皆然。利害同等。損益相因。盡人而知。强健國民身心。既不必肉食。更不必肉食加多也。

又云「今時人口衆多。經濟窘迫。肉類昂貴。」故「肉食艱難。所以少食肉類。身心逐漸柔弱。」「古時

讀毛仁仁先生「論中國膳食有改良之必要」

人口稀少。經濟寬裕。肉食價廉、」故「得食容易、所以多食肉類、身心甚爲雄健、」試問當今富貴膏腴人。不可謂不多。始得肉食。自然容易。其人應身心雄健者耶。貧賤藜藿人。處處皆是。始得肉食。自然艱難。且深山居人。有經年未聞油腥者。其人應身心柔弱耶。考諸實際。適得其反。常見藜藿人。迫於衣食奔走。雨露不畏。寒暑不侵。挑担下力。未嘗云勞。膏腴人則反是。夏葛冬裘。常患病疾。偶一出戶。輒氣喘吁吁、此毛君以肉食多寡。定體格強弱。予故不敢贊同也。末論「禁止擦白食米。」「禁止雞蛋出口。」兩項。已由鮑東藩君。於第六號上敍明。其與「實行家經驗不符。」茲不重贅。　編者案毛君仁仁之改良膳食。主張肉食加多。禁止雞蛋出口。禁止擦白食米。這三項條件。並不是沒有理由。所謂全世界共同贊許的公言。但是在我民窮財困的中國。能夠得一溫飽。已不可能。那裏能實行這種條件呢。倫敦君。把自已所耳聞目見的事實來評論毛君的主張。的確亦有一種意義。所謂精神安於內。則外邪不能侵。壽命常可百歲。倫敦君的主張與仁仁君的主張者。能融合起來。到是一篇名論。所謂精神必須物質來扶助。物質必須得精神。方能永久。

傷寒論簡釋

嘉定姚若琴撰述

靈樞素問於病理生理。胥以根據形能立說。所謂形能者。凡顯然可見之病狀。曰病形。體內諸器官受刺激。突引起生活異常變態者曰病能。故病形之不同。根據病能之不同來。所見外層種種症候。可以測知其體內臟腑受病之源。而爲處治。治之而效。積久經驗。百不爽一。以有病時之形能。亦可測知其不病時生理之形能。但內經之形能語。記載綦詳。於治法甚略。漢長沙張仲景所發明之傷寒論。實由素問脫胎而出。方法兼備。萬象賅括。漢魏迄今。醫家宗之。論其推爲醫中亞聖。傷寒論爲後無治法之準繩。厥方爲衆方之鼻祖。全書六經爲大綱。所謂三陰三陽。不過假六經標着表、裏、寒、熱、虛、實、上、下、之八證。以汗、吐、下、溫、淸、和、補七法治之。要在隨證分經。察色脈辨虛實。對症治療。病在太陽可愈於太陽。所以八證七法之可貴哉。此書文簡意奧。不易明瞭。雖博覽各家精當之註解。然言之人人殊而無系統也。讀之茫然無所得。終之不得要領。學者當參考西國之病理。證之形能。而以對症治療。效若桴鼓。是篇彙萃傷寒論中常見之證候。而以對證用藥之標準簡釋之。至於詳細須潛心熟玩全書也。

發熱

太陽病。翕翕發熱頭痛惡風是汗。脈浮緩者。名中風。桂枝湯。惡寒無汗。脈浮緊者。名傷寒。麻黃湯。
少陰病。反發熱。脈沉緊者。麻黃附子細辛湯。脈沉緩者。麻黃附子甘草湯。
太陽病。發熱。脈浮大。小便不利而煩渴。渴欲飲水。水入卽吐。名爲水逆。五苓散。
太陽病。三日不解。發熱。頭不疼。項不強。不惡寒而反惡熱。蒸蒸而熱者。調胃承氣湯。

傷寒論簡釋

延髓謂調節體溫之腦中樞。人體受外界風寒之刺激。故調溫中樞調節過量之體溫。放散於外。爲之抗拒。脈呈浮象。遽爲發熱而無間斷時也。而以桂枝湯解表。爲主治有汗脈浮緩之發熱。而以麻黃湯汗解。爲主治無汗脈浮緊之發熱也。

頭痛

太陽病。頭痛項強。發熱惡寒。有汗桂枝湯。無汗麻黃湯。
陽明病。頭痛。不惡寒反惡熱。六七日不大便。胃實。少與調胃承氣湯。
少陽病。頭痛脈弦。寒熱往來。小柴胡湯。
厥陰病。頭痛。乾嘔吐涎沫。吳茱萸湯。
太陽病。風寒上攻。專主頭痛。陽明病。胃家實。熱氣上逆。亦有頭痛。少陽病。頭痛在二側角。厥陰病。頭痛在巔頂。

當分晰療之。

項背強几几

太陽病。項背強几几。發熱惡寒無汗。脈浮緊者。爲表實葛根湯。

太陽病。項背強几几。發熱惡風有汗。脈浮緩者爲表虛桂枝加葛根湯。

血賴神經爲調節。神經假血爲養。項背強几几。爲伸頸之貌。今謂末梢神經緊張。失於血液之營養。而以葛根升陽輸津液爲主治項強也。

惡風

太陽病。中風。陽浮陰弱。發熱自汗。惡風。乾嘔。桂枝湯。

發汗太過。衞虛亡陽。遂汗不止。大便難。四肢微急。難以伸屈。惡風。桂枝加附子湯。

風溼惡風。不欲去衣。骨節煩疼。不得伸屈。汗出短氣。小便不利。或身微腫。甘草附子湯。若吐若下後。七八日不解。表裏俱熱。大煩渴。背時惡風。白虎加人參湯。

陽浮者。熱自發。陰弱者。汗自出。惡風汗出屬陰弱。而以桂枝湯疏邪斂陰。爲主治惡風。惡風汗出淋漓屬陽虛。而以桂枝加附子湯解表後陽。爲主治亡陽惡風。但白虎之洒淅惡風。非眞風。洒體温常在九十八度。外界鮮有九十八度以上者。內熱熾盛體溫愈高與外界相差愈遠。故有惡風之意。而以白虎清熱。爲主治熱極反寒之惡風也。

惡寒

傷寒論簡釋

太陽病。或已發熱。或未發熱。必惡寒。有汗桂枝湯。無汗麻黃湯。

太陽病。下後。脈促。胸滿者。桂枝湯去芍藥。若微惡寒者。桂枝加芍藥附子湯。

陽明病。脈浮。惡寒。無汗而喘者。可發汗。麻黃湯。

陽明病。脈遲。汗多。外微惡寒者。表未解也。桂枝湯。

發汗後。惡寒者。虛也。芍藥附子甘草湯。

大下後。復發汗。心下痞而惡寒。表未解也。當先解表桂枝湯。後攻其痞。三黃瀉心湯。

少陰病。脈沉細。惡寒者。四逆湯。

風寒襲於人體。則感惡寒。體溫起反應者。則爲發熱。故發熱惡寒者。客於陽經也。無熱惡寒者。客於陰經也。而以麻桂攻表。爲主治發熱惡寒。而以四逆湯溫裏。爲主治無熱惡寒也。

寒熱往來

太陽病。八九日。如瘧狀。發熱惡寒。熱多寒少。不嘔。清便自可。一日二三度發。桂枝麻黃各半湯。脈微弱者。不可汗。宜越婢湯。病至十餘日。熱結在裏。苔黃拒按。寒熱往來。大柴胡湯。

心煩發嘔。胸脇苦滿。不欲食。舌上白苔。寒熱往來。小柴胡湯。

婦人中風。七八日。續得寒熱往來。經水適斷。爲熱入血室。小柴胡湯。

乍寒乍熱。日二三度發者。爲少陽病之寒熱往來也。邪在半表半裏膜原之間。今謂淋巴腺。故有汗吐下之三禁。而以柴胡疏達和解。爲主治寒熱往來也。

內經研究

何雲鶴

提起內經。中西醫學界對於這部書。有三個完全不同的研究派別。第一是舊中醫崇古派。第二是歐化醫武斷派。第三是新中醫革新派。崇古派對於內經。覺得是一部不可思議神祕玄妙的天書。天書照古老傳說。是有緣者得之。無緣者失之。并且無緣者縱然得到一部天書。那怕你聰明蓋世。學博今古。於天書上領悟的智慧。還是一竅不通。因爲讀天書的本領。是靠天賦的緣機。不是靠人們的思想。儘管人人案頭放一部內經。架上堆一部內經。數千年來。還是沒有一個人懂得整個的內經。內經整個的精義。還是原封不動在內經裏面。並不是數千年來沒有一個人夠得上讀整個內經。是數千年來沒有一個有讀整個內經緣分的人。既然把讀內經的責任。放在緣字上。舊中醫們不輪現在的從前的。都抱着禮讓爲美的德性。靜候緣機。不冀非分。不管內經的好處在那裏。但捧着一部內經說。這是一部最有價值的中醫根本書籍。倘若有人出來說半句不是。不管他說的如何。拚命先把他罵得一個狗血直噴。憑良心說一句舊中醫崇古觀念。但至於此。還可算是一個克盡守職的肖子。可奈在這一羣盲從附和的中間。偏偏跑出幾個自作聰明的投機份子。對於內經。他們也同別人一樣的一竅不通。對於近世的應用心理學。不知如何。反懂得一點。認定內經是一部醫家病家人人崇拜。個個不懂的天書。就不管三七二十一。先把內經讀得爛熟。然後用似通非通繞圈子的文章。把內經原文。註的註。增的增。移的移。這一下總算不但本人能了解整個的內經并且還能整理國粹。翼輔聖訓。啓示後學。儼然以醫界宗匠自居。本來作僞的事情結果沒有不拆穿西洋鏡。他們的投機本領却是眞大。能夠歷久不露破綻。唯一的工具。就是用內經的文字。來註釋內經。後來讀內經的人。看了他的大作。既不能說他是。又不能說他不是。說他是呢。愈註愈釋。愈看愈不懂。說他不是呢。所引證的都是經文。似乎有來路的。末了只好怨自己緣慳。有了這樣熱心的好導師。還是不懂經旨。本來眞能讀經文的人。豈還要在經文註釋裏面討生活。不能讀經文的人。也就不能識所引證經文的是非。投機份子的註釋增移。內經明明是同後人開玩笑。話又說回來了。數千年來。並不是眞眞沒有人識破這種勾當。識破勾當的人。自然比識不透的來得聰明。便宜貨是人人要場的。虛名也是中人以上認爲必需的。所以他們識破了這個訣巧。却並不拆穿這個西洋鏡。反而順水推舟。助紂爲虐。也依樣畫葫蘆。來註釋整理一下。像這樣你一註。我一釋。把一部好好的內經。弄得支離破碎。寸寸爛斷。變成一個四不像。雖然如此。幸虧還有歷史遺傳的崇古思想。束縛他們對於經文還不敢儘其所好。一筆抹殺。所以我們現在從這一大堆糞土中。尚能揀出整個的金玉珠寶。不然早像傷寒厥陰篇太陰篇一樣。弄得國亡家破了。物極必反。是事理的當然。有這樣糊塗的崇古派。糊塗欺世的投機份子。

就有絕對相反的武斷派。武斷派是以爲內經是一部不合潮流。不合時間。不合環境。不明人體實質現象。寸寸爛斷的醫書。軒岐殺人四千餘年。到現在中國人口非但不減。反比較軒岐時代多上好許多。是天賦中國獨厚。武斷派雖說武斷。可也有他的工具。不像崇古派一味糊塗。投機份子。一味油猾。他們憑着不徹底的歐化日化醫學爲根本。抱着出奴入主的成見。來批評內經。於國醫學同崇古派一樣。連皮毛也沒有得到。於西醫學內然說得了一點皮毛。科學眞義的所在。却沒有像道地來路貨弄得清楚。諸位不信。請看一看他們批評內經。

武斷派口口聲聲說內經不合潮流時間環境。那曉得看看合法的科學學說。有各個的永久獨立性。超環境。超時間。超潮流。無論時間環境潮流怎樣變遷。他的精神屹然不動。一切合乎潮流。爲潮流所支配。合乎環境。受環境所支配。合乎時間。受時間所支配。一旦時變境遷。潮流不同。所謂定例。非改革無以適生存的。並不是眞眞的科學。是假定的科學。養兒子大家知道最要的條件是精蟲鑽入卵珠。其次是得相當的時間榮養保護。方能成胎。這個公例。是科學的公例。自有人類之始。生兒子的法子是這樣。到現在生兒子的學說。還是這樣。中國人是這樣。外國人也是這樣。野蠻人是這樣。文明人也是這樣。近幾年法國的人口。受大戰影響而銳減。當局極力提倡生殖增進。但是增進的法子。還是數千萬年前所用的男女交合始成胎的法子。法國科學家的科學知識。比我們中國科學家總要高明得多。優種學胎生學等等闊了半世紀。對於生兒子的最要條件。未聞有改一改良破一破例。可見眞眞的科學。是不受時間、潮流、環境所支配。有永久不改的獨立特性。人類的理智。祇能證明這個公例。利用這個公例。不得改革這個公例。武斷派以不合潮流時間環境來非難內經。明明暴露自己不識科學眞義的弱點。至於內經的學說。有否超時間環境潮流的獨立性。永久存在性。請閱後文自明。現在先討論旁的要事。

武斷派以爲內經是一部寸寸爛斷文不相屬的書籍。不錯。內經現在是一部寸寸爛斷的書。不過所以成寸寸爛斷。並不是內經著者的不是。是靠內經騙人竊名的投機份子不是。武斷派若是拿這句話責備崇古派的糊塗荒謬是不差。拿這句話來責備內經自身。就顯出武斷派亦是同糊塗的崇古派一樣。看不出何者是內經原文。何者不是內經原文。何者是內經精義。何者是內經糟粕。就是同投機份子一樣。將錯就錯。另抱野心。就十數年前武斷派領袖所發表的言論觀之。於內經功夫簡直連崇古派投機份子不如。就最近他們的言論觀之。馬脚露出來了。同時不能不承認他們對於內經有些覺悟。有些進步。在他們一個什麽會中上衞生部的呈文中有一段說（原文遺忘。其大意如此。）「中醫往往藉口日本漢醫的重與。不知道最近日本研究漢醫的人。於西醫學早已下了很深功夫。是用西醫學的方法來研究漢醫。來補助西醫的缺點。中國當然也祇有西醫方可研究中醫學。中醫却不能研究中醫學。」這簡直是什麼話。假使日本人對中國人說。不差。「是你們所有的土地。因爲你們有了土地。不知利用。現在我來了。這個地方是我的了。縱使從今日起。你們覺悟前非。想努力改革。也不行。不但吾不來相助你們。并且不許你們有所活動。因爲這些地方適合吾的需要。」請問讀者諸君。承認他的宣言嗎。醫學本是公開。在下並不反對西醫研究中醫學。像目下一般的西醫。完全沒有學術的標準。從前看見日本排斥中醫。就跟着說中醫學無一點的可存。現在看見日本歐化醫也注重漢醫。就反轉來說中醫學是可存在的。不過研究的人。祇限西醫。出爾反爾。豈是研究學術者所做的事麼。況且西醫中有幾位自命研究中醫的。二三十年。也未曾看見他利用西醫的學說來發明一點中醫的眞理。從前的反對中醫。或者可以說因爲自己也不知道中醫的好處。現在的相對容納中醫學。到底以何物爲標準。在下有些不明白。最好請他們來聲明一下。

拿人體實質解剖眞相來攻擊內經。更其證明武斷派對於內經是門外漢。一部內經。完全是說人體生理病理功能變化的公例。並不是說明人體實質形狀的。如何專談功能。不尙實質。是內經的長處。是內經的至義所在。內經看透一切病的變化。是體內生理功能的變化。因功能的變功影響到實質。但恢復其生理功能。實質的缺陷也隨之而恢復。這個治病的大公例。是萬世不變的。所以他論病的變化。是論生理功能的變化。不是論實質的變化。他的治病。是矯正生理功能的變態。治傳染病也是一樣。重矯正生理功能的變態。不重殺菌。生理功能恢復常度。則黴菌無隙可乘。病即差愈。所以現在有許多病。西醫認爲有菌。中醫治之。往往應手而愈。方中卻毫無殺菌作用藥物。西醫專重殺菌。往往束手無術。聽其自然進行。所謂待期治療法。中西治療學。孰優孰劣。患病者當自知。

在內經著作時代。內經著者知道有許多人體內的實質。在這時候。非人力所能見。但是他的作用功能。卻顯著於外。因此他就專注重說明一切實質所表現的生理功能病理變化。把實質形狀證明的責任。擱在後來人的肩上。但是說明一切人體各種實質所表現的生理功能。生理變化。沒有一個相當代名詞。叫讀的人如何能弄得清楚。在勢不得不覓一個比較相當的代名詞來暫代。內經著者。自己知道如此的代名詞有點不妥當。又沒有別法可想。內經著者的思想是超時代的。（超時代的思想大家春秋戰國間是很多的）預料後來的人要起誤會。就用一個限制代名詞的法子。這個限制方法的目的。是說人體內爲生存起見。一定有如此如此的生理功能。有了如此如此的生理功能。在反常的時候。一定會發生如此如此的病理變化。如此如此的病理變化著于外。一定是某生理工作變常。某生理工作形著於外的。一定有某實質爲之中樞。某實質爲之供奔走。現在爲了時代環境的緣故。不能確定某物質的實質形狀若何。但是某物質是一定有的。現在既不能尋出某物質的一定形狀。爲說明某物質功能起見。不得不照環境的可能。以比較相當的某物質借用暫代。後來的人。不要以爲某物質某代名詞一定是某種生理功能的主動者。當以某種生理功能病理變化。著于外者。在可能的範圍來復證是否某物質。爲中樞某物質供奔走。況且病的變化。是功能影響物質。非物質影響功能。暫時不能完全證實物質形狀是無妨的。中醫治病。爲什麼可以不明病灶。就是這個所以然。西醫能直指病灶所在。爲什麼不能治病。也就是這個所以然。有幾位讀者。見在下如此說法。覺得有些不相信。疑在下過分相護內經。在下再舉出一個內經重功能不重實質的例。來同時在下覺得由在下自選一個出來。眞似有些袒護內經了。姑且把武斷派居爲藉口的來證實吾的主張。可使讀者放心一點。武斷派說。內經不曉得神經大小腦的功用和實質。碰着神經系病。硬說是肝病。張冠李戴。可笑之極。不錯。內經不曉得神經大小腦的。實質形狀若何。但是他曉得神經大小腦確有其物。不但認爲確有其物。并且能指出他的生理功能病理變化。他說的肝。就是現在的腦。他說的筋。就是現在的神經。在他的時候。爲環境所限。不能發見神經的實質。并與腦相連的關係。爲要便利說明腦與神經生理功能病理變化起見。就把肝和筋來暫代。在下先把內經說肝和筋的生理功能病理變化。怎麼樣寫出來。給大家看看。

內經說。「在藏爲肝。在體爲筋」的東西。其生理是等於「在天爲風。在地爲木。其化爲榮。其用爲動」其病理是『其變動爲握。其病發驚駭。』倘若我們把肝字換了小腦。筋字換了神經。變成『在藏爲小腦在體爲神經』的東西。其生理是等於『在天爲風。在地爲木。其化爲榮。其用爲動。』其病理是『其變動爲握。其病發驚駭』。通乎不通。還有中醫在未知道神經實質以前。治神經病却是照內經治肝病的法子治的。往往應手而愈。現在曉得了神經的實質。治神經病。乃是照舊用內經治肝病的法子。也往往應手而愈。最近惲鐵樵先生發表治流行性腦炎特效方。于初期中期腦炎。成效斐然。方中主藥。若龍膽草川連全蠍滁菊生地皆是與肝經有關係的藥品。西醫能明病灶的所在。用血清來殺菌治療。成績亦不見得十分高明。可見在治療學上。科學的眞義。是在功能而不在實質。西醫的殺菌血清治療。既不十分高明。其學說的根本。當然還須改進。既然還須改進。現在的是假定科學。非眞正科學。眞正科學有永久獨立性。無須改進。且亦不能改進。其公例。總一句說的。武斷派於內經沒有深刻的認識。於西醫學也沒有適合的根基。所以他們批評內經。都是皮相。不值識者一笑。

從太過和不及的崇古武斷兩派中。應運產生了革新派。他們的眼光。較上兩派遠大得多。悟着內經是一部極有科學價值的醫書。明瞭崇古派的盲從。於實際無補。武斷派的偏見。別有用心。想運用各個的智慧學識。來解決內經一切湮沒的眞理。掃除一切不合事理的障礙。不幸他們所處環境的惡劣。進行十餘年。還是徘徊在三叉四歧的路口。有時他們也鼓着勇氣。冒險探得一條七灣八曲的捷徑。實在是分歧太多了。到今日他們仍茫然不知何時達到目的。就是在下也是一個未聞大道歧途徘徊者。加着最近的不幸。革新派恐怕要從此一蹶不振了。本來革新派的人才太少。中西醫學的根本認識也不十二分健全。加著主事的利害觀念太重。不禁幾個風浪。大家就有點改柁轉篷的意思。側重歐化日化的。漸漸同武斷派取相似的舉動。中醫學理難明。中藥確有成效。丟了中醫學去換西醫學。保存改進中藥。補西藥的不足。是他們最近的表示。側重國學的。居然步崇古派的後塵。少陽相火。司天在泉。伏暑秋温。也承認可以意會不可言傳的事情了。

綜而言之。整個的內經。現在尚無人能發見內經有超環境時代潮流永久不磨滅的醫學精神。他的科學價値。非毫無研究心得的武斷派所得抹煞一切。中西醫學界。如欲研究內經。不問存心若何。必須要先認清內經著者的目的。內經著者的環境與經經註釋增移者的手段。若如此而不得內經的微旨。我不信了。

編者案。內經這一部著作。的確是中醫界裏的金科玉律。自漢朝到現在。什麼大醫名醫。那一個不是從內經裏胎化出來的。就是各大醫所發表的風、寒、暑、溼、燥、火、陰寒陽寒、眞熱假熱、眞寒假寒、等名論偉著、那一篇不是根據內經的、他們所以能自成一家、亦不過根據了內經。再把自己的思想與事實。充分地發表而已。讀者研究內經的時候。誠如雲鶴先生所言。不問存心若何。必須要先認清內經著者的目的。內經著者的環境。與

內經

內經註釋增移的手段。還要淸這部內經分折淸楚。病理是病理。生理是生理。診斷是診斷。治療是治療。切莫渾在一處。久而久之自能得其趣味。但是雲鶴先生這篇東西曾經在上海國醫學院院刊內登載過。本來不應登載。今得雲鶴先生自己來函屬轉載在敝刊並將原稿從新修刷以惠敝刊讀者。本社同人對雲鶴先生的厚意是不勝感謝的。

傷寒陰陽症治論

廣州徐仁甫

傷寒治法。須辨陰陽。若病自三陽。不能解散。而傳入三陰。則寒鬱爲熱。因成陽症。蓋其初病。必發熱頭痛。脈息呈浮緊。身無汗出。以漸而深。乃入陰經。此邪在陽分傳來。無瀉利。無加熱。雖在陰經。亦屬陽症也。其脈必沉實有力。其症必煩熱溫盛。此當攻裏。或淸或下。隨宜而用之。倘內無煩熱。亦非陽症也。如初起本無發熱等見。原不由陽經所傳。而直入三陰者。該症或厥冷。或嘔吐。或腹痛瀉利。或畏寒不渴。或脈息微弱而無力。此皆元陽之氣不足。乃爲眞陰症也。經曰。發熱惡寒。發於陽。無熱惡寒。發於陰。是以傳經與不傳經而論陰陽也。凡屬於陽症。治宜涼宜下。屬於陰症。治宜補宜溫。此治傷寒之大法也。但以經證言陰陽。則陰中本有陽症。此係傳經之熱邪也。但以脈證言陰陽。則陽中最多陰症。此係似陽之虛邪也。惟陰中之陽者易辨。而陽中之陰者難知。例發熱狂燥。口渴心煩。善冷飲水無度。大便硬。小便赤。喉痛口瘡。聲粗氣急。脈滑實有力者。此定爲眞陽症也。如其身雖熱。而脈息微弱無力。外見似陽。實非陽症。節菴有曰。凡發熱面赤煩躁。揭去衣服。唇口赤裂。言語善惡。不避親疏。虛狂假班。脈來浮大者。每每誤認作陽症。殊不知陰症也。究其原理。須憑脈息。浮沉大小。舉按尋之。有力無力。而分別之。倘脈重按全無。便是陰脈。不可誤施涼藥。服之必斃。急以五積散通解表裏之邪。過甚者。當加薑附以溫之。又曰病自三陽。傳入三陰者。俱是脈沉。憑在指下有力爲陽爲實爲熱。無力爲陰爲虛爲寒。以定之。既已元陽不足。而氣虛於中。雖有外熱。即假熱耳。設用清涼消耗。則中氣愈敗。邪氣愈強。病者愈危。故凡遇此等症。當即用溫補。勿稍遲緩。方不失於明辨陰陽者也。

簡易効方

郭悠卿

△無名腫毒▽

凡一切無名腫毒。局部發熱。初起焮紅腫痛者。皆由火熱留滯。氣血凝結所致。不論微甚。速用鮮芙蓉葉搗爛圍敷。乾即換之。立能消散。如冬月無葉。以根代之。

△千日瘡▽

千日瘡俗名老鼠奶。象形也。爲黑色高起如鼠奶之瘡。按之不痛不癢。患處無定。多生於頭面及兩手。雖無痛苦。殊礙美觀。考其病原由於血液渾濁。污質瘀留。細胞起排泄分化作用所致。治之之法。可向中藥鋪購蓖麻子十餘粒。無藥膠藥若干張。或用橡皮膠亦可。先將膠藥或橡皮膠剪一小方塊。又將蓖麻子一粒去殼壓碎。置於膠藥或橡皮膠之中心。對瘡根貼上。一日一換。少則三四日。多則十日。其瘡自落。極効。（蓖麻子係有小毒之平性腐蝕藥。故能蝕瘡。惟不可敷於好肉。當須注意。）

雀斑

郭悠卿

雀斑一病。雖無與乎康健。却大礙於觀瞻。生於忠實而不專事修飾之男子尚可。（此非言本貴國五千年來以不潔爲貴。而蓬首垢面汚衣襤履之名士先生。青年亦有此類人）苦患於有戀愛熱交際之青年男女。尤其是千金密司。則非妬天不樂美。亦自怨形不從心。必起天地有盡。（借用成語）此恨無窮之歎矣。相傳麻雀雀性淫。生雀斑者。其人亦必好淫。不佞非患此病。而兼有登徒子之習者。故無從證實。姑置不論。若以醫學言之。則此病有先天性遺傳與後天性自生之別。總而言之。其病原爲血質不清。汚物留結所致。言無藥療法。則舍常運動、（女子亦當運動）勤沐浴、多啖菓蔬、少食腥葷、思想純正、邪念不轉外。他無法門。復於每日清晨漱洗後。用生豆腐一小塊。加入薄荷精末少許。搽擦面部約五分鐘。洗去之。再用無敵牌擦面牙粉擦之。（擦法見該包之說明書）更宜常以兩手心自相磨擦。待發生電熱而有硫黃氣味時。速向面部揉搓。則血液常得流過。汚濁自易排泄。日久行之。必能消退。然此不足爲無恆心者道也。他若注射清血針。施行紫光電療。兼程並進。奏効更速。有此缺之千金密司。若施此法後。改無鹽而成越女。肯有一言以謝吾乎。一笑。

松陽喉科秘傳合抄

陳亮衡家藏秘本

■黃藥方　生蒲黃研細末五錢　皂角針炙研末一錢　殭蠶炙去絲研末一錢　大泥片五分　合一處聽用。此治牙關緊閉。牙根木舌重舌蓮花舌。一切腫脹未破。痰涎難出。紅腫未成。吹之立消。有膿未穿。吹之立破。百發百中之神藥也。已經破爛之症反不可用。如誤用之。非徒無益而反有損。所謂將軍之藥也。

■青藥方　蘇薑即眞薄荷葉不落水者研末四錢　甘草去粗皮晒研末一錢　青黛一錢　釜末即鍋底灰六分　玉蟾丹即明礬鎔硝等分罐內煉研末二錢　龍骨炙二錢　燈草灰三錢　大泥片一錢　研細末合一處。此治喉痺喉癌乳蛾喉閉。及痰涎難出。氣不能通等症。

■紫藥方　黃柏荊芥甘草釀湯浸至柔軟全無苦味以蜜湯再浸再晒乾研末六錢　蘇薑五錢　龍骨炙一錢　白芷二錢　甘草一錢　冰片一錢　共研末。此治一切牙根腐爛。走馬穿牙破碎等症。

■蜜調末藥方　蘇薑爲君。玉蟾爲臣。川貝爲佐。甘草釜末爲使。再加龍骨爲妙。白蜜調之。徐徐咽之。此治吹藥之所不到。

附凡咽喉腐爛不堪者。香頭草打汁冲藥內服漸可愈。又法咽喉腐爛。將百草霜枯礬研末吹喉中自愈。

■冰黃散　大黃一錢　黃柏三分　冰片二分　牛黃少許爲末。醋調敷。

■麻藥方治舌疔　川烏　草烏　細辛　麝香等分爲末。吹患處。

■三黃石膏湯　大黃三錢　檳榔一錢　元明粉一錢　黃芩一錢　連翹一錢　山梔一錢　花粉一錢　石膏二錢　生地二錢　桔梗一錢　甘草五分　燈心一尺　河水煎。食遠服。

■升陽散火湯　升麻五錢　甘草五分　半夏二錢　柴胡二錢　荆芥二錢　黃芩二錢　川芎八分　河井水各半煎服。取陰陽調和之義也。

■清痰化毒湯　金銀花二錢　川貝八分　桔梗二錢　花粉一錢　枳殼五分　甘草五分　河井水煎。空心服。

■清肺化毒湯　麥冬去心二錢　元參二錢　銀花二錢　桔梗一錢五分　牛蒡炒一錢　甘草五分　加燈心。河井水煎。食遠服。

■降火消毒湯　大黃三錢　銀花三錢　枳殼一錢　木通一錢　川連八分　甘草三分　用長流水煎。空心服。

■防風防通聖散　防風一錢　荆芥一錢　薄荷二錢　杏仁一錢五分　甘草四分　心三尺　河水煎。食遠服。此方疏散表邪。最爲相宜。

■黃連解毒湯　銀花三錢　桔梗二錢　花粉一錢五分　連翹一錢　黃連一錢　甘草五分　燈心三尺　姜少許。河井水煎服。

松陰喉科祕傳合抄

■淸火化毒湯（用收功）　生地二錢　銀花三錢　白芍一錢　茯苓一錢　白朮一錢　桔梗一錢五分　甘草一分　河水煎。空心服。淸火化毒此方爲良。

■扶脾淸火湯　生地二錢　銀花三錢　丹皮一錢五分　白朮一錢　陳皮一錢　甘草四分　長流水煎。空心服。收功神効。此方堪誇。

■淸胃散　升麻六分　連翹一錢　丹皮一錢　當歸一錢五分　生地二錢　石膏二錢

■奪命飲　生半夏七個。每個切四片。（姜汁炒）　大皂角（皮半）　南星（半個）　甘草二寸　生姜指頭大一塊。河水煎。務須照方。

■吐痰法（服奪命飲不醒此方吐其痰）　鶴虱二錢五分　陳酒半杯。好醋三五匙。將鶴虱研末。鵝翎調蘸攪喉中。吐去痰通卽愈。

■搐鼻散（用吐痰法喉甯不開再用此法）　川牛膝不拘多少。研末乳汁調和。將筆管吹鼻中。半時喉卽開。

■子月　梅片五分　珊砂五錢　元明珠五錢　硃砂六分　共爲細末。治一切喉痧潰爛。功能長肉去腐生肌。

■丑寅（治喉內腐爛）　雄黃一錢　冰片五釐　胆礬三分　共爲細末。吹用宜少不宜多。孕婦忌。

■寅用　人中白五錢　青黛二兩　山梔五錢　冰片三錢　松蘿茶五錢　厚扑五錢　大棗肉色厚者。切片火煆。共爲末。再用坑磚一角煆煉和入。治諸口疳。

松陰喉科祕傳合抄

□卯冰治一切咽喉諸症 冰片一錢 黃柏一錢 枯礬一錢 甘草一錢 雞內金煆一錢 元明粉二錢 青黛二錢 雄黃一分 川連二分 鹿角霜一兩 珊砂五分 銅青五分 寶鈔三張 如口臭加人中白三分 研末。

□辰龍治牙關緊口不能開 胆磯即冬月青魚胆汁和勻成塊用此搽牙即安其効如神。

□巳金 火硝一兩五錢 炒姜蠶二錢五分 月石五錢 雄黃二錢 爲末單雙蛾初起一二日以此開痰已潰有傷處者不可用。

□午鐵治喉間痰塞 牙皂忌鐵 黃連、白磯各一錢共瓦上煆研末吹用五分 重者聲如雷須扶好以便吐痰吐後滆水嗽淨。用此藥小心爲宜。孕婦忌。

□未聖 雄黃二錢 扑硝五錢 月石二錢 共爲末凡喉間腫塞不能用藥以此吹鼻中。

□申紅治一切喉腫症去痰消腫如神 元明粉一兩 雄黃一錢 研末吹腫立散。甚者更妙孕婦及病後虛人忌用。

□酉鬱治咽喉爛疼痛 雞內金勿見水焙研爲末一錢 冰片一錢 兒茶二錢 共爲細末用此立時止痛收口。

□戌雪即紫雪丹散專治重舌 冰片 青礬煆紅放地上退火毒一錢 冰片麝香各少許 月石三錢 元明粉五錢 研末吹舌自消。

□亥生開關去痰通竅第一仙方立能起死回生 生礬一兩 巴豆廿粒 入銀罐內煆俟礬枯去巴豆每兩加薑黃一錢 麵糊爲丸。雄黃爲衣每服七粒姜湯送下。凡牙關緊閉下此立開。

■青金錠　延胡索二錢　牙皂十四條紙包濕煨　青黛六分　麝香五釐　研末清水調作五分一錠。臨用取新汲水磨。化以棉紙蘸藥滴鼻內。少頃痰響取出卽愈。

附治口疳走馬疳口中破爛蜜陀僧末醋調塗足底心一人破碎爛亦効

■碧丹方清痰熱祛風毒開喉關去痰涎最妙　玉丹三分　草霜半匙　元丹一釐　甘草灰三匙　冰片五釐　薄荷去節五釐下　共研末。春夏薄荷玉丹少。秋冬玉丹多薄荷少。欲出痰涎加牙皂少許。

■金丹方　火硝一錢五分　生蒲黃四分　炒姜蠶一錢　牙皂一錢二分　冰片五釐　共研末。性善走。重症甚至涎上痰壅。非此不可立奏奇功。然必須合碧丹用重症則碧丹多加庶免藥不勝病之患

■青靈膏　薄荷三錢　貝母三錢　甘草六分　草霜五分　冰片三分　玉丹二錢　元丹八分　研細。蜜調噙化咽下

紅棉丸治喉症唇發不得斷根噙化二丸永不復發

烏梅肉一兩　眞胆礬一兩　搗爛。丸如龍眼大再用烏梅肉冲爛包於外用太紅棉　臥含口中任吐痰涎一二夜

■作玉丹法　明礬如豆大頭銀罐中以火煅不住手攪之無塊爲度再用好硝打碎徐徐投下十分之三少頃再投生礬俟化再投生礬如是漸增至鋪起罐口方止然後加高發如饅頭炭火至乾用淨瓦一片覆罐上蒸過聽用將牛黃少許用末五六匙化開滴洒丹上烘乾完取下過七日收起輕鬆無硬者　研細聽用。

■元丹法　肥白燈草水潤退揀完固塞套用棉紙紙塞一頭將燈草塞緊管內用溼紙封口炭火煅至烟將管放磚上碗覆之待冷將剩去管及兩頭紙灰取

燈草灰黑色成塊者聽用。

■雪梅丹　大青梅破開去核。將明礬入內竹簽釘住火煅梅成燼只用白礬輕白如膩粉者此出涎清火甚捷乃祕方也

■統治咽喉口舌神効方　生黃連三錢　黃芩三錢　炒山梔三錢　珊砂三錢　青梅煅存性一錢　牛胆硝三錢　雞內金一錢　明雄黃一錢　人中白五錢　飛青黛五錢　明礬三錢共為細末　加麝香三分　冰片六分　共研。入罎瓶收貯每用一日夜必吹十餘次流出痰涎即愈如已鼻關加銅青一錢兒茶一錢五分若遇牙關緊閉不能用藥五倍子研末醋調作餅貼牙間淨處口即能開息微於鼻則皆可用可治如口開不上以烏梅二個入口內右骨核即上

製青梅法　大青梅半斤去核　明礬三錢五分　鹽三錢五分　拌和。蜒蝣五十條　層層間隔。瓦器貯一日夜取梅晒煅灰存性

■製胆法　冬月將扑硝裝黑牛胆內。掛風口百二十日去胆皮用之。

■急救解毒湯　治鼻疫咽喉腫疼頭筋大舌強聲時啞悶藥難危在須臾非此不救　桔梗二兩　甘草三兩　防風二兩　荊芥三兩　連翹二兩　黃芩二兩　大黃二兩　川連二兩　薄荷二兩　升麻二兩　蒲黃五錢　青黛五錢　元明粉五錢　火硝三分　研末。以烏梅湯調沛服亦可此方治陽毒犯上無出其右藥治頭面浮腫疙瘩堅硬溼瘡耳內膿流眼眩赤腫口內臭爛等症

■喉症挑筋法　酒噴背上。從下試之有毛直豎其根必有黑點破皮挑斷筋即愈既牙禁者耳下動處有黑點挑去筋立開

■急救通關散　退障除痰并能清火次用喉間妙如神　白礬一錢　月石一錢　青鹽一錢　以雞毛和拌。紙包鹽灶上不然化水則無用

二聖散　膽礬二錢　白殭蠶五錢　爲末。吹少許卽愈。治急纏喉風

□治急喉風并乳蛾　艾汁四片　土牛膝根少許打汁　入乳拌和滴鼻中患右滴左如無人乳卽牛乳或膏魚胆亦妙冬無艾叶取根打汁

又方　壁蟢七個本人後項髮瓦上焙乾存性井水一杯飲下立効

□海藏治喉間逡巡不救丹溪以雞毛醮藥數腫處者亦妙　皂莢去皮核弦生用半兩　研末。以箸頭少許在腫處更以醋調藥厚抹頭上須臾卽便破血出立瘥

□立効吹藥方鐵刀開傷致喉舌爛腫飲食難進極驗　人中白煆一錢　黃連一錢　薄荷一錢　青黛二錢　橄欖灰五分　烏梅灰五分　大紅錦灰五分　兩頭尖五分　珍珠三分　琥珀末三分　冰片三分　西黃二分以上件之研細後入牛黃冰片再研收貯

□口疳瘡方泥鰌上灰寬發俟枯取燒灰入冰片少許吹之數次自効

□精要犀牛膏治咽喉舌上生瘡有人因痘而生瘡若此以心臟靈絕皆辭退余進此方一日而安出準繩　眞琥珀研一錢　生犀角一錢　辰砂研二錢　茯神二錢　貞子二錢　人參二錢　酸棗仁二錢　右人參神角共爲末。入乳鉢別研加他藥和勻用蜜件如膏磁瓶收貯俟痰作參冬去心煎濃湯下每服一彈子

□小兒咽痛方一名甘桔牛蒡湯此二方小効　甘草五分　桔梗二錢　茯苓六分　元參五分　連喬六分　麥冬去心五分　煎服。如發熱作渴面赤飲冷者。上焦實熱。用射干牛蒡湯。　大力子二錢　甘草五分　射干五分　水煎兼治牙腫者

——松陰喉科祕傳合抄——

□甘露飲或犀角豆湯　犀角二錢　山豆根二錢　元參八分　桔梗一錢　牛蒡八分　甘草三分　不食乳者用。

□如聖麥冬湯　桔梗一錢　麥冬一錢　大力子一錢　甘草五分　竹葉十片

□吹用十宣散　黃芩、黃柏、黃連各一錢　苦參五分　元明粉、硼砂各三分　冰片少許、研末吹。

□喉痺飲　喉痺用甘吉爲君元參牛旁貝母荊芥忍冬前白同花粉姜蠶加入引燈心

□荊防敗毒散　荊防敗毒甘吉苓二活銀花枳殼增薄荷牛旁芩參入邪臨火降即時驅

□又方　荊芥、防風、白芷、銀花、各三錢　山梔、花粉、薄荷、枳殼、陳皮、山查、各一錢　桔梗一錢五分　甘草四分　燈心二尺　此方

□靈効。

□蘇子降氣湯　蘇子降氣橘前胡苓防枳殼吉甘具朴桂再加喘促定下虛上盛巳災除

□川吉散　川吉散用烏子苓六力山梔花粉陳元參防殼同甘草葱白燈心食後呑

□清心利膈湯　清心利膈用荊芥防連喬薄荷黃連蒡元參梔子苓硝入大黃甘吉最相當

□八正順氣湯　八正順氣朮香苓吉半芍殼朴砂仁大力元參同梔子二皮和合毒根除

□四七氣湯　四七中用甘吉陳香薷薄荷粉殼勻大力元參蘇生地茯苓梔子効加神

□參苓順氣湯　參苓順氣二朮陳紫蘇大力甘吉臣花粉烏藥元參枳殼山藥和中順氣靈

松陰喉科秘傳合抄

■益氣疏風湯　益氣疏風甘吉蘋芩胡花粉四物奇參冬連喬及蘇葛防風同入佐青皮

■當歸連喬散　當歸連喬花粉芩前胡甘吉大力勻元參芍地同枳殼解毒疎風疾自平

■防風通聖散　防風通聖荊麻黃膏滑連翹枳薄當芍藥黃芩同吉梗朴硝甘草大黃朮

■獨毒流氣飲　獨毒流氣芷參風連翹當歸大力芎附殼梔子甘吉粉陳皮柴蘇元參通

■甘吉解毒湯　甘吉解毒甘吉君射干龍胆山豆根土苓八兩另煎汁再煎冲入牛黃香用吉梗三分射干豆根土苓八兩另煎湯再煎冲入牛黃香用吉梗三分射干甘草龍胆草山豆根各一分再用土茯苓八兩另煎湯代水煎各藥臨飲冲牛黃二分每服煎三碗偉晚中三次服

■鼠黏解毒湯　鼠黏升麻共黃連人參甘防生地兼粉白朮山梔佐吉梗黃芩河水煎

■清胃散　黃芩黃連生地丹。升麻石膏河水煎。

■加減甘露飲　熟地茵陳天門冬把犀角香薷同生地黃芩枳殼佐石斛甘草奏奇功治一切喉癬臭爛皆妙

■黃連解毒湯　黃連解毒連翹聯丹皮粉當青皮兼甘吉生地蘇胡佐大力枳殼銀花煎加入元參妙莫言

■清脾降火湯　清脾降火丹青皮猪茯當吉山澤宜生地薄白元參朮防風麥冬省頭奇

■滾痰丸　川連五分　犀角五分　胆星五分　青黛一錢　元參三錢　蜜丸服。此丸服之痰自吐痰消則氣順痰自平矣痰或降

■瘟痧口疳吹藥方　川連炒六分　兒茶六分　大泥片二分　人中白煅二分　血竭二分　珊砂二分　血餘一錢　輕粉龍

骨三分 研末吹之。

牙腫牙痛治內臟方 熟石膏二錢 荊芥一錢 防風一錢 靑丹皮一錢 甘草六分 生姜一片 河水煎。臨臥服。

臥不安枕。牙腫痛所連。當加主藥。

上當門四牙屬心 下當門四牙屬腎 加川連六分麥冬二錢 加知母二錢黃芩二錢

上左二牙屬胃 下右二牙屬脾 加川芎二錢白芷二錢 加白朮二錢白芍二錢

上左盡牙屬膽 下右盡牙屬肝 加羌活二錢甘草二錢 加柴胡二錢山梔二錢

上左諸牙屬大腸 下右諸牙屬肺 加大黃二錢枳殼二錢 加杏仁二錢桑白皮二錢或黃芩二錢吉梗二錢

對口落頭疽敷藥方 用蒸飯一盃或粽子一只入白洋糖八錢雄猪眼稍頭圓內一對搗和成膏敷上頭頂出氣

又方 鮮茄蒂七個鮮首烏量其等分水煎服一服出膿再服收口斂服結疤

排膿方 甘草一兩 桔梗一兩 黑棗十枚 水三升煎。煮成一升一日分數次服溫服

治喉痺喉閉雙單蛾一切喉症 細生地二錢 黃芩一錢 甜杏仁一錢 南沙參三錢 丹皮一錢 生甘草五分

貝母一錢 川石斛五錢 銀花三錢 揀麥冬二錢 黑山梔一錢 生穀牙一兩 燈心三尺 蓮心十粒 紅棗十枚 淡竹葉十片

安福消腫膏啟事

安福消腫膏啓事

敬啓者安福消腫膏醫治腿部潰瘡而獲良效誠非虛語按腿部潰瘡種類甚多有惡性者有頑固者有腫脹者有屬脛骨者患者甚衆惡痼難癒往往歷久不除人皆知之苟有醫生治癒此症其妙手仁術必得聲譽陪增是膏能治任何潰瘡使痛苦立減醫生若能持久信用之必收美滿之效果曾有醫師以安福消腫膏治楊梅遺毒所發之潰瘡而獲良效某醫出報告謂有人患殰瘍潰瘡三十四年後得安福消腫膏而痊癒又一醫士來函云有一患潰瘡歷二十年者敷用安福消腫膏後其患全消是患者雖常行走並年復發此種報告實常有之安福消腫膏治瘡之用法已詳于說明書中君初次敷用時疼痛過甚則可敷此膏於患部之四周俟瘡稍癒乃敷于患部某醫士曰彼于醫治潰瘡時先塗以碘後敷以安福消腫膏亦有于施是膏之先以硝酸銀摩瘡之四周然多數醫生則純用安福消腫膏而已至於治潰瘡時患肢宜高舉潰瘡愈後應穿橡皮襪等均隨醫生之便專此奉聞并請

大安

美國紐約登佛化學製藥公司醫藥部謹啓

中國醫學月刊

CHINA MEDICAL JOURNAL

(Issued Monthly)

定價表

時期	冊數	書價連郵費 國內	書價連郵費 國外
每月	一冊	二角	二角四分
全年	十二冊	二元	二元四角

郵票代價十足通用惟以半分至四分爲限

廣告價目表

等級	地位	全面	半面
特等	封面底面之外面	五十元	三十元
優等	封面底面之內面正文之首篇之對面	三十五元	二十元
上等	色紙夾張之前後頁	十六元	十一元
普通	白紙夾張或正文後	八元	五元五角

廣告如用銅版或用彩印價目另議　繪圖刻圖工價另議　登多期或訂登全年者價目從廉　欲知詳細情形請至上海福州路八三號「中國醫學月刊廣告處」接洽　遠地函詢卽行奉復

中華民國十九年三月二十日出版

中國醫學月刊第十一期

零售每冊大洋二角

撰述者　全國著名中醫

編輯者　中國醫學月刊社　上海四馬路西中和里八三號

發行所　中國醫學月刊社　上海北四川路五五號

印刷者　中西印書局

◀寄售處▶

千頃堂書店　上海三馬路

啓新書局　上海棋盤街

會文堂書局　上海河南路

安福消腫膏

Antiphlogistine

TRADE MARK

咽喉症之特效藥

喉熱。喉膜炎。咽頭炎。喉頭炎。聲管發炎。及時行傷風感冒等。均爲秋冬二季最流行之症。諸大醫士。如以世界馳名功效卓著之安福消腫膏治之。必能奏效如神也。

▲用法

以安福消腫膏罐先置於水盤中。使熱。厚敷于咽喉及胸之上部。非特能使病人安適。且能立刻減除其痛苦。及紅腫發炎之進行。。

全世界各大埠均設有實驗室

倫敦．柏林．巴黎．雪黎．蒙脫里而．弗老倫司．白色落納．墨西哥城．別納司愛嗅司．

安福消腫膏全世界各大醫士均採用之

美國紐約登佛化學製藥廠出品

中國總經理處

上海黃浦灘二十四號同益洋行

中國醫學月刊介紹